MATTHEW P

MONTE CASSINO

OPOWIEŚĆ O NAJBARDZIEJ ZACIĘTEJ BITWIE II WOJNY ŚWIATOWEJ

Przekład
Robert Bartołd

DOM WYDAWNICZY REBIS
Poznań 2005

Tytuł oryginału
Monte Cassino

Redaktor merytoryczny
prof. dr hab. Zbigniew Pilarczyk

Redaktor
Zofia Zawadzka

Opracowanie graficzne okładki
Zbigniew Mielnik

Fotografie na okładce
Klasztor na Monte Cassino po zbombardowaniu i zdobyciu przez oddziały aliantów, maj 1944
Polscy żołnierze wciągają na górę zaopatrzenie przed ostateczną ofensywą

Wydanie I

ISBN 83-7301-615-5

Dom Wydawniczy REBIS Sp. z o.o.
ul. Żmigrodzka 41/49, 60-171 Poznań
tel.(0-61) 867-47-08, 867-81-40; fax (0-61) 867-37-74
e-mail: rebis@rebis.com.pl
www.rebis.com.pl
Fotoskład: *Akapit*, Poznań, ul. Czernichowska 50B, tel. (0-61) 879-38-88

Dla Hannah

Miłość zwycięża wszystko

Spis treści

Spis map

Przedmowa

Mówi się: „Generałowie dostali nauczkę w czasie ostatniej wojny. Nie będzie już żadnych masowych rzezi". Pytam, jak można odnieść zwycięstwo, jeśli nie dzięki masowym rzeziom?

Evelyn Waugh, październik 1939

Wojna ma sens tylko wtedy, gdy postrzega się ją w czarno-białych barwach. Druga wojna światowa w powszechnej pamięci zapisała się jako „dobra wojna", zwłaszcza w porównaniu z pierwszą wojną światową. „Narody Zjednoczone" (jak nazywali siebie alianci) dały odpór tyranii nazizmu i najazdowi Japończyków, zwycięskie zakończenie walki położyło kres wielu potwornym zbrodniom przeciwko ludzkości i uwieńczyło wszelkie akty poświęcenia ludzi po właściwej stronie. Obecnie ilekroć dyskutuje się o moralnym aspekcie wojny, zawsze przykłada się do niego miarę drugiej wojny światowej. Stała się ona wojną, która usprawiedliwia wojnę.

Druga wojna światowa w znacznym stopniu została przedstawiona przez zwycięzców w postaci opowieści heroicznej. Na każdy *Paragraf 22* czy *Rzeźnię numer pięć* przypadają setki powieści, książek historycznych i filmów, opiewające niewzruszone pewniki moralne walki. Dla mojego pokolenia, dorastającego w latach siedemdziesiątych ubiegłego wieku, wszystkie filmy wojenne, które pokazywano, i komiksy, które zdawały się być wszędzie, dotyczyły drugiej wojny światowej. Nie sposób sobie wyobrazić, żeby powszechne pojęcie o pierwszej wojnie światowej mogło stanowić odpowiednie tło tak prostych opowieści, podobnie jak w chłopięcych zabawach w wojnę nigdy nie pojawiały się okopy czy bardziej współczesne, nawet bardziej dwuznaczne moralnie konflikty. Zawsze byli to Brytyjczycy przeciwko nazistom, dobro przeciwko złu.

Pierwsza wojna światowa nie tylko przyczyniła się do wybuchu drugiej, lecz także ukształtowała sposób, w jaki ludzie na nią reagowali. Na początku drugiej wojny światowej żywiono nadzieję, że nowoczesna technika zapobiegnie przerażającemu zmasakrowaniu żołnierzy piechoty, do którego doszło w pierwszej wojnie. Postęp, jaki dokonał się w okresie międzywojennym, jeśli chodzi o samoloty, działa, czołgi, okręty podwodne i bomby, sprawił, że ludzie doszli do przekonania, iż tym razem walka będzie szybka, zmechanizowana, zdominowana przez lotnictwo, w jakiś sposób „zdalnie sterowana" czy prowadzona przez nielicznych specjalistów. Popularna historia bitwy o Anglię – gdy dziesiątki zestrzelonych samolotów oznaczano kredą na tablicach, jakby to był mecz krykietowy – w pewnej mierze przystaje do tego wyobrażenia i ten pogląd na drugą wojnę, przynajmniej na Zachodzie, jako nieco „czystszą" niż pierwsza, przetrwał zarówno toczące się dalej walki, jak i okres powojenny.

Bitwa o Monte Cassino stawia to wszystko pod znakiem zapytania. Zamiast stoczyć szybką bitwę, żołnierze znaleźli się w sytuacji jako żywo przypominającej front zachodni w latach 1916–1917. Ukształtowanie terenu zmusiło do walki z epoki przedmechanicznej. Góry środkowych Włoch i zimowa aura sprzysięgły się, żeby technikę, na przykład wojska pancerne, uczynić w zasadzie bezużyteczną. Większą wartość miał jeden pracowity muł niż tuzin czołgów, a ogromna przewaga liczebna aliantów w artylerii i samolotach rzadko miała znaczenie decydujące, a często stanowiła przeszkodę. Przede wszystkim taka siła ognia wiązała się z pewnym niebezpieczeństwem. Szacuje się, że jedna trzecia strat aliantów we Włoszech została spowodowana własnym ogniem. Pewien amerykański artylerzysta spod Cassino żalił się, że amerykańskie bombowce zabiły więcej ludzi w jego dywizji niż Luftwaffe.

Wojska we Włoszech nie kierowały się też jakimś narodowym pewnikiem czy jednością celu. Z tyloma różnymi grupami narodowymi i etnicznymi, z tak zdecydowanie odmiennych społeczeństw, byłoby to niemożliwe. W szeregach aliantów znajdowali się, poza żołnierzami brytyjskimi i amerykańskimi, żołnierze z Nowej Zelandii, Kanady, Nepalu, Indii, Francji, Belgii, Związku Południowej Afryki, Tunezji, Algierii, Maroka, Senegalu, Polski, Włoch, a nawet Brazylii. W obrębie tych grup znajdowały się oddziały Indian północnoamerykańskich, Amerykanów pochodzenia japońskiego i Maorysów. Wszyscy byli tam z odmiennych powodów. Dało to w rezultacie koalicję zżeraną na najwyższym szczeblu przez nieufność i zazdrość, co nieuchronnie prowadziło do nieporozumień i błędów. Żołnierze alianccy walczący pod Cassino, w znacznej mierze źle dowodzeni i kiepsko wyposażeni, widzieli, że umniejszano ich rolę w prasie w kraju, piszącej, że uczestniczą w bitwach o ogromnej skali i koszcie, które miały, w najlepszym wypadku, drugorzędne znaczenie strategiczne, przy niewielkich siłach ludzkich po stronie przeciwnika.

Niemcy byli w jeszcze gorszej sytuacji. Na jeden pocisk armatni, który przysyłał Krupps, General Motors dostarczał pięć. Poza amunicją artyleryjską Niemcom rozpaczliwie brakowało podstawowych artykułów spożywczych i odzieży dla wojsk frontowych, strzegących w środku zimy oblodzonych szczytów górskich. Wielu żołnierzy z braku szyneli zamarzło na śmierć.

Obie te stojące naprzeciw siebie wrogie grupy żołnierzy, które w niektórych miejscach dzieliło dwadzieścia czy trzydzieści jardów odkrytego terenu, znosiły cierpienia spowodowane walką i żywiołami natury, i zaskakująco często przerywano w niektórych miejscach walkę, by noszowi obu stron mogli uratować licznych rannych. Wielu wspomina o konsternacji związanej z podjęciem później, gdy czas rozejmu dobiegł końca, kolejnych prób pozabijania się nawzajem.

Z relacji z pierwszej ręki, ówczesnych dzienników i listów oraz z rozmów z setkami weteranów wyłania się obraz doświadczeń wojennych, które różnią się od powszechnego czarno-białego obrazu. W opisach czasu walki dominuje zamieszanie, strach, błędy i wypadki; żołnierze mówią też o okresach nudy, tęsknocie za domem, „cykorze" czy „drylu" w armii, a także o braterstwie z przyjaciółmi, z których wielu się traciło. Opowiadają, jak te doświadczenia ich zmieniły i co obecnie sądzą o tamtych zdarzeniach.

Książka ta, dążąca do wyjaśnienia strategicznych i taktycznych kompromisów i zaniechań, które prowadziły do bitew, skupia się bardziej na przeżyciach żołnierzy w tamtym czasie niż na „gdybaniu" czy „ocenianiu" działań generałów. W tym celu starałem się w jak największym stopniu pozwolić naocznym świadkom opowiedzieć tę historię własnymi słowami.

Podziękowania

Najważniejszy i największy dług wdzięczności mam wobec weteranów, którzy wyrazili zgodę na rozmowę ze mną i na wykorzystanie wywiadów z nimi w tej książce. Wdzięczny jestem także tym wszystkim, z którymi kontaktowałem się listownie, telefonicznie lub za pomocą poczty elektronicznej i którzy przysłali mi listy, fotografie, pamiętniki i nie publikowane wspomnienia. Oczywiście umieszczenie w ostatecznej wersji książki więcej niż drobnego ułamka zgromadzonego materiału było niemożliwe, ale wszystko to pomogło stworzyć obraz wydarzeń we Włoszech na początku 1944 roku. Szczególnie wdzięczny jestem Louise Osborne, Jane Martens, Katji Elias i mojemu ojcu, Davidowi Parkerowi, którzy przeprowadzili dodatkowe badania.

Przy gromadzeniu materiałów i pisaniu tej książki pomagała mi ogromna liczba osób – więcej niż mógłbym tu wymienić. Chciałbym jednak szczególnie podziękować Colinowi Bowlerowi z GeoInnovations; majorowi E. L. Christianowi, honorowemu sekretarzowi Royal Sussex Regimental Association; Johnowi Clarke'owi z Monte Cassino Veterans Association; Alanowi Collinsonowi z GeoInnovations; Johnowi Crossowi; Ivarowi Cutlerowi z Italy Star Association; Lindsayowi Daviesowi; Miltonowi Dolingerowi; Grantowi Dysonowi; Benowi i Louise Edwardsom; Wernerowi Eggertowi; Patrickowi Emersonowi z Indian Army Association; K. Erdmannowi z Bundesarchiv we Fryburgu; Bettinie Ferrand z ambasady niemieckiej w Londynie; Jerry'emu Gordonowi; Gavinowi Edgerley-Harrisowi, zastępcy kustosza w Gurkha Museum; Sandrze Stewart Holyoak, dyrektorce Rutgers Oral History Archives of WWII; Markowi Jeanneteau; Windsorowi Jonesowi, kustoszowi Army Museum w Waiouru; Barbarze Schick Kardas; dr. Peterowi Liddle'owi z The Second World War Experience Centre w Leeds; Fredowi Lincolnowi, przewodniczącemu 88th Infantry Division Association; Karen McGlone; Tomowi McGregorowi; Sheili Parker; Stanowi Pearsonowi; Evanowi Powell-Jonesowi z Gurkha Welfare Trust; dr. Christopherowi Pugsleyowi z Królewskiej Akademii Wojskowej w Sandhurst; Cameronowi Pulsiferowi z Canadian War Museum; Alanowi Readmanowi, archiwiście z West Sussex Record Office; Carol Reid z Canadian War Museum; Johnowi Routowi, sekretarzowi New Zealand Permanent Forces Old Comrades Association; Maggie Roxburgh z Royal Engineers Museum w Chatham; Herbowi Schaperowi; dr. Robinowi J. Sellersowi, dyrektorowi Reichelt Program for Oral History na Florida State University; dr. Gary'emu Sheffieldowi; Benowi Shephardowi; Rajindarowi Singhowi z Indian Ex-Servicemen Association; Patowi Skelly'emu; Lesleyowi Stephensonowi; Heather Stone, kustoszce Auckland War Museum; Carlowi i Eleanor Stromom; Anne i Paulowi Swainom; Jerry'emu Taylorowi, wiceprzewodniczącemu 88th Infantry Division Association; Johnowi Taylorowi z Rajputana Rifles Association; Michelle Tessler z Carlyle & Co. z Nowego Jorku; Haroldowi Tonksowi z Italy Star Association; Richardowi van Emdenowi; Alanowi Winsonowi z Grand Island Films.

Wyrazy podziękowania składam także pracownikom wszystkich archiwów i bibliotek, z których korzystałem, w szczególności Imperial War Museum w Londynie i London Library. Miałem szczęście współpracować z pełnym zapału i profesjonalnym zespołem wydawniczym w Headline, w szczególności z Heather Holden-Brown, Lorraine Jerram i Wendy McCance. Jestem także wdzięczny mojemu agentowi Julianowi Alexandrowi za jego uspokajające rady i pomoc oraz Philipowi Parrowi za fachową adiustację. Składam podziękowania Nigelowi de Lee z Królewskiej Akademii Wojskowej w Sandhurst za uważne przeczytanie rękopisu. Za wszystkie błędy odpowiedzialność ponoszę oczywiście tylko ja.

Jestem również winien wdzięczność za wsparcie i wyrozumiałość swoim dzieciom, Olliemu i Tomowi, oraz Hannah, której książka ta jest dedykowana.

Chciałbym podziękować za zgodę na przytoczenie cytatów z dzieł opublikowanych: Peterowi Liddle'owi, dyrektorowi Second World War Experience Centre w Leeds (periodyk „Everyone's War"); Marshallowi Cavendishowi (periodyk „Images of War"); „The New Statesmen" (wiersz *Lest we Forget* Y. Alibhai); spadkobiercom Sheili Dickinson (*War* Patrica Dickinsona); Pen and Sword Books (*The Heat of the Battle* Petera Harta); Aleksowi Bowlby'emu (jego *Recollections of Rifleman Bowlby*); Eland Books (*Naples 44* Normana Lewisa); Georgowi Sassoonowi (*Obrzydliwy smród tych ciał ciągle mnie prześladuje* Siegfrieda Sassoona); wydawnictwu André Deutsch (*Soldierin On* Johna Blythe'a i *Virtue* Roya Fullera); pani J. Smith (*Even the Brave Falter, Cassino*, osobisty dziennik E. D. Smitha); Texas A&M University Press (*Long Walk Through War* Klausa Heubnera); Weidenfeld and Nicolson, spadkobiercom Laury Waugh i Peters, Fraser & Dunlop Ltd (*The Diaries of Evelyn Waugh* pod redakcją Michaela Daviego); A. M. Heath & Co. Ltd w imieniu Josepha Hellera i Random House UK Ltd (*Paragraf 22*); A. M. Heath & Co. Ltd (*The Monastery* Freda Majdalany'ego); Pollinger Limited (*Eclipse* Alana Moorheada); Faber & Faber (*Letters from a Soldier* W. S. Robsona); Spike Milligan Productions Limited (*Mussolini: His Part in My Downfall* Spike'a Milligana).

WPROWADZENIE

Klasztor i linia Gustawa

Do bitwy o Monte Cassino można porównać tylko rzezie pod Verdun i Ypres czy najcięższe walki drugiej wojny światowej na froncie wschodnim. Bitwa o Cassino – największa bitwa lądowa w Europie – była najcięższą i najkrwawszą z walk zachodnich aliantów z niemieckim Wehrmachtem na wszystkich frontach drugiej wojny światowej. Po stronie niemieckiej wielu porównywało ją niepochlebnie ze Stalingradem.

Po zdobyciu Sycylii w 1943 roku wojska aliantów stanęły naprzeciwko armii niemieckiej w długiej kampanii na kontynencie europejskim po raz pierwszy od trzech lat. Do początku 1944 roku Włochy nadal były jedynym aktywnym frontem aliantów zachodnich w kontrolowanej przez nazistów Europie, a postęp był boleśnie powolny. Kampania zaczęła budzić zażenowanie, wśród aliantów narastały konflikty.

Zadanie, które postawili przed sobą alianci, nie było łatwe. Od Belizariusza w roku 536 nikomu nie udało się zająć Rzymu od południa. Hannibal wolał nawet przebyć Alpy niż obrać bezpośrednią drogę z Kartaginy. Napoleonowi przypisuje się stwierdzenie: „Włochy to but. Trzeba wchodzić w nie od góry". Przyczyną było ukształtowanie terenu na południe od Rzymu. Rwące rzeki przecinają wysokie góry. Jedyna możliwa droga do stolicy Włoch od południa prowadzi starą Via Casilina, obecnie znaną jako droga numer sześć. Osiemdziesiąt mil na południe od Rzymu droga ta przecina dolinę rzeki Liri. Tam właśnie dowódca niemiecki Kesselring postanowił stawić opór. Nad wejściem w dolinę górował klasztor Monte Cassino.

Jest to jedno z najświętszych miejsc chrześcijaństwa. Założone podobno przez rzymskiego arystokratę świętego Benedykta w 529 roku opactwo stało się wzorem dla klasztorów zachodniej Europy. Z Monte Cassino benedyktyni wyruszali zakładać klasztory w całym świecie chrześcijańskim. Jednocześnie we wspaniałej bibliotece klasztornej przechowywano i kopiowano dzieła stworzone od czasów starożytności, zabezpieczając dziedzictwo wczesnej cywilizacji. Klasztor uległ poważnym zniszczeniom podczas trzęsienia ziemi w 1349 roku, ale dzięki poparciu papieża Urbana V od razu rozpoczęto jego odbudowę. Nowe opactwo było potężnym, rozległym kompleksem budynków wokół pięciu dziedzińców. Mury miały u podstawy dwadzieścia stóp grubości; z dołu ta ogromna budowla z ponurymi rzędami okien cel wyglądała jak forteca. W renesansie opactwo stało się popularnym celem pielgrzymek. Benedyktyni, zgodnie ze swoim zwyczajem, obmywali podróżnym nogi i usługiwali im przy stole. W jednym tylko roku na początku XVII wieku przybyło podobno 80 tysięcy pielgrzymów. Pokolenia Włochów włożyły wiele trudu w upiększenie budynków. W XVIII wieku dzięki kilku największym włoskim artystom klasztor stał się barokowym arcydziełem i ośrodkiem sztuk pięknych. W 1868 roku opactwo stało się dobrem narodowym Włoch, ale biblioteka pozostała jedną z najważniejszych na świecie – w 1943 roku zawierała ponad 40 tysięcy manuskryptów i wiele dzieł Tacyta, Cycerona, Horacego, Wergiliusza, Owidiusza i innych. Nad bramą klasztoru wyrzeźbiono jedno słowo: *Pax*.

Benedykt wybrał jednak to miejsce w czasach, gdy chrześcijaństwo, zorganizowane wokół Rzymu, przechodziło największy kryzys. W celu ochrony swojej nowej wspólnoty zbudował klasztor na szczycie wysokiej na ponad 500 metrów litej skały, na krańcu bocznej górskiej grani, która wznosi się niemal pionowo nad położoną niżej doliną. Z jego wysokich okien rozciąga się widok na wiele mil dookoła – wszystkie drogi prowadzące do masywu widać jak na dłoni.

Pod koniec 1943 roku uznawano go już za jedno z najlepszych stanowisk obronnych w Europie i jako takie omawiano przez wiele lat na włoskich wyższych uczelniach wojskowych. Poza wykorzystywaniem dominującej pozycji był chroniony przez rzeki Rapido i Garigliano, które tworzą przed nim naturalną fosę. Jego flanek strzegą poszarpane, bezdrożne góry: od doliny Liri niemal do wybrzeża rozciągają się góry Aurunci, za klasztorem masyw Cassino przechodzi w nieprzystępne pasmo Abruzzów.

Na północ od Cassino nie ma, jak na wybrzeżu Adriatyku, wielu przeszkód rzecznych. Za doliną Rapido rzeki płyną na południe i północ, Tyber płynie w okolice jeziora Trasimeno, a Arno kieruje się w stronę Florencji. Cassino było zatem naturalnym stanowiskiem obronnym na drodze do Rzymu, upadek Rzymu zaś oznaczałby upadek środkowych Włoch.

Masyw Cassino, na którym stał klasztor, był kluczowym stanowiskiem w linii Gustawa, systemie połączonych niemieckich linii obronnych, biegnącym przez całą szerokość najwęższej części Włoch między Gaetą i Ortoną. Był to przykład imponującej inżynierii wojskowej, najpotężniejszy system obronny, z jakim podczas wojny zetknęli się Brytyjczycy i Amerykanie. W znacznej części górował nad rzekami o stromych brzegach, w szczególności Garigliano i Rapido, lub też rozciągał się na nadbrzeżnych bagnach lub na wysokich górskich szczytach. Naturalne korzyści, jakie dawało górskie położenie, zostały wzmocnione przez Niemców dzięki usunięciu budynków i drzew i poszerzeniu w ten sposób pola rażenia. W innych miejscach powiększono występujące w tej okolicy naturalne jaskinie, a pozycje obronne wzmocniono dźwigarami kolejowymi i betonem. Wykopano ziemianki, połączone podziemnymi przejściami. Umocnienia nie były jedną linią, a raczej wieloma liniami z tak zaplanowanymi stanowiskami, żeby można było natychmiast przeprowadzać kontrnatarcia na utraconych obszarach linii frontu. Od listopada 1943 roku Hitler osobiście interesował się linią Gustawa, rozkazując, by rozbudowano ją do „potęgi fortecy". Równiny u stóp wzgórz pokryto na odległość do 400 jardów za brzegami rzek systemem przeciwpiechotnych pól minowych z zasiekami z drutu kolczastego. Wysadzono tamę na rzece Rapido, żeby zmienić jej bieg – cała równina od frontu klasztoru, już rozmokła od zimowego deszczu, stała się grzęzawiskiem. Niemcy mieli czas na zbadanie każdej możliwej drogi ataku i podjęcie środków zaradczych. Wszędzie kryły się okropne niespodzianki – w każdej pozornej osłonie dla atakujących umieszczono miny lub bomby pułapki.

24 stycznia 1944 roku brytyjskie i amerykańskie bombowce zrzuciły obrońcom Monte Cassino ulotki z propozycją „Stalingrad czy Tunis" – okrążenie i zniszczenie lub honorowa kapitulacja. Ale Hitler zarządził, że – przygnębiające echo rozkazu utrzymania miasta nad Wołgą – we Włoszech nie będzie już więcej odwrotów. W tym samym miesiącu przywódca niemiecki wydał następujący rozkaz: „W ciągu kilku następnych dni rozpocznie się «bitwa o Rzym». Będzie miała decydujące znaczenie dla obrony środkowych Włoch i przesądzi o losie 10. armii. (...) Wszystkich oficerów i żołnierzy (...) musi przepełniać fanatyczna wola zakończenia tej walki zwycięstwem i nie wolno im spocząć, dopóki ostatni żołnierz wroga nie zostanie unicestwiony. (...) Bitwa musi się toczyć w duchu świętej nienawiści do wroga, który prowadzi okrutną wojnę w celu eksterminacji narodu niemieckie-

go. (...) Walka musi być twarda i bezlitosna, nie tylko z wrogiem, lecz również ze wszystkimi oficerami i oddziałami, które zawiodą w tej decydującej godzinie".

Alianci panowali już na morzu i w powietrzu. Mieli również przewagę w czołgach i transporterach opancerzonych, ale ukształtowanie terenu i zimowa aura często niwelowały tę przewagę. Tę linię obronną mogła przełamać jedynie piechota. Miała to zatem być walka żołnierza z żołnierzem, toczona za pomocą granatów, bagnetów, a czasami gołych rąk, a o jej wyniku miały przesądzić umiejętności i determinacja biorących w niej udział żołnierzy.

Zbliżając się do linii Gustawa, wojska aliantów mogły rzucić okiem na to, z czym przyjdzie im się zmierzyć. Porucznik Gwardii Szkockiej D. H. Deane wspomina przybycie na drugi brzeg rzeki Rapido i zapoznanie się, wraz z towarzyszami broni, z przyszłym polem walki: „Góry nie do zdobycia, najwyraźniej z armiami szkopów – zapisał. – Przed nami rozciągały się niezmierzone góry, ponure i złowieszcze".

Przeczucie nie omyliło porucznika Deane'a. Walki o Monte Cassino należały do najbardziej zaciętych walk toczonych w tej wojnie na którymkolwiek z jej teatrów. Od chwili, kiedy Deane po raz pierwszy ujrzał Monte Cassino, do tryumfalnego momentu, gdy polscy żołnierze zatknęli swoją flagę na zniszczonych murach starego klasztoru, rozsnuwa się niezwykła opowieść o zwykłych żołnierzach wystawionych na najcięższą próbę w warunkach bardziej typowych dla okropności pierwszej wojny światowej. Im dłużej trwała bitwa, tym bardziej stawała się polityczna, symboliczna i osobista. Gdy stawka rosła, coraz więcej żołnierzy posyłano na praktycznie niemożliwe do zdobycia niemieckie linie obronne. Monte Cassino to opowieść o niekompetencji, nieposkromionej pysze i polityce okupionej przerażającą ceną odwagi, poświęcenia i człowieczeństwa zwykłych żołnierzy.

Dekujemy się przed dniem „D" we Włoszech,
Zawsze mamy wino, zawsze jesteśmy wstawieni,
Obiboki z ósmej armii i Jankesi.
Idziemy na wojnę, w krawatach jak bufoni,
Dekujemy się przed dniem „D" w słonecznej Italii.

Wysiedliśmy w Salerno, płatne wakacje,
Szkopy wyciągnęły łapy, żeby nas zabawiać po drodze.
Pokazali nam wszystkie ciekawe miejsca i poczęstowali herbatą,
Wszyscy śpiewaliśmy piosenki, a piwo było za darmo.
Dekujemy się przed dniem „D", jesteśmy chłopakami,
którzy zadekowali się przed dniem „D".

Palermo i Cassino wzięto z marszu,
Nie poszliśmy tam walczyć, wybraliśmy się na przejażdżkę,
Anzio i Sangro to tylko nazwy,
Pojechaliśmy tam jedynie szukać dam.
Dekujemy się przed dniem „D" w słonecznej Italii.

Rozglądając się po wzgórzach, przez mgłę i deszcz,
Popatrz na rozrzucone krzyże, na niektórych nie ma nazwisk.
Skończyły się rozpacz, trud i cierpienie,
Chłopcy pod nimi śpią.
*Są dekownikami przed dniem „D", którzy zostaną w Italii.**

---

* Wolny przekład fragmentu piosenki *The D-Day Dodgers*, ułożonej przez żołnierzy 8. armii we Włoszech i śpiewanej na melodię *Lili Marlene* (przyp. red.).

CZĘŚĆ PIERWSZA

Z Sycylii do Cassino

Przez całą wojnę słyszeliśmy, że armia jest „chętna, by ruszyć na wroga". Musiało tak być, bo tak mówili wiarygodni korespondenci, a redaktorzy to potwierdzali. Ale gdy przyszło polować na tę konkretną chętkę, zawsze miał ją następny pułk. Prawda jest taka, że gdy kule walą w pnie drzew, a ciągły ogień rozbija czaszki jak skorupki jajka, przeciętny żołnierz ma w sercu jedno nieposkromione pragnienie – wydostać się stamtąd. Między fizycznym strachem przed pójściem naprzód a moralnym strachem przed zawróceniem jest kłopotliwy stan wyjątkowej niezręczności, z której niezwykle pożądanym wyjściem byłaby ukryta dziura w ziemi.

David L. Thompson, *Battles and Leaders of the Civil War*

ROZDZIAŁ 1

Konferencja w Casablance i inwazja na Sycylię

14 stycznia 1943 roku Roosevelt i Churchill spotkali się w niedawno wyzwolonym mieście Casablanca w Maroku. Na wschodzie pierścień zacisnął się wokół Stalingradu, a zachodni przywódcy dyskutowali teraz o następnych posunięciach. W wystawnej willi Mirador na przedmieściach Casablanki towarzyszył Churchillowi generał sir Harold Alexander, późniejszy naczelny dowódca w Cassino, którego „wdzięczny, życzliwy uśmiech – pisał Churchill – zdobył wszystkie serca". Harold Macmillan, wówczas brytyjski minister rezydent w Afryce Północnej, napisał o Churchillu: „Nigdy nie widziałem go w lepszej formie. Przez cały czas jadł i pił ogromnie dużo, rozwiązywał wielkie problemy (...)". Oficjalnie wszyscy byli zgodni: ponieważ kampania w Tunezji trwała dłużej, niż zakładano, desant przez kanał La Manche miał zostać przełożony na 1944 rok. Gdy opór niemiecki w Afryce Północnej zostanie złamany, nastąpi inwazja na Sycylię. Jeśli się powiedzie, alianci zyskają kontrolę nad Morzem Śródziemnym, ponownie otworzą szlak żeglugowy Gibraltar–Suez i – jak mieli nadzieję – wyeliminują Włochy z wojny.

Jednak za zewnętrznymi przejawami jedności kryły się poważne różnice zdań co do strategii. W rzeczywistości na konferencji w Casablance toczyły się najburzliwsze w historii negocjacje zachodnich aliantów. Amerykanie, respektując wojskową maksymę, że atakujący powinien iść do celu najkrótszą drogą z największą siłą, jaką jest w stanie zgromadzić, podchodzili z głęboką nieufnością do kolejnych opóźnień desantu we Francji. Najzagorzalszym zwolennikiem tej linii był generał George Marshall, szef sztabu armii amerykańskiej i prawa ręka Roosevelta w kwestiach dotyczących prowadzenia wojny. Jego zdaniem Morze Śródziemne było imprezą towarzyszącą, niepotrzebnie wyczerpującą siły ludzkie i zasoby, które lepiej można byłoby wykorzystać, wracając natychmiast do Anglii, a następnie kierując się najkrótszą drogą do Berlina. Churchill jednak, podobnie jak wszyscy Brytyjczycy, dręczony zmorami zachodniego frontu sprzed pokolenia, pragnął opóźnić operację „Overlord" do czasu, gdy sukces będzie dużo pewniejszy. Nie uważał, że ta chwila już nadeszła, i miał inne jeszcze motywy kontynuowania działań na Morzu Śródziemnym. Postanowił również – co tradycyjnie pozostawało w sferze zainteresowań Brytyjczyków ze względu na drogę do Indii – „postawić Bałkany w ogniu", wykorzystując opór wobec okupacji nazistowskiej, który już związał ważne niemieckie dywizje, i zamierzał odciąć dostawy ropy naftowej i innych surowców, mających kluczowe znaczenie dla niemieckiej machiny wojennej. Był nawet tak dalekowzroczny, że chciał przerzucić żołnierzy aliantów zachodnich do Europy Środkowej i zwłaszcza do Grecji, zanim dotrze tam Armia Czerwona.

Zirytowani niechęcią Brytyjczyków do realizacji pełną parą planów desantu przez kanał La Manche, Amerykanie podejrzewali, że śródziemnomorskie ambicje Churchilla motywowane są interesami imperialnymi. W okresie międzywojennym występowały napięcia między Wielką Brytanią a Stanami Zjednoczonymi, między innymi ostre wymiany zdań dotyczące prowadzonej przez Wielką Brytanię polityki gospodarczej imperialnej preferencji, która szkodziła handlowi Stanów Zjednoczonych, a amerykańskie władze mogły być absolutnie pewne głębokich przekonań antykolonialnych swojego narodu. Dla Churchilla jednak imperium nie było kwestią podlegającą dyskusji.

Ale Churchillowi i Brytyjczykom, ku ich wielkiemu zdziwieniu, udało się postawić na swoim i po dziesięciu dniach burzliwych rozmów osiągnięto kompromis, w którym zgodzono się na desant na Sycylię. To, jak zobaczymy, niemal nieuchronnie doprowadziło do najcięższych walk we Włoszech, a Amerykanie nadal mieli wrażenie, że zostali wykiwani czy „wyprowadzeni w pole" w kwestii Europy Południowej.

Konsekwencje konferencji w Casablance miały wywrzeć wpływ na całą kampanię włoską. Na najwyższym szczeblu Amerykanie w wielkim stopniu byli niechętnymi uczestnikami „śródziemnomorskiej awantury" Churchilla. Wskutek tego południowy teatr działań wojennych miał niski priorytet, jeśli chodzi o zaopatrzenie i żołnierzy, podsycało to także brak zaufania i niechęć między dwoma głównymi sprzymierzeńcami, co miało mieć smutny koniec pod Monte Cassino.

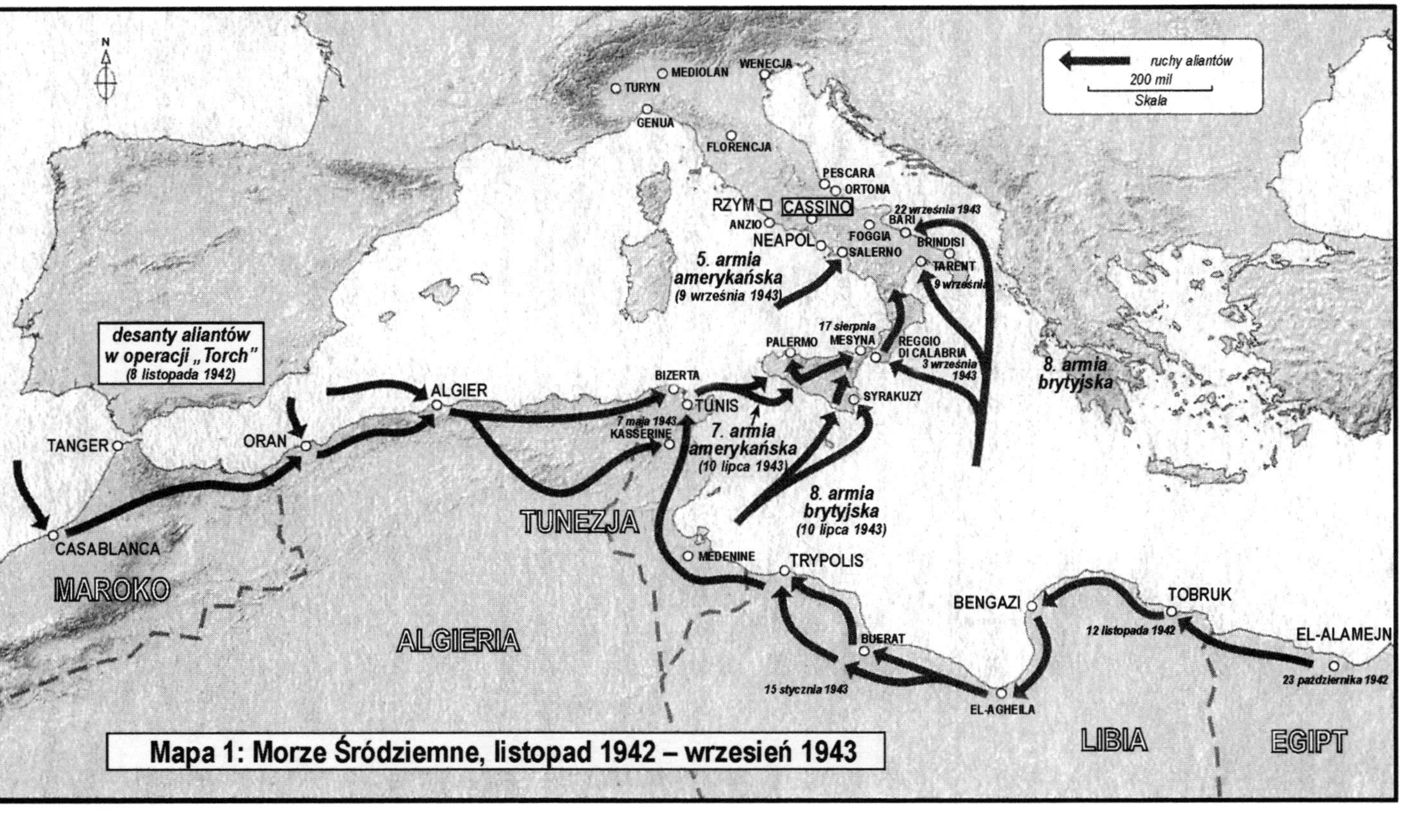

Mapa 1: Morze Śródziemne, listopad 1942 – wrzesień 1943

Droga prowadząca do kulminacyjnych walk na południe od Rzymu na początku 1944 roku zaczyna się od podjętej niemal dwa lata wcześniej, w lipcu 1942 roku, decyzji o wysłaniu znacznych sił amerykańskich i brytyjskich do Afryki Północnej. Zgodnie stwierdzono, że w tym roku nie było wystarczającej liczby wyspecjalizowanych okrętów desantowych do przeprowadzenia inwazji przez kanał La Manche. Niewystarczające były też już przeszkolone i wysłane do Europy siły amerykańskie. Zamiast pozwolić obecnym tam wojskom na bezczynność, uznano, że najlepiej będzie wykorzystać je do oczyszczenia Afryki Północnej i tym samym przynajmniej zrobić coś na lądzie, żeby pomóc przypartym do muru Rosjanom. Prezydent Roosevelt zdecydował, że amerykańscy żołnierze powinni jak najszybciej podjąć gdzieś walkę z Niemcami. I tak w listopadzie 1942 roku, wbrew życzeniom amerykańskich dowódców wojskowych, prezydent wyraził zgodę na operację „Torch" – desant amerykańskich i brytyjskich oddziałów na północno-zachodnim wybrzeżu Afryki. 8. armia generała Bernarda Montgomery'ego po odniesionym w poprzednim miesiącu zwycięstwie w El-Alamejn zaatakowała ze wschodu.

Głębokie obawy Brytyjczyków związane z nieprzygotowaniem sił alianckich do ataku na silnie bronione północne wybrzeże Francji okazały się uzasadnione, gdy w grudniu 1942 roku 8. armię powstrzymał mniej liczny Afrika-Korps. Na początku lutego 1943 roku Rommel, który po krótkiej przerwie znowu dowodził siłami niemieckimi w Afryce, przystąpił do kontrnatarcia przeciwko jednostkom amerykańskim w pobliżu przełęczy Kasserine w Tunezji. Początkowo natarcie zostało powstrzymane, ale wkrótce zaczęły w amerykańskich szeregach krążyć plotki i niektóre oddziały zaczęły się wycofywać bez otrzymania rozkazu. Dla wielu amerykańskich żołnierzy, wyczerpanych, zniechęconych i osłabionych wielodniowymi walkami w górach, gdzie pozbawieni byli wody, była to pierwsza okazja posmakowania bombardowań z lotu nurkowego i ostrzału z moździerzy. Efektem był paniczny strach i odwrót, co pozwoliło Niemcom odepchnąć atakujących o ponad pięćdziesiąt mil. Dla Brytyjczyków było to przygnębiające potwierdzenie ich podejrzeń co do zdolności bojowej sojusznika. Generał Alexander, wówczas zastępca dowódcy na tym teatrze działań wojennych, w liście do generała Alana Brooke'a, szefa imperialnego sztabu generalnego, a więc de facto najwyższego rangą żołnierza brytyjskiego, nazwał szeregowców amerykańskich „miękkimi, zielonymi i zupełnie nie wyszkolonymi, (...) czy może więc zaskakiwać ich brak woli walki? (...) Jeśli obecnych tutaj kilka dywizji należy do najlepszych, jakie mają, to można sobie wyobrazić, jaką wartość przedstawia reszta". Przełamania linii frontu na przełęczy Kasserine nie wykorzystano, a do Tunezji w dalszym ciągu przybywały niemieckie posiłki.

Posunięcie to stanowiło dowód odzyskania przez Niemców wczesną wiosną 1943 roku pewności siebie. Ku przerażeniu Armii Czerwonej Wehrmacht po klęsce pod Stalingradem poprzedniej zimy w zaskakujący sposób doszedł do siebie. W marcu 1943 roku, gdy Niemcy przeprowadzili przeciwnatarcie w okolicach Charkowa na Ukrainie, Rosjanie zostali miejscami odepchnięci o sto mil. Poza tym sukcesem zaczęła napływać nowa broń, między innymi ciężkie czołgi Tygrys i średniociężkie czołgi Pantera. Przeprowadzona na wielką skalę mobilizacja siły roboczej z wykorzystaniem pracy niewolniczej umożliwiła powołanie do służby wojskowej tysięcy Niemców i teraz Wehrmacht osiągnął stan liczebny zbliżony do tego sprzed dwóch lat, pomimo ogromnych strat na froncie wschodnim. Coraz bardziej niechętni sojusznicy Niemiec, Włochy, Finlandia, Węgry i Rumunia, nadal brali udział w wojnie i planowano następną wielką ofensywę w rejonie Kurska w maju. Produkcja okrętów podwodnych wzrosła, co dawało nadzieję, że ofensywy przeciwko zachodowi na morzu i wschodowi na lądzie pozwolą przetrwać Niemcom do czasu rozpadnięcia się niezwykłego sojuszu Stanów Zjednoczonych i Wielkiej Brytanii ze Związkiem Radzieckim.

Co więcej, nawet stosunki między Stanami Zjednoczonymi i Wielką Brytanią były napięte. Po konferencji w Casablance i trudnościach na przełęczy Kasserine Amerykanie utwierdzili się w swoich podejrzeniach, że zostali podstępem wciągnięci w kosztowną imprezę towarzyszącą, a Brytyjczycy ciągle obawiali się, że ich sojusznik odetnie dopływ gotówki do śródziemnomorskiego teatru działań wojennych lub, co gorsza, wróci do polityki „najpierw Niemcy" i przerzuci przytłaczającą większość swoich sił do walki z Japonią. Rozwój sytuacji w terenie doprowadził też do nieufności jednej strony, na którą druga strona odpowiadała niechęcią. Sam prezydent Roosevelt skarżył się, że Brytyjczycy zdegradowali oddziały amerykańskie do ról pomocniczych, nie chcąc powierzyć im niczego innego. W rzeczywistości działania 2. korpusu amerykańskiego w Afryce uległy znacznej poprawie, gdy żołnierze i dowódcy zdobyli doświadczenie i zostali przeszkoleni przez wojska brytyjskie. Jak zauważył po wojnie generał Bradley, dowódca 2. korpusu, Tunezja była ważnym poligonem doświadczalnym. „W Afryce – pisał – nauczyliśmy się raczkować, chodzić, a później biegać". 3 marca obszar stracony wskutek lutowego kontrnatarcia Rommla został odbity i pod koniec miesiąca amerykańskie dywizje generała Pattona spotkały się z 8. armią Montgomery'ego, który w końcu przebił się przez niemieckie linie obronne w południowej Tunezji. Potem Alexander zreorganizował armie aliantów i wydał rozkaz rozpoczęcia generalnej ofensywy 4 maja. Obecnie linie zaopatrzenia armii niemieckiej w Tunezji znajdowały się pod ciągłym atakiem i w Berlinie podjęto decyzję o pozostawieniu Afrika-Korps, dowodzonego teraz przez generała von Arnima, własnemu losowi. Trzy dni później zdobyto Bizertę i Tunis, a 12 maja alianci przejęli wiadomość od von Arnima: „Wystrzeliliśmy ostatni nabój. Kończymy na zawsze". Następnego dnia wszystkie siły Osi w Afryce Północnej poddały się. W sumie wzięto do niewoli około 130 tysięcy Niemców i 120 tysięcy Włochów. Z notatek alianckiego operatora filmowego dokumentującego kapitulację wynika, że szeregi jeńców ciągnęły się na długości 22 kilometrów. Było to dla aliantów spektakularne zwycięstwo pod każdym względem.

Linia frontu przebiegała teraz w Cieśninie Sycylijskiej i rozpoczęły się – co uzgodniono w Casablance – przygotowania do desantu morskiego na tę wyspę. Z dużym niepokojem zastanawiano się nad miejscem pierwszego głównego lądowania aliantów na opanowanym przez wroga wybrzeżu oraz pierwszego powrotu Wielkiej Brytanii do Europy od czasu sromotnego wyparcia jej z Grecji i Krety w 1941 roku. W przeciwieństwie do desantów w Afryce Północnej, gdzie atakujący mieli przeciwko sobie wojska francuskie z Vichy, tym razem będą musieli stawić czoło dywizjom niemieckim; poza tym – również inaczej niż w Afryce Północnej – nie posiadali sieci agentów i informatorów dostarczających danych wywiadowczych.

Gdy kampania tunezyjska zbliżała się do końca, przywódcy aliantów spotkali się w Waszyngtonie na konferencji Trident. Ponownie dyskusje zdominowały zagadnienia priorytetów, przy czym Amerykanie nadal byli głęboko podejrzliwi w stosunku do „zakłócenia", za jakie uważali śródziemnomorski teatr działań wojennych, a Brytyjczycy, ku ciągłej frustracji generała Marshalla, robili, co w ich mocy, żeby opóźnić inwazję przez kanał La Manche. W 1943 roku Churchill wielokrotnie powracał do swoich trosk dotyczących tej operacji, bojąc się, że doskonałe linie komunikacyjne Niemców z północną Francją pozwolą im zgromadzić „przytłaczające siły przeciwko nam i sprowadzić na nas większą klęskę wojskową niż w Dunkierce. Skutkiem takiej klęski byłoby ponowne ożywienie Hitlera i reżimu nazistowskiego". Brytyjczycy, którym już teraz rozpaczliwie brakowało żołnierzy, po trzykrotnym wyparciu z kontynentu europejskiego – z Norwegii, Francji i Grecji – po prostu nie mogli sobie pozwolić na kolejną taką porażkę. Zamiast tego – i w zgodzie z historyczną rolą Wielkiej Brytanii jako mocarstwa morskiego – premier ciągle nalegał na oportunistyczne ataki na peryferiach, które nazywał „miękkim podbrzuszem" Europy – na Bałkanach, Dodekanezie i we Włoszech. Na konferencji Brooke, odpowiednik Marshalla w naczelnym dowództwie brytyjskim, przytaczał argumenty za desantem we Włoszech, zwracając uwagę, że Niemcom dużo trudniej będzie wzmocnić je niż północną Francję. Wyeliminowanie głównego sojusznika Niemiec z wojny, sugerował Churchill, przyniosłoby wiele korzyści: stanowiłoby silny bodziec dla oponentów i niechętnych sprzymierzeńców Niemiec na całym świecie, jak również zmusiłoby Niemców do przejęcia obowiązków garnizonowych armii włoskiej na Bałkanach i Morzu Egejskim, ponadto brytyjska flota śródziemnomorska mogłaby podjąć walkę z Japończykami. Podkreślał, że przede wszystkim oznaczałoby to, że armie brytyjskie i amerykańskie pozostałyby w kontakcie z Niemcami, przypominając na konferencji, że Rosjanie mają obecnie na wschodzie przeciwko sobie 185 niemieckich dywizji.

Wystąpiły też różnice zdań między dowódcami różnych służb, zarówno między dwoma obozami aliantów, jak i w obrębie każdego z nich. Szef sztabu armii amerykańskiej generał Marshall z dowódcami sił powietrznych obu stron chciał ograniczenia operacji na Morzu Śródziemnym na korzyść desantu przez kanał; brytyjscy dowódcy marynarki i sił lądowych chcieli skoncentrować się na wyeliminowaniu Włoch z wojny.

Rezultatem był kompromis i brak zdecydowania. Sztabowi Eisenhowera rozkazano przygotować plany inwazji na Sardynię i Korsykę, a także na południowe Włochy, ale siły śródziemnomorskie miały do listopada 1943 roku stracić większość floty desantowej i siedem doświadczonych dywizji, które miały wrócić do Anglii ze względu na desant przez kanał La Manche. Operacja ta nazywała się wówczas „Roundup" i była wyznaczona na maj 1944 roku. Zatem kwestia następnego kroku po Sycylii – zakładając, że operacja ta się powiedzie – na najwyższym poziomie strategicznym była nie rozwiązana. Sam Eisenhower uważał, że dostępne zasoby na jakąkolwiek operację po Sycylii były „naprawdę bardzo skromne". Był to niepomyślny początek i raczej wydarzenia w Rzymie niż jasny i spójny „wielki plan" przyspieszą rozpoczęcie kampanii włoskiej.

Gdy licząca niemal 2600 jednostek aliancka flota desantowa wyruszyła z Afryki na Sycylię, żadna ze stron prowadzących w Waszyngtonie rozmowy nie była w pełni usatysfakcjonowana. Marshall, który był przeciwny ofensywie z Afryki, uznając ją za rozproszenie wysiłku, przewidywał, że ani desant na Morzu Śródziemnym, ani zbliżająca się inwazja przez kanał La Manche nie będą właściwie wyposażone. Brooke w zapisie z 24 lipca 1943 roku rozpaczał nad tym, że amerykański generał może być tak ślepy: „Marshall zupełnie nie dostrzega strategicznych skarbów, jakie leżą u naszych stóp na Morzu Śródziemnym, i cały czas marzy o operacjach na kanale La Manche. Przyznaje, że naszym celem musi być wyeliminowanie Włoch, a mimo to ciągle boi się ponieść konsekwencje. Nie widzi niczego poza czubkiem własnego nosa i jest nie do wytrzymania".

Po tym, jak udane bombardowania zniszczyły włoskie i poważnie osłabiły niemieckie lotnictwo na Sycylii, desant z 10 lipca poszedł lepiej, niż ktokolwiek śmiałby oczekiwać. Na jednej z amerykańskich plaż doszło do kontrataków, ale 12 lipca obie armie aliantów maszerowały w głąb lądu. Inaczej było z desantami z powietrza, które poszły źle z powodu silnych wiatrów i ciągłego ostrzału z własnych okrętów, co spowodowało poważne straty. Niemniej jednak Syrakuzy i pobliskie lotniska zdobyto po zaledwie dwóch dniach i zaczęto szybko posuwać się naprzód.

Chociaż dwie niemieckie dywizje walczyły zaciekle od początku, strata tak wielu żołnierzy i tak dużej ilości sprzętu w Tunezji poważnie osłabiła włoskich obrońców Sycylii. Nieustannie brakowało transportu dla ich dziewięciu słabych dywizji, a morale walczących żołnierzy gwałtownie spadało. Włosi mieli dość. Gdy 21 lipca Patton wkroczył do Palermo, mieszkańcy powitali jego żołnierzy nie jak wrogów, lecz jak wyzwolicieli, co stanowiło złowróżbny znak dla Mussoliniego i faszystowskich przywódców Włoch.

Planiści aliantów, ujrzawszy te początkowe sukcesy i oznaki potencjalnego upadku Włoch, zaczęli dopracowywać szkicowy plan inwazji na półwysep. Pięć dni przed desantem na Sycylię Niemcy rozpoczęli pod Kurskiem natarcie na znacznie wysunięte siły radzieckie, rzucając trzy czwarte całych swoich sił na wschód. Żywiono bardzo realne obawy, że Rosja zostanie wyeliminowana z wojny i zawrze odrębny pokój z Niemcami – wiadomo było, że Związek Radziecki kontaktował się z Niemcami za pośrednictwem Szwecji.

Uważano teraz, że operacje we Włoszech zwiążą większość wojsk wroga, i jako główny atak planowano desant morski na Neapol, w którego pobliżu znajdowały się dogodne do lądowania plaże. Był to najdalej na północ wysunięty punkt, do którego stacjonujące na lądzie myśliwce mogły zapewnić osłonę. Desant miał być wsparty mniejszym, wstępnym lądowaniem dokładnie na czubku włoskiego buta. Gdy planiści, brytyjscy i amerykańscy, choć pracujący oddzielnie, rozważali możliwości, na horyzoncie pojawiały się coraz to większe ambicje. Jeśli atak na Neapol nie spowodowałby wyeliminowania Włoch z wojny, dlaczego by nie ruszyć na Rzym? Dzięki temu niemieckie dywizje pozostawione na południu wpadłyby w pułapkę oraz odniesiono by bezcenne ideologiczne zwycięstwo.

Mussolini przechwalał się, że atak na Sycylię zostanie rozbity „na samym brzegu". Pod koniec lipca 1943 roku, gdy nie można już było opacznie rozumieć wiadomości napływających z południa, króla i ogromną większość włoskiej armii i narodu łączyło pragnienie pozbycia się dyktatora i zakończenia udziału Włoch w wojnie. Nawet wysocy rangą przywódcy faszystowscy, pod przewodnictwem Dina Grandiego, szefa Wielkiej Rady Mussoliniego, planowali obalenie duce. Spiskowanie osiągnęło punkt krytyczny wieczorem 24 lipca, gdy Wielka Rada zebrała się po raz pierwszy od rozpoczęcia wojny. Wcześniej tego samego dnia Mussolini „nadal siedział mocno w siodle", pogląd ten podzielał również niemiecki dowódca na Morzu Śródziemnym, feldmarszałek Albert Kesselring. Był jednym z niewielu wyższych dowódców armii niemieckiej, którzy nigdy nie poróżnili się z Hitlerem, był też zagorzałym nazistą i przyjacielem Hermanna Göringa. W swoich wspomnieniach Kesselring przyznaje, że żaden z dowódców armii niemieckiej czy dyplomatów w Rzymie „nie wierzył w bezpośrednie zagrożenie dla reżimu". Jednak Niemcy przygotowali plany działań po upadku Włoch. Już 1 kwietnia 1943 roku, jeszcze przed upadkiem Tunezji, ambasada niemiecka w Rzymie otrzymała polecenie odesłania do kraju poufnych dokumentów, co stanowiło środek ostrożności.

Mussolini próbował pohamowywać Hitlera, nakłaniając go do bardziej pojednawczej polityki wobec podbitych narodów. Wraz z Japończykami zalecał Niemcom zawarcie pokoju ze Związkiem Radzieckim, aby skoncentrować się na pokonaniu Zachodu. Ale przeceniał swój wpływ na Hitlera w takim samym stopniu, jak oszukiwał się co do możliwości swojej armii i wierności swoich zwolenników. Kesselring opowiada, jak tuż przed zebraniem Wielkiej Rady udał się na spotkanie z włoskim przywódcą. Feldmarszałek musiał czekać pół godziny, dowiedziawszy się, że Mussolini ma ważne spotkanie polityczne. Gdy wpuszczono go do środka, ujrzał, że twarz Włocha „rozpływa się w uśmiechu".

– Czy zna pan Grandiego? – zapytał [Mussolini]. – Właśnie wyszedł. Pogadaliśmy od serca, mamy takie same poglądy. Jest mi szczerze oddany.

„Rozumiałem jego spontaniczną radość – pisze Kesselring – ale gdy zaraz następnego dnia dowiedziałem się, że ten sam Grandi stał na czele buntu przeciwko Mussoliniemu w Wielkiej Radzie Faszystowskiej, musiałem zadać sobie pytanie, co jest bardziej zdumiewające: łatwowierność Mussoliniego czy przebiegłość Grandiego".

Mussolini nie pogodził się z przegłosowanym przez Wielką Radę wotum nieufności i poprosił wiekowego króla o poparcie. Król kazał go aresztować, a szefem rządu włoskiego mianował marszałka Pietra Badoglia, byłego szefa sił zbrojnych i odwiecznego przeciwnika Mussoliniego. 26 lipca Kesselring udał się z wizytą do Badoglia. Podczas „chłodnej, powściągliwej i nieszczerej rozmowy" nowy przywódca włoski zapewnił Kesselringa, że nowy rząd w pełni respektuje swoje zobowiązania wynikające z traktatu sojuszniczego. Duce, mówił Badoglio, dla jego własnego bezpieczeństwa znajduje się w areszcie. Gdy Kesselring zapytał gdzie, Badoglio odparł, że wie to tylko król.

Następnie Kesselring udał się do króla. Dała się zauważyć znaczna różnica tonu. „Moja audiencja w pałacu trwała niemal godzinę i przebiegała w atmosferze zaskakującej życzliwości – napisał później Kesselring. – Jego Wysokość zapewnił mnie, że nie będzie żadnych zmian, jeśli chodzi o działania wojenne, wprost przeciwnie – zostaną one nasilone. (...) Powiedział, że decyzję [o zdymisjonowaniu Mussoliniego] podjął bardzo niechętnie. Nie wie, gdzie jest Mussolini, ale zapewnił mnie, że czuje się osobiście odpowiedzialny za jego dobre samopoczucie i właściwe traktowanie. Jedynie Badoglio wie, gdzie jest duce (!)".

W rzeczywistości Badoglio zdecydowanie chciał całkowicie wykluczyć Włochy z wojny, co Niemcy podejrzewali. „Mówią, że będą walczyć, ale to zdrada! – szydził Hitler. – Musimy mieć całkowitą jasność: to czysta zdrada! (...) Czy ten człowiek wyobraża sobie, że mu uwierzę?" Gdy tylko Mussolini otrzymał dymisję, niemieckie dywizje i sztab zaczęły masowo przybywać do północnych Włoch, co coraz bardziej przygnębiało Włochów. 31 lipca grupa szanowanych włoskich cywilów zwróciła się do ambasady brytyjskiej w Madrycie i konsula brytyjskiego w Tangerze z prośbą o rozpoczęcie negocjacji pokojowych, ale gdy do niczego to nie doprowadziło, do Madrytu wysłano incognito wysokiego rangą oficera armii włoskiej. Rozmowy zerwano, gdyż przedstawiciele aliantów nalegali na bezwarunkową kapitulację, stanowisko przyjęte na zakończenie konferencji w Casablance w styczniu.

Na Sycylii wojska włoskie zaczęły przedostawać się na półwysep, gdy tylko dotarły tam wieści o upadku Mussoliniego. Do tego czasu jednak ofensywa utknęła w martwym punkcie. Montgomery podzielił swoje siły i natarcie w kierunku Mesyny osłabło, a później zostało wstrzymane. Niemcy, wzmocnieni pod koniec lipca częścią elitarnej 1. dywizji spadochronowej, bardzo umiejętnie prowadzili grę na zwłokę na kolejnych pozycjach obronnych wokół Etny. Pomysłowe wykorzystanie górzystego terenu umożliwiło, jako przedsmak tego, co miało nastąpić we Włoszech, około 60 tysiącom niemieckich żołnierzy powstrzymywanie 450 tysięcy żołnierzy aliantów przez trzydzieści osiem dni. Skutek był taki, że chociaż do niewoli wzięto ponad 100 tysięcy żołnierzy włoskich (prawie 35 tysięcy zdezerterowało w czasie kampanii), Niemców raczej wyparto z wyspy, niż rozbito. Z powodu strategicznej niepewności co do inwazji na Włochy nie przeprowadzono operacji zamknięcia portów naprzeciw Mesyny i niemal 40 tysiącom żołnierzy niemieckich oraz ponad 10 tysiącom pojazdów udało się ewakuować. Gdyby wzięto ich do niewoli lub wyeliminowano, zupełnie inaczej potoczyłaby się historia dalszych działań we Włoszech.

Niektórymi z problemów, które opóźniały zakończenie sukcesem kampanii, można obarczyć generała Alexandra, bezpośredniego zwierzchnika generałów na polu bitwy, Pattona i Montgomery'ego. Alexander, wykształcony w Harrow i Sandhurst, skromny i bezpretensjonalny, był faworytem Winstona Churchilla przez całą wojnę. Wyróżnił się jako dowódca pod Dunkierką i w Birmie i w sierpniu 1942 roku, na jakieś dwa miesiące przed El-Alamejn, zastąpił Auchinlecka na stanowisku naczelnego dowódcy na Bliskim Wschodzie. Na Sycylii nie udało mu się zapobiec swarom między generałami brytyjskimi i amerykańskimi ani wykazać się odpowiednio „twardą ręką" i zdecydowaniem, by wykorzystać szybkie początkowe sukcesy. Jako zręczny dyplomata wolał później traktować swoje wielonarodowe siły pod Cassino z wielkim taktem, ale z konieczności w koalicji dowodził raczej na drodze uzgodnień niż rozkazów, co doprowadziło do nasilenia się rywalizacji i zawiści między Brytyjczykami i Amerykanami.

W czasie kampanii sycylijskiej skompromitował się też generał Patton, który tak się zasłużył przy przywracaniu amerykańskiego morale po katastrofie na przełęczy Kasserine. Odwiedzając 3 sierpnia szpital w pobliżu Palermo, amerykański generał przystanął przy łóżku młodego żołnierza, który nie miał widocznych obrażeń. „Co ci dolega, żołnierzu?" – zapytał Patton. Mężczyzna odpowiedział, że jest przypadkiem psychiatrycznym. Wtedy Patton uderzył go rękawiczką w twarz ze słowami: „Jesteś przeklętym tchórzem". Tydzień później, w innym szpitalu, Patton groził żołnierzowi pistoletem, a potem zdzielił go pięścią w głowę. Zmuszono go do wystosowania przeprosin i pozbawiono dowództwa. Zdarzenia te jednak zwróciły uwagę na coraz poważniejszy problem załamań psychicznych wśród żołnierzy alianckich, który miał stać się tak ważną częścią opowieści o Cassino.

Ale alianci mieli wiele powodów do zadowolenia z zajęcia Sycylii. Powodzenie dużego desantu morskiego w pewnym stopniu przepędziło duchy Gallipoli; Niemcy zdali sobie sprawę, że Włosi nie będą skutecznie bronić swojej ojczyzny, więc właśnie gdy bitwa pod Kurskiem osiągnęła apogeum, Hitler był zmuszony wycofać oddziały do Włoch. Dla Niemców był to koniec wszelkich operacji ofensywnych na froncie wschodnim. Żołnierze i samoloty trzeba było wysłać nie tylko do samych Włoch, lecz również do tych części podbitej Europy, w których stacjonowały oddziały włoskie. W tamtym czasie było pięć włoskich dywizji we Francji i nie mniej niż dwadzieścia dziewięć na przysparzających kłopotów Bałkanach.

Teraz dowódcy alianckich sił powietrznych zmienili zdanie i stanowczo opowiadali się za inwazją na Włochy, mając zamiar wykorzystać do bombardowania ważnych celów w południowych Niemczech i na Bałkanach lotnisko w Foggii, położone na południowy wschód od Rzymu. Nie tylko w zasięgu pojawiłyby się nowe obszary, ale i ataki mogłyby uniknąć strzegącego dostępu do Niemiec od północy i zachodu pasa obrony myśliwskiej i przeciwlotniczej, która spowodowała ogromne straty wśród załóg bombowców. Panowała już zgodna opinia co do inwazji na Włochy.

Nowe władze włoskie stwierdziły, że teraz nie ufają im ani Niemcy, ani alianci. Ale kolejny wysłannik, któremu towarzyszył jako znak dobrej woli wysoko postawiony generał brytyjski, jeniec wojenny, nawiązał kontakt z naczelnym dowództwem aliantów i wreszcie pod koniec sierpnia rozpoczęły się rozmowy o rozejmie. W ich trakcie rozwijano plany inwazji na Włochy na początku września. Włosi byli niechętni przejściu na stronę aliantów, ale Stany Zjednoczone i Wielka Brytania uparły się, że neutralność Włoch jest wykluczona. Rezultatem był jeszcze większy brak zaufania i chociaż 3 września podpisano tajny rozejm, przywództwo aliantów nie zgodziło się, by Włosi zapoznali się z ich planami inwazji. Włosi w obawie przed krokami odwetowymi Niemiec poprosili aliantów, aby wstrzymali się z ogłoszeniem zawartego rozejmu, aż będą mieli na brzegu znaczne siły. Eisenhower utrzymał go w tajemnicy przez pięć dni, ale 8 września, obawiając się, że liczne oddziały włoskie na półwyspie mogą stawić opór, ogłosił o szóstej trzydzieści po południu w radiu Algier zakończenie wojny z Włochami, mówiąc, że ma nadzieję, iż teraz „wszyscy Włosi pomogą wyrzucić niemieckiego agresora z włoskiej ziemi". W tym czasie główna flota desantowa zbliżała się do plaż Salerno, około trzydziestu mil od Neapolu. Znajdujące się na pokładzie wojska brytyjskie i amerykańskie, dla których ta wiadomość, usłyszana z głośników, stanowiła całkowite zaskoczenie, przyjęły ją głośnymi wiwatami. „Nie spodziewam się, bym jeszcze kiedykolwiek miał być świadkiem takich scen prawdziwej radości – napisał amerykański oficer. – Mnożyły się domysły, a wszystkie były optymistyczne. (...) Mieliśmy przycumować w porcie w Neapolu, nie natknąwszy się na opór, z gałązką oliwną w jednej ręce i biletem do opery w drugiej".

ROZDZIAŁ 2

Inwazja na Włochy

W ostatnich tygodniach sierpnia 1943 roku alianckie okręty, strzelając z dział, płynęły przez Cieśninę Mesyńską, a na zachodnim brzegu cieśniny podciągnięto baterie artylerii, by znalazły się naprzeciwko wybrzeża włoskiego. Bombardowanie plaż na północ od Reggio di Calabria rozpoczęło się 3 września o czwartej trzydzieści rano. Sama artyleria zużyła 400 ton amunicji. Pisarz Alan Moorehead obserwował to bombardowanie: „Była noc i niewiele widzieliśmy poza żółtym płomieniem – pisze. – Siedzieliśmy na sycylijskich wzgórzach powyżej Mesyny, a działa strzelały z gajów oliwnych. Strzelaliśmy z włoskich gospodarstw rolnych po tej stronie cieśniny, a pociski odbywały krótki, liczący milę lub dwie, lot nad morzem i lądowały na innych włoskich gospodarstwach rolnych na półwyspie". Wówczas trzy brygady kanadyjskiej i brytyjskiej piechoty z 8. armii Montgomery'ego przeprawiły się przez szeroką na trzy i pół mili cieśninę i wylądowały. Dwie niemieckie dywizje na czubku włoskiego buta niemal nie stawiały oporu. Ich stanowiska artyleryjskie szybko uciszył atak z powietrza. Wycofały się więc na górzyste tereny Kalabrii, pozostawiając walkę włoskim dywizjom obrony wybrzeża. Te szybko się poddały w obliczu tak wielu zagrożeń z morza i powietrza, a nawet chętnie pomogły w rozładowaniu okrętu desantowego. W dniu desantu Montgomery osobiście, wraz z dziennikarzami, popłynął na plażę. Na rufie było 10 tysięcy papierosów, które rozdawał na każdym postoju.

Wycofujący się Niemcy pozostawili mnóstwo zniszczeń – wszystkie skrzyżowania i mosty zniszczono z precyzją i starannością, która będzie charakteryzować całą kampanię włoską. Przez pięć dni oddziały 8. armii z wielkim trudem posuwały się w kierunku północnym, ale 8 września Montgomery wydał rozkaz zatrzymania się, gdyż saperom skończyły się już podstawowe materiały do budowy mostów.

Ogłoszenie kapitulacji tego wieczoru oznaczało, że żołnierze armii włoskiej zostali pozbawieni rozkazów. Tego samego dnia Badoglio i król opuścili Rzym, pozostawiając tylko enigmatyczne polecenia, żeby armia „stawiła opór wrogowi". W każdej chwili spodziewano się desantu z powietrza w okolicach Rzymu. W samym mieście wojska włoskie dorównywały liczebnością niemieckim i gdyby Włosi zdołali utrzymać stolicę, oddziały niemieckie na południe od Rzymu znalazłyby się w pułapce. Ale brak rozkazów czy planów wysokiego szczebla sprawił, że nie zabezpieczono pasów do lądowania i wysoce ryzykowny plan Eisenhowera zrzucenia amerykańskiej dywizji powietrznodesantowej w pobliżu Rzymu odwołano. Ostatecznie Włosi byli w stanie stawić opór tylko przez jeden dzień.

Niemcy również zostali wytrąceni z równowagi, aczkolwiek nie na długo. W południe 8 września Kesselring ledwo uniknął śmierci, gdy jego kwatera główna we Frascati, na południe od Rzymu, została zbombardowana. „Nalot był pouczający – pisał później – ponieważ na mapie w jednym z zestrzelonych bombowców odkryliśmy dokładnie zaznaczony dom, w którym miałem z von Richtofenem kwaterę główną, co oznaczało, że Włosi odwalili kawał dobrej służalczej roboty". W rzeczywistości podczas nalotu zginęło ponad tysiąc cywilów. Kesselring dowiedział się o oświadczeniu Eisenhowera dotyczącym kapitulacji Włoch w kwaterze głównej armii niemieckiej, ale gdy dzwonił do swoich kontaktów w armii włoskiej, powiedziano mu, że to mistyfikacja. Jednak zanim wiadomość ta została potwierdzona, armia włoska zaczęła poddawać się Niemcom i wprowadzono w życie wcześniejsze plany zabezpieczenia kraju.

Już przed kapitulacją Włoch, która w przekonaniu naczelnego dowództwa aliantów miała doprowadzić do wycofania się Niemców z południowych Włoch, jeśli nie całego kraju, żołnierze sił inwazyjnych na Salerno byli bardzo pewni siebie. Jeffrey Smith z Yorkshire, który miał wkrótce świętować dziewiętnaste urodziny, był sygnalistą artylerii w 46. dywizji brytyjskiej. Na swoim „pierwszym i jedynym spotkaniu z generałem" usłyszał: „Przeprowadzimy gdzieś desant. Nie masz się czym martwić. To pestka. Wylądujesz w sięgającej kostek wodzie i wyjdziesz na brzeg. Tak naprawdę to będą wakacje, w słońcu. Mamy wspaniałą osłonę z powietrza. Nie ma się czym martwić". Większość żołnierzy z sił inwazyjnych była zadowolona, że może zostawić za sobą brud, miesiące szkolenia, upalne dni i mroźne noce Afryki. Morze było spokojne i niewiele osób zapadło na chorobę morską. Generał dywizji Fred L. Walker napisał w dzienniku: „Morze przypomina staw młyński. Mam nadzieję, że jutrzejszy dzień, gdy będziemy wykonywać nasze zadanie w zatoce Salerno, będzie równie cichy i spokojny. (...) Dzisiejszego ranka o pierwszym brzasku wyjrzałem przez iluminator w mojej kabinie (...) i gdziekolwiek spojrzałem, widziałem okręty, (...) budujący widok. (...) Nasze plany są ukończone i pozostało tylko je zrealizować. Wszyscy są pogodni i bardzo pewni siebie. Spodziewam się, że dywizja spisze się dobrze".

Walker dowodził amerykańską 36. dywizją „teksaską". Była to jednostka Gwardii Narodowej (odpowiednik Brytyjskiej Ochotniczej Służby Obrony Kraju), dywizja, którą pierwotnie wyznaczono do operacji sycylijskiej, lecz uznano za zbyt niedoświadczoną, i dlatego można było ją skierować do desantu pod Salerno. W 36. dywizji nadal utrzymywał się wysoki odsetek pierwszych ochotników z Teksasu, obok poborowych z całych Stanów Zjednoczonych. Chociaż jego żołnierze byli „zieloni", Walker należał do najbardziej doświadczonych dowódców w służbie czynnej w Stanach Zjednoczonych. Miał pięćdziesiąt sześć lat, był ranny i został odznaczony w pierwszej wojnie światowej, w której brał udział jako kapitan dowodzący batalionem piechoty. W okresie międzywojennym służył jako wykładowca w Szkole Dowodzenia i Sztabu Generalnego Akademii Wojskowej oraz przez pewien czas pełnił służbę w Chinach. Pod koniec 1941 roku Walker otrzymał dowództwo 36. dywizji i wkrótce potem, wraz z innymi dywizjami piechoty armii amerykańskiej, zmniejszono ją do 16 tysięcy żołnierzy, których kontyngent frontowy został zorganizowany w trzy „regimenty" (odpowiednik brytyjskiej brygady), po 3600 żołnierzy każdy. Jednostki te (podobnie jak brytyjskie brygady) dzieliły się na bataliony liczące około 800 żołnierzy, podzielone następnie na kompanie, plutony i drużyny. Na każdym szczeblu znajdowała się wyszkolona obsługa karabinów maszynowych i moździerzy, podobnie jak personel łączności i inżynieryjny. Pozostałą część stanowił personel kwatery głównej, kierowcy, mechanicy, służby medyczne i „pomocnicze". 36. dywizja, która znajdzie się w centrum chyba najcięższych walk w Cassino, przybyła do Afryki w kwietniu 1943 roku, ale podczas tego desantu miała po raz pierwszy zaznać smaku walki.

Resztę podstawowych sił desantowych tworzyły dwie dywizje brytyjskie – 46. „Oak Tree" i 56. londyńska „Black Cat" – tworzące 10. korpus brytyjski pod dowództwem generała Richarda McCreery'ego. Wszystkie stanowiły część 5. Armii Stanów Zjednoczonych, którą dowodził generał broni Mark Clark, amerykański generał, z którym związanych jest tak wiele kontrowersji dotyczących walk o Cassino. Clark, uznawany za dobrego planistę i przez niektórych uważany za najinteligentniejszego generała na południowym teatrze działań wojennych, błyskawicznie wspinał się po szczeblach kariery wojskowej po przeciętnym przebiegu służby w pierwszej wojnie światowej. W pewnym okresie był uczniem Freda Walkera w Szkole Piechoty, ale teraz, nigdy wcześniej nie dowodziwszy armią na polu walki, okazał się jego zwierzchnikiem. Szybkość, z jaką awansował, wywoływała zarówno zainteresowanie, jak i zazdrość pozostałych amerykańskich generałów. Jednym z tych, którzy mieli obiekcje co do mianowania Clarka, był generał Bradley. „Nie miałem pewności, czy Mark Clark to najlepszy kandydat na ten raczej śmiały skok do Włoch – pisał, powołując się na niedoświadczenie Clarka. – Co więcej, mam poważne zastrzeżenia do niego jako człowieka. Wydawał się fałszywy, jakoś za bardzo zależało mu na tym, żeby zrobić dobre wrażenie, żeby znaleźć się w świetle reflektorów, był spragniony awansów i osobistego rozgłosu". Clarkowi nie ufał też generał Patton, który uważał go za „cholernego spryciarza" i człowieka, którego bardziej zajmowała własna przyszłość niż wygranie wojny. Czasami weterani mówią ciepło o swoich dowódcach, ale nie udało się znaleźć choćby jednego ze służących w 5. armii, Brytyjczyka czy Amerykanina, kto powiedziałby dobre słowo o Clarku.

Pierwsze oddziały zaczęły lądować w ciemnościach na plażach Salerno o godzinie czwartej trzydzieści 9 września. Jeffrey Smith z 46. dywizji brytyjskiej stwierdził, że lądowanie znacznie odbiega od wcześniejszych zapowiedzi: „Gdy dotarliśmy, tkwiliśmy po szyję w wodzie, było naprawdę zimno. Chłopak, który siedział za mną na okręcie desantowym – nigdy nie poznałem jego nazwiska – gdy w końcu wydostaliśmy się na brzeg, powiedział do mnie: «Gdy wstanie słońce, będzie to słoneczna Italia» i natychmiast wszedł na minę lądową; po chwili był już martwy".

Razem z 46. dywizją lądowała brytyjska 56. dywizja „Black Cat", a dalej na południe, w pewnej odległości od 10. korpusu brytyjskiego, na brzeg wyszła amerykańska 36. dywizja „teksaska" z większą częścią innej dywizji amerykańskiej, 45., w rezerwie. W pierwszej fali lądowań znalazł się dwudziestojednoletni Clare Cunningham z hrabstwa Iona w stanie Michigan, syn irlandzkiego imigranta. Wspomina, że gdy żołnierze usłyszeli „zaskakującą" wiadomość o poddaniu się Włoch, myśleli, że „będzie to takie zwykłe wkroczenie". Ale około pół mili od brzegu Niemcy zaczęli „posyłać pociski armatnie, (...) wyrzucając wszędzie wokół nas w powietrze gejzery". Wkrótce większość była zdania, że bezpieczniej będzie na lądzie, gdzie można się przynajmniej rozproszyć. Gdy zbliżali się do plaży, dostali się pod ogień karabinów maszynowych, a Cunningham ze swojej pozycji w środkowej części okrętu desantowego widział „pociski smugowe odbijające się od rampy". Karabin maszynowy na jego okręcie odpowiedział ogniem i tamto stanowisko umilkło, rampa opuściła się w odległości około pięćdziesięciu jardów od plaży. Cunningham i jego towarzysze z sił desantowych wskoczyli do głębokiej po pas zimnej wody, wyszli na brzeg, przeszli przez plażę i okopali się około pięćdziesięciu jardów od linii wody.

Teoretycznie kompania Cunninghama miała wylądować o godzinie H plus siedemdziesiąt minut. „Ale na piasku nie było żadnych śladów stóp poza naszymi – mówi. – Wiele lat później słyszałem, że piechocie morskiej na Pacyfiku mówiono przed desantem: «Och, tak, jesteście trzecią falą, po prostu wkroczycie». No cóż, gdy znaleźli się na miejscu, byli pierwsi. Miało to tylko wzmocnić ich morale". Cunningham podejrzewa, że być może tę samą sztuczkę zastosowano w stosunku do jego oddziału. Wspomina, że następny dzień polegał na „zabawie w chowanego", co sprowadzało się w zasadzie do schodzenia z drogi niemieckim czołgom i osiemdziesięcioośmiomilimetrowym działom, dopóki można było wysadzić na ląd alianckie wsparcie artyleryjskie. Zanim ten pamiętny dzień dobiegł końca, Cunningham stracił część swoich przyjaciół, wziął niemieckich jeńców i po raz pierwszy w życiu kogoś – jak przypuszcza – zabił. Pamięta, że zareagował na to „jego żołądek": „Skończyłem katolicką szkołę i nauczono mnie dziesięciu przykazań – nie zabijaj i całej reszty – a trzy lata później to właśnie robiłem".

Niemieckimi umocnieniami na południe od Rzymu dowodził generał Heinrich von Vietinghoff, dowódca 10. armii, którego podwładny opisał jako „starego pruskiego piechura z Gwardii, kompetentnego, pewnego siebie". Sam Kesselring przez chwilę interesował się wydarzeniami w Rzymie. Długa linia brzegowa Włoch przysparzała Niemcom zmartwień w czasie całej tej kampanii i 9 września siły von Vietinghoffa były rozproszone wzdłuż południowo-zachodniego wybrzeża Włoch. Obecność wielkiej floty desantowej u tego wybrzeża nie budziła żadnych wątpliwości i chociaż Salerno uznano za możliwe miejsce lądowania, wcale nie było to pewne.

Pomimo nieuniknionego zamieszenia związanego z lądowaniem w ciemnościach, pierwszy dzień natarcia był dla 5. armii Clarka udany. W północnej części zatoki Salerno wylądowały elitarne oddziały brytyjskiej jednostki do zadań specjalnych i amerykańskich komandosów i zaczęły zabezpieczać wysoko położone przełęcze między Salerno i Neapolem. 10. korpus brytyjski zajął płytki przyczółek i na prawo od niego 36. dywizja amerykańska mogła zacząć wyładowywanie swojej artylerii i broni przeciwczołgowej.

Niemcy, ciągle jeszcze w trakcie rozbrajania armii włoskiej, borykali się z problemami organizacyjnymi, łącznościowymi i logistycznymi. Zwłaszcza pospieszne zniszczenie składu benzyny na południe od Salerno sprawiło, że odczuwali poważny brak paliwa. Przez następne dwa dni, gdy nie naciskane przez spóźnionego Montgomery'ego wojska z południa szybko posuwały się na północ do Salerno, von Vietinghoff mógł jedynie przypuszczać lokalne i nieskoordynowane kontrnatarcia za pomocą jedynej znajdującej się na miejscu, szeroko rozproszonej dywizji pancernej. Ku ich wielkiemu zaskoczeniu często kończyły się one zdumiewającym sukcesem, pomimo braku doświadczenia wielu załóg czołgów. Tylko 11 września 10. armia wzięła 1500 jeńców, w większości Brytyjczyków. Dwa dni później Niemcy, których odwody przybyły szybciej niż alianci, mogli wysadzić na ląd własne posiłki, dostrzegli lukę między siłami brytyjskimi a amerykańskimi w samym środku przyczółka i – przekonani, że alianci przygotowują się do powrotu na okręty – szybko ruszyli naprzód. Pojmawszy ponad 500 oficerów i żołnierzy z jednego tylko batalionu amerykańskiej 36. dywizji, szykowali się do zajęcia samej plaży. Na drodze stała im jedynie pospiesznie utworzona kompania złożona z personelu sztabowego i pomocniczego, z kucharzami i kierowcami włącznie, oraz dwie baterie artylerii, strzelającej na bliską odległość w niemieckie wojska pancerne. Niemieckie natarcie, które groziło rozdzieleniem wojsk aliantów, a później powrotem obiema flankami, dotarło niemal do amerykańskiej kwatery głównej, mieszczącej się w wielkiej stodole, w której suszyły się liście tytoniu. Dowódca amerykańskiego korpusu, generał dywizji Ernest Dawley, który wyróżnił się w czasie szkolenia, zaczął załamywać się pod presją. Clark zauważył, że stawał się coraz bardziej nerwowy i niespokojny, a gdy Alexander przeprowadzał inspekcję przyczółka, stwierdził, że Dawley „jest niewątpliwie bardzo zestresowany", trzęsą mu się ręce i drży głos. Mimo to Clark zachował spokój i chociaż wydał części swoich wojsk rozkaz rozpoczęcia przygotowań do powrotu na okręty, wsparcie dział floty pomogło odeprzeć niemieckie natarcie.

Chwila kryzysu dla oddziału Clare'a Cunninghama nadeszła wieczorem piątego dnia po desancie. „Zostaliśmy wyparci z Altavilli – mówi – próbowaliśmy ją odbić i znowu zostaliśmy odrzuceni. Po prostu przewyższali nas liczebnie. W końcu zepchnęli nas na wzgórze – w dole, w odległości trzech, czterech mil widać było plażę, ostatni bastion, jaki mieliśmy. Okopaliśmy się i pamiętam, że był tam generał Wilbur [zastępca dowódcy dywizji]. Był na górze razem z nami, przechadzał się, podczas gdy my przywieraliśmy do ziemi, i mówił: «Wzgórze to może opuścić tylko martwy żołnierz». Wściekał się i spacerował pod ostrzałem".

Przez następnych kilka dni toczyły się zażarte walki, gdyż obie strony rzuciły do boju rezerwy. Jak donosił 15 września „The Times": „Jest to walka, która polega na następujących po sobie nieprzerwanie natarciach i kontrnatarciach w tym czy innym miejscu". 16 września alianci otrzymali jednak znaczne posiłki, a niemieckim wojskom pancernym skończyło się paliwo. Tego samego dnia Kesselring wydał rozkaz odwrotu z frontu na wybrzeżu w celu „uniknięcia skutecznego ostrzału z okrętów". 8. armia w końcu docierała do Salerno od południa, a Niemcy, po niespodziewanych sukcesach w minionych kilku dniach, powrócili do swojego pierwotnego planu wycofania się na północ.

Od ogłoszenia rozejmu z Włochami minął nieco ponad tydzień, a z wyjątkiem Rzymu tylko w niektórych miejscach Włosi stawili opór Niemcom. Tam, gdzie do tego doszło, na przykład na Kefalonii i Leros, kroki odwetowe były bezlitosne. W sumie Niemcy wzięli do niewoli 716 tysięcy żołnierzy włoskich i wysłali do Rzeszy, gdzie zmuszono ich do pracy w strasznych warunkach, odmawiając statusu jeńców wojennych. Uważano ich za „internowanych wojskowych", których nie chroniły postanowienia konwencji genewskiej. Inni uciekli do swoich domów we Włoszech lub schronili się w górach na Bałkanach. Niektóre oddziały pomagały niegdysiejszemu sojusznikowi, przekazując Niemcom paliwo i inne zasoby. Większość jednak próbowała skorzystać z okazji i jak najszybciej zaszyć się w swoich domach.

Norman Lewis, brytyjski oficer z Field Security Service, którego książka *Naples '44* stanowi jeden z obowiązkowych tekstów o kampanii włoskiej, przybył do Salerno wkrótce po pierwszych lądowaniach. Zajmując 11 września pusty wiejski dom, Lewis widział „włoskich żołnierzy, którzy wyszli cało z wojny, (...) z trudem posuwających się setkami wzdłuż torów kolejowych w drodze do swoich domów na południu. Stopy mieli na ogół w strasznym stanie, czasami przez zniszczoną skórę butów przesączała się krew". Niemniej jednak, w końcu wycofawszy się z wojny, „byli w świetnym nastroju i przez cały dzień słyszeliśmy ich śmiechy i śpiew".

Lewis przedstawia również barwną relację z najgorszego momentu w czasie walk o Salerno, kiedy to niemieckie przeciwnatarcie niemal się powiodło. Pod datą 14 września opisuje, jak amerykańscy oficerowie zostawiali swoich ludzi i jak narastała „jawna panika" wśród porzuconych żołnierzy. „W przekonaniu, że nasza pozycja została zinfiltrowana przez niemiecką piechotę, zaczęli strzelać do siebie nawzajem, a trafieni kulami żołnierze wydawali mrożące krew w żyłach krzyki. (...) Oficjalna historia – podsumowuje – w swoim czasie postara się nadać tej części bitwy jak najwięcej godności. My jednak widzieliśmy, jak od samego dowództwa szerzy się w dół nieudolność i tchórzostwo, czego skutkiem był chaos. Nigdy nie zrozumiem, co powstrzymało Niemców od wykończenia nas".

Cztery dni później znajduje odpowiedź. 18 września opisuje skutki ostrzału z morza licznych niemieckich czołgów, którym niemal udało się przedrzeć: „Kilka z nich stało blisko ogromnych lejów, a właściwie w samych tych lejach. W jednym przypadku uwięziona załoga została tak spieczona, że spod czołgu wylewała się kałuża tłuszczu, upstrzona jaskrawymi muchami wszelkiego rodzaju i koloru".

Ogień artyleryjski z morza, chociaż w tym wypadku skuteczny, był bronią nieco toporną. Z powodu braku dokładnej obserwacji z powietrza lub ziemi działa często wymierzano w oczywiste cele, takie jak wsie, które – jak się okazywało – miały niewielkie znaczenie militarne. Generał dywizji Walker, dowódca 36. dywizji amerykańskiej, był przerażony zniszczeniem wsi Altavilla, która została zaatakowana i przez artylerię, i samoloty, jak też ostrzelana z morza: „Bardzo wątpię – napisał w dzienniku – czy to zbombardowanie wsi pełnej bezbronnych rodzin cywilów, z których wielu zginęło lub zostało rannych, pomogło w jakikolwiek rzeczywisty sposób zdobyć dominującą pozycję w tej okolicy". W Battipagli był „bardzo przygnębiony z powodu całkowitego zniszczenia tego starego miasta przez naszą marynarkę wojenną i artylerię. Każdy budynek ucierpiał, (...) czuło się odór martwych ciał, (...) takie niszczenie miast i zabijanie cywilów jest okrutne i niepotrzebne i nie przyczynia się do posunięcia naprzód planu taktycznego. (...) Włosi stali i patrzyli zdumieni na swoje zniszczone domy".

Jednak ani Amerykanie, ani Brytyjczycy, choć zwłaszcza ci ostatni, nie mieli zmienić poglądu, że przytłaczający ogień artyleryjski może ocalić życie żołnierzom piechoty. W czasie kampanii włoskiej naczelne dowództwo aliantów przejawiało niewielką wrażliwość na kwestie cywilnych ofiar działań wojennych czy zniszczenia starożytnych budowli, co najsilniej ujawniło się w przypadku Monte Cassino.

Chociaż w Salerno udało się zapobiec katastrofie, był to kiepski początek kampanii włoskiej dla aliantów, których – aczkolwiek w natarciu – straty w ludziach wyniosły prawie 9 tysięcy żołnierzy i były ponaddwukrotnie większe niż u Niemców. Do niewoli trafiło 3 tysiące aliantów, w porównaniu z zaledwie 630 Niemcami. Dla 36. dywizji Clare'a Cunninghama pierwsza bitwa była bardzo ciężka, zginęło niemal 4 tysiące żołnierzy, wysoki odsetek tych, którzy toczyli walkę na linii frontu. „Każdy znał kogoś, kto zginął – mówi Cunningham. – Mieliśmy jednego szesnastolatka z Michigan, który skłamał, podając swój wiek, żeby tylko się dostać. Później przyznał się do tego. Wydostał się stamtąd".

Kesselring miał już pewność, że jeden niemiecki żołnierz jest wart trzech żołnierzy aliantów, a tymczasem zaczęły się wzajemne oskarżenia Brytyjczyków i Amerykanów. Brytyjscy oficerowie łącznikowi krytykowali działania oddziałów amerykańskich, a Clark zaczął odczuwać zajadłą niechęć do McCreery'ego, dowódcy 10. korpusu brytyjskiego (56. i 46. dywizji). Nazwał go w dzienniku „miotełką z piór", którego to wyrażenia użył również, obok „nieborak", do określenia Alexandra. Oddział prasowy Alexandra postanowił, że opinii publicznej w kraju będzie się jak najwięcej pisać o posuwaniu się naprzód 8. armii, pomijając dalekie od doskonałości działania 5. armii. Sytuacja się pogorszyła, gdy przybył Montgomery i został sfotografowany w pozie zwycięzcy wyciągającego rękę z ciężarówki, żeby uścisnąć dłoń Clarka. Montgomery, nadal urażony przyznaniem mu w inwazji roli pomocniczej i być może słusznie lekceważący całą kampanię jako nie posiadającą „wielkiego planu", był wobec Clarka jak zwykle arogancki i protekcjonalny.

Amerykanin był rozsierdzony i przysiągł sobie, że więcej nie da się „oszukać". Jego próżność, którą postrzegał jako pragnienie należytego „uznania" (tj. korzystnego prezentowania w prasie krajowej) dla jego amerykańskich oddziałów, stała się niemal obsesyjna. Po Salerno dla Clarka pracowało blisko pięćdziesiąt osób od public relations, działając zgodnie z zasadą „trzy w jednym": w każdej wiadomości prasowej jego nazwisko miało być wymienione trzy razy na pierwszej stronie i przynajmniej raz na wszystkich pozostałych stronach. Gdy prasa zjawiła się w Salerno, Clark upierał się, żeby fotografować go tylko z lepszego profilu – lewego. O Clarku mawiano też, że „według jego interpretacji sławnej tezy Clausewitza wojna jest osiąganiem rozgłosu innymi środkami".

Naczelne dowództwo brytyjskie, mające obsesję na punkcie morale, borykało się z własnymi problemami. 16 września 700 brytyjskich żołnierzy wylądowało na plaży i zorganizowało coś w rodzaju strajku okupacyjnego, praktycznie podniosło bunt, odmawiając przyłączania się do oddziałów, do których ich przydzielono. Nie chodziło o to, że nie chcą walczyć, ale że dołączali do nieznanych jednostek. W rzeczywistości żołnierze ci, pozostawieni w Afryce przez swoje dywizje z powodu chorób lub ran, spodziewali się, że wrócą do domu. Ten incydent, od którego ciarki przeszły po plecach naczelnemu dowództwu brytyjskiemu, załagodzono rozsądnie i taktownie. Żołnierzom dano szansę na zmianę zdania, co większość z nich uczyniła, a 190, którzy zrobić tego nie chcieli, odesłano statkiem z powrotem do Afryki i postawiono przed sądem wojennym. Większości następnie pozwolono zrehabilitować się w walce. Zdarzenie to jednak wcale nie uspokoiło brytyjskich generałów i nie przekonało ich, że żołnierze sprostają czekającym zadaniom.

Z drugiej strony Niemcy odzyskali pewność siebie, którą stracili po kapitulacji Włoch. Po walkach pod Salerno von Vietinghoffa awansowano, a Kesselring zaczął twierdzić, że mimo wszystko Włochy da się obronić również na południe od Rzymu. Już dzień po desancie niemiecki dowódca narysował na mapie kolejne linie oznaczające możliwe pozycje obronne. Przede wszystkim naciskał na von Vietinghoffa, żeby jego 10. armia utrzymała do 15 października linię rzeki Volturno, 25 mil na północ od Neapolu. Po pewnych wahaniach Hitler przystał na to i pozwolił Kesselringowi utrzymać możliwie najdłużej jak największy obszar Włoch. Dzięki śmiałemu wypadowi jednostki do zadań specjalnych uwolniono już Mussoliniego. Wcześnie rano 12 września oddziały SS dostarczone transportowym szybowcem wylądowały przed hotelem Campo Imperatore na północ od Rzymu i pojmały duce przy nie stawiających żadnego oporu strażnikach Badoglia. Mussoliniemu powierzono teraz przywództwo faszystowskich Włoch północnych. Oczywiście im większą częścią terytorium będzie władał, tym lepiej, a kapitulacja Rzymu byłaby ciosem dla nowego „rządu".

Jedna z linii Kesselringa na mapie przebiegała przez Mignano, około pięćdziesięciu mil na północ od Neapolu. Stała się linią Reinharda, którą alianci określali mianem linii zimowej, i miała być gotowa do 1 listopada. Kilkanaście mil na północ od niej równina wokół Cassino stanowiła jeszcze lepszy teren do obrony. Tutaj generał Hans Bessell, główny inżynier Kesselringa, miał stworzyć swoje arcydzieło, linię Gustawa. „Miałem pełne zaufanie do tej z natury bardzo silnej pozycji obronnej – napisał Kesselring o linii zimowej – i liczyłem na to, że utrzymując ją przez jakiś czas, być może do Nowego Roku, będę w stanie tak wzmocnić położoną dalej linię Gustawa, że Brytyjczycy i Amerykanie połamią sobie na niej zęby". W środku linii Gustawa znajdowało się Cassino.

Cassino było typowym miasteczkiem środkowych Włoch z czterema kościołami, więzieniem, dworcem kolejowym, szkołą średnią i sądem. Łącznie z okolicznymi wsiami liczyło około 22 tysięcy mieszkańców na obszarze około 160 akrów. Jak wiele włoskich miasteczek, miało własny amfiteatr, kilka świątyń i ciągle działające rzymskie termy. W pobliskich dolinach znajdowały się sady, winnice i lasy dębowe, świerkowe i akacjowe. Na wzgórzach na rozległych terasach rosły gaje oliwne, ale na otaczających górach, latem spalonych słońcem, a zimą smaganych wiatrami, przetrwać mogły tylko cierniste krzewy i małe drzewka. Sobota była dniem targowym i miasteczko zapełniało się wtedy rolnikami z okolicy o promieniu dwudziestu pięciu mil, handlującymi bydłem lub sprzedającymi owoce, warzywa czy sery. Położone przy głównej drodze i linii kolejowej z Neapolu do Rzymu Cassino było zamożnym miasteczkiem z kilkoma urządzonymi z przepychem rezydencjami, a przybysze mieli do wyboru wiele luksusowych hoteli, w których mogli się zatrzymać. Nad miasteczkiem górował słynny benedyktyński klasztor, magnes przyciągający pielgrzymów.

Dwunastoletni Tony Pittaccio znalazł się w Cassino w chwili wybuchu wojny. Urodzony tutaj, ale wychowany w Southampton, odwiedzał krewnych ze strony matki, Włoszki, również urodzonej w tym miasteczku. Jego ojciec, sam pół Włoch, pół Anglik, został w domu w Anglii. Gdy 10 lipca 1940 roku wypowiedziano wojnę, Tony z matką i dwiema siostrami pozostał wbrew własnej woli we Włoszech, ponieważ rodzinie nie pozwolono przejechać przez Francję, by wrócić do domu w Anglii. Mieli przebywać w Cassino lub jego okolicach do maja 1944 roku, otrzymując wieści od ojca zaledwie dwa, trzy razy w roku za pośrednictwem klasztoru lub Watykanu.

Pittaccio opisuje reakcję miasteczka na rozpoczęcie wojny jako „mieszaną". Podobnie jak w wielu włoskich miastach, mieszkała w nim całkiem liczna grupa osób mających krewnych we Francji, Wielkiej Brytanii lub Stanach Zjednoczonych. Rodzina Pittaccia musiała znieść trochę uszczypliwości z powodu angielskiego obywatelstwa, ale „wszyscy odnosili się do nas życzliwie, wszystko to były tylko żarty – mówi Pitaccio. – Starsi wiedzieli od początku, że Włochy nie wygrają wojny, i ludzie mówili: «Och, już niedługo będziesz mógł znowu wrócić do domu»". Jeden z kuzynów Pittaccia – młody mężczyzna w wieku dziewiętnastu lub dwudziestu lat – został powołany do wojska. Przed wyjazdem powiedział Tony'emu: „Słuchaj, przez jakiś czas nie będę mógł się z tobą kontaktować, ponieważ przy pierwszej nadarzającej się okazji zamierzam przejść na drugą stronę".

Jednak inni młodzi mieszkańcy „widzieli przed sobą heroiczne czyny"; to „starsi ludzie ciągle spoglądali wstecz na pierwszą wojnę światową". Gemma Notarianni, która w chwili wybuchu wojny miała trzynaście lat, mieszkała z rodziną w pobliskiej Valvori, małej wiosce kilka mil od Cassino w górę doliny Rapido. Wspomina, że po wypowiedzeniu wojny „większość ludzi nie była z tego powodu szczęśliwa, ale początkowo życie toczyło się dalej w zasadzie tak samo jak wcześniej". Jednak ci, którzy pamiętali ostatnią wojnę, byli przestraszeni: „Mój ojciec żył w czasach pierwszej wojny światowej – mówi Notarianni – więc był naprawdę przerażony. Wiedział, co może się zdarzyć, i w końcu to się faktycznie zdarzyło".

Faszyzm Mussoliniego zawsze miał więcej zwolenników na północy Włoch i w miastach niż na wsi. Rodzina Tony'ego Pittaccia stanowiła miniaturę podziałów politycznych w miasteczku. Jeden z braci jego matki był zagorzałym faszystą, drugi socjalistą. Jej szwagier Agostino Sassoli był chrześcijańskim demokratą. Ale „to w ogóle nikomu nie przeszkadzało, ludzie mogli wypowiadać się całkiem swobodnie" – wspomina Pittaccio. Po nagłym upadku Francji niektórzy z jego młodych kolegów ze szkoły szydzili, że Wielka Brytania wkrótce przegra wojnę, ale ogólnie rzecz biorąc, „szanowano Anglię" i zdawano sobie sprawę, że „inwazja na Anglię nie będzie łatwa".

W miasteczku mieszkała też pewna Angielka i mężczyzna, który spędził w Anglii wiele lat. „Nosił brodę i dzieciaki dokuczały mu z tego powodu, mówiły, że ma w niej angielskie wszy. Był bardzo krzykliwym antyfaszystą, podobnie jak moja matka. Jeden z moich wujów powiedział jej: «Na miłość boską, aresztują cię», ale nic takiego się nie zdarzyło".

Niemniej jednak partia faszystowska zdominowała miasteczko. W większość sobót mieszkańcy musieli zachowywać pozory, stroić się w faszystowskie piórka i „kopać dla kraju", uprawiając każdy wolny kawałek gruntu, włącznie z miejskimi parkami. Żeby zdobyć pracę, trzeba było być członkiem partii.

Początkowo Pittaccio chodził do szkoły wyznaniowej w miasteczku, która była placówką klasztoru. Na niektóre zajęcia i egzaminy udawał się kolejką linową do samego klasztoru. Ale gdy osiągnął wiek, w którym należało iść do miejscowej szkoły miejskiej, musiał wstąpić do organizacji „Gioventù Fascista" (Faszystowska Młodzież), żeby go przyjęto. Szczerze przyznaje, że raczej ją lubił: „Miałem czarny mundur, atrapę karabinu. Który chłopak w wieku jedenastu czy dwunastu lat nie cieszyłby się z czegoś takiego? Bardzo to przypominało skautów w Anglii: śpiewaliśmy, maszerowaliśmy. Ale moja matka nigdy tego nie lubiła".

Dzieciom zawsze najłatwiej jest się przystosować do nowej sytuacji i Tony'ego Pittaccia nadal cieszył pobyt w Cassino. Z siostrami dołączał do chłopów, żeby posłuchać muzyki i śpiewu, gdy przywozili swoje zbiory lub wracali do domu po całodziennej pracy w polu. Oprócz „pysznego, świeżego sera ricotta", który jego rodzina kupowała w dniu targowym, uwielbiał barwne stroje przywdziewane w czasie świąt, takich jak Wniebowzięcie czy dzień świętego Antoniego, gdy przez miasteczko przechodziły procesje z figurą Matki Boskiej czy świętego. W Poniedziałek Wielkanocny zwykle szło się do klasztoru, a góra z tymi wszystkimi wspinającymi się ludźmi „przypominała mrowisko". W maju było święto Madonny Della Rocca, kiedy to w centrum zainteresowania znajdował się zamek położony tuż nad miasteczkiem, wzniesiony w IX wieku jako zewnętrzna linia obrony klasztoru. W tej małej budowli, która później miała się stać jednym z epicentrów bitwy o Cassino, znajdowała się figura Matki Boskiej i w czasie jej święta „zamek jaśniał setkami latarni i lamp zapalanych dla jej uczczenia. Do zamku, gdzie uczestniczyliśmy we mszy, szliśmy w procesji. Dla nas, małych chłopców, zamek był cudownym miejscem do zabawy w żołnierzy. Dzieliliśmy się na dwie grupy, broniących i atakujących. Nie śniło się nam, że pewnego dnia będzie się tam toczyła prawdziwa bitwa".

Gdy wojna przeciągnęła się do 1942 roku, zaczęła wywierać większy wpływ na ludzi w okolicy Cassino. Mussolini zaapelował, by na rzecz wysiłku wojennego przekazywać złote obrączki ślubne i zastępować je metalowymi. „Matka oddała swoją obrączkę – wspomina Gemma Notarianni. – Niezbyt jej się to podobało, ale to była mała wioska i każdy musiał to zrobić". Również w 1942 roku zaczęło się racjonowanie żywności, a jego skutki, początkowo niewielkie, w ciągu dwunastu następnych miesięcy stały się poważniejsze. „Bóg jeden wie, z czego robiono chleb – mówi Pittaccio – a makarony okazywały się czarne. Ilekroć słyszeliśmy, że była dostawa cukru czy masła do sklepu, pojawiały się tam tłumy". Wkrótce w Cassino, jak wszędzie, kwitł nielegalny handel, zwłaszcza oliwą z oliwek, mięsem i pszenicą. Przy żniwach obecni byli urzędnicy partyjni, ponieważ większość zbiorów kupowało państwo, ale młodzi faszyści, głównie studenci, chętnie przyjmowali łapówki.

Gdy w lipcu 1943 roku doszło do inwazji na Sycylię i upadku Mussoliniego, wyżsi rangą faszyści zniknęli z miasteczka, ale wkrótce zwiększyła się liczba Niemców w tym regionie. Cassino stopniowo zapełniło się niemieckimi szpitalami polowymi, trzy znajdowały się w budynkach szkół, a jeden w kwaterach zajmowanych wcześniej przez zakonnice. Młodzież w miasteczku nie przejmowała się tym. „Nie mam żadnych złych wspomnień związanych z Niemcami – mówi Pittaccio. – Pewnego razu pojawił się jakiś Niemiec na motocyklu z przyczepą i zapytał o drogę. Próbowałem mu wytłumaczyć, a on powiedział: «Słuchaj, wskakuj i pokaż mi». Siedziałem więc w tej przyczepie, z tym Niemcem, i byłem wniebowzięty. Nam przypominało to zabawę. Niemcy mieli ogromne transportowce, a my, mali chłopcy, zawsze staraliśmy się nimi przejechać, żeby móc pomachać naszym kolegom: «Popatrzcie tylko na mnie!»"

Mieszkańcy Cassino po raz pierwszy odczuli wojenną rzeczywistość w połowie lipca 1943 roku, gdy alianci zbombardowali lotnisko w Aquino, kilka mil na północny zachód. „Wtedy właśnie zaczęliśmy na własne oczy widzieć wojnę" – mówi Gemma Notarianni. Matka Tony'ego Pittaccia zaczęła obawiać się zabłąkanych bomb i przeniosła rodzinę na wieś. Mieszkali w wielkim domu ze stajnią. Część domu zajmowali Niemcy, których młody Pittaccio uważał za „zwykłych ludzi. (...) Jeden Niemiec przychodził codziennie i spędzał z nami wieczory. Najwyraźniej brakowało mu rodziny. Miał żonę i dzieci. Staraliśmy się dzielić z nim tą odrobiną, jaką mieliśmy, nie dlatego, że tego potrzebował, ale dlatego, że chciał być częścią rodziny. Pewnego wieczoru wszedł rozpromieniony. Niemcy zorganizowali przyjęcie i przyniósł menażkę z kawałkami kurczaka i rosołem. Przyszedł i był bardzo szczęśliwy, że mógł nam to dać. Powiedział: «Moja racja dla dzieci»".

Niemniej jednak wśród mieszkańców Cassino upadek Mussoliniego zwiększył nadzieje, że niepopularna wojna będzie się dla nich miała ku końcowi. Gdy 8 września ogłoszono rozejm, „na ulicach panowała szczera radość – wspomina Pittaccio. – Myśleliśmy, że oszczędzono nam dalszych cierpień wojennych i że Cassino wyszło z tego całkiem dobrze".

Osiemdziesiąt mil na południe, w Salerno, gdy nacierające oddziały starały się przedrzeć do Neapolu, odwody aliantów wyszły na brzeg. Dwudziestopięcioletni Terence Milligan, którego świat będzie później znał pod przydomkiem Spike, wylądował ze swoją baterią ciężkiej artylerii 24 września, żeby dołączyć do 10. korpusu brytyjskiego, który starał się przedostać przez góry otaczające przyczółek pod Salerno. Po podróży na HMS *Boxer*, której towarzyszyły „radosne odgłosy wymiotów" i strach przed okrętami podwodnymi, Milligan znalazł na plaży liczne ślady niedawnych walk. Wkrótce jego bateria ruszyła do boju i została zaatakowana przez niemieckie bombowce nurkujące Stukas. Po swoim pierwszym dniu we Włoszech Milligan wysłał list do rodziców: „Piszę te słowa w dziurze w ziemi, co jest praktyczne, bo gdy człowieka zabiją, dziurę się po prostu zasypuje i sprzedaje jako cmentarz. To wszystkie podnoszące na duchu wiadomości, napiszę ponownie, gdy sytuacja będzie mniej napięta".

Chociaż przytłaczająca większość wojsk niemieckich wycofywała się teraz na linie obronne Kesselringa, umiejętne wykorzystanie wyburzeń i tylnych straży niesłychanie spowalniało marsz aliantów z Salerno. Wszystkie skrzyżowania drogowe, mosty i tory kolejowe zostały zniszczone. Aby przebyć pierwszych piętnaście mil od miasta, 45. dywizja amerykańska potrzebowała dwudziestu pięciu nowych mostów. Dróg było mało, a wiele z nich wiło się na wzgórzach. Zniszczona droga wycięta wprost w klifie przysparzała żołnierzom wojsk inżynieryjnych często więcej pracy niż wysadzone w powietrze mosty. Wszystkie zniszczone obiekty otaczały miny, a w kilku przypadkach niewielkie grupy niemieckich strzelców i gniazd karabinów maszynowych, osłaniających zniszczony most z przeciwległego brzegu wąwozu, były w stanie powstrzymać całe alianckie dywizje, co oznaczało czasochłonne i wyczerpujące marsze przez góry w celu oskrzydlenia pozycji.

Gdy 5. armia Clarka zbliżała się do rogatek Neapolu, 8. armia Montgomery'ego parła ku wybrzeżu Adriatyku. Między nimi znajdował się łańcuch górski Apeninów, którego szczyty, pokryte już śniegiem, sięgały 6 tysięcy stóp, co w praktyce stworzyło dwa oddzielne fronty. 22 września brytyjska 78. dywizja „Battleaxe" wylądowała w Bari. Lotnisko w Foggii, jeden z głównych celów kampanii włoskiej, zdobyto pięć dni później.

Korpus inżynieryjny nadal w największym stopniu odpowiadał za ruch naprzód i musiał praktycznie od zera stworzyć całą infrastrukturę w celu przerzucenia ogromnej liczby ludzi, pojazdów i dostaw przez wąski półwysep. W każdej alianckiej dywizji było około 2 tysięcy pojazdów, których ruch był w dużej mierze ograniczony do dróg z powodu górzystego terenu. Generał dywizji Lucian Truscott, dowódca amerykańskiej 3. dywizji, napisał po wojnie: „Żadna broń nie była cenniejsza niż buldożer inżynierów, (...) żaden żołnierz bardziej skuteczny niż inżynierowie, dzięki którym szliśmy naprzód". Saperzy musieli też usuwać miny i przeszkody, specjalnie tak zaprojektowane, żeby maksymalnie utrudnić im zadanie. Miny drogowe były wyposażane w urządzenia „antyrozbrojeniowe", które nieustannie unowocześniano. Gdy już alianccy saperzy poznali jeden ich typ, zaskakiwano ich innym. Zatem wszelkie postępy aliantów w rzeczywistości „były uzależnione od odwagi i umiejętności stosunkowo niewielu ludzi toczących śmiertelną walkę na przechytrzenie, próbujących wyczuć po omacku w błocie charakterystyczne wypukłości i druty, świetnie zdających sobie sprawę, że pomyłkę przypłacą rozerwaniem na strzępy".

Każda z dywizji brytyjskich obejmowała trzy kompanie inżynieryjne, liczące po około 250 ludzi, którzy przeważnie byli przed wojną rzemieślnikami, takimi jak stolarze, budowlańcy, elektrycy i hydraulicy. W dywizjach amerykańskich był jeden batalion inżynieryjny, liczący około 800 ludzi. Dwudziestotrzyletni Matthew Salmon należał do 220. polowej kompanii inżynieryjnej, przydzielonej do 56. dywizji brytyjskiej „Black Cat". Wstąpił do ochotniczej służby obrony kraju w czerwcu 1939 roku, gdy był czeladnikiem u budowniczego, pracującym niedaleko swojego domu w Hackney w północno-wschodnim Londynie. Podobnie jak w wypadku wielu innych, którzy walczyli pod Cassino, jego ojciec był żołnierzem w pierwszej wojnie światowej. W początkowej fazie wojny Salmon pracował przy umocnieniach chroniących przed inwazją i umieszczonych na lotniskach w Wielkiej Brytanii, a zanim we wrześniu 1943 roku dotarł do Włoch, jego oddział odbył podróż z Wielkiej Brytanii do Indii, następnie do Egiptu i przez Irak na pustynię. Pobyt w Indiach, gdzie nawet najbardziej pośledni saper miał służącego, był dość przyjemny, podobnie jak sama edukacja dla młodego mężczyzny, który nigdy wcześniej nie wyjeżdżał z Anglii; ale w Iraku, wspomina Salmon, było tak gorąco, że kiedy pisał do domu, pot mu kapał na papier i rozmazywał atrament. Jego udział w walce, który zakończy się we wczesnej fazie bitwy o Monte Cassino, zaczął się niedaleko Trypolisu, gdzie Salmon szybko odniósł poważne rany podczas rozbrajania włoskiej miny.

Ale przeżył i spędziwszy pewien czas w szpitalu w Aleksandrii, powrócił do swojego oddziału tuż przed desantem w Salerno. Pierwsze etapy kampanii włoskiej oznaczały dla niego na pozór nieskończoną liczbę mostów Baileya, które należało zbudować, i – oczywiście – miny. Ratowanie żołnierzy uwięzionych na polu minowym było jednym z najbardziej traumatycznych zadań, do których wykonania wzywano Salmona. Pewnego razu jego oddział odpoczywał na tyłach i wreszcie wszyscy odczuwali ciepło i byli zadowoleni. Odkryli dom, w którym był wspaniały fortepian, i jakiś kapral zaczął grać. Ale wtedy wszedł oficer i poprosił o trzech ludzi. Salmon został wybrany, więc niechętnie sięgnął po swój ekwipunek i poszedł za oficerem. „Przeszliśmy ostatnią część drogi i dotarliśmy do pól minowych. Było bardzo ciemno i nie mogliśmy nikogo wypatrzyć. Zawołaliśmy, ale nie usłyszeliśmy odpowiedzi, więc zaczęliśmy przeczesywać teren, idąc w kierunku słabych głosów. Gdy dostaliśmy się do naszych ludzi, był środek nocy, a pierwszy chłopak, na którego się natknęliśmy, leżał martwy z wykrywaczem min na plecach. Wielu innych było rannych, a część ludzi z piechoty siedziała w kucki zbita w gromadkę, bojąc się ruszyć. Już wcześniej nasi poszli im na ratunek, ale źle się to dla nich skończyło. Widok znanych nam ludzi w takich opałach wzbudził wielkie emocje. Jeden z naszych chłopaków był na pozycji przez prawie trzy godziny, zanim się do niego dostałem, a gdy do niego dotarłem, objął mnie i podziękował za uratowanie życia".

Korpus inżynieryjny wzywano do przeróżnych zadań. Pewnego razu Salmonowi rozkazano iść do chaty generała dywizji Marka Clarka i zainstalować wannę i kominek. Niewzruszonych obecnością dowódcy 5. armii żołnierzy bardziej uderzyły wyraźne różnice między sposobem organizacji armii amerykańskiej i brytyjskiej. Zaskoczyła ich bezpośredniość amerykańskich oficerów, a jeszcze bardziej jedzenie podawane Amerykanom: „Żarcie, które dostawali, w porównaniu z naszym było jak z Ritza – mówi Salmon. – Mielonka konserwowa na tacy z różnymi przegródkami. My mieliśmy przeważnie suchary, twardą wołowinę i mięso duszone z jarzynami. Oni mieli owoce!"

Ale praca nigdy się nie kończyła i żołnierze z korpusu niewiele czasu spędzali w bezpiecznym eszelonie na tyłach. „Ostrzał trwał bezustannie – wspomina Salmon. – Spaliśmy na stojąco". W miarę jak rosły straty spowodowane przez ostrzał artyleryjski, snajperów i miny, z kraju przybywały posiłki. Przewidywana długość życia nowych, niedoświadczonych żołnierzy była krótka. „Bardzo często ci chłopcy byli w wojsku przez jakieś sześć tygodni – mówi Salmon – i łudzili się, że błyskawicznie skończą tę wojnę, tak samo jak my, kiedy zaczynaliśmy. (...) Doradzaliśmy im, co robić, a czego nie, ale odnosiło się wrażenie, że to na nic. Widziałem, jak przyjeżdżają nowi ludzie i giną po kilku zaledwie dniach. Zawsze im mówiliśmy, żeby trzymali głowy nisko, a oni zawsze spoglądali w górę i trafiali ich snajperzy. Wydawało się, że uczyli się tylko wtedy, kiedy ujrzeli śmierć swoich towarzyszy – po czymś takim wiedzieli już, że to nie zabawa".

Walcząc w równej mierze z ukształtowaniem terenu co z nieprzyjacielem, 1 października wojska alianckie w końcu wkroczyły do Neapolu. Nacierające oddziały minęły rogatki i podążały do rzeki Volturno, tym samym realizując pierwotny cel desantu w Salerno: zajęcie i zabezpieczenie portu w Neapolu. Operacja ta kosztowała ponad 12 tysięcy ofiar, z których około 2 tysięcy poniosło śmierć, 7 tysięcy odniosło rany, a 3,5 tysiąca zaginęło. Sam Neapol został zniszczony. Bombardowanie alianckie dotknęło większość dzielnic przemysłowych, a reszty dokonali Niemcy, którzy przez następnych kilka dni kontynuowali ostrzał artyleryjski miasta. Rozkazy Kesselringa były bardzo precyzyjne – należy zniszczyć wszystko, z czego alianci mogliby mieć choćby najmniejszy pożytek. Urządzenia portowe wysadzono w powietrze, a sam port zatkano zatopionymi okrętami; wszystkie urządzenia komunalne – kanalizacja, wodociągi i sieci elektryczne – były w ruinie; zabrano lub zniszczono nawet maszyny do pisania i do liczenia. Wszystko, co miało jakąś wartość, zrabowano. Połowa z 800 tysięcy mieszkańców uciekła z miasta, a pozostali znajdowali się w opłakanym stanie. Alan Moorehead towarzyszył wkraczającym do miasta wojskom: „Na rogatkach Neapolu kłębił się tłum rozwrzeszczanych, rozhisteryzowanych ludzi, który ciągnął się przez całą drogę do centrum miasta, (...) krzyczeli z ulgi i czystej histerii, (...) z obu stron stała ściana wycieńczonych, głodnych, brudnych twarzy, (...) nie było mowy o wojnie czy wrogości do nas. Wszystkim rządził głód".

Jednym ze źródeł zaopatrzenia w żywność, jeśli można tak to nazwać, było miejskie akwarium. W czasie poprzedzającym przybycie aliantów znaczną część kolekcji egzotycznych ryb zjedzono, ale nagrodzony okaz – małego manata – trzymano na powitalny obiad dla Marka Clarka, który, jak głosiła wieść, przepadał za owocami morza. Co zrobił z ugotowanym w sosie czosnkowym manatem, nie wiadomo, ale był na tyle zadowolony ze zdobycia miasta, że zatelegrafował do żony: „We wspaniałym stylu zwycięzców: «Daję ci Neapol na urodziny»". 8 października Norman Lewis zauważył pod miastem „setki, może tysiące Włochów, w większości kobiet i dzieci, (...) na polach wzdłuż drogi, których głód zmusił do poszukiwania jadalnych roślin, (...) wśród tego, co zebrali, zdołałem rozpoznać tylko mniszka lekarskiego". Włosi musieli iść przez dwie, trzy godziny, żeby dotrzeć do tego miejsca, ponieważ bliżej miast wszystko, co w ogóle dawało się zjeść, zostało już zebrane.

Neapol, chociaż zrujnowany i wypełniony głodującymi mieszkańcami, stanowił dla aliantów wielką nagrodę i natychmiast rozpoczęto prace nad naprawą portu. Dla żołnierzy Neapol miał szczególny, egzotyczny i zakazany urok. Artylerzysta Milligan, usłyszawszy, że w mieście znajdują się patrole alianckie, skomentował: „O kurczę, Neapol! Wszyscy chcielibyśmy być w Neapolu. Byłoby to pierwsze europejskie miasto, odkąd niemal dwa lata temu opuściliśmy Anglię. Wszystkich nas ostrzegano przed «niebezpieczeństwami». Jeśli ta broszura mówiła prawdę, choroby weneryczne przechadzały się ulicami Neapolu i wystarczyło uścisnąć dłoń księdza, żeby którąś złapać". Faktycznie, aby przeżyć, mieszkańcy Neapolu natychmiast obrócili swoje miasto w czarny rynek i światową stolicę prostytucji. Pewien aliancki żołnierz zanotował w pamiętniku pierwsze wrażenia po przybyciu do miasta: „Doki były bardzo zniszczone, ale szkopy uciekły, teraz Włosi starali się na nowo poukładać sobie życie. Aż nadto chętni zadowolić oddziały aliantów, proponowali za parę lirów żołnierzom swoje córki, niektóre zaledwie dwunastoletnie. Było to godne ubolewania, ale sami sobie zgotowali ten los".

W miarę jak postępowały prace przy urządzeniach portowych, zdobycie miasta zwiększyło pewność siebie i oczekiwania. 2 października Churchill zatelegrafował do Alexandra: „Mam nadzieję, (...) że do końca miesiąca lub coś koło tego (...) spotkamy się w Rzymie". 4 października pierwsze lichtugi stały w poważnie zniszczonym porcie, a następnego dnia rozładowywano pierwsze ze statków klasy Liberty. Począwszy od tego momentu, napływał nieprzerwany strumień dostaw. Wkrótce zdolność przeładunkowa portu osiągnęła 20 tysięcy ton dziennie.

13 października Włochy wypowiedziały wojnę Niemcom. Ale w nadchodzących walkach armia włoska nie miała brać udziału na skalę masową. Włoskie dywizje, cierpiące na brak zaopatrzenia i wyposażone w przestarzały sprzęt, można było postawić na nogi tylko dzięki zasobom potrzebnym gdzie indziej, więc postanowiono, że do zimowych walk aliantów włączą się jedynie symboliczne siły. Jednak ich wielkim wkładem było dostarczenie niezbędnych tragarzy, pracowników fizycznych i poganiaczy mułów, co pozwoliło przesunąć do walki tysiące żołnierzy.

Dla alianckich dowódców wojsk lądowych szybkość miała podstawowe znaczenie. Po jesiennych deszczach wezbrały rzeki, a w dolinach utworzyło się morze błota, i przede wszystkim należało jak najszybciej przeprawić się przez bronioną rzekę Volturno, aby nie dać Niemcom czasu na wzmocnienie leżących za nią gór, gdzie Kesselring rozkazał stworzyć linię Reinharda, czyli linię zimową. Ale wkrótce doszło do nieuchronnych opóźnień. „Deszcz, deszcz i jeszcze raz deszcz – napisał 8 października w swoim dzienniku generał dywizji John Lucas, który zastąpił Dawleya na stanowisku dowódcy 6. korpusu amerykańskiego. – Drogi toną w tak głębokim błocie, że transport oddziałów i zaopatrzenia to straszliwe zadanie. Opór wroga nie wytrzymuje porównania z oporem stawianym przez Matkę Naturę". Ale do 13 października oddziały aliantów znalazły się za rzeką. Następnymi dolinami rzek na północy, na czterdziestu milach górzystego terenu, były Garigliano i Rapido, płynąca przez Cassino.

ROZDZIAŁ 3

Linia Gustawa

Gdy 8 września ogłoszono rozejm między Włochami i aliantami, włoscy strażnicy w obozach jenieckich w całym kraju otworzyli bramy i uwolnili alianckich żołnierzy. Wielu szybko zostało ponownie pojmanych przez napływające do kraju oddziały niemieckie, ale inni próbowali się dostać do domu. Niektórzy przyłączyli się do grup włoskiego ruchu oporu, działających w górzystym wnętrzu kraju. Bardzo wielu jednak skierowało się na północ do Szwajcarii lub ku zbliżającym się armiom alianckim na południu. W kwestii pożywienia i schronienia ludzie ci musieli zdać się na łaskę włoskiej ludności cywilnej.

Żołnierzom alianckim, którzy w wypadku pojmania najprawdopodobniej skończyliby w obozach we Włoszech, w chwili ucieczki radzono nigdy nie zbliżać się do wielkiego domu we wsi, ale zamiast tego kierować się do najbiedniejszego, „ponieważ tam nie mają nic do stracenia". W rzeczywistości Niemcy bardzo surowo traktowali tych, którzy udzielali schronienia alianckim jeńcom, ale w wielu przypadkach włoscy wieśniacy opiekowali się zbiegłymi jeńcami wojennymi przez dłuższy czas.

Bhaktabahadur Limbu dostał się do niewoli w Tobruku w Afryce Północnej, gdy służył w 2/7. Gurkha Rifles. Razem z tysiącami innych jeńców alianckich Limbu trafił do Włoch, gdzie do oddziałów Gurkhów i Hindusów przemówił Subhas Chandra Bose, pronazistowski nacjonalista indyjski, który próbował nakłonić ich do przejścia na stronę niemiecką. „Wygłosił nam wykład i mówił, że my, Nepalczycy, nic nie wiemy, że musimy pozbyć się Brytyjczyków i przyłączyć do niego. Odmówiliśmy, tłumacząc mu, że wszyscy złożyliśmy przysięgę, której nie możemy złamać". Wkrótce potem nastąpił rozejm. „Włochy miały dość wojny i nocą wypuszczono nas, żebyśmy mogli uciec, jeśli chcieliśmy. Gdybyśmy nie chcieli, mogliśmy zostać w obozie. Postanowiłem uciec i zamieszkałem w pewnej wiosce. Nie rozumiałem, co mówili, ale gdy byłem głodny, karmili mnie". Gdy Limbu przebywał w tej wiosce już od dwóch miesięcy, Niemcy zagrozili wieśniakom krokami odwetowymi i jeńców po kryjomu przeniesiono. „Wysłano mnie w góry, gdzie zamieszkałem z kilkoma pasterzami – wspomina Limbu. – Sypał gęsty śnieg. Jeden z pasterzy dał mi koziego mleka. Złapał zwierzę i kazał mi klęknąć na ziemi i ssać wymiona, a nie gryźć. Koza dała mi dużo mleka i mój brzuch napęczniał. Pasterze dobrze się mną opiekowali. W sumie byłem z nimi sześć tygodni. Przebywałem niedaleko Cassino i słyszałem strzały i bombardowania. Partyzanci przyszli po mnie i zabrali z powrotem do mojego oddziału". Uciekinierom, którzy wrócili do swoich jednostek, wręczono formularze i kazano wpisać nazwiska Włochów, którzy im pomagali.

W samym Cassino rozejm, uważany za koniec kłopotów mieszkańców miasteczka, w rzeczywistości był dopiero ich początkiem. 10 września, dzień po lądowaniu w Salerno, tuż przed dziewiątą rano nad miastem pojawiły się alianckie bombowce. Tony Pittaccio, teraz piętnastoletni, był w mieście – wracał do domu ze szkoły – i pamięta, że machał do „naszych nowych przyjaciół". Inny mieszkaniec Cassino, Guido Varlese, wówczas dziewiętnastoletni, był na placu z przyjacielem, „gdy zobaczyliśmy samoloty Flying Fortress, które leciały z Neapolu w kierunku Rzymu. (...) Byliśmy zachwyceni tymi cudownymi maszynami, a później zdaliśmy sobie sprawę, co się dzieje". Samoloty zrzuciły bomby na rogatki miasta i „spowodowały ogromne zniszczenia i zabiły wielu, bardzo wielu ludzi – mówi Varlese. – Kompletnie się tego nie spodziewaliśmy, bo obowiązywało już zawieszenie broni. Myśleliśmy, że dla nas wojna się skończyła. (...) Schroniłem się w zakładzie fryzjerskim, gdzie zwykle się strzygłem. Gdy byłem w środku, wszedł tam niemiecki żołnierz, którego ucho szrapnel poszarpał na kawałki. Obwiązałem mu głowę ręcznikiem – pierwszą rzeczą, która wpadła mi w oko – żeby powstrzymać lejącą się z ucha krew. W przeciwnym razie z pewnością by zmarł". Później tego samego dnia zbombardowano tory kolejowe i drogę do Rzymu i w sumie zginęło sześćdziesięciu cywilów, a o wiele więcej było rannych. Matkę Tony'ego Pittaccia trafił w stopę odłamek bomby.

Po bombardowaniu wielu mieszkańców Cassino opuściło miasteczko. Jedni udali się na północ do innych części Włoch, inni na południe, aby przekroczyć linie aliantów i znosić długotrwałe przesłuchania, przeprowadzane w celu wykrycia szpiegów. Ponad tysiąc osób schroniło się w klasztorze, gdzie umieszczono ich w szkole i seminarium. Ponieważ kolejka linowa, przewożąca ludzi do klasztoru w ciągu zaledwie ośmiu minut, uległa zniszczeniu jeszcze latem, gdy została trafiona przez niemiecki samolot, zarówno uchodźcy, jak i mnisi musieli wnosić jedzenie z miasta na wzgórze, co zajmowało dobrą godzinę.

Miasteczko stopniowo coraz bardziej się wyludniało, gdy Niemcy zajęci byli umacnianiem swoich pozycji obronnych. Wielu cywilów po prostu poszło na wzgórza, chroniąc się w małych chatach lub w licznych jaskiniach w okolicznych górach.

Gemma Notarianni, teraz siedemnastoletnia, obserwowała bombardowanie z balkonu domu rodziców w Valvori. Niepokoiło ją to szczególnie, ponieważ w Cassino uczył się jej brat. Wkrótce potem jej rodzina przeprowadziła się do prymitywnej chaty pasterskiej, którą mieli w górach na północ od wioski. Przede wszystkim zależało im na uchronieniu mężczyzn przed zabraniem ich przez Niemców do prac. Na wzgórzach otaczających Cassino, jak szybko odkryła Gemma, działo się o wiele więcej niż kiedykolwiek wcześniej. Włoscy żołnierze przechodzili tamtędy w drodze do swoich domów. Wielu zdjęło mundury, żeby nie można ich było zidentyfikować, i wszyscy obawiali się, że zostaną powołani do pracy dla Niemców. Żołnierze Wehrmachtu osobiście budowali umocnienia, a także wysyłali patrole w celu ponownego pojmania licznych zbiegłych alianckich jeńców wojennych, którzy teraz przebywali na tym obszarze. Byli z nimi uchodźcy cywilni, którzy rozpaczliwie starali się przeżyć zbliżającą się zimę.

W chacie Notariannich raz w tygodniu zjawiało się na posiłek dwóch brytyjskich jeńców wojennych. Mężczyźni ci jedli jeden posiłek dziennie w różnych domach. Goszczący ich ludzie sporo ryzykowali. Tymczasem jeden z włoskich kuzynów Tony'ego Pittaccia, tuż przed osiemnastymi urodzinami, natknął się na dwóch pilotów, Anglika i Amerykanina, i postanowił zdobyć dla nich trochę jedzenia. Udało mu się to kilka razy, aż pewnego dnia, niosąc im, ukrytym w rowie, wodę, zobaczył zbliżający się niemiecki patrol. Próbował schować się na drzewie, ale zauważono go i kazano zejść na dół. Wtedy postanowił rzucić się do ucieczki. Niemcy otworzyli ogień i trafili go. Zdołał doczołgać się do miejsca, w którym schroniła się jego rodzina. Zdesperowani, mogli jedynie zabrać go do niemieckiego szpitala polowego, gdzie robiono wszystko, co w ludzkiej mocy, żeby go uratować, ale na próżno.

W nocy 10 października doszło do następnego nalotu aliantów na miasteczko. Większość cywilnych uciekinierów została do tego czasu ewakuowana z klasztoru, ale około 150 osób zostało, a o wiele więcej korzystało z budynku jako alternatywnego schronienia wobec pobliskich jaskiń czy chałup. Zazwyczaj podzielali oni nadzieję Tony'ego Pittaccia, który wyjaśnia, co wtedy myślał: „Och, Monte Cassino nas obroni. Wszystko w porządku. Nie ma się czym martwić. Myśleliśmy, że nic nie zrobią Monte Cassino".

Trzy dni później podpułkownik Schlegel, austriacki inżynier z dywizji Hermanna Göringa, z własnej inicjatywy przyjechał do Cassino. Spotkał się z opatem, don Gregoriem Diamarem, aby ostrzec go, że klasztor, znajdujący się w środku niemieckich umocnień, jest w niebezpieczeństwie. Austriak zaproponował wywiezienie skarbów Monte Cassino oraz ewakuację zakonników. Diamare był niewzruszony, wierzył, że alianci nigdy nie zniszczą słynnej budowli. Schlegel wyjechał, ale wrócił dwa dni później, w sobotę 16 października, a opat do tego czasu zmienił zdanie i zgodził się, że ewakuacja obrazów i ksiąg powinna się rozpocząć bezzwłocznie. Żołnierze Schlegla, przy pomocy przebywających w klasztorze uchodźców, zbijali skrzynie, w których umieścili około 70 tysięcy tomów z biblioteki i archiwum. Następnie partiami przewieziono je do Rzymu, z każdym transportem jechało dwóch mnichów. Wielu bezcennych obrazów nie można było zapakować w skrzynie i musiały jechać upchane w ciężarówkach, owinięte jedynie w prześcieradła. Niemniej jednak do dnia ukończenia tej operacji, 8 grudnia, ocalono wiele bezcennych skarbów, a niemiecka machina propagandowa bardzo to nagłośniła. W tym samym czasie wyjechała też większość z osiemdziesięciu zakonników – pozostał tylko opat, czterech zakonników i pięciu braci świeckich.

Niemcy dobrze wykorzystali czas, jaki dały im działania tylnych straży na południu, i prace nad linią Gustawa szybko postępowały naprzód. W całym regionie Cassino powoływano Włochów do grup robotników, które budowały głębokie podziemne schrony czy wysadzały w powietrze budynki, żeby oczyścić pole ostrzału. Wuj Tony'ego Pittaccia, Agostino Sassoli, który teraz odpowiedzialny był też za żonę, teściową w podeszłym wieku, ranną szwagierkę (matkę Tony'ego), trójkę swoich małych dzieci, młodego siostrzeńca (Tony'ego) i dwie młode bratanice, znalazł się wśród osób skierowanych do prac nad umocnieniami. Wkrótce zdał sobie sprawę z ogromnej potęgi linii Gustawa. „To niezwykłe, co oni tam robią" – powiedział rodzinie. Przez kilka pierwszych dni wolno im było na noc wracać do domu, ale potem Niemcy trzymali ich pod strażą, chociaż pozwalano dzieciom przynosić im jedzenie i wodę. Dla Niemców włoscy robotnicy byli przydatni, ale spisani na straty. Sassoli, który był po czterdziestce, wspomina pewne zdarzenie, które wywarło na niego ogromny wpływ. Pewnego razu jego trzyosobowa grupa musiała wysadzić w powietrze dom, ale lont ładunku wybuchowego był tak krótki, że człowiek, który by go podpalił, nie miałby żadnych szans. Trzej Włosi musieli ciągnąć losy. Ten, który przegrał, powiedział do Sassoliego i jego towarzysza: „Odejdźcie" i nawet nie próbował uciec.

Wkrótce potem, gdy robotnicy pracowali przy umocnieniach, nadleciały bombowce aliantów. Wuj Pittaccia dostrzegł szansę i w zamieszaniu wywołanym przez nalot rzucił się do ucieczki. Jego droga przebiegała przez nowo założone pole minowe, ale szczęście go nie opuściło i udało mu się zbiec.

Gemma Notarianni przyglądała się pracom budowlanym przed linią Gustawa w górach na północ od Cassino. W pobliżu ich chaty pasterskiej zbudowano stanowisko karabinu maszynowego, ale któregoś dnia około świąt Bożego Narodzenia jakaś nieznana osoba lub osoby dokonały sabotażu. Niemcy natychmiast zgarnęli wszystkich ludzi z tego obszaru. Nikt się nie przyznał i zabrano wszystkich mężczyzn. Następnego dnia, gdy siły alianckie zaczęły w końcu zbliżać się do Cassino, większość Niemców wycofała się na linię Gustawa, a Gemma i jej rodzina postanowili wrócić do swojego domu w Valvori. Tam czekali, praktycznie na ziemi niczyjej, w nadziei, że przybycie aliantów będzie oznaczało koniec ich udręki.

Bardzo trudno było oddziałom alianckim pokonać czterdzieści mil od rzeki Volturno do wysoko położonego terenu naprzeciwko Cassino. Pogoda się pogorszyła i gdy alianci przedarli się do linii Gustawa, „słoneczna Italia" wydawała się ponurym żartem. Nadciągała włoska zima. Nocą temperatura spadała dużo poniżej zera, a zacinający deszcz i śnieg blokowały drogi i szlaki oraz ogromnie zwiększały trud żołnierzy na linii frontu. Ernie Pyle, słynny korespondent amerykański, który towarzyszył żołnierzom, napisał: „Nasze oddziały cierpiały niemal niewyobrażalną niedolę. Żyzne czarne doliny pokrywało błoto po kolana. Tysiące ludzi od wielu tygodni było przemokniętych. Kolejne tysiące leżały w nocy w wysokich górach w temperaturze poniżej zera, przysypywani cienką warstwą śniegu. Wkopywali się w skałę i spali w małych rozpadlinach, za głazami i w płytkich jaskiniach. Żyli jak ludzie w czasach prehistorycznych". Pyle barwnie opisywał życie codzienne amerykańskich oddziałów bojowych, czyli „szwejów", a jego felietony w gazecie armii amerykańskiej „Star and Stripes" cieszyły się ogromną popularnością wśród szeregowców, ponieważ ukazywał ludziom w kraju straszliwe warunki życia na froncie w sposób nie upiększony i praktyczny. Przed końcem 1943 roku jego felietony ukazywały się w ponad 200 gazetach i 400 tygodnikach w Stanach Zjednoczonych. Relacjonował pierwsze rozmieszczenie oddziałów w Europie w 1942 roku i teraz towarzyszył różnym dywizjom amerykańskim, walczącym na linii zimowej na południe od Cassino. Pisał o rozdrażnieniu żołnierzy, którzy musieli zdobywać jedno wzgórze po drugim, ich cierpieniu, gdy przyjaciele ginęli lub odnosili rany, ich chorobach i przede wszystkim przemożnym wyczerpaniu, wskutek walki i wystawienia na ostre wiatry. Kiedy zobaczył żołnierzy wracających po dwóch tygodniach na linii frontu, napisał o nich, że wyglądają „dziesięć lat starzej niż poprzednio (...). Żołnierze stawali się wyczerpani tak fizycznie, jak psychicznie i duchowo. Piechota osiągnęła stopień wyczerpania niewyobrażalny dla ludzi w kraju. (...) Podsumowując: Człowiekowi robi się od tego wszystkiego niedobrze".

W miarę jak pogoda się pogarszała, a oddziały szturmowe słabły, tempo natarcia z Salerno na Cassino stawało się jeszcze wolniejsze. Pokonanie pięćdziesięciu mil dzielących Neapol od Cassino trwało czternaście tygodni, ostatnie siedem mil przed linią Gustawa zajęło niemal połowę tego czasu, kosztem 16 tysięcy ofiar. Każde opóźnienie dawało Niemcom więcej czasu na pracę nad umocnieniami Cassino. W tym mniej więcej okresie Niemcy wydrukowali i rozpowszechnili na południu Włoch plakat ukazujący ślimaka wspinającego się po Włoszech, z podpisem „Daleka droga!" Jedynie w tych nielicznych przypadkach, kiedy alianci mogli wykorzystać swoją znaczną przewagę w artylerii czy powietrzu, dochodziło do zdecydowanych porażek Niemców. Ponad połowa całkowitej siły ognia niemieckiej artylerii była znów w kraju z lufami skierowanymi w niebo i zużywając ogromne ilości amunicji, starała się powstrzymywać strategiczne bombardowania niemieckich miast. Wiele ich samolotów również trzymano w tym samym celu w kraju. Ale bardzo istotną dla aliantów we Włoszech przewagę w powietrzu, która według Eisenhowera miała mieć „wartość dziesięciu dywizji", zniweczyły potworne warunki pogodowe, najgorsze za ludzkiej pamięci.

Chociaż Niemcy się wycofywali, zachowali inicjatywę i von Vietinghoff i Kesselring mogli wybierać, gdzie i kiedy będą walczyć. Nie kończące się góry i rzeki na trasie natarcia drogo kosztowały aliantów. Ponieważ ich lep-

Mapa 2: Z Salerno do Cassino

sze uzbrojenie utknęło na wąskich, zrytych pociskami drogach, działania na pierwszej linii frontu ograniczały się do walk małych grup ludzi na karabiny maszynowe, małe moździerze, bagnety i przede wszystkim granaty. W takich okolicznościach wola walki i odporność żołnierzy miały podstawowe znaczenie dla ustalenia wyniku potyczek. Jak ujął to we wspomnieniach generał Alexander: „Na pozór nieskończony szereg łańcuchów górskich, wąwozów i rzek na terenie Włoch wymagał żołnierskich cech dzielności bojowej i wytrzymałości w stopniu niespotykanym na żadnym innym teatrze działań wojennych".

Dwie strony, które toczyły walkę w Boże Narodzenie 1943 roku, wywodziły się ze zdecydowanie odmiennych kultur. Były również istotne różnice między Amerykanami i Brytyjczykami. Jednak obie grupy żołnierzy alianckich pochodziły ze społeczeństw w swojej istocie niemilitarystycznych. Obie pospiesznie powołano i przeszkolono. Chociaż armia brytyjska zdobyła większe doświadczenie w walce z Niemcami (o czym nie omieszkali stale przypominać swoim amerykańskim kolegom), niewielu żołnierzy walczących we Włoszech brało wcześniej udział w walkach. Żaden z tych krajów nie miał przed wojną dużej regularnej armii i zarówno w Wielkiej Brytanii, jak i w Stanach Zjednoczonych status armii w czasie pokoju był niski. Większość brytyjskich i amerykańskich żołnierzy uważała się przede wszystkim za cywili, a swoją służbę uznawała za nieszczęsną konsekwencję czasów, w których się urodzili. Wojna była nieprzyjemnym zadaniem, które należało jak najszybciej mieć z głowy, aby wrócić do normalnego życia. Przed końcem 1943 roku zaledwie 2 procent dowódców kompanii w oddziałach piechoty amerykańskiej było wcześniej zawodowymi żołnierzami. Wyrażenie „To było po prostu zadanie, które musieliśmy wykonać" pojawia się w niezliczonych wypowiedziach, listach i wspomnieniach brytyjskich i amerykańskich weteranów, którzy – nawet gdy odbywali służbę – uważali armię za ciało dziwne i obce, kierujące się śmiesznymi zasadami i niesmacznymi zwyczajami. Bill Mauldin, autor ogromnie popularnej serii rysunkowej *Willie and Joe* ze „Stars and Stripes", przedstawiającej dwóch znużonych, cynicznych, dowcipnych i nie ogolonych szeregowców, często miał kłopoty z władzami z powodu ukazywania armii jako „pełnej błędów" i „utrapień". Chociaż jego rysunki wychwalają pod niebiosa braterstwo i cierpki humor szeregowców, dowódcy stale jawią się jako odlegli i niezrozumiali. „Nie wszyscy pułkownicy, generałowie i porucznicy są dobrzy – napisał Mauldin w 1944 roku. – Żadna organizacja licząca osiem milionów członków nie będzie doskonała. Nasi chłopcy nie są zawodowymi żołnierzami. Niedawno wiedli życie, w którym mogli do woli przeklinać i krytykować swoich szefów i polityków. (...) Akceptują rozkazy i ograniczenia, ale ponieważ są w głębi duszy demokratami, emblematy na ramionach ich oficerów czasami cholernie przypominają frytki".

Pierwszym kontaktem każdego żołnierza z armią był obóz szkoleniowy i dla wielu był to straszny wstrząs, szczególnie gdy byli lepiej wykształceni lub trochę starsi niż większość. J. M. Lee Harvey, brytyjski artylerzysta pod Cassino, miał trzydzieści lat, gdy w lipcu 1941 roku zaciągnął się do wojska, nie tyle z powodu jakichś patriotycznych czy bohaterskich ciągot, ile „bardziej z samotności. Widząc, jak moi rówieśnicy z biura jeden po drugim idą do wojska, straciłem pewność siebie i doszedłem do wniosku, że być może wojna się skończy, zanim ruszymy do boju. Byłoby przykro, gdyby – po skończeniu wojny – zapytano mnie, co zrobiłem, a ja musiałbym odpowiedzieć, że siedziałem w domu". Gdy złożył przysięgę na wierność królowi i państwu, przestając być „zwykłym obywatelem", a stając się „kanonierem 1835056", postanowił „w niebezpiecznej akcji (...) połączyć odwagę z rozwagą, ze szczególnym naciskiem na to drugie". Pierwszy dzień głęboko przygnębił Lee Harveya, podobnie jak wielu innych. Po bardzo nieprzyjaznym powitaniu siedział nieszczęśliwy na łóżku w przydzielonej mu izbie, zastanawiając się, na co się naraża. Gdy szedł na poligon, zmyto mu głowę za to, że trzymał ręce w kieszeniach, i od tego czasu zachowywał się „bardzo ostrożnie, (...) należało zastanawiać się nad każdym czynem, aby uniknąć dalszych kłopotów". Szybko się dowiedział, że na powitanie nowych w koszarach sikano im do butów i że zażarta walka między żołnierzami była czymś powszechnym. Wszędzie panował brud i niewygody, jedzenie było wstrętne i niehigieniczne, i doznał wstrząsu, gdy zorientował się, że obóz regularnie, za cichym przyzwoleniem dowództwa, odwiedzały prostytutki. Pieniądze wypłacane żołnierzom były niewystarczające i wielu z nich, jak Lee Harvey, było po prostu nieprzyzwyczajonych do złego traktowania. Wydaje się, że w każdej grupie żołnierzy był jakiś kawalarz, w tym przypadku młody chłopak z północno-wschodniego Londynu, którego „prześmiewcza filozofia" bardzo pomogła żołnierzom się zjednoczyć w obliczu wojskowego „drylu" i wyraźnie widocznego całkowitego braku organizacji. Niemniej jednak Lee Harvey „szybko znienawidził nadmierny «dryl» – jak napisał po wojnie – marnotrawstwo materiałów i czasu, przenoszenie się bez żadnego widocznego powodu z jednego obszaru na drugi". Wizyty grubych ryb w obozie poprzedzało sprzątanie terenu: wyrywanie chwastów, malowanie betonowych kamieni i kolumn. „Trudno było zrozumieć, w jaki sposób miało się to przyczynić do wygrania wojny" – skarżył się. Wkrótce, przyznaje, pojawił się u niego „cynizm graniczący z mizantropią, zwłaszcza w stosunku do tego, co wydawało się niekompetencją wojskowej administracji".

Urodzony w 1921 roku w Rahway w stanie New Jersey Tom Kindre ukończył kurs szkoły oficerów rezerwy na Rutgers University w 1942 roku i wstąpił do armii w stopniu podporucznika. Po szkoleniu w szeregu obozów znalazł się w Shenango w Pensylwanii, gdzie dowodził 600 ludźmi i po raz pierwszy w życiu spotkał zawodowych żołnierzy z czasów przedwojennych, głównie podoficerów. Nie zrobili na nim wrażenia. „Podejście tych facetów do życia było trochę odrażające. Interesował ich tylko seks i znalezienie jakiegoś miejsca, do którego można przyprowadzić kobiety. Mówili okropnie plugawym językiem, więc było mnóstwo konfliktów". Inni rekruci z wykształceniem wyższym pamiętają, że zaszokowała ich liczba osób niepiśmiennych. Z Shenango oddział Kindrego przeniesiono do innego obozu, który pełnił funkcję „ostatniego przystanku" przed wysłaniem za granicę. Tam Kindre musiał dyscyplinować wielu poborowych, którzy decydowali się na samowolne oddalenie, ponieważ wiedzieli, że wyjadą z kraju. „Ruszali we wszystkich kierunkach – mówi Kindre – a żandarmeria wojskowa ściągała ich z powrotem. Jeden facet w ciągu tych kilku dni, które spędziliśmy w obozie, zrobił to trzy razy. Za każdym razem wymierzałem mu standardową karę kompanijną: polecałem mu wykopać głęboki na sześć stóp dół w ziemi, do którego wkładałem widelec, przysypywałem go, a następnie kazałem mu zasypać dół. Potem pytałem: «Jaki kierunek wskazuje widelec?» Nie wiedział, więc musiał go odkopać".

Największą różnicą między armią brytyjską i amerykańską (z ewentualnym wyjątkiem obowiązujących w tej pierwszej zasad „żołnierskiego" wyglądu) było podejście do oszczędzania ludzi. Brytyjczycy usilnie pragnęli, by nie powtórzyły się błędy i rzeź pierwszej wojny światowej, i robili wszystko, co możliwe, żeby ograniczyć liczbę ofiar, nawet kosztem sukcesu operacji. Uległo to nasileniu pod koniec 1943 roku wskutek poważnego kryzysu stanu liczebnego armii w Wielkiej Brytanii, gdzie po prostu nie było wystarczającej liczby ludzi do realizacji wszystkich zadań. Z kolei Amerykanie mieli mniej traumatyczne przeżycia w czasie pierwszej wojny światowej i oczywiście o wiele większe rezerwy ludzi. Dlatego ich generałowie byli dużo bardziej skłonni wydawać swoim ludziom rozkaz ataku, bez względu na ofiary.

Ta różnica była w znacznej mierze przyczyną nasilającego się braku wzajemnego zaufania w czasie kampanii włoskiej. Dla Amerykanów silna niechęć Brytyjczyków do ponoszenia ofiar stanowiła dowód braku woli i chęci walki. Clark lekceważąco wypowiadał się o „typowym podejściu brytyjskich dowódców, którzy polegali głównie na bombardowaniu z powietrza i ogniu artyleryjskim (...) w celu zminimalizowania konieczności przeprowadzania ataków piechoty". Dla Brytyjczyków dowódcy amerykańscy rozrzutnie i bezdusznie szafowali życiem ludzkim – dla nich duża liczba ofiar stanowiła dowód nie agresywności, lecz braku umiejętności lub staranności ze strony wyższych oficerów.

Doświadczenia pierwszej wojny światowej ukształtowały też brytyjskie podejście do przywództwa. Popularny w okresie międzywojennym pogląd, że generałowie w czasie pierwszej wojny światowej kazali swoim ludziom iść na pewną śmierć, podczas gdy sami przebywali daleko za linią frontu, wywarł duży wpływ na ukształtowanie sposobu postępowania wysokich rangą brytyjskich oficerów we Włoszech i na pozostałych frontach. Tacy ludzie jak Montgomery i jego naśladowcy wizytowali tereny z pierwszej linii frontu, rozdając papierosy i dodając otuchy, i nawet Alexander, dowódca tego teatru działań wojennych, często pojawiał się na linii frontu, co czasami przysparzało wielu kłopotów przebywającym tam żołnierzom. Amerykańskich szeregowców często zaskakiwało i wprawiało w podziw pojawianie się wyższych oficerów brytyjskich na niebezpiecznych pozycjach frontowych. Niektórzy amerykańscy strzelcy nie znali nawet nazwiska dowódcy swojego pułku, a tylko bardzo nieliczni darzyli cieplejszymi uczuciami swoich generałów.

Jednakże w obu armiach podstawowe znaczenie miała przywódcza rola młodszego oficera, dowódcy plutonu czy kompanii. W armii amerykańskiej, gdzie młodsi oficerowie i szeregowcy często traktowali się jak równi sobie, „substytutem hierarchii, podobnie jak dyscypliny i odpowiedniego wyszkolenia, było stare amerykańskie przywództwo inspirujące". Oznaczało to, że młodsi oficerowie szli na przedzie i narażali się nawet na większe ryzyko niż żołnierze, których prowadzili. Skutkiem były przerażające straty. Statystyki dotyczące amerykańskich oddziałów bojowych we Włoszech pokazały, że wystarczyło zaledwie osiemdziesiąt osiem dni walk, żeby spowodować 100 procent ofiar wśród podporuczników dywizji piechoty. Jeden z amerykańskich podporuczników wyjaśnił, co zwykle przydarzało się „zielonemu" oficerowi, który przybywał do kompanii strzelców na froncie: „Typową skłonnością jest próba podkreślania swoich umiejętności w ataku, postawa typu «pokażę wam wszystkim, że się do tego nadaję». W rezultacie zazwyczaj taki oficer zostaje ranny, często śmiertelnie". Eric „Birdie" Smith, który walczył pod Monte Cassino jako dwudziestodwuletni oficer Gurkhów, opowiada, co się przydarzyło jednemu z dowódców kompanii jego batalionu, Billowi Nangle'owi, na początku marca 1944 roku na masywie Cassino: „Jego kompania, złożona z zielonych, niedoświadczonych żołnierzy, była roztrzęsiona, gotowa zbiec przed długim, przeciągłym ogniem zaporowym, wymierzonym w ich pozycję. Żeby uspokoić młodych ludzi, ten stary wojownik usiadł obok okopu strzeleckiego, pykając sobie z zadowoleniem fajkę i czyszcząc karabin. Pojedynczy pocisk z moździerza spadł w pobliżu miejsca, w którym siedział, i Bill Nangle, który tyle przeżył w wielu bitwach, poniósł śmierć, gdy w zasięgu wzroku nie było ani jednego nieprzyjaciela".

Większość młodszych oficerów czuła, że nie ma wyboru i musi wystawiać się na większe niebezpieczeństwo niż ich ludzie. Jak zanotował pewien porucznik z lekkiej piechoty Durham, który uczestniczył w ciężkich bojach pod Monte Cassino: „Słusznie czy niesłusznie, szedłem na przedzie, gdy tylko było to możliwe. Dzięki temu odczuwałem większą pewność siebie. Czułem, że był to mój obowiązek, prawdę mówiąc, naprawdę czułem, że nie mógłbym posłać kogoś innego tam, dokąd sam nie byłem gotów iść". Występował jeszcze inny czynnik, który wyłania się z opowieści tego młodszego oficera: „Było dla mnie dość oczywiste, że dopóki dowódcy nie poprowadzą do boju swoich plutonów, nic się nie stanie". Amerykański oficer, który walczył pod Monte Cassino, przyznaje: „Człowiek zapomina o tym, że się boi, gdy zdołasz go zmusić, by zaczął strzelać". Alex Bowlby w swej klasycznej już relacji ze swoich doświadczeń jako brytyjskiego strzelca we Włoszech opowiada o pewnym zdarzeniu, do którego doszło we wcześniejszej fazie kampanii: „Niemcy wystrzelili dwa pociski. Kompania przypadła do ziemi, jakby tych pocisków było ze dwieście. Tylko kapitan Kendall dalej stał. Spandau [niemiecki karabin maszynowy] zaczął strzelać. Przywieraliśmy do ziemi, jakby tylko ona mogła nas ocalić. Kapitan Kendall szedł wolno przez całą kompanię. «Popatrzcie na mnie – powiedział spokojnie, przechodząc pod ostrzałem od jednego żołnierza do drugiego. – Nie mogą mnie trafić. Popatrzcie na mnie». Popatrzyliśmy. Wyglądał tak, jakby wybrał się na przechadzkę w słoneczny dzień. Niemcy go nie trafili. Nas trafiła jego odwaga. Powstaliśmy". Znamy wiele podobnych opowieści i takie zachowanie oficerów stało się nawet oklepanym chwytem w tej kampanii. Bill

Mauldin wyśmiewa je na rysunku ze stycznia 1944 roku, który przedstawia jego dwóch szeregowców kulących się ze strachu pod ostrzałem z karabinu maszynowego, podczas gdy przed nimi stoi wyprostowany, gładko ogolony oficer. Jeden z chowających się szeregowców woła: „Panie oficerze, musisz pan przyciągać ogień, gdy nas inspirujesz?"

Chociaż pewną część niemieckich dywizji stanowili młodzi, niedoświadczeni żołnierze, kultura, z jakiej się wywodzili, była diametralnie odmienna od kultury „obywatelskich" armii Wielkiej Brytanii i Stanów Zjednoczonych. Różnicę tę częściowo można wywieść z niemieckiej reakcji na zakończenie pierwszej wojny światowej, a nawet z okresu wcześniejszego. Chociaż w czasie pierwszej wojny światowej zginęły dwa miliony Niemców, rzeź ta miała zdecydowanie odmienny skutek w Niemczech niż we Francji i Wielkiej Brytanii. Dla ludności aliantów była to „wojna, która miała położyć kres wszystkim wojnom", ale Niemcy nie tylko wycierpieli więcej, ale też nie mieli pociechy, jaką daje zwycięstwo. Wojna ta dla Niemiec, w stopniu jeszcze większym niż dla posiniaczonych zwycięzców, stała się podwójną tragedią. Dla aliantów wszystkie cierpienia skończyły się przynajmniej tym, że znaleźli się po „zwycięskiej" stronie, ale dla Niemców wszystko to było daremne. Przed drugą wojną, na długo przed dojściem nazistów do władzy, w Niemczech pojawiła się teoria, że pierwsza wojna w rzeczywistości wcale nie została przegrana. Chociaż sprawy wewnętrzne państwa w rezultacie blokady aliantów były w bardzo złym stanie, niemiecka ziemia nigdy nie była terenem walk; poza tym zawarto raczej rozejm, niż podpisano bezwarunkową kapitulację. Coraz powszechniej wierzono, że odważnych żołnierzy na froncie zdradzili politycy, komuniści i finansiści w kraju. Skutkiem był rozkwit „kultu żołnierza" i – w swoim czasie – militaryzm, nacjonalizm i antysemityzm nazistów.

Zatem siły zbrojne Niemiec, czyli Wehrmacht, okresu międzywojennego cieszyły się dużo wyższym statusem niż siły aliantów zachodnich. Gdy w 1933 roku naziści doszli do władzy, armia uchodziła, i sama się uważała, za „integralną część państwa i społeczeństwa Trzeciej Rzeszy" i „celowo stworzony, drugi, obok partii, filar państwa Führera". Od wprowadzenia w 1935 roku poboru postrzegano wojsko jako istotną część edukacji Niemca. Warunkowanie młodych niemieckich umysłów było jednym z priorytetów nazistowskiego reżimu, bardzo o nie dbano na różnych etapach – przy wstępowaniu do Jungvolk w dziesiątym roku życia, do Hitlerjugend w czternastym i Wehrmachtu lub Arbeitsdienst (służba pracy) w osiemnastym. Do

1944 roku partia nazistowska miała dziesięć lat na wykształcenie i zindoktrynowanie mężczyzn w zakresie cnót wojskowych, tak by uważali siebie nie za cywilów w mundurze, ale przede wszystkim za żołnierzy.

Robert Frettlöhr, który walczył pod Cassino jako spadochroniarz, miał dziewięć lat, gdy Hitler doszedł do władzy w 1933 roku. Jego ojciec pracował w wielkiej stalowni w rodzinnym Duisburgu i w tej samej firmie Robert rozpoczął naukę zawodu, gdy miał czternaście lat. „Byłem w Hitlerjugend – mówi – tak, była tam dyscyplina i to pomagało. Robi to z ciebie kogoś". Ulubionym zajęciem Frettlöhra było puszczanie samolotów na pagórkowatych terenach wokół rodzinnego miasta. Chłopcy jeździli również na obozy i robili modele samolotów. „Ale – dodaje Frettlöhr – byliśmy przygotowywani do tego, żeby być żołnierzami. (...) Widzieliśmy maszerujących mężczyzn i traktowaliśmy to jako po prostu część naszego życia. Po prostu tak było. Widzisz, nie było wyboru, a ja tego nie kwestionowałem, ponieważ byłem o wiele, wiele za młody". Gdy miał osiemnaście lat, zgłosił się na ochotnika do Luftwaffe i po obejrzeniu filmu o niemieckich spadochroniarzach połknął haczyk.

Joseph Klein, inny spadochroniarz, który walczył pod Cassino, pod koniec lat trzydziestych był nastolatkiem. „Byłem wtedy prawdziwym nazistą – mówi. – Zasadniczo nie można było odciąć się od polityki, (...) całe społeczeństwo porwała ta polityczna idea, ten narodowy socjalizm. Wcześniej [w Niemczech] panował chaos. Zachód sparaliżował Niemcy traktatem wersalskim i gospodarka nie mogła stanąć na nogi. Ale z Hitlerem w krótkim czasie skończyło się bezrobocie i od razu Niemcom żyło się lepiej. Nie było właściwie ubóstwa. Nie było żebraków. Wszyscy pomagali sobie nawzajem. W pierwszym roku rządów Hitlera każdy nagle miał święta Bożego Narodzenia – każdy miał prezenty, a bogaci musieli dać coś biednym. Było *Volksbewusstsein*, stawanie nawzajem w swojej obronie". Klein również był zagorzałym członkiem Hitlerjugend i jej wersji dla młodszych. „Członkiem Jungvolk Hitlera stawało się automatycznie, nie można było stać z boku. Zostałem wychowany jako totalny narodowy socjalista. Tak mnie wychowywano od najmłodszych lat. Nie potrafiłem myśleć inaczej. Nikt w tamtym czasie nie potrafił. Dlaczego miałbym być inny? W zasadzie jako młodemu mężczyźnie brakowało mi zdolności krytycznych w tym sensie, w jakim ludzie mają je dzisiaj".

Podczas gdy obywatelskimi armiami Brytyjczyków i Amerykanów trzeba było dowodzić z wielką ostrożnością, w Wehrmachcie nie było mowy o żadnych „prawach". Przyłapany na dezercji niemiecki żołnierz zostałby rozstrzelany. W czasie wojny Niemcy przeprowadzili ponad 15 tysięcy egzekucji własnych żołnierzy. Amerykanie mieli teoretycznie karę śmierci, ale w ciągu wojny dokonali egzekucji tylko jednego człowieka. Brytyjczycy zrezygnowali z plutonu egzekucyjnego jako kary za dezercję przed 1930 rokiem, chociaż w marcu 1944 roku, gdy sytuacja we Włoszech się pogorszyła, Alexander bez powodzenia zabiegał o jej ponowne wprowadzenie.

Stopnia, w jakim różnice te tłumaczą znakomite działania bojowe wielu oddziałów Wehrmachtu we Włoszech, niemal nie sposób ocenić, ale z pewnością gdy po stronie aliantów nikt się nie spodziewał, że wojna przeciągnie się do 1945 roku, niemieccy jeńcy wzięci pod Cassino i wcześniej zdumieli żołnierzy alianckich swoją pewnością co do zwycięstwa Niemiec. Dopiero gdy szli na tyły i widzieli tam ogromne bogactwo materialne – czołgi, zaopatrzenie i amunicję – ich optymizm zaczynał przygasać.

Dla oddziałów brytyjskich i amerykańskich zwycięstwo oznaczałoby po prostu koniec wojny i powrót – wreszcie – do życia w cywilu. Ci ludzie, którzy walczyli dalej w czasie okropnej włoskiej zimy z 1943 roku na 1944 i uczestniczyli później w krwawej rzezi pod Monte Cassino, robili to, ponieważ wystarczająca liczba czynników przeważyła nad racjonalnym, podstawowym instynktem przetrwania: nie chcieli zawieść swoich kolegów lub rodzin; bardziej bali się wstydu z powodu okazania tchórzostwa w grupie; ponieważ mogli albo zabijać, albo dać się zabić; ponieważ musieli. W żadnym kraju rozpoczęcie drugiej wojny światowej nie zostało przyjęte z patriotyczną retoryką zademonstrowaną po wybuchu pierwszej wojny. W Stanach Zjednoczonych panował powszechny brak zainteresowania, gdy Niemcy najechały najpierw na Polskę, a potem na Francję. Robert Koloski z Minneapolis na Środkowym Zachodzie, który był sanitariuszem w szpitalu wojskowym pod Cassino i w czasie walk w Afryce, opisuje swoją reakcję na rozpoczęcie nowej wojny we wrześniu 1939 roku: „O Europie nie mówiło się wiele. Myślę, że ciągle jeszcze byliśmy w znacznej mierze izolacjonistami. Zatem niewielu z nas rozumiało Europę czy w ogóle o niej myślało". Gdy 7 grudnia 1941 roku zaatakowano Pearl Harbor, „w kraju zapanowała kompletna panika – mówi Koloski. – Wożono nas po różnych miastach w południowych Stanach Zjednoczonych, gdzie ochranialiśmy porty i tym podobne miejsca przed japońską inwazją, która oczywiście okazała się absolutnie niemożliwa, ale w tamtym mniej więcej czasie oni właśnie byli zajęci rozkręcaniem wszystkiego". Gdy cztery dni później Niemcy wypowiedziały wojnę

Stanom Zjednoczonym, było to dla wielu Amerykanów zaskoczeniem. „Nikt tak naprawdę nie rozumiał, dlaczego jedziemy do Europy – mówi Koloski. – Przy naszym poziomie wykształcenia i całej reszcie nieszczególnie rozumieliśmy sytuację”. W ciągu wojny inspirującym sloganem pozostało „Pamiętajcie o Pearl Harbor”. Jak podkreślano, „nikt [w Stanach Zjednoczonych] nigdy nie krzyczał ani nie śpiewał «Pamiętajcie o Polsce»”. Dramatopisarz Arthur Miller podczas wojny pracował w brooklyńskiej stoczni marynarki wojennej i zauważył „wśród ludzi, z którymi pracowałem, niemal brak (...) jakiegokolwiek zrozumienia tego, czym jest nazizm – walczyliśmy z Niemcami w zasadzie dlatego, że były sprzymierzone z Japończykami, którzy zaatakowali nas w Pearl Harbor”.

Chociaż wielu wstąpiło do armii, mając nadzieję „zrobić swoje”, niewiele pozostało z takiego idealizmu po wystawieniu na walkę i bliskie towarzystwo grupy żołnierzy z frontu. „Zanim dotarliśmy do Włoch – wspomina Koloski – całe to «w imię Boga i patriotyzmu» zniknęło. Bardzo szybko przestaliśmy to uważać za bohaterskie przedsięwzięcie. Raczej nikt nie krzyczał „hurra” za Boga i ojczyznę, a gdyby spróbował, pewnie pchnęliby go bagnetem”. Bill Mauldin zgadza się z tym: „Niektórzy mówią, że na froncie morale jest niewiarygodnie wysokie, ponieważ wszystkie twarze promienieją dla wspaniałej sprawy. Mylą się”. Pewien kanadyjski żołnierz ujmuje to bardziej otwarcie: „Kto, do cholery, ginie jeszcze za króla i ojczyznę? Te bzdety skończyły się podczas pierwszej wojny światowej”. Anglik Charlie Framp, który służył w Black Watch i opisał swoje doświadczenia wojenne, w szczególności z Cassino, podsumowuje motywację typowego brytyjskiego żołnierza piechoty w pasywny, fatalistyczny sposób: „Był tam po prostu dlatego, że tam był”. Niewiele wiedziano o okropnościach, których reżim nazistowski dopuszczał się w całej Europie, a jeszcze mniej w nie wierzono; to, co z perspektywy czasu sprawiło, że drugą wojnę światową określono mianem „dobrej”, nie miało specjalnego związku z żołnierzem walczącym na froncie we Włoszech w Boże Narodzenie 1943 roku.

Szczególnie amerykańscy szeregowcy nie wierzyli alianckiej propagandzie mówiącej o potwornościach i obozach jenieckich. Rozczarowane i uodpornione dzięki surowości Wielkiego Kryzysu pokolenie miało w zasadzie podejrzliwy stosunek do władzy i tego rodzaju górnolotnej retoryki, która kojarzyła im się z pierwszą wojną światową. „Dla większości żołnierzy wojna mogła równie dobrze toczyć się o dobry wygląd, tak ulotne wydawały się czasami jej znaczenie i cel – napisał pewien były amerykański żołnierz. –

Zdziwienie zdarzeniami, które przejawili uczestnicy, wyraźnie kontrastuje z jasnością celu, którą mieli, przynajmniej w początkowych fazach, żołnierze walczący w pierwszej wojnie". Stąd wzięła się popularność takich autorów jak Ernie Pyle, którego pozbawiony ideologicznego zadęcia, praktyczny ton zarówno odzwierciedlał, jak i kształtował amerykańskie postawy wobec wojny, szczególnie prowadzonej w Europie. Z pewnością Pyle mógł znaleźć bardzo niewiele przejawów rzeczywistej nienawiści do Niemców; jeśli już, to odczuwano w pewnym stopniu braterstwo z żołnierzami walczącymi po drugiej stronie linii frontu. Pisząc o walkach w górach przed Cassino, Pyle zdumiewa się ogromną siłą ognia artyleryjskiego aliantów skierowanego na Niemców, po czym dodaje: „(...) Bez względu na to, jak zimno było w górach, jak mokry był śnieg czy lepkie błoto, było to równie uciążliwe i dla żołnierza niemieckiego, i amerykańskiego".

Władze amerykańskie miały nadzieję, że stworzą w umysłach żołnierzy rozróżnienie między Niemcami i nazistami, ale nie bardzo to się udało w przypadku szeregowców, i coraz bardziej niepokojono się niechęcią frontowego żołnierza do celowego zabijania wroga w walce wręcz. Przeprowadzono badania i stwierdzono, że niespełna dziesięć procent oznajmiło, że „naprawdę chciałoby" zabić niemieckiego żołnierza (niemal połowa „naprawdę chciałaby" pozbawić życia żołnierza japońskiego). Niemców, w przeciwieństwie do „podstępnych, orientalnych" Japończyków, postrzegali Amerykanie, i być może w nieco mniejszym stopniu Brytyjczycy, jako bardzo podobnych do siebie. Tom Kindre przybył do Casablanki w kwietniu 1943 roku wraz z innymi świeżo przeszkolonymi żołnierzami i znalazł się we Włoszech krótko po lądowaniu w Salerno. Wspomina, że gdy dwóch niemieckich żołnierzy przybłąkało się na jego pozycję z uniesionymi rękami, był zaskoczony ich zwyczajnością: „Mówiłem trochę po niemiecku, ale ich nie przesłuchałem. Nie oczekiwano tego. Zostawiało się to ludziom, którzy prowadzili oficjalne przesłuchania, ale trochę z nimi porozmawiałem. Przede wszystkim byli oczywiście głodni, więc zabrałem ich do namiotu, w którym mieściła się kantyna, i kazałem sierżantowi dać im coś do jedzenia. No cóż, wyobrażenie, jakie miałem, pochodziło z filmów: arogancki niemiecki oficer SS w butach z cholewami. Uświadomiłem sobie, że ci mężczyźni są bardzo, ale to bardzo zwyczajnie wyglądającymi ludźmi, nie ma w nich absolutnie nic szczególnego". Gdy pierwszy raz natknął się na martwych Niemców, natychmiast ogarnęły go żal i współczucie. „Nasza dywizja szybko posuwała się naprzód, więc ludzie z rejestracji grobów nie byli w stanie nadążyć. Przenieśliśmy się na nowy teren i szedłem ustalić miejsce lokalizacji latryny, kiedy natknąłem się na niewielki wzgórek i dwa ciała, dwóch Niemców, którzy byli na stanowisku karabinu maszynowego. Jeden najwyraźniej dopiero co otrzymał paczkę z domu. Ciągle była do połowy wypełniona ciastkami. Pamiętam, że szczególne wrażenie wywarł na mnie fakt, że były tam listy. Facet czytał list z domu. Obok leżał notes z nazwiskami i adresami".

Wielu brytyjskich żołnierzy opisało podobne uczucia. Jeden z nich, zdobywszy ziemiankę zajmowaną niedawno przez Niemców, zauważył, że przepełnia ją ciągle zapach poprzednich mieszkańców: „Upodobania i zasady pojedynczych walczących żołnierzy, bez względu na to, po której stronie walczyli, nie zależały całkowicie od narodowości. Spoglądając na te resztki, na ten bałagan, na oznaki pospiesznej ucieczki, można nawet było w duchu ich żałować".

Zabicie lub okaleczenie wroga o tak wyraźnych ludzkich cechach, czego oczekiwano od frontowej piechoty, w bezpośredniej walce, przy użyciu karabinu, granatu czy bagnetu, znowu wymagało przezwyciężenia podstawowych ludzkich instynktów. Obok strachu przed własną śmiercią był to najgorszy aspekt wojny dla uczestników; wielu z nich odczuwało z tego powodu upokorzenie i niesmak, zwłaszcza po zakończeniu akcji. Takie uczucia utrzymywały się w wielu wypadkach przez ponad sześćdziesiąt lat. „Nie stajesz się zabójcą – pisał Bill Mauldin. – Żaden normalny człowiek, który powąchał śmierć i miał z nią styczność, nie chce widzieć jej już nigdy więcej. (...) Najpewniejszym sposobem na zostanie pacyfistą jest wstąpienie do piechoty".

Wydaje się, że u wszystkich, którzy ruszyli do walki po raz pierwszy, występuje rozwój emocji od szoku i przerażenia lub złości aż po otępiałą akceptację okropnych realiów wojny. Niemal wszyscy żołnierze doskonale pamiętają chwilę, kiedy po raz pierwszy ich oddział poniósł straty czy kiedy po raz pierwszy zobaczyli na polu martwego człowieka, ale potem ich wspomnienia stają się mniej wyraziste. Werner Eggert, osiemnastoletni spadochroniarz z niemieckiego 4. pułku 1. dywizji spadochronowej, został wysłany na front adriatycki pod koniec listopada 1943 roku. Najbardziej niebezpieczna była droga na pozycje frontowe. „To było w pierwszym tygodniu – mówi – gdy dostaliśmy się pod ostrzał granatnika. Każdy żołnierz wie, że w takiej sytuacji nie da się wystarczająco szybko zejść na dół. Dwóch z naszych ludzi trafiły drobne odłamki, które mógł usunąć sanitariusz w szpitalu polowym. Ale młody blondyn Lawrenz został trafiony poprzecznie w gardło.

Próbowaliśmy ucisnąć arterię szyjną i dla ochrony zanieśliśmy go w ruiny następnego domu. Starałem się dodać mu otuchy: «Nie jest tak źle, uda nam się to załatać...» Próbował oddychać, ale słyszeliśmy tylko rzężenie. Materiał opatrunku cały przesiąkł krwią. Ręce mi się lepiły. Pięć minut później, na długo zanim dotarł do nas sanitariusz kompanii, nie żył. Sanitariusz, który miał najwyżej dwadzieścia trzy, dwadzieścia pięć lat, i tak nie mógłby nic zrobić. Dwóch ludzi zaniosło Lawrenza z powrotem do wioski. A reszta z naszej czwórki ruszyła zaniepokojona w dalszą drogę. Co powiedzą jego rodzicom? Zginął za swój naród i ojczyznę? Zginął jak bohater? Coś w tym stylu. W rzeczywistości oberwał «bezdusznym» odłamkiem granatu wystrzelonego na ślepo w noc. Osiemnaście lat. Ale to był dopiero początek. Nadal pamiętam nazwisko tego pierwszego człowieka, który musiał gryźć ziemię. Później jednak, w natłoku wydarzeń, przy ciągłych uzupełnieniach, gdy wszystko przechodziło w nawyk, pamięć osłabła. A co jeszcze bardziej przerażające, osłabł również żal po poległych". Eggert przypisuje to „emocjonalnemu otępieniu, które z czasem dopadało każdego", uczuciu doznawanemu przez żołnierzy wszystkich narodowości.

Niektórzy jednak walczyli po to, by wyrównać rachunki, by pomścić zabitych towarzyszy czy bliskich. Denis Beckett, który dowodził kompanią brytyjskiej piechoty pod Cassino, przypomina sobie, że jeden z jego ludzi robił nacięcia na karabinie, odnotowując w ten sposób liczbę Niemców, których zabił: „Mieszkał w Coventry – mówi Beckett. – Niemcy zbombardowali miasto i stracił matkę, ojca i dziewczynę. Zawsze zgłaszał się na ochotnika do zadań, które dawały mu szansę zastrzelenia Niemców". Poza tym bardzo małą liczbę ludzi bez wątpienia wojna cieszyła. Dla większości byli oni czasami niezrozumiali, czasami ciężarem, a czasami inspiracją. Saper Richard Eke, który służył we Włoszech w 754. polowej kompanii inżynieryjnej i napisał wspaniałe pamiętniki z wojny, miał kaprala, który był weteranem hiszpańskiej wojny domowej: „Trochę szalony i odważny, i trochę nie na miejscu w oddziale, który starał się unikać niepotrzebnego bohaterstwa. Zgłaszał się na ochotnika do wszystkiego i nigdy nie widzieliśmy, żeby okazywał strach". Sam Eke dużo wcześniej przyjął najpowszechniejszą wśród żołnierzy postawę znużonego fatalizmu. Po tym, jak jego oddział poniósł pierwsze straty, pisze, „dostaliśmy pierwszą nauczkę, głównie taką, że to nie Niemcy czy Włosi, lecz los jest naszym nie wyróżniającym nikogo wrogiem. Z taką samą bezdusznością wojskowych rozkazów, bez uczciwości czy oceny – «Ty i ty, do piachu – reszta na ciężarówkę»".

Matthew Salmon, brytyjski saper z 56. dywizji, który pomagał zainstalować łazienkę w przyczepie Clarka, również miał oficera uważanego za „trochę szalonego". „Major Smith, nasz oficer dowodzący, który później zginął, uwielbiał wojnę – mówi Salmon. – Miał zwyczaj wychodzić w nocy, zabierając dwieście sztuk amunicji, i strzelać z ukrycia. (...) Myśleliśmy, że musi być szalony, żeby wykazywać taką gorliwość, ale z drugiej strony wszyscy chcieliśmy, żeby wojna się jak najszybciej skończyła, i to właśnie ludzie tacy jak on mieli największe szanse doprowadzić do jej szybkiego zakończenia". Major, który najpierw służył w armii indyjskiej, był bardzo wymagający, jeśli chodzi o dyscyplinę, i wykazywał mało zrozumienia dla swoich ludzi, ale przyznają oni, że nigdy nie kazałby im zrobić czegoś, czego sam by się nie podjął. Niemniej jednak jego ludzie często odnosili się podejrzliwie do tych brawurowych popisów, czując, że mogą przez nie wpaść w kłopoty.

Bez względu na to, jak uczciwie korespondent wojenny Ernie Pyle opisał warunki w środkowych Włoszech w zimie 1943/44 roku, istniały pewne tematy, które postanowił zignorować lub być może uznał za zbyt drastyczne na to, żeby mogły przejść przez cenzurę. Jak podkreślono, niewiele mówił o częstych ofiarach „własnego ognia", problemie załamań psychicznych w oddziałach, segregacji rasowej w armii Stanów Zjednoczonych czy powszechnie dokonywanych przez amerykańskich żołnierzy grabieżach. W powściągliwy sposób wyrażał się też o coraz większym rozczarowaniu i braku entuzjazmu w armiach aliantów pod koniec 1943 roku. Przyznawał jednak, że występuje znacząca różnica w działaniach oddziałów na froncie: „Nie wiem, co skłania niektórych ludzi, czy to w czasie pokoju, czy wojny, do przekraczania wszelkich oczekiwań, ani co powstrzymuje innych od zrobienia tylko tego, co możliwe. W każdej grupie żołnierzy znajdziecie i jednych, i drugich". W rzeczywistości obecnie coraz więcej było tych drugich. Jak zauważył pewien historyk, we Włoszech pod koniec 1943 roku była „coraz mniejsza liczba starających się, a coraz większa obiboków". Poza niepotwierdzonymi źródłami liczba osób zapadających na choroby – zawsze dobry wskaźnik morale i zapału bez względu na okoliczności – wskazuje, że armia traci ducha. Do końca 1943 roku 5. armia Marka Clarka poniosła w walce 40 tysięcy ofiar, ale sam kontyngent amerykański miał ponad 50 tysięcy chorych.

Realnym problemem stawała się również dezercja. Niektóre szacunki liczby „uciekinierów" we Włoszech w danym okresie sięgają aż 20 tysięcy. Na pustyni dezercja nie wiązała się z wieloma atrakcjami, ale we Włoszech tak, gdyż były tam gospodarstwa rolne, na których mężczyzn witano z otwartymi ramionami, i ciepłe łóżka dla zmienników męża i synów, będących jeńcami, uchodźcami lub trupami. W miastach nie było trudno się ukryć, a kwitnący czarny rynek dostarczał środków utrzymania. Skala tego problemu w armii brytyjskiej była tak wielka, że „dowódcy i sztab byli zaniepokojeni, (...) bo niezależnie od skutków, jakie to miało dla operacji, ogromnie trudno było zapewnić dezerterom utrzymanie w więzieniach".

Większość nie zdezerterowała podczas walki, lecz postanowiła nie wracać do swoich oddziałów po odesłaniu na tyły. Łatwo mogli się zgubić na tydzień w Neapolu. Gdy w końcu wrócili do swoich oddziałów lub zostali zatrzymani, mieli przed sobą trzy do pięciu lat karnej służby. Ale niemal wszystkie wyroki po sześciu miesiącach były rewidowane i – przy rozpaczliwym braku ludzi – taki żołnierz z powrotem trafiał do szeregów. Chociaż byli nieliczni „świadomi" dezerterzy, którzy woleliby raczej iść do więzienia niż do boju, raport dla ministerstwa wojny z końca 1944 roku stwierdzał, że większość dopuściła się dezercji „bezwiednie" i że większość dezerterów stanowili po prostu ludzie, którzy byli u kresu wytrzymałości. Oficjalny historyk 56. dywizji brytyjskiej, który szczerze przyznaje, że święta Bożego Narodzenia 1943 roku i kolejne dwa miesiące były „szczytowym okresem" dezercji, zapewnia, że na wielu „dezerterów" natknięto się, gdy zdezorientowani błąkali się po okolicy, przeżywszy jakąś postać załamania nerwowego. Tom Kindre to potwierdza. Pracował jako obrońca w radzie wojskowej sądu dywizji i mówi: „Widziałem wielu żołnierzy sądzonych za niewłaściwe zachowanie w obliczu wroga, którzy moim zdaniem byli zaszokowani, otępiali, w jakiś sposób nie do końca panowali nad sobą".

Dlatego władze wojskowe i medyczne „starały się rozróżniać między medyczną i dyscyplinarną sferą zachowań". Wiele czynników, takich jak okoliczności i uprzednie zachowanie, pomagało ocenić, czy żołnierz, który nie stawił się do walki czy też w oddziale, ma skończyć w obozie zatrzymanych do wyjaśnienia lub w szpitalu. Najczęściej jednak decyzja pozostawała w gestii wojskowego psychiatry, który z jednej strony musiał brać pod uwagę dobro swojego pacjenta, a z drugiej znajdował się pod olbrzymią presją dowództwa armii, by odsyłać żołnierzy na front. Niektóre przypadki załamania nerwowego skutecznie leczyło kilka dni w ośrodku dla wyczerpanych, niezbyt oddalonym od linii frontu. Doświadczenie z Sycylii i Afryki Północnej nauczyło lekarzy, że oderwanie żołnierza od rutyny i wspierających go towarzyszy często zwiększa problem, ponieważ usuwa podstawową podporę i nasila u niego poczucie wstydu i bezwartościowości.

Dla wielu jednak walczących żołnierzy właśnie urazy psychiczne położyły kres pobytowi we Włoszech. Nie było to nic nowego; jak ujęto w niedawno wydanej dla amerykańskich weteranów ulotce informacyjnej o nerwicy pourazowej: „Wojna to zagrażające życiu doświadczenie, które wiąże się z oglądaniem straszliwych aktów przemocy i uczestniczeniem w nich. (...) Normalną reakcją człowieka na psychiczne urazy wojenne są uczucia strachu, gniewu, smutku i przerażenia, jak również emocjonalnego otępienia i niedowierzania". Psychologiczne problemy stwarzane przez walkę określa się różnymi nazwami, odzwierciedlającymi aktualne przekonania co do ich przyczyny i możliwe sposoby leczenia. Podczas amerykańskiej wojny secesyjnej nazywano to „sercem żołnierza", w czasie pierwszej wojny światowej znane były początkowo jako „nerwica frontowa", ponieważ błędnie kiedyś mniemano, że symptomy nerwowe były po prostu skutkiem wstrząśnienia mózgu spowodowanego eksplozjami pocisków. W okresie drugiej wojny światowej ukuto takie eufemizmy jak „wyczerpanie bojowe" i „wycieńczenie bojowe", jak gdyby wszystkich tych zdruzgotanych ludzi można było przywrócić do formy dzięki dobrze przespanej nocy.

Z perspektywy czasu należy się dziwić, że pod Cassino nie przeżyła załamania nerwowego jeszcze większa liczba żołnierzy. W miarę jak walki stawały się coraz bardziej statyczne, młodzi amerykańscy psychiatrzy zyskiwali możliwość odwiedzenia po raz pierwszy linii frontu. To, co tam zastali, wprawiło ich w zdumienie: niemal wszyscy żołnierze, nawet ci, których uważano za najodporniejszych w swoich oddziałach, mieli większość objawów – drgawki, koszmary senne, poty – którymi oni zajmowali się w swoich szpitalach. Przysłany z Waszyngtonu psychiatra odwiedził ośrodki dla wyczerpanych w okolicy Cassino na początku 1944 roku. Jego raport obalił teorię, że tylko ludzie słabi czy tchórzliwi załamują się psychicznie, stwierdzając, że nie istnieje coś takiego jak „przyzwyczajenie się do walki" i że „praktycznie wszyscy żołnierze w batalionach piechoty, którzy nie byli poza tym niezdrowi, w końcu stali się ofiarami psychiatrycznymi". Stosunek innych żołnierzy do takich przypadków zwykle był uzależniony od tego, jak długo uczestniczyli w walkach. Weterani uznawali takie „ofiary" za coś równie nieuchronnego jak pogoda, a gdy ci żołnierze „zrobili swoje", ich towarzysze troszczyli się o nich; to nowo przybyli „postrzegali to jako zniewagę dla ich przekonań na temat właściwego zachowania żołnierza". Ale jak przestrzegał pewien wielokrotnie odznaczany kanadyjski weteran: „Osoby, które nie są narażone na kule i pociski w wąskim okopie lub nie muszą nacierać na otwartym terenie na zdeterminowanego wroga, powinny z wielką rozwagą używać słów «tchórzostwo», «cykor» i «symulant». Wcześniej czy później w tych okolicznościach wszyscy załamalibyśmy się psychicznie".

Wkrótce po lądowaniu w Salerno brytyjski artylerzysta Spike Milligan złapał malarię, która objawiała się bólami głowy, pleców i – w niektórych przypadkach – letargiem lub pomieszaniem zmysłów. Przebywał kilka dni w szpitalu, po czym długi czas nudził się w obozie przejściowym w pobliżu Salerno. Gdy 20 października wrócił do oddziału na północnym brzegu Volturno, był zadowolony, że znowu jest ze swoimi towarzyszami. 10. korpus był w marszu. „Szliśmy na północ wzdłuż wysadzanej drzewami drogi – pisał Milligan – przed nami w dali wznosiło się pasmo górskie, niektóre szczyty były pokryte śniegiem: to te, które będziemy musieli przebyć, żeby uzyskać dostęp do równiny Garigliano. Szkop wycofał się na nie i czeka".

Do połowy października stało się dla aliantów oczywiste, że Niemcy nie zamierzają opuścić południowych Włoch, jak przewidywano, na korzyść linii obronnej wzdłuż rzeki Po, daleko na północ od Rzymu. W związku z tym pojawiła się kwestia, co zrobić po zabezpieczeniu Neapolu. Wiele z pierwotnych celów kampanii już osiągnięto – Włochy wycofały się z wojny, zdobyto lotniska w Neapolu i Foggii. Inny cel, związanie jak największej liczby niemieckich dywizji, był, w kategoriach taktycznych, jak skarżył się pewien oficjalny historyk amerykański, tak „niejasny, że nie dawało się tego opisać".

Gdy w listopadzie 1943 roku przywódcy aliantów spotkali się w Teheranie, Stalin zasugerował nawet, że armie we Włoszech powinny przejść do defensywy. Być może miało to na celu nasilenie nadal gwałtownie toczących się sporów między Brytyjczykami i Amerykanami o niski priorytet kampanii włoskiej, jeśli chodzi o przewozy morskie, posiłki i zaopatrzenie. Brooke w dzienniku nadal gotował się ze złości na „ograniczenia umysłowe Marshalla" i żałował straconych możliwości w basenie Morza Śródziemnego, podczas gdy Amerykanie upierali się, że transport siedmiu dywizji do Wielkiej Brytanii musi zostać przeprowadzony zgodnie z planem. Na spotkaniu tym ustalono plan wykorzystania wojsk alianckich we Włoszech do desantu w południowej Francji w celu wsparcia inwazji w Normandii – operacji tej nadano kryptonim „Anvil". Plan ten zyskał zdecydowane poparcie Stalina, który nie chciał widzieć wojsk aliantów zachodnich na wschód od Włoch. Ale plan „Anvil" przewidywał, że atakujący dokonają „krótkiego skoku" z północnych Włoch, co oznaczało, że do wiosny 1944 roku musieli się znaleźć daleko na północ od Rzymu, więc trzeba było wciąż posuwać się naprzód, chociaż po namowach Churchilla postanowiono część okrętów desantowych przeznaczonych na Normandię zatrzymać na Morzu Śródziemnym do operacji wodno-lądowych na niemieckich flankach. Był jeszcze jeden motyw, zdobycie samego Rzymu, które zwłaszcza Churchill uznawał za znakomity manewr propagandowy i które miało uratować całą kampanię włoską przed „zatonięciem". Szefowie lotnictwa, którzy mieli na oku lotniska wokół Rzymu, również chcieli, żeby front przesunął się bliżej ich celów w południowych Niemczech i na Bałkanach. Końcowym ustaleniem było zobowiązanie do zajęcia Rzymu, w domyśle dzięki operacji wodno-lądowej.

Ale w istocie rzeczy kampania lądowa stworzyła własne zapotrzebowanie i nabrała własnego impetu. 5. armia musiała posuwać się jak najszybciej nie tylko po to, by nie wyglądać na pobitą i by w dalszym ciągu naciskać na Niemców, lecz również po to, żeby uniemożliwić dalszą fortyfikację miejsc na swojej drodze. Ze zwiadu powietrznego, od cywili i zbiegłych jeńców wojennych dowiedziano się o pracach wzdłuż linii Gustawa, opierającej się na rzekach Rapido i Garigliano oraz Monte Cassino. Za tymi dwiema rzekami doszło do zakrojonej na wielką skalę koncentracji oddziałów niemieckich, budowano stanowiska dział na litej skale, oczyszczono brzegi rzek, żeby stworzyć pole ostrzału, i wszędzie przygotowywano rowy przeciwczołgowe, miny i zasieki z drutu kolczastego. Jeśli linie przed Cassino byłyby bronione wystarczająco zdecydowanie, Niemcy, jak się wydawało, zamierzali utrzymać linię Gustawa. Alianci mogli jedynie próbować dotrzeć jak najszybciej do tego zabójczego pola śmierci. W rzeczywistości dali się wciągnąć w taktyczną pułapkę.

W górach między dolinami Volturno, Garigliano i Rapido sytuacja stale się powtarzała: Niemcy utrzymywali pozycję i kontratakowali, po czym wycofywali się dokładnie w chwili, gdy alianci zdobywali pole ostrzału, zasięg moździerzy i artylerii lub mozolnie oskrzydlili daną pozycję. Walczono o każdą kolejną wieś, rozbijając je w pył, aż w końcu Amerykanie lub Brytyjczycy rzucali się do natarcia tylko po to, by stwierdzić, że cel został opuszczony przez nieprzyjaciela na korzyść następnej pozycji, która czasami znajdowała się niecałą milę dalej. Dla dowódcy 10. armii von Vietinghoffa wszystko szło zgodnie z planem: „Zdobycze nieprzyjaciela nie stanowiły wielkiego zagrożenia – napisał później – a każdy krok naprzód w górzysty obszar tylko zwiększał jego trudności".

W miarę jak pole walki przesuwało się powoli w kierunku północnym, zwiększały się też zniszczenia kraju, o który walczono. Jak napisał Mauldin, bynajmniej nie przyjaciel Włochów: „Nie ma wątpliwości, że Włosi płacą wysoką cenę za swoje stare grzechy. Kraj wygląda tak, jakby od jednego krańca po drugi przeorały go gigantyczne grabie". Wszędzie, gdzie przechodzili alianci, można było zobaczyć zniszczone gaje oliwne, spustoszone sady i zburzone budynki. „Zwykle można stwierdzić, jakiego rodzaju walki toczyły się w danym mieście – pisze dalej Mauldin – i ile wysiłku kosztowało zajęcie go, po gruzach, jakie pozostały. Jeśli budynki są niemal nienaruszone, mają tylko powybijane szyby, drzwi i ślady po kulach na murach, była to szybka, uliczna walka wręcz z użyciem broni ręcznej i granatów oraz być może jakiegoś moździerza czy dwóch. Jeśli większość murów nadal stoi, ale w dachach zieją dziury i wiele pomieszczeń jest strzaskanych, to wejście aliantów poprzedził ostrzał artyleryjski. Jeśli niektóre dziury są w skośnych dachach na wprost wycofującego się nieprzyjaciela, to po wyjściu obrócił je on w perzynę. Ale jeśli z miasta w ogóle niewiele pozostało, to w akcji były samoloty. Bomby jakby unosiły rzeczy w powietrze i zrzucały je na stos. Nawet olbrzymie blaszane drzwi, w które właściciele wyposażają swoje sklepy, odkształcają się i puchną w groteskowe kształty".

24 października Spike Milligan zapisał w dzienniku: „Jestem bardzo zdenerwowany. Nie mogę jeść. Pod koniec dnia czułem się naprawdę wykończony. Co jest ze mną nie tak?" Był coraz bardziej przygnębiony skutkami wojny, w której walczył, i nie kończącym się szeregiem zrównanych z ziemią miast i wsi. Następnego dnia jego oddział jechał przez ruiny Sparanise, które zostało „ciężko ostrzelane z dział i zbombardowane, niektóre budynki jeszcze dymiły. Mieszkańcy są w stanie szoku, kobiety i dzieci płaczą, mężczyźni szukają w ruinach dobytku lub, co gorsza, swoich bliskich. Najbardziej przygnębiały mnie małe dzieci, to, że taka niewinność jest skazana na takie cierpienie. Świat dorosłych powinien na zawsze zwiesić głowę ze wstydu z powodu strasznych, niewybaczalnych krzywd, które wyrządził młodym".

Wielu innych amerykańskich wojskowych podzielało współczucie Milligana dla niewinnych ofiar wojny. S. C. Brooks, obsługujący karabin maszynowy i przydzielony do 56. dywizji brytyjskiej, zapisał 1 października w dzienniku: „Zatrzymujemy się na noc we wsi, otaczają nas tłumy dzieciaków, które chcą mięsa i herbatników, niektóre przynoszą warzywa, fasolę, pomidory, winogrona, ziemniaki. Wszystkie wydają się być w kiepskim stanie z powodu niedożywienia, nie wiem, jak dadzą sobie radę za miesiąc czy coś koło tego. (...) Wiele dzieciaków nabawiło się chorób, zazwyczaj oczu lub nóg". Gdy tylko żołnierze jedli, pojawiał się tłum „obszarpanych i żałosnych" cywili, żebrzących o jedzenie lub grzebiących w kubłach na śmieci w poszukiwaniu resztek. Jak pisał Mauldin: „Ordynans wie, kto mu da następny posiłek. Dzięki temu jest bardzo bogatym człowiekiem w tym kraju, w którym panuje głód tak dotkliwy, że z szacownych starszych pań robi zwierzęta". Podczas walk na pustyni kręciło się niewielu cywili, ale tutaj, we Włoszech, byli wszędzie. Oglądając materiały filmowe nakręcone przez operatorów armii brytyjskiej, można odnieść wrażenie, że są zawsze obecni, niektórzy najwyraźniej mają na sobie wszystkie ubrania, jakie posiadają, kobiety z koszami na głowach, dzieci noszące niemieckie furażerki, starcy w kapeluszach, kłócą się z żołnierzami lub ich błagają.

Artylerzysta Lee Harvey, jak wielu innych, był zaskoczony ubóstwem w południowych Włoszech, nawet przed spustoszeniem, jakiego dokonały walki. W 1940 roku w całych Włoszech PKB na głowę mieszkańca wynosił niespełna jedną czwartą tego, co w Wielkiej Brytanii, a południe zawsze było biedniejszą połową. Lee Harvey odwiedził biedną dzielnicę Neapolu wkrótce po jego zdobyciu: „Była to bez wątpienia najnędzniejsza dzielnica zamieszkana przez rodzaj ludzki, jaką ktokolwiek widział na oczy – napisał. – Ludzie, którzy mieli w niej domy, jeśli można je tak nazwać, musieli żyć w największym upodleniu". Mauldin, który skarżył się, że Włosi ukradli mu wszystko, co posiadał, z wyjątkiem „plomb w zębach", zauważył: „Ci z nas, którzy spędzili dużo czasu na Sycylii i we Włoszech, z każdym dniem są bardziej zdumieni, że taki podupadły kraj mógł mieć czelność komukolwiek wypowiedzieć wojnę, nawet przy poparciu Szwabów". Lee Harvey w typowy sposób dzielił Włochów na dwa typy: chłopów, „do których szybko nabraliśmy wielkiego szacunku. Wszyscy oni byli pracowici, serdeczni i hojni pod każdym względem wobec alianckich najeźdźców. (...) Z drugiej strony byli mieszkańcy miast, sklepikarze, rzemieślnicy i inni, którzy w przeważającej mierze byli faszystami lub komunistami i w zmieniającej się sytuacji wojennej nie przepuścili żadnej okazji, żeby obrosnąć w piórka pod słabymi pozorami patriotyzmu".

W rzeczywistości wydaje się, że „chłopi" byli równie hojni dla Niemców. Osiemnastoletni niemiecki żołnierz piechoty po przybyciu do wsi na wybrzeżu Adriatyku napisał 10 grudnia w dzienniku: „Wszyscy są tutaj głodni, nie ma chleba. Cywile są nastawieni przyjaźnie i przyjęła mnie miła rodzina z dwiema córkami, która poczęstowała mnie obiadem. Dali mi krucyfiks".

Lewe skrzydło ofensywy aliantów dotarło do linii Gustawa nad rzeką Garigliano 2 listopada w sile patrolu, ale uważano, że nadbrzeżna droga do Rzymu – droga numer siedem – z licznymi kanałami i moczarami, była nieodpowiednia dla głównej osi ataku, który miał pójść drogą numer sześć, Via Casilina, przebiegającą obok klasztoru na Monte Cassino. Około dziesięciu mil przed Cassino droga biegnie między wysokimi górami, przez tak zwaną „przełęcz Mignano", i tutaj Niemcy postanowili się zażarcie bronić. 5 listopada 10. korpus brytyjski generała McCreery'ego otrzymał rozkaz zajęcia Monte Camino, które kontrolowało południową część drogi. Po szybkich początkowych postępach atakujący żołnierze z 56. dywizji odkryli, że podejścia na szczyt zostały starannie zaminowane, również minami pułapkami, i były osłaniane przez ciężką broń, ustawioną w zagłębieniach powstałych wskutek wysadzenia w powietrze litej skały. Ilekroć docierali do szczytu, byli z niego wypierani kontrnatarciem, co kończyło się przywieraniem do niemal pionowych zboczy. Cały batalion musiał zajmować się niemal wyłącznie dostarczaniem walczącym żołnierzom racji i amunicji, a cała dywizja zaczynała odczuwać wyczerpanie. Dwie kompanie, które przedarły się w pobliże szczytu, zostały otoczone i utrzymawszy się przez pięć dni na jednodniowych dostawach jedzenia i wody, zostały zmuszone do odejścia i wycofania się. Było to defensywne zwycięstwo Niemców i rozwścieczyło ono Clarka, którego ufność w to, że Brytyjczycy osiągną wyznaczone cele, została teraz mocno nadwerężona.

„Rocznica zakończenia pierwszej wojny światowej. Ha, ha, ha – napisał 11 listopada w dzienniku Spike Milligan. – Pocztą pantoflową dowiadujemy się, że nasza BDP [biedna durna piechota] ma pięćdziesiąt procent strat". W jego baterii stale krążyły pogłoski o powrocie do Anglii, ale tymczasem, gdy odnosiło się wrażenie, że niepodzielnie zaczynają panować deszcz i błoto, w oddziale wybuchła epidemia chorób. W pewnym momencie, pisze Milligan, zalało „dziurę na gówna" i jej zawartość „pływała pod połami namiotów".

Miną kolejne trzy tygodnie, zanim dojdzie do ponownego natarcia na Camino. Tymczasem Alexander wydał rozkaz zatrzymania się, by jego wyczerpane oddziały mogły odpocząć. Gdy McCreery ponowił próbę na początku grudnia, nie stosowano żadnych półśrodków, wykorzystano obie dywizje, 56. i 46., jak również ogromne ilości pocisków artyleryjskich. Warunki jednak były równie złe jak przedtem. Milligan opisał przygotowania w liniach artyleryjskich: „Amunicję składuje się przy działach, przez cały dzień rośnie stos pocisków w musztardowym kolorze. Wszędzie pełno błota. Czy oni zamierzają atakować przy takiej pogodzie? Pod górę? O drugiej w nocy?"

1 grudnia zaatakowała 46. dywizja; siostrzana 56. dywizja ruszyła następnej nocy. Wojska brytyjskie szybko posuwały się naprzód, dopóki nie odrzuciło ich gwałtowne kontrnatarcie. Ponownie dostały się na szczyt góry rankiem 4 grudnia, ale znowu zostały wyparte kontrnatarciem. Często atakujące oddziały chroniły się na dawniejszych wysuniętych pozycjach Niemców. Chociaż niemiecka fachowość wzbudzała wielki podziw, naturalnie wróg dokładnie wiedział, gdzie kierować swoje moździerze. Dla starszego szeregowego Williama Virra z lekkiej piechoty Durham „to było straszne. Nigdy nie lubiłem ostrzału moździerzowego, bo pociski spadają pionowo w dół. Nawet jak siedzi się w okopie, może trafić prosto w ciebie, natomiast pocisk armatni przynajmniej spada pod pewnym kątem. Ostrzał moździerzowy był dla mnie gorszy. Myślę, że gdyby było się pod dłuższym ostrzałem, w końcu by się oszalało, ześwirowało. Każdy człowiek miał inny próg wytrzymałości i niektórzy odpadali wcześniej niż inni. Nigdy więc nie można było nikogo wytykać palcem, bo za pół godziny mogło się to przytrafić tobie. Zwykle było się na krawędzi i wszystkie siły przeznaczało na to, żeby się nie rozsypać. Parę razy mało mi do tego brakowało i myślę, że było tak ze wszystkimi. Gdy obojętniejesz na wszystko – trajkotanie i wrzaski, ględzenie – to wszystko odpuszczasz. Ledwo mi się udało – do następnego razu. Po prostu zwijasz się w kłębek i masz nadzieję, że nic cię nie trafi". W końcu do wieczora 6 grudnia zabezpieczono najwyższy punkt góry i po trzech dniach działań oczyszczających teren z niedobitków Camino było wolne od żołnierzy nieprzyjaciela.

Obok operacji lotniczych przeprowadzanych przeciwko niemieckim obrońcom decydujące znaczenie miała siła alianckiej artylerii. Monte Camino stało się znane jako „wzgórze miliona dolarów" – nazwano je tak ze względu na koszt ognia artyleryjskiego, który alianci musieli ponieść, żeby je zająć. Według Erniego Pyle'a ktoś obliczył, że na zabicie jednego Niemca potrzeba było ognia artyleryjskiego za 25 tysięcy dolarów. Ktoś inny zastanawiał się, czy nie prościej byłoby po prostu zaproponować im te pieniądze w zamian za poddanie się.

Generał brygady Fridolin von Senger und Etterlin, dowódca niemieckiego 14. korpusu pancernego, stwierdził, że ostrzał artyleryjski na początku drugiej bitwy o Camino miał „natężenie, jakiego nie widziałem od czasu wielkich bitew pierwszej wojny światowej". Von Senger będzie człowiekiem, któremu Kesselring powierzy zadanie uniemożliwienia aliantom ominięcia Cassino. Zagadkowa postać, dalece odbiegająca od powszechnych wyobrażeń o nazistowskim generale, był w 1912 roku stypendystą Rhodesa w St John's College w Oksfordzie i pozostał później anglofilem. Odznaczał się wysoką kulturą intelektualną, wytwornością i antynazistowskimi poglądami, był również żarliwym katolikiem i jako młody mężczyzna został bratem świeckim benedyktynów i odwiedził wiele klasztorów tego zakonu w Niemczech. Brał udział w rozgromieniu Francji i po dwóch latach spędzonych niedaleko Paryża wysłano go na front wschodni w siłach, które bez powodzenia próbowały uratować okrążoną pod Stalingradem 6. armię von Paulusa. Von Senger zręcznie kierował walkami obronnymi pod Cassino – chociaż z powodu jego znanych poglądów antynazistowskich niemiecka propaganda tego nie nagłaśniała – co miało kosztować życie wielu tysięcy aliantów.

Zakończenie walk o Camino dało Spike'owi Milliganowi chwilę bardzo potrzebnego wytchnienia i skorzystał on z okazji, żeby „wziąć przydrożną kąpiel w puszcze. Jest tak zimno, że gdy myjesz nogi, od pasa w górę jesteś ubrany, a potem wkładasz spodnie, ściągasz górę i myjesz resztę" – napisał w dzienniku 8 grudnia. Ale następnego dnia wspomina, że znowu jest przygnębiony: „Nie zniosę już dłużej tego przeklętego deszczu". Tego samego dnia znaleziono zwłoki w kwaterze głównej pułku. „Okazało się, że był to żołnierz wojsk inżynieryjnych, który popełnił samobójstwo. «Cholerny szczęściarz» – powiedział Nash".

Deszcz powstrzymał też ofensywę na wybrzeżu Adriatyku, dzięki której Montgomery miał nadzieję się przedrzeć i podejść do Rzymu od wschodu. Posuwała się wolno i była okupiona ciężkimi stratami, a gdy 5 grudnia wylała rzeka Sangro, wszystkie mosty zbudowane przez wojska inżynieryjne trzeba było mozolnie przerzucać na nowo. Do połowy miesiąca front zamknięto, a zarówno alianci, jak i Niemcy skoncentrowali się na południowej części linii Gustawa w okolicach Cassino. Samego Montgomery'ego, wraz z Eisenhowerem, wezwano do Wielkiej Brytanii do operacji „Overlord" i nie odegrał on już żadnej roli w kampanii włoskiej, którą początkowo poddawał surowej krytyce, wytykając jej brak ogólnego celu.

Amerykańska 36. dywizja „teksaska", która odpoczywała od czasu Salerno, włączyła się do walk przed Cassino, zdobywając jeszcze dwie góry wzdłuż drogi numer sześć, a następnie docierając do małej wioski San Pietro. Ich pierwsze natarcie z 7 grudnia nie powiodło się, najgorzej wypadły działania małego kontyngentu włoskiego, który przyłączył się już do 5. armii. Ten liczący około pięciu i pół tysiąca ludzi pułk, znany jako Raggruppamento Italiano Motorizzato (1. grupa zmotoryzowana), nie zajął wyznaczonego celu, Monte Lungo, wysoko położonego obszaru w pobliżu San Pietro, wskutek braku współpracy i łączności z Amerykanami. 36. dywizja Walkera spróbowała ponownie z czołgami, ale poniosła bardzo duże straty. Dopiero 16 grudnia, gdy w końcu pozycja ta została oskrzydlona, Niemcy się wycofali. Następnego dnia wojska amerykańskie wkroczyły do pogrążonych w upiornej ciszy resztek wsi. Ponad 300 cywilów, którzy zaufali swoim piwnicom i zostali w domach, zginęło.

Po Salerno była to następna rzeź 36. dywizji amerykańskiej. Clare Cunningham, którego 142. pułk dostał rozkaz zajęcia wysoko położonego terenu górującego nad miastem, doskonale pamięta okropności walk o zdobycie odkrytego zbocza góry z dobrze okopanymi obrońcami: „Utrata tak wielu ludzi była przygnębiająca, było to głupie posunięcie". Większość strat poniesiono wskutek ostrzału z moździerzy, chociaż od czasu do czasu bezpośrednio trafiały też pociski artyleryjskie. „Pamiętam jednego faceta, który pochodził stąd, z Michigan – mówi Cunningham. – Wykopał okop strzelecki i zbudował nad nim osłonę. Zginął tamtej nocy – pocisk spadł prosto na niego. Poznaliśmy go tylko dzięki temu, że miał hełm, w którym prał ubrania i który sczerniał. Kazali mu go pomalować na nowo lub wymienić. Gdy zobaczyliśmy ten hełm, przypominał sito. Facet nawet nie wiedział, co go trafiło". Tylko niewielki odsetek ofiar ginął natychmiast. Cunningham opowiada historię o sanitariuszu z Indiany o nazwisku Harold Welch: „Pobiegł w górę za kompanią, która została ostrzelana przez moździerze. Wrócił ze łzami spływającymi po twarzy. Nie wiedziałem, co mu się stało, ale jakiś czas później, gdy zeszliśmy z linii frontu, powiedział nam, że jeden ciężko ranny facet poprosił, żeby zastrzelił go z jego karabinu. Oczywiście Welch nie mógł tego zrobić, więc uciekł. Jestem pewny, że ten facet i tak umarł, ale dla Welcha to było za wiele. Bardzo wstrząsające, naprawdę". Reakcja na okropności częściowo wyzwalała się w gniewie na wroga. „Mieliśmy pewnego szeregowca, który powiedział, że nigdy nie weźmie jeńca, i nie wziął – mówi dalej Cunningham. – Pamiętam z Monte Lungo Niemca, który przyszedł do nas z białą chusteczkę w ręce. Ten szeregowiec zbliżył się do niego może na pięć jardów, zanim wystrzelił, zabijając go. Gdy Niemcy to zobaczyli, jak jeden mąż otworzyli do nas ogień ze wszystkiego, co mieli. Większości z nas się to nie spodobało, większość wcale nie wierzyła w jego nastawienie do walki".

Pomimo strat stopniowo oczyszczano wysoko położony teren przed linią Gustawa. Ale walki i warunki wyczerpały atakujących. 22 grudnia Walker napisał w dzienniku o obawach o swoich ludzi z 36. dywizji: „Współczuję im trudów, które muszą dzisiaj w nocy znosić, (...) wilgoć, zimno, błoto, głód, (...) brak snu, brak wypoczynku. (...) Nie wiem, jak oni wytrzymują te trudy". Wydaje się, że sam Walker zaczął tracić ducha w czasie tej kampanii. „Zajmowanie jednego masywu górskiego po drugim nie daje żadnej przewagi taktycznej – narzekał w dzienniku. – Dalej zawsze jest następny masyw górski, obsadzony przez Niemców". Ale im ciężej szło, tym usilniej domagano się jakichś sukcesów od generałów i oddziałów frontowych. Churchill, który interesował się kampanią „południową" z tego tytułu, że ją forsował, uskarżał się 19 grudnia: „Powstrzymanie całej kampanii na froncie włoskim staje się skandaliczne". W rzeczywistości miało być dużo gorzej i – w porównaniu z walkami o Monte Cassino – przebijanie się przez linię zimową wydaje się niemal szybkie. Von Senger, który w dzień Bożego Narodzenia uczestniczył we mszy w klasztorze na Monte Cassino, był na tyle przenikliwy, że przewidział, co się rozegra. „Po drodze do klasztoru (...) zauważyłem, że dolina Cassino na całą szerokość jest wypełniona nieprzerwanym ogniem. Trwało to dzień i noc bez przerwy, kosztem wielkiego zużycia amunicji. W przeciwieństwie do szeroko zakrojonych bitew manewrowych w Rosji tutejszy konflikt przypominał pozycyjne walki pierwszej wojny światowej".

ROZDZIAŁ 4

Na linii Gustawa

Po zażartych walkach o San Pietro 36. dywizję zmieniła 34. dywizja „Red Bull". Tom Kindre, teraz oficer amunicyjny w dywizji, opisuje w dzienniku, jak dokonano tej zmiany w „porywistym wietrze [i] przenikliwym zimnie". Ostatniej nocy roku „wiatr zaczął wiać koło północy, przewracał namioty. Spałem pod na wpół zawalonym namiotem od trzeciej nad ranem. Deszcz, śnieg, zimno". Kilka dni później Kindre notuje: „Dzisiaj kilka pomyślnych plotek". Najbardziej dziwaczną rozpowszechniał prawdopodobnie cukiernik generała dywizji Rydera. „Najwyraźniej Niemcy wzięli udział w niedawnej konferencji w Kairze i postanowili poddać się Amerykanom". Większość pozostałych plotek stanowi wyraz podobnych pobożnych życzeń i dotyczy przede wszystkim wyjazdu z Włoch: „Od przyszłego miesiąca dywizja będzie wysyłać do domu tysiąc żołnierzy miesięcznie, (...) wyjedzie z Włoch do pierwszego dnia miesiąca, zluzowana przez 88. dywizję".

Dywizja „Red Bull" miała powody, by tęsknić za domem. Była pierwszą amerykańską dywizją, która przybyła do Europy na początku 1942 roku, gdy stacjonowała w Irlandii Północnej. Ta formacja Gwardii Narodowej, dowodzona przez generała dywizji Charlesa W. Rydera, składała się pierwotnie z mężczyzn z Północnej Dakoty, Iowy i Minnesoty. Donald Hoagland był jednym z nielicznych liniowych żołnierzy piechoty, który walczył z dywizją od początku do końca wojny. Syn rolnika z Brook Park w Minnesocie, urodził się w 1915 roku, a do armii wstąpił w roku 1941 – „jeden z początkowej grupy rocznych ochotników za 25 dolarów miesięcznie". Dorastając w czasach Wielkiego Kryzysu, „każdy był bez forsy. Po prostu nigdzie nie dawało się zarobić dolara. (...) Mnóstwo ludzi wstąpiło do Gwardii Narodowej, ponieważ był to dolec czy dwa miesięcznie". Nawet gdy w Europie zaczęła się wojna, niewiele o niej mówiono. „To było zaledwie dwadzieścia jeden czy dwadzieścia dwa lata po pierwszej wojnie światowej – mówi Hoagland – i wszyscy, którzy wrócili do domu, mówili, że nigdy więcej. Chyba ludzie niechętnie o tym myśleli".

Pierwszy kontyngent dywizji przybył do Belfastu w marcu 1942 roku. Artylerzysta Ivar Awes z Minneapolis był jednym z niewielu przybywających do Wielkiej Brytanii młodych mężczyzn, którzy wcześniej byli za granicą. Był synem norweskich imigrantów i jego rodzina utrzymywała kontakt z przyjaciółmi i krewnymi w swojej „ojczyźnie". Pamięta przybycie do Irlandii Północnej: „Wmaszerowaliśmy, mieliśmy na głowach stare hełmy jak Brytyjczycy i wszyscy pytali, gdzie są kowbojskie kapelusze. Bardzo polubiłem sześć hrabstw [Irlandii Północnej]. Przez ponad dziesięć miesięcy stacjonowaliśmy w pięciu z nich. Szczególnie lubiliśmy pierwsze – Derry. Do Coleraine chodziliśmy na weekendowe przepustki. Była tam wspaniała sala taneczna i bardzo miłe, życzliwe dziewczęta. Było tam też kilka świetnych pubów". Don Hoagland wspomina, że „odbywaliśmy ciężkie ćwiczenia fizyczne, ale wszyscy dostawali wiele przepustek". Jednym z ulubionych miejsc w Belfaście był hotel Belgravia, szybko przemianowany na „Akademię Ujeżdżania Belgravia".

Ivar Awes należał do Amerykanów szkolonych przez brytyjskich żołnierzy, którzy wrócili z Dunkierki. „Mieliśmy bardzo zdolną kadrę brytyjskich oficerów artylerii i innych, którzy zapoznali nas ze słomianymi podgłówkami, siennikami, sanitariatami, ciężarówkami, ich maskami, szylingami, funtami, funciakami, guinnessem i najlepszym ze wszystkiego dwudziestopięciofuntowym działem". Żołnierze dywizji zasmakowali również w whisky, wytwarzanej przez gorzelnię Bushmills w Port Rush. Dywizja przebywała krótko w Anglii, gdy przygotowywała się do zaokrętowania w Liverpoolu na statek, który miał ich zabrać do Afryki Północnej w ramach desantu „Torch". Awesowi udało się „w sali tanecznej w Chester nauczyć się tańczyć hołubce w kole z przyśpiewkami i lambeth walk". Zaproszono go również na nocleg do miejscowej rodziny, która traktowała go „jak przybywającego z wizytą dygnitarza".

Robert Koloski, sanitariusz ze 135. pułku dywizji, pamięta, że gdy Red Bulls wysyłano do Afryki, żeby wzięli udział w operacji „Torch", wszyscy myśleli: „Ojej, wybrali nas, jesteśmy elitą. Nie wiedzieliśmy nic więcej". Pułk przebywał w Algierze pięć tygodni, zanim udał się na front tunezyjski, by po raz pierwszy stanąć naprzeciwko zaprawionych w boju oddziałów niemieckich. „Dowiedzieliśmy się, że nie jesteśmy elitą, w żadnym wypadku, i dostaliśmy okropne lanie – mówi Koloski. – Uratowali nas, chociaż niektórzy z chłopaków nie zgodzą się z tym słowem, Coldstream Guards. Ci zwariowani Angole byli zdumiewający. Do tego czasu zrozumiałem już, że to nie jest zabawa, ale śmiertelnie poważna operacja, że wojna może być obrzydliwym, dłużącym się procesem". Jak ujmuje to Donald Hoagland: „Po tym, jak parę razy dostałeś baty i zostałeś upokorzony, i jak widziałeś śmierć swoich przyjaciół, to zabijanie staje się zwykłą robotą i dość szybko stajesz się w nim całkiem dobry".

Po niepewnym początku dywizja walczyła coraz lepiej w Tunezji i była pierwszą dywizją uzupełniającą, która przybyła do Salerno po pierwszym desancie. W drodze z Salerno do Cassino Red Bulls wiele razy prowadzili ciężkie walki i spędzali długie, wyczerpujące okresy na linii frontu. Przeprawiając się przez Volturno na początku listopada, batalion ze 168. pułku poniósł ciężkie straty z powodu min. Gdy znaleźli się po drugiej stronie rzeki, do celu pozostały dwa tysiące jardów płaskiego terenu, z rozrzuconymi gdzieniegdzie sadami. Prowadzący pluton postanowił iść między drzewami, ale trafił na pole minowe i zaledwie ośmiu z ponad trzydziestu ludzi wyszło z tego bez szwanku. Dokładnie to samo przydarzyło się następnym dwóm plutonom i teraz dowódcy i sztab obserwujący to z drugiej strony rzeki mogli śledzić postępy nacierających żołnierzy po wybuchach.

Ale przez cały czas wyciągano wnioski i zdobywano doświadczenie. Po przeprawie przez rzekę Volturno z kompaniami szturmowymi szło więcej odpowiednio przygotowanych saperów; dywizja nauczyła się też pędzić przed sobą – tam, gdzie było to możliwe – stada owiec lub kóz przez obszary zaminowane. Dywizja zmieniała się też pod innymi względami. Pierwotnie stanowiła zżytą ekipę, w której wielu ludzi znało się z życia w cywilu. To stwarzało własne problemy, jak wyjaśnia Tom Kindre: „Dowódca mojej kompanii miał brata, który był brygadzistą w warsztacie, i były jeszcze co najmniej trzy grupy braci w naszej kompanii, mnóstwo wcześniejszych powiązań. Wielu ludzi znajdowało się teraz w strukturze dowodzenia wyżej od tych, u których pracowali w kraju. Pamiętam, jak pewien facet powiedział kiedyś: «No cóż, nic mu nie mogę zrobić. Gdy wrócę do domu, będzie moim szefem. Nie mogę nauczyć go dyscypliny». Było wiele tego typu problemów". W kompanii uzbrojenia i amunicji Toma Kindrego i innych jednostkach znajdujących się na tyłach pierwotny skład dywizji – członkowie Gwardii Narodowej – pozostał w znacznej mierze niezmieniony. Ale w niewielkiej części dywizji, która tworzyła frontowe kompanie piechoty, po walkach niewielu pozostało ze składu, który dwa lata wcześniej popłynął do Irlandii. Na początku 1944 roku z około 200 ludzi we frontowej kompanii piechoty tylko około tuzina pochodziło z pierwszego naboru. Tych weteranów ze stanu Iowa otaczali ludzie z całej Ameryki, a oddziały frontowe dywizji stały się bardziej kosmopolityczne. Dziennikarz Ernie Pyle, który towarzyszył Red Bulls pod koniec 1943 roku, opisał dywizję jako „mądrą i podniszczoną, jak zaczytana książka lub dom, który chlubi się swoim starzejącym się kamieniem, ignorując mozaikę nowego, utrzymującego go w całości betonu". Tom Kindre również wspomina o „nieustannej fluktuacji" ludzi, ale uważa weteranów za mniej „chlubnych": „Weterani w oddziałach piechoty stanowili prawdziwy problem, ponieważ ci, którzy ciągle byli na wojnie, uważali, że nie pociągną zbyt długo. Coś musiało w nich trafić. (...) Ich morale było bardzo niskie".

Ówczesne listy artylerzysty Ivara Awesa do domu ukazują największe zmartwienia żołnierzy walczących we Włoszech, a mianowicie jedzenie, czystość i dom. „Pewnie, że wolałbym być w domu, ożenić się i założyć rodzinę, niż tkwić tutaj, zmniejszając męską populację Niemiec" – napisał. Ale jak w większości listów żołnierzy, niewiele znajdziemy tu narzekań czy bezpośrednich wzmianek o cierpieniach czy rozdzierających serce, powszechnych widokach. Zamiast tego dominuje szorstka wesołość i usilne próby pisania o wszystkim z wyjątkiem linii frontu, wywołane nieustającą troską, by dodać otuchy rodzinie w kraju, która, jak żołnierze wiedzieli, byłaby chora ze zmartwienia, często dosłownie. „Leje jak z cebra – napisał Awes 8 listopada. – Ale i tak to pewna ulga, bo możemy się umyć, zmienić ubranie, a to wiele znaczy dla żołnierzy. Podtrzymuje ich morale i szacunek dla samych siebie. Zdziwilibyście się, gdybyście zobaczyli, jak myją się żołnierze, gdy mają po temu sposobność, nawet jeśli nie widzi ich nikt poza resztą kolegów. Oczywiście pół godziny później są tak samo brudni jak przedtem, ale jak się wydaje, wcale się tym nie przejmują".

Żołnierze dbali też o to, żeby ludzie w kraju doceniali ich wysiłki. „W wiadomościach radiowych (...) zawsze wydaje się to zbyt łatwe – napisał Awes 13 listopada. – Przypuszczam, że gdy ich słuchacie, myślicie, że te szkopy chętnie się poddają. Chyba pisałem już wcześniej, że to całkiem dobrzy żołnierze". Niemniej jednak, jak wielu po stronie aliantów, z najpoważniejszymi politykami włącznie, Awes był optymistą i uważał, że niemiecki opór wkrótce zostanie złamany: „Mam nadzieję, że załamią się psychicznie i oszczędzą nam długiej i przeciągającej się walki o to, by ich powoli pokonać – napisał 11 listopada. – Wydaje mi się, że Adolf powinien już teraz wyczuwać, że «nieszczęście wisi w powietrzu». Jestem pewien, że nie jest tak rozradowany jak wtedy, gdy kapitulowała Francja. Z pewnością nic gorszego od niego nie mogło się przytrafić temu światu".

Podczas gdy brytyjskie i amerykańskie dywizje przedzierały się przez przełęcz Mignano, 34. dywizja walczyła dalej na północy, zbliżając się do linii Gustawa powyżej Cassino. Był to powolny marsz i wyczerpaną dywizję wycofano z linii na dwutygodniowy wypoczynek koło świąt Bożego Narodzenia. Teraz priorytetem było przeczesywanie okolicy w poszukiwaniu żywności i oczywiście alkoholu, żeby uczcić święta. Podstawowymi napojami alkoholowymi, które mieli szeregowcy we Włoszech, były „wino" – „naprawdę cierpkie czerwone wino" – i wermut. Homer Ankrum, który służył w 133. pułku tej dywizji, opisuje, jak świętowano Boże Narodzenie 1943 roku w nieco wspanialszym stylu w jednym z oddziałów artylerii. Dywizyjny dowódca artylerii, generał A. C. Stanford, polecił sierżantowi i kucharzowi o nazwisku Rusch zdobyć trochę wina. Udało im się to, ale wino miało cierpki smak, więc Rusch zaproponował, że je przedestyluje. „W mgnieniu oka [Rusch] wytwarzał produkt, który gwarantował, że usunie tylko połowę szkliwa z zębów". Do tego dodał kropelkę soku z cytryny i gotowe. Wkrótce potem sam generał odwiedził ten oddział: „Wiadomo, że generałowie na czas świąt Bożego Narodzenia trochę miękną – zaczyna Ankrum. – Warknięcia zastępują wyszczerzonymi w uśmiechu zębami i przez kilka dni naprawdę można wierzyć, że nienormalne usposobienie jest im absolutnie obce. Tak właśnie było, gdy generał A. C. Stanford, dywizyjny dowódca artylerii, przyjechał na nasz teren następnego dnia, by złożyć wyrazy szacunku Red Bulls Cannoneers. Generał wysiadł z samochodu z taką rozpromienioną twarzą, że ludzie mieli ochotę zaśpiewać «Cieszą się żołnierze, generał przyjechał!» Gdy generał Stanford nieśpiesznie poszedł w kierunku kwatery głównej, sierżant James Gregg z Minneapolis w Minnesocie zasalutował i zaproponował mu szklankę napoju z proszku. Generał Stanford, który był w świątecznym nastroju i pragnął, przynajmniej w tej chwili, wydawać się równym chłopakiem, przyjął drinka. Po pierwszym łyku według jednych wywróciły mu się oczy, według innych zadrżały nozdrza, a według jeszcze innych poruszyły uszy. Jednak generał przełknął wszystko, ale później brał już wyraźnie mniejsze łyki".

Gdy tuż po Bożym Narodzeniu Red Bulls przygotowywali się do powrotu na linię frontu, narastała krytyka powolnych postępów kampanii we Włoszech. 3 stycznia tygodnik „Time" pytał: „Sukces za jaką cenę?" i zwracał uwagę, być może trochę błędnie, że partyzanci Tita w Jugosławii wiązali więcej niemieckich dywizji niż alianci we Włoszech. Ale alianci ciągle byli o osiem mil od linii rzek Rapido–Garigliano. Zadanie oczyszczenia pozostałych wsi i wysoko położonego terenu przed linią Gustawa przypadło głównie 34. dywizji. Miasto San Vittore zdobyto 6 stycznia po ciężkich walkach i dywizja nacierała dalej na Cervaro, ostatnią osadę przed Cassino. Nie oczyściła jej do 12 stycznia, kiedy to po ciężkich atakach z powietrza i ostrzale artyleryjskim, i przy poważnych stratach Amerykanów, miejscowość zrównano z ziemią.

Ostatnim wysoko położonym terenem, który znajdował się na wprost klasztoru po drugiej stronie doliny Rapido, było Monte Trocchio. Ku zaskoczeniu nacierających kompanii 34. dywizji, Niemcy się wycofali. Szczyt został zajęty 15 stycznia przez 3. batalion E. W. Ralfa ze 168. pułku. „Po przechwyceniu wzniesienia kapitan Earl W. Ralf przeciął zbocza wzgórz, żeby połączyć się ze swoim oddziałem – pisze Ankrum. – Po drodze natknął się na niemieckie stanowisko. Widać było kilku niemieckich żołnierzy na pozycji strzeleckiej. Podchodząc bliżej, Ralf zobaczył, że są pokryci lodem i śniegiem i nadal ściskają w rękach broń. Czy zginęli od ognia amerykańskiego, czy zamarzli na śmierć, tego Ralf nie wie".

Z Trocchio dywizja znowu przesunęła się naprzód i zajęła pozycje tuż na północ od miasta Cassino. Ivar Awes był w pierwszej ciężarówce, gdy jego bateria szukała nowego stanowiska strzeleckiego. Odbywało się to nieco chaotycznie, jak opisuje: „Gdy ruszyliśmy w górę, prowadziłem swoją baterię i dotarliśmy do rozwidlenia drogi. Był tam żołnierz żandarmerii wojskowej, a przed nami nie było nikogo. Zapytałem go: «Którędy jedziemy?», a on mówi: «Nie mam zielonego pojęcia, poruczniku». «O Boże – powiedziałem – czy nikt tędy wcześniej nie jechał?» «Nie, jesteś pierwszy». Poprosiłem o radę faceta w ciężarówce, który był naszym sierżantem technicznym, ale był zwykle trochę pijany, bo miał dostęp do włoskiej brandy". W końcu Awes zaryzykował i wybrał jedną z odnóg, która na szczęście nie doprowadziła jego kolumny do linii wroga.

Aby oszczędzać żołnierzy, Niemcy wycofali się teraz na swoje pieczołowicie przygotowane pozycje na linii Gustawa i przed rzekami trudno było uświadczyć żołnierzy nieprzyjaciela. Dla najwyższego dowództwa niemieckiego we Włoszech zadanie było proste: utrzymać linię. Szersza strategia na

1944 rok koncentrowała się na pokonaniu oczekiwanych sił angielsko-amerykańskich po ich wylądowaniu we Francji. Operacje desantowe należą do najbardziej ryzykownych podejmowanych na wojnie i Niemcy dostrzegli szansę odrzucenia desantu z powrotem na morze, a następnie przeprowadzenia kontrnatarcia na wschodzie. Tymczasowo pole zostanie oddane Rosjanom – którzy wciąż znajdowali się daleko od niemieckiej ziemi – na korzyść strzeżenia krótszej odległości z północnej Francji do Berlina.

Dla 5. armii Marka Clarka przełamanie linii Gustawa stało się jeszcze pilniejsze. Od listopada 1943 roku gotowe były plany wysadzenia desantu morskiego za liniami niemieckimi w Anzio, na południe od Rzymu. Uzasadnienie było oczywiste: alianci panowali na morzu i w powietrzu, a niemieckie linie łączności były długie i podatne na ataki. Gdy w listopadzie i grudniu impet natarcia osłabł, plan ten zarzucono, ale Churchill wrócił do niego pod koniec roku, gdy przekonał Amerykanów, żeby pozwolili niewielkiej liczbie okrętów desantowych, wyznaczonych do powrotu do Wielkiej Brytanii, pozostać na Morzu Śródziemnym. Było to znaczne ustępstwo – brak okrętów desantowych stanowił wąskie gardło, opóźniające operacje desantowe na kanale La Manche – i przyczyniło się do przełożenia daty lądowania w Normandii o miesiąc, na czerwiec 1944 roku. Wszelkie dalsze opóźnienia spowodowałyby przesunięcie tej operacji na rok 1945. Atak na Anzio, operację „Shingle", zaplanowano na 22 stycznia, ostatni możliwy dzień przed koniecznym powrotem floty desantowej do Wielkiej Brytanii. Aby połączyć się z tymi siłami, Clark musiałby jak najszybciej przedrzeć się przez umocnienia w dolinie Liri, najlepiej w ciągu kilku dni, i w tym celu zaplanował szturm na szerokim froncie. Po lewej 10. korpus brytyjski, podbudowany przybyciem 5. dywizji brytyjskiej z zamierającego frontu 8. armii, przeprawi się przez Garigliano w trzech miejscach, zajmie przyczółki, a następnie zabezpieczy wysoko położony teren na lewo od doliny Liri. Na prawej flance będą kontynuowane ataki po północnej stronie Cassino, a sama dolina Liri stanowić będzie główny cel, w dniu 20 stycznia, żołnierzy amerykańskich z 36. dywizji „teksaskiej". Stratedzy 5. armii chcieli przede wszystkim odciągnąć wysunięte niemieckie rezerwy od Anzio dla operacji „Shingle", a także przebić się i spotkać z siłami desantowymi. To, co ich zdaniem miało nastąpić, wskazano w „sprawozdaniu z rozpoznania" z 16 stycznia: „Wydaje się wątpliwe, by nieprzyjaciel mógł utrzymać zorganizowaną linię obronną przebiegającą przez Cassino pod skoordynowanym atakiem militarnym. Ponieważ ma on zostać rozpoczęty przed operacją «Shingle», uważa się za prawdopodobne, że to dodatkowe zagrożenie doprowadzi do wycofania się nieprzyjaciela z pozycji obronnej, gdy tylko oszacuje wielkość tej operacji". Niemcy, z siłami spod Anzio, zagrażającymi ich liniom łączności z pozycjami linii Gustawa, oraz stojący w obliczu szeroko zakrojonego ataku, nie będą mieli wyjścia, tak przebiegało rozumowanie, jak tylko wycofać się na północ od Rzymu.

Zaczęło się od ataków na północ od Cassino, prawego sierpowego. Odpowiedzialność za nie ponosił Francuski Korpus Ekspedycyjny, dowodzony przez generała Alphonse'a Juina, a celem było natarcie w kierunku Sant' Elii i Atiny oraz zajęcie wysoko położonych terenów na północ i północny zachód od Cassino.

Francuzów, delikatnie mówiąc, niezbyt wysoko ceniono w najwyższym dowództwie aliantów. Oczywiście w 1940 roku, ku swemu wielkiemu zdumieniu i przerażeniu, armia francuska została zmiażdżona przez niemiecki Blitzkrieg w ciągu paru tygodni, a powstanie kolaboracyjnego rządu ze stolicą w Vichy, na którego czele stanął marszałek Pétain, jeszcze bardziej – w oczach aliantów zachodnich – zhańbiło Francję. Niemcy okupowali północną część kraju, pozwolili jednak reżimowi z Vichy rządzić na południu, a także we francuskich koloniach zamorskich, gdzie większość garnizonów nie wykazywała żadnych oznak przejścia na stronę aliantów, nawet gdy atakowały ich wojska brytyjskie czy amerykańskie. W Syrii toczyły się nawet zażarte walki między wojskami inwazyjnymi aliantów i wolnej Francji a garnizonem Vichy, a po pokonaniu tego ostatniego zaledwie 20 procent armii Vichy zgodziło się przejść na stronę aliantów. Gdy w listopadzie 1942 roku wojska alianckie w ramach operacji „Torch" wylądowały w Oranie, Algierze i Casablance, wszystkim tym trzem atakom opór stawili Francuzi, którzy zazwyczaj uważali przysięgę wierności rządowi w Vichy za świętą. W Algierze wojska amerykańskie po wylądowaniu zostały odcięte, gdy towarzyszące im okręty zmusił do odwrotu ogień z brzegu. Był tam kapral Vern Onstad, który opisuje, co działo się później: „Miałem rozkaz wziąć mój oddział i zająć elektrownię. Panował spokój, dopóki jeden z okrętów nie dał sygnału alarmowego do odwrotu. Zaczęliśmy się wycofywać i wtedy właśnie naprawdę zaczął się ogień. Okręt odpłynął, a my utknęliśmy. Ośmiu ludzi zginęło, a czterdziestu ośmiu poddało się Francuzom. Pamiętam, jak jakaś Francuzka podeszła do nas i splunęła w twarz jednemu z rannych. (...) Wszyscy myśleliśmy, że Francuzi są sprzymierzeńcami, a tutaj z nimi walczyliśmy". Onstada i jego towarzyszy zamknięto w stajniach kawalerii, gdzie trzymano ich przez trzy dni. Trzeciego dnia wszedł francuski sierżant i oznajmił: „Chłopaki, obawiam się, że musimy was rozstrzelać". „Następnie dwunastu Francuzów stanęło przed budynkiem, pluton egzekucyjny – mówi dalej Onstad. – Ale po półgodzinie sierżant znowu wszedł i powiedział, że to była pomyłka". Zagrożone ostrzałem z morza wojska francuskie w Algierze poddały się, ale to wcale nie zwiększyło do nich zaufania aliantów.

Jednak w całej Afryce Północnej Francuzi walczyli teraz razem z aliantami, którzy zaczęli ponownie wyposażać i powiększać Armée d'Afrique. Powszechny pobór zgromadził w sumie siły europejskie liczące 176 tysięcy ludzi, które uzupełniono wojskami francuskimi z Korsyki, a także 20 tysiącami uciekinierów z samej Francji. Do tego dołączono ponad 230 tysięcy Marokańczyków, Tunezyjczyków i Algierczyków i we wrześniu 1943 roku generał Juin otrzymał zadanie zmontowania korpusu ekspedycyjnego, który miał walczyć we Włoszech.

Urodzony w 1888 roku w Algierii, syn żandarma, Juin w czasie pierwszej wojny światowej, w marcu 1915 roku, stracił prawą rękę. W 1940 roku walczył z Niemcami i trafił do niewoli w Lille. Uwolniony w 1941 roku na prośbę Pétaina, został głównodowodzącym wojsk francuskich w Afryce Północnej. Po rozterkach związanych z przysięgą wierności wobec Vichy Juin zaaprobował plan, żeby Francuska Armia Afrykańska walczyła u boku aliantów w celu wyzwolenia Tunezji i – jak wierzono – w końcu samej Francji. Im dłużej trwały sprzeczki między różnymi francuskimi frakcjami w Afryce Północnej, tym bardziej Brytyjczyków i Amerykanów irytowali świeżo odzyskani sojusznicy. Nawet członków Wolnej Francji pod dowództwem de Gaulle'a traktowano z głęboką nieufnością, Roosevelt stwierdził, że „roiło się wśród nich od szpiegów". W walkach we Włoszech alianci widzieli dla Francuzów głownie rolę pomocniczą, jako rezerwa lub wojska garnizonowe.

Sami Francuzi jednak widzieli to nieco inaczej. Dla nich szansa walki w Europie stanowiła okazję zrehabilitowania się za upokorzenie 1940 roku, zademonstrowania swojej wierności sprawie aliantów i przywrócenia Francji honoru. Jean Murat, urodzony w 1922 roku w Maroku, był w Algierze w czasie lądowania Amerykanów i miał właśnie rozpocząć szkolenie oficerskie. W kwietniu 1943 roku wstąpił do 4. tunezyjskiego pułku tirailleurs (piechoty) (4 RTT), który wchodził w skład 3. algierskiej dywizji piechoty, jako starszy podchorąży dowodzący drużyną 1. batalionu. Jak wielu Francuzów był pod wielkim wrażeniem ogromnych ilości amerykańskiego sprzętu, który stał się dostępny dla francuskich żołnierzy: „Zapasy amunicji były niezwykłe – mówi – podobnie jak cała organizacja, (...) w każdym przypadku sprzęt samochodowy jest sprawny i fabrycznie nowy, (...) jedzenie jest mniej zachwycające". Jak większość pieds-noirs (Francuzów, którzy urodzili się w koloniach francuskich w Afryce Północnej) nigdy nie był we Francji, ale ciągle czuł, że walczy o szlachetną sprawę „Wolnej Francji", która niewątpliwie jest „ojczyzną". W przeciwieństwie do większości alianckich żołnierzy pod Cassino w wojskach francuskich patriotyczna retoryka była naprawdę popularna. Murat opisuje pieds-noirs jako „chełpliwych fanfaronów, trochę hałaśliwych, ale energicznych, przedsiębiorczych, odważnych, gorliwych i ciężko pracujących". Walka była też dla Murata „sposobem zmycia hańby klęski 1940 roku, a dla żołnierzy zawodowych przywrócenia armii jej dawnej chwały". To, mówi dalej, tłumaczy brak skarg na drakońskie metody poboru, które zapewniły tak wielu europejskich żołnierzy Francuskiej Armii Afrykańskiej, 176 tysięcy ludzi, stanowiących jakieś 18 procent całej ludności, którego to odsetka nigdy nie udało się osiągnąć we Francji, nawet w najcięższych czasach pierwszej wojny światowej. Typowy oddział Francuskiego Korpusu Ekspedycyjnego we Włoszech był kontyngentem europejskim w niemal 50 procentach. Motywy, jakimi kierowała się reszta, muzułmanie z Afryki Północnej, trudniej jest określić. Większość z nich była zawodowymi żołnierzami, ochotnikami przesiąkniętymi tradycją wojowników, którzy walczyli po stronie Francji w lokalnych konfliktach z tubylczymi plemionami. Zdaniem Murata walczyli „mniej z miłości do Francji, a bardziej z szacunku dla kraju, który – przyjmując ich do swojej armii – pozwolił im wejść do rodziny, w której czują się dobrze". Wspominano również, że żołnierze z Afryki Północnej walczyli „o szansę udowodnienia, że w walce zasłużyli sobie na prawa przysługujące Francuzowi".

Ostatecznie w bitwach we Włoszech Francuski Korpus Ekspedycyjny dowiedzie, że jest jednym z najbardziej skutecznych oddziałów aliantów. Stało się tak po części dzięki ukształtowaniu terenu, które kryło niewiele niespodzianek dla wojsk rekrutujących się z górzystych regionów Afryki Północnej. Ale żołnierze francuscy byli także dobrze dowodzeni i dobrze przygotowani do tego rodzaju walk, jakie wymuszał teren, kiedy to inicjatywa i wyjątkowe męstwo miały tak zasadnicze znaczenie. Dowództwo, jak zobaczymy, składało się głównie z oficerów europejskich, stających na czele walczących oddziałów, z nieuchronnymi tego konsekwencjami.

Pierwszym kontyngentem Francuskiego Korpusu Ekspedycyjnego, który przybył do Włoch, była 2. marokańska dywizja piechoty, która zaczęła wychodzić na ląd w Neapolu na początku grudnia 1943 roku. Amerykanie niepokoili się, że standardy szkolenia były niższe niż w armii amerykańskiej, martwił ich także fakt, że kierowcami ambulansów w dywizji były kobiety. Amerykanie zasugerowali, żeby trzymać je na tyłach, ponieważ drogi były w kiepskim stanie, a na niektórych odcinkach pod ostrzałem, ale generał André Dody, dowódca dywizji marokańskiej, „wybuchnął na tę sugestię. Kobiety Francji, podobnie jak mężczyźni, są dumne, że mogą zginąć za swój kraj" – krzyknął.

Wśród personelu dywizji była kierująca ambulansem dwudziestojednoletnia Solange Cuvillier, pielęgniarka z Rabatu, której wspomnienia dokumentują mieszaninę strachu i podniecenia, odczuwaną przy wyjeździe z Afryki. „Kolumna rozciąga się na wiele kilometrów – pisze. – Dotarcie do portu zajmuje cztery dni. Nasze ambulanse są nadal nieskazitelne, a prycze i nosze służą nam za łóżka. Ilu rannych i zabitych przetransportujemy w czasie konfliktu? Moi towarzysze świętują moje urodziny (21.) na postoju, który robimy na pustkowiu. Radośnie wznosimy toasty, rzucając za siebie dzbanki cierpkiego czerwonego wina. (...) Nasza decyzja jest nieodwołalna, dręczy nas tylko jedno pytanie: ilu uroczych chłopców wszelkiej rasy i wiary, których łączy to, że w sercach mają „trzy kolory" – ilu z nich uda się przeżyć tę awanturę? Najlepiej nie zastanawiać się nad tym, co się zdarzy".

Siły Dody'ego umieszczono na linii na północny wschód od Cassino, gdzie dwie amerykańskie dywizje – 34. i 45. – utknęły z powodu straszliwych warunków terenowych i gwałtownego oporu. 16 grudnia, przyszedłszy z odsieczą 34. dywizji amerykańskiej, dywizja marokańska przeprowadziła atak w pobliżu skrawka wysoko położonego terenu, gdzie Niemcy powstrzymywali Amerykanów przez mniej więcej dwa tygodnie. Powodzenie natarcia zdumiało Amerykanów i kiepska opinia aliantów o Francuzach zaczęła ulegać zmianie. Wraz z 45. dywizją amerykańską Marokańczycy przesunęli się o około siedmiu mil naprzód i ponownie napotkali Niemców 21 grudnia. W tym momencie 45. dywizję amerykańską zastąpiła 3. dywizja algierska, a kwatera główna Francuskiego Korpusu Ekspedycyjnego Juina nabrała charakteru operacyjnego. 3. dywizja algierska, dowodzona przez generała Josepha de Monsaberta, obejmowała również regiment tunezyjski Jeana Murata (jak w wojskach amerykańskich „regiment" był odpowiednikiem brytyjskiej brygady, składał się z trzech batalionów piechoty).

Potem nastąpił okres adaptacyjny, gdy Juin starał się opracować najlepszy sposób natarcia przez niemal pozbawione dróg, niegościnne Abruzzy, które stanowiły jego strefę działań bojowych. Bardziej niż jakikolwiek inny generał aliantów rozumiał to, że przy warunkach naturalnych terenu powszechna mechanizacja wojsk amerykańskich i brytyjskich nie przynosiła korzyści, a może nawet przysparzała kłopotów. Dla odmiany jego korpus miał niewiele czołgów, ale dużo więcej mułów niż inne. To skłoniło go do dążenia do przełamania w górach na północ od Cassino, a tym samym ominięcia najsilniej bronionych części linii Gustawa wokół Cassino. Tymczasem jednak ciągle stał przed niemieckimi umocnieniami kilka mil przed właściwą linią Gustawa, która w tym sektorze opierała się na wysoko położonym terenie tuż za rzeką Rapido.

Do 11 stycznia wszystko było gotowe do natarcia prawą flanką, które z rozkazu Clarka miało się rozpocząć następnego dnia. Juin planował zaatakować szerokim frontem, z dwoma pułkami dywizji marokańskiej na północy i dwoma pułkami algierskimi na lewo od nich. Prawdopodobnie najtrudniejszy cel postawiono przed 7. pułkiem algierskim, który otrzymał rozkaz zajęcia Monna Casale. Po raz pierwszy mieli zasmakować walki. „To było ciężkie zadanie – skomentował później Juin – a wykonanie go wydawałoby się nieprawdopodobne tym, którzy nie znali charakteru [żołnierzy z] 7. pułku. Kazano im przeprowadzić natarcie na wprost, na klif, który wydawał się niemożliwy do zdobycia i górował nad równiną tak, że najmniejszy ruch nie mógł umknąć ani wzrokowi nieprzyjaciela, ani jego ogniowi artyleryjskiemu". Po krótkim, intensywnym piętnastominutowym bombardowaniu pułk algierski przygotował się do natarcia wkrótce po piątej rano. Ale jeszcze zanim ruszyli, zdarzyła się katastrofa, gdy wszyscy oficerowie 3. batalionu, stojący na skale i wydający ostatnie rozkazy, zginęli od własnego ognia.

Pozostałe bataliony przejęły atak, zdecydowawszy, że ich pierwszy kontakt bojowy z nieprzyjacielem we Włoszech nie powinien skończyć się klęską. Relacja 3. kompanii 1. batalionu ukazuje ważną rolę oficerów, stających na czele atakującego oddziału: „Drużyna podporucznika Vétillarda znajduje się na przedzie; kapitan Boutin podąża za nią z resztą kompanii. W tym momencie obok kapitana spada pocisk, rzucając nim o ziemię". Chociaż Boutin był ranny, odmówił ewakuacji, stwierdzając: „Przecież moja kompania bije się po raz pierwszy, jakże mógłbym nie walczyć razem z nimi?" Kiedy atakujący otrzymali wsparcie ze stanowiska karabinów maszynowych,

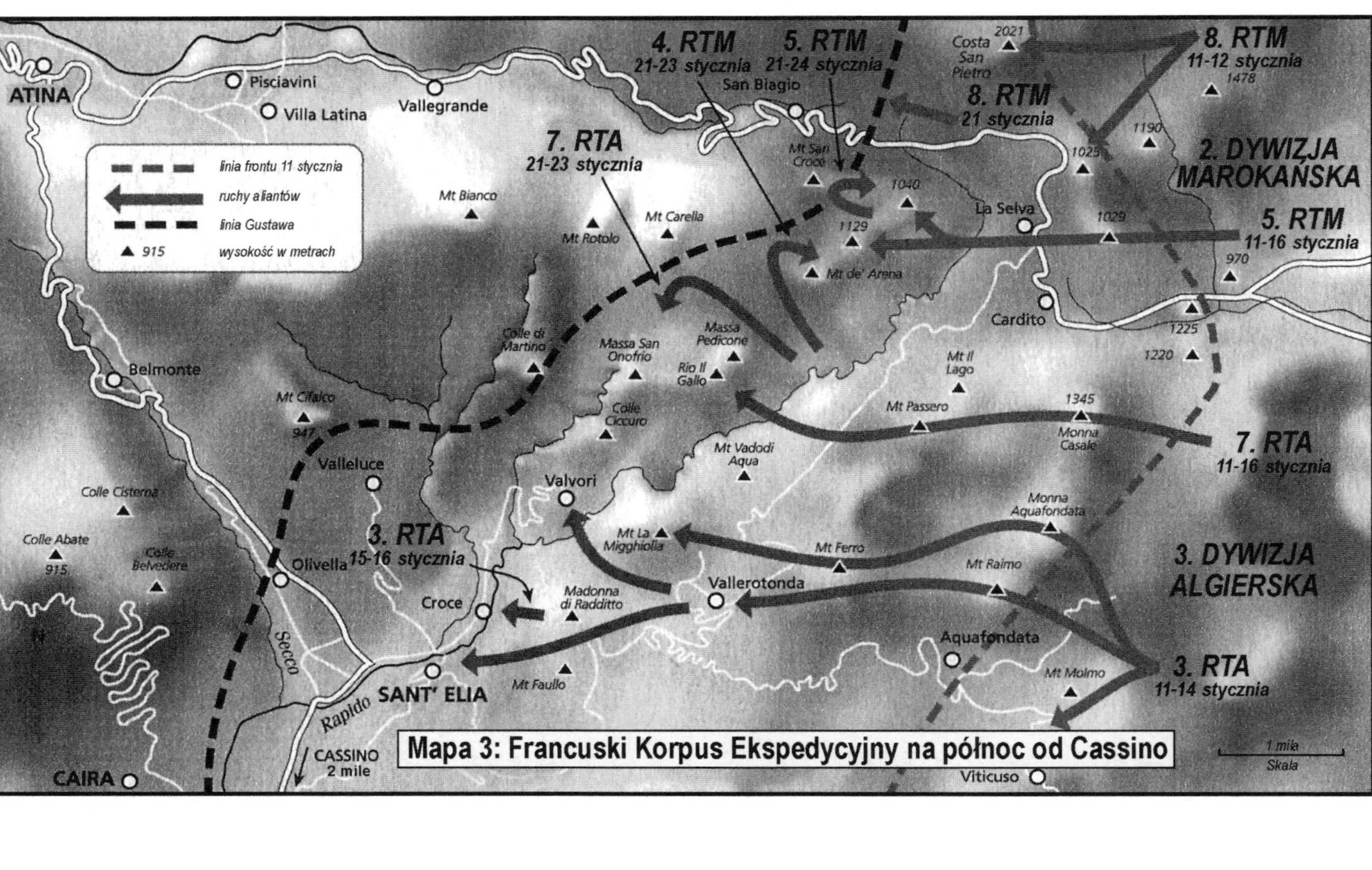

Mapa 3: Francuski Korpus Ekspedycyjny na północ od Cassino

Boutin poprowadził drużynę, by oskrzydlić Niemców. „Gdy karabiny maszynowe otwierają ogień skierowany na szczyt – czytamy dalej w relacji – [Boutin] prowadzi swoją ostatnią drużynę, wołając: «Widzicie szczyt? Potrzebujemy go!» I jako pierwszy rzuca się na grań, prowadząc z laską w ręce swoich tirailleurs, wykrzykując słowa zachęty. I właśnie gdy stoi bliski zwycięstwa, kula przechodzi prosto przez jego serce". Do tego czasu podporucznika Vétillarda też raniła kula, która rozszarpała mu skórę na biodrze. „Jego rana była niezwykle bolesna, ale i on nie chciał zrezygnować – czytamy dalej w relacji. – Zdał sobie sprawę z tego, jaka ciąży teraz na nim odpowiedzialność. Było absolutnie konieczne, pomimo nieustannych kontrataków, pomimo ciągłego bombardowania, utrzymanie tej pozycji i powstrzymanie nieprzyjaciela. Chodzi od grupy do grupy, dodając otuchy swoim ludziom i polecając im iść stale naprzód. Używa każdej broni, jaka tylko wpadnie mu w ręce, strzelając bez celowania. Gdy z wykrzywioną z bólu twarzą przeprowadza to wymagające nadludzkich sił przedsięwzięcie, wybuchający moździerz pozbawia go życia".

Przeprowadzona po walce analiza działań 3. batalionu szczegółowo omawia dylemat silnego przywództwa, jego konieczności, ale również i samobójczego charakteru: „Młodzi oficerowie (...) wspaniale prowadzili swoje oddziały naprzód. (...) W naszych północnoafrykańskich oddziałach duch walki tirailleurs zależy całkowicie od ich oficerów. Idą za nimi na ślepo. Oficerowie muszą zatem dawać przykład, inspirować swoich ludzi. Każdy przywódca jest przeznaczony na ołtarz ofiarny". Po zdobyciu celu nastąpiły gwałtowne kontruderzenia i szczyt Monna Casale przechodził kilka razy z rąk do rąk. Ostatecznie po użyciu przez Francuzów ponad tysiąca granatów szczyt został zabezpieczony i natarcie mogło być kontynuowane, gdyż Niemcy nieco chaotycznie wycofali się na linię Gustawa.

Na północy Marokańczycy zaatakowali tuż za ruchomą zaporą ogniową i udało im się wziąć niektórych niemieckich obrońców przez zaskoczenie. Oficer 4. pułku donosi, że chociaż kilka bunkrów powstrzymało natarcie, w wielu miejscach żołnierze „szli dalej w noc. Nie byli już ludźmi, byli zabójcami. Granaty wybuchały w ziemiankach, z których dochodziły krzyki; gdzie indziej Niemcy uciekli w śnieg, niektórzy jeszcze bez butów. Na pół ubrani pędzili przez serie ognia z karabinów maszynowych, które zmuszały ich do rzucania się na ziemię, w kierunku swoich okopów artyleryjskich".

Do 15 stycznia Francuski Korpus Ekspedycyjny posunął się o niemal cztery mile i był w kontakcie z główną obroną linii Gustawa. Niemiecki dowódca von Senger, który zdawał sobie sprawę, że między linią Gustawa i kotliną Atina nie ma tylnych pozycji obronnych, bardzo się niepokoił, że cała linia Gustawa może zostać oskrzydlona. Dywizja górska, która właśnie dotarła z Rosji, została natychmiast rozmieszczona, ale trudny teren i klimat Abruzzów zaszokowały nawet zaprawionych w bojach żołnierzy z frontu wschodniego. „Teraz, a także później – napisał potem von Senger – zauważyliśmy, że dywizje przybywające z innych teatrów działań wojennych nie od razu radziły sobie z podwójnym brzemieniem: oblodzonym, górzystym terenem i zmasowanym bombardowaniem". Zauważa, że w Abruzzach „śnieżyce bywają tak niebezpieczne, że żołnierze, żeby przeżyć, muszą niekiedy schodzić z grani w kierunku nieprzyjaciela". Był również zaniepokojony tym, że jego oddziały nie są tak uzdolnione jak przeciwnicy: „Żołnierze marokańscy i algierscy pod dowództwem generała Juina. Były to ludy pochodzące z gór, dowodzone przez znakomicie wyszkolonych francuskich oficerów sztabowych, wyposażone w nowoczesną amerykańską broń".

Ofensywny charakter Algierczyków w szczególności dostrzegli także brytyjscy i amerykańscy oficerowie łącznikowi. Pułkownik Robert T. Shaw napisał o pewnym ataku: „Miałem okazję iść naprzód z nacierającymi żołnierzami; to nie byli jacyś maruderzy; nie porzucali broni ani ekwipunku. Mogłem zobaczyć mnóstwo martwych Niemców; wielu miało ślady ran od bagnetów; niektórzy mieli przebite czaszki. Morale doskonałe: brano bardzo niewielu jeńców".

Chociaż jego żołnierze także cierpieli wskutek wyczerpania, odmrożeń i ciągłego zagrożenia, Juin wydał 21 stycznia rozkaz ataku na samą linię Gustawa. Szturm na Monte San Croce został poprzedzony silnym ostrzałem. Alianci jak zawsze mieli dużo większe od Niemców zasoby pocisków artyleryjskich. Pewien niemiecki gefrajter, który walczył w Norwegii, Grecji i Rosji, został wzięty do niewoli pierwszego dnia szturmu. Przesłuchującemu powiedział, że nigdy nie musiał „przetrwać tak gwałtownego ostrzału artyleryjskiego". Ci, którzy go pojmali, mieli również okazję zapoznać się z jego dziennikiem:

> 12 stycznia. Ciągle w pogotowiu. Morale spada.
>
> 17 stycznia. Wspinaczka na pozycje na Monte San Croce.
>
> 18 stycznia. Ciężkie straty.
>
> 20 stycznia. Dzisiejsza noc będzie decydująca – drużyna szturmowa nie wróci, zmieciona z powierzchni ziemi 500 metrów od naszych pozycji.

21 stycznia. Straszliwy ogień artyleryjski. Przycupnąłem w okopie, nie jestem w stanie go opuścić. 14.00. Jestem jeńcem.

22 stycznia. Traktują mnie dobrze, mam stargane nerwy.

Następnego dnia żołnierze niemieccy na linii Gustawa dowiedzieli się, że Führer oczekuje, iż będą zaciekle bronić każdego metra. Ponadto von Senger z typową dla siebie szybkością i zdecydowaniem sprowadzał artylerię do ostrzału atakujących. Ku zdumieniu oddziałów rozpoznawczych dywizji marokańskiej wzięci do niewoli Niemcy po prostu nie wierzyli w klęskę. Szturmujący byli wyczerpani, natarcie osłabło i kontruderzenia przywróciły wysunięte posterunki linii Gustawa pod kontrolę niemiecką. Juin, chociaż zadowolony z działań bojowych swoich ludzi i wielkiego wrażenia, jakie wywarły one na sojusznikach, dał później upust swojej frustracji: „Z dodatkową dywizją być może wieczorem 15 stycznia udałoby się głębiej przedrzeć w kierunku Atiny, strategicznego punktu, z którego moglibyśmy wyprowadzić szeroki manewr oskrzydlający nad Cairą i Cassino przed ponownym zejściem w dolinę Liri. Ale poza moimi dwiema ściśle współpracującymi dywizjami, które były nieco wyczerpane, nic już nie zostało. Pierwotny plan, opracowany przez najwyższe dowództwo anglosaskie, nie powiódł się przez brak logicznie i jasno zdefiniowanego pojęcia «manewru» armii".

Jest to wielkie „co by było, gdyby...?" opowieści o Cassino: gdyby dostępne były rezerwy i gdyby zechciano poprzeć plan Juina, być może dałoby się w znacznej mierze uniknąć rzezi, która miała nastąpić.

Zamykając lukę między oddalonymi stanowiskami niemieckimi i linią Gustawa, wojska francuskie najechały wsie Sant' Elia i Valvori w dolinie Rapido. Minął zaledwie tydzień od opuszczenia przez Niemców okolic domu młodej Gemmy Notarianni w Valvori. Był to pełen grozy czas wsłuchiwania się w zbliżający się ogień artylerii: „Rozpoznawaliśmy, czyje były pociski – wspomina Gemma. – Niemieckie wydawały inny dźwięk niż amerykańskie – bum, bum, bum, bum – i można było mieć pewność, że trafią we właściwe miejsce. Potem zaczynają Amerykanie. Bóg jeden wie, jakiej amunicji używali! Potem ktoś krzyknął: «Żołnierze przyszli!», więc poszliśmy popatrzeć. Ale to nie byli żołnierze, to byli Goumiers [marokańskie nieregularne wojska górskie]. Na niskim wzgórzu na wprost nas słyszeliśmy krzyki, krzyki kobiet".

Relacja spisana przez historyka dywizji daje do zrozumienia, co się tam działo: „16 i ponownie 17 nasze patrole musiały przejść przez gaje oliwne na równinie, żeby przedrzeć się do ruin Sant' Elii i dalej na prawo i w górę Valvori, na lewo w górę do pierwszych skarp gór, nie znajdując żadnych mieszkańców, z wyjątkiem około setki przerażonych Włochów w niektórych jaskiniach". Przyczyną przerażenia był nie tyle ogień artyleryjski, ile same nacierające wojska, które – jak twierdzi Gemma Notarianni – pod groźbą użycia broni zaczęły gwałcić kobiety. „Myśleliśmy, że gdy już znajdziemy się za liniami aliantów, nasze problemy się skończą. A tak naprawdę dopiero się zaczęły. Żołnierze kierowali karabin na mężczyznę i gwałcili kobietę. Praktycznie wszystkie kobiety, które zostały zgwałcone, wskutek tego zmarły. Powoli zmarły wszystkie".

W samej Valvori jej rodzina była bezpieczna i ojcu Gemmy, wcześniej policjantowi, powierzono zadanie utrzymania porządku we wsi. Codziennie składał on raporty stacjonującym tu oficerom francuskim i dbał, żeby kobiety z miasteczka przez cały czas przebywały w domach. Potem, kilka dni później, kazano mieszkańcom opuścić wieś i skierować się ku Sant' Elii. „Ale most wysadzono – wyjaśnia Gemma – więc ojciec powiedział: «Gdy nikt nie będzie patrzył, musimy iść za kościół i skierować się w stronę Vallerotondy [przez górskie drogi]». Tak też zrobiliśmy i mieliśmy przykre spotkanie z Marokańczykami. Wszystkie drogi były kręte. Było nas w sumie dziewięcioro z dwoma mułami. Miałam na głowie wielki kosz z posiłkiem, który mieliśmy spożyć po dotarciu na miejsce. Była to polenta, jedzenie pozwalające utrzymać się przy życiu. Mój brat miał w puszce dziesięć litrów oliwy. Beduini zaczęli wyskakiwać spomiędzy krzewów oliwnych. Brat uczył się francuskiego i zaczął do nich mówić, ale odnosiło się wrażenie, że im dłużej mówił, tym więcej się ich pojawiało. Obeszliśmy zakręt, zmierzając ku mostowi na Rapido. Chcieli zabrać kosz. Moja babka miała laskę i uderzała nią każdego, kto się zbliżył. Klęła po włosku. Musieliśmy im mówić, że jest lekko szurnięta, starając się jednocześnie zmusić muły do dalszego marszu".

Po trzech czy czterech dniach w Vallerotondzie kazano rodzinie zebrać się na placu, każdy mógł mieć tylko jedną małą torbę. Około północy załadowano wszystkich na wielką ciężarówkę, która zabrała ich do Venafro. „Chcieliśmy, żeby zniknęli – mówi dzisiaj Gemma o francuskich żołnierzach z Afryki Północnej. – To oni się przedarli. Wiele zniszczyli".

Również rodzina Tony'ego Pittaccia znalazła się w połowie stycznia na ziemi niczyjej między nacierającymi aliantami i linią Gustawa dalej w dół

Rapido, gdzie natarcie było prowadzone przez 34. i 36. dywizję amerykańską. „Słyszeliśmy artylerię – wspomina Pittaccio – i widzieliśmy błyski dział, które ukazywały sylwetki gór. Myśleliśmy: Nadciągają, i byliśmy trochę przestraszeni". Przebywali w wiejskim domu około trzech mil od Cassino, w jednym pomieszczeniu było ośmioro dorosłych i dziewięcioro dzieci. Gdy wszyscy kładli się spać, cała podłoga była zajęta. Był to bardzo trudny okres: nie było jedzenia ani lekarstw, a wielu było rannych lub zaczynało chorować. Pittaccio przypisuje ich przetrwanie nadzwyczajnym wysiłkom swojego wuja, ale mieli też szczęście. Trzy czy cztery razy musieli się przenosić, gdy domy, w których przebywali, zostały ostrzelane. Był to ogień niemiecki, prawdopodobnie pomiar odległości lub oczyszczanie pola ostrzału. Pewnego razu zginęła chroniąca się z nimi trzyosobowa rodzina. Innym razem pędzili do budynku gospodarskiego, ale został on bezpośrednio trafiony, zanim do niego dobiegli. Wuj Tony'ego bez powodzenia próbował amputować nożyczkami zmiażdżoną nogę młodej dziewczynie, która schroniła się w tym budynku.

Pewnej nocy wkrótce potem, w jeszcze innym na poły zniszczonym wiejskim domu, Pittaccio obudził się w środku nocy i usłyszał siostrę mówiącą po angielsku. „Okno było otwarte, a pod nim byli Amerykanie. Nie trwało to długo. Następnej nocy znowu usłyszeliśmy hałasy, otworzyliśmy okno ze słowami: *Hello, hello*, a to byli Niemcy". Amerykanie wkrótce wrócili, wydawali się Pittacciowi dziwni, gdy pędzili i kucali pod osłoną, podczas gdy cywile chodzili wyprostowani. Kilka dni później rodzina znalazła ukryty w stogu siana stos amerykańskich racji. Myśląc, że zostały porzucone, zjedli najlepszy od długiego czasu posiłek. Ale Amerykanie wrócili po swoje racje i byli zrozpaczeni, gdy stwierdzili, że zniknęły. Gdy wszystko wyjaśniono, żołnierzy zaproszono do domu, żeby posiedzieli przy ogniu. W środku jeden z mężczyzn zdjął hełm i zaczął płakać. „Wszyscy w pomieszczeniu zamilkli – wspomina Pittaccio – a kobiety łkały razem z nim. Pewnie tego dnia stracił dobrego przyjaciela".

CZĘŚĆ DRUGA

Pierwsza bitwa

– Boję się.

– Nie ma się czego wstydzić – pocieszył go łagodnie major Major. – Wszyscy się boimy.

– Ja się nie wstydzę – powiedział Yossarian. – Ja się po prostu boję.

Joseph Heller, *Paragraf 22*

Ci, którzy zajmowali niżej położony teren, stali po kolana w błocie i wodzie, ponieważ obfite opady deszczu i wylanie rzeki Garigliano zamieniło cały rejon w jedno wielkie trzęsawisko. (...) Ci, którzy zajmowali wyżej położone tereny, byli w niewiele lepszej sytuacji. Nawałnice zacinającego deszczu i śniegu, które szalały bez przerwy przez kilka tygodni, wciskały się w każdą szczelinę cienkich namiotów i paskudnych nor, pokrytych jedynie gałęziami drzew, co zapewniało prowizoryczne schronienie żołnierzom.

W. H. Prescott, *History of the Reign of Ferdinand and Isabella*, 1859

ROZDZIAŁ 5

10. korpus brytyjski nad Garigliano – lewe skrzydło

Walki o Monte Camino na początku grudnia mocno uderzyły w brytyjską 56. dywizję „Black Cat". Największe straty poniósł 9. batalion fizylierów królewskich, wchodzący w skład 167. brygady, wraz z bliźniaczym 8. batalionem fizylierów królewskich i jeszcze jednym batalionem. 9. batalion fizylierów stracił 25 oficerów i ponad 500 żołnierzy i niewielu zostało ludzi z pierwotnego stanu, który we wrześniu wylądował pod Salerno. Dziewiętnastoletni fizylier Len Bradshaw, który służył w wojsku niespełna rok, stał się teraz weteranem batalionu. Po raz pierwszy posmakował walki pod Salerno – wspomina, że początkowo był „trochę naiwny. Nie uważałem, że to wszystko dzieje się naprawdę. Za bardzo ryzykowałem". Ale po trzech miesiącach walk zaczął przyjmować wszystko z coraz większym spokojem: „To los. Im dalej idziesz, tym bardziej kusisz los. Naprawdę nigdy nie sądziłem, że dożyję dwudziestych pierwszych urodzin".

Po Camino kontakt bojowy z Niemcami nawiązano ponownie 14 grudnia nad Garigliano, gdy 167. brygadę postawiono naprzeciw nieprzyjaciela na szerokiej, rozmokłej równinie przy rzece. „To było niezwykłe przeżycie – napisał jeden z oficerów batalionu Bradshawa. – Obie strony siedziały naprzeciwko siebie i piorunowały się wzrokiem przez szeroki pas ziemi niczyjej, na której niewzruszeni włoscy chłopi dalej orali i uprawiali pola. Miało to swoje wady i zalety. W zasadzie nie dawało się stwierdzić, kto jest kim. Jednocześnie jeśli wyglądałeś jak najmniej po żołniersku, mogłeś wlec się za włoskim wozem zaprzężonym w woły lub grupą oraczy i w ten sposób przeprowadzić rozpoznanie terenu, na który za dnia nie można było się dostać w inny sposób".

21 grudnia 9. batalion fizylierów został zluzowany przez swój bliźniaczy batalion i wycofał się do wsi Cupa, gdzie miał świętować Boże Narodzenie.

Po 15 szylingów za sztukę wykupiono wszystkie indyki, jakie udało się znaleźć w okolicy, i obiecano, że każdy żołnierz dywizji będzie miał na święta kawałek świeżego mięsa. Ale gdy kucharze poszli po indyki, stwierdzili, że wiele z nich wykupili Amerykanie po pięć funtów za sztukę. Poprzestano na puszkowanym indyku i wieprzowinie oraz butelce piwa na głowę. Jak wiele innych jednostek, oddział Lena Bradshawa poczynił własne przygotowania. Chociaż raz mieli suchą kwaterę w budynkach gospodarskich. „Mieliśmy ogień, a wieczorem porcję rumu – wspomina Bradshaw. – Sygnaliści nastawili radio na amerykańską stację. W pewnym momencie puściła *Cichą noc* po niemiecku. To była jedna z lepszych chwil". Włoscy właściciele gospodarstwa trzymali się z daleka, z wyjątkiem chwili, gdy żona rolnika przyszła porozmawiać z żołnierzami. „Nie dotykajcie moich kurczaków – powiedziała. – Ale jeśli przyniesiecie jakiegoś z gospodarstwa kawałek dalej, przyrządzę go wam". „Mieliśmy więc pieczonego kurczaka – mówi Bradshaw. – Był fantastyczny".

W batalionie było wiele nowych osób, większość z nich nigdy wcześniej nie brała udziału w walce. Do jednego batalionu właśnie przydzielono ludzi, którzy wcześniej służyli w czternastu różnych pułkach, co zmusiło oficera dowodzącego do złożenia zamówienia na odznaki na czapki, „żeby żołnierze mieli przynajmniej odznakę pułku, w którym musieli być gotowi zginąć". Ponieważ niektórzy zmiennicy przybywali na linię frontu kiepsko wyposażeni i naprawdę nieprzygotowani do walki, stworzono obóz dla zmienników, żeby zreorganizować nowo przybyłych i żołnierzy wracających ze szpitala. Przeznaczony był on również do „przyjmowania ludzi z oddziałów dywizji, którzy wskutek stresu i napięcia wywołanego tym, co przeszli, wymagali pewnego okresu na wzmocnienie się fizyczne lub moralne, a nawet wojskowe" – jak pisze historyk dywizji.

Wraz z wieloma innymi byłymi królewskimi fizylierami walijskimi Glyn Edwards znalazł się teraz w 8. batalionie fizylierów królewskich, który zluzował batalion Lena Bradshawa. Pozostawali na linii do 1 stycznia, po czym skierowali się do wsi Casanova na spóźnione świętowanie Bożego Narodzenia. Miały to być ostatnie święta Edwardsa, ponieważ siedem tygodni później zginął on pod Anzio. 3 stycznia napisał do rodziny:

> Droga Mamo, Tato i cała Rodzino!
>
> Piszę tych kilka słów, żebyście wiedzieli, że wciąż żyję i mam się dobrze. (...) Przez kilka tygodni nie mogłem pisać, bo pewnie domyślacie

> się, gdzie byłem, ale teraz jesteśmy z tyłu i mamy kilka dni odpoczynku, którego – wierz mi, Mamo – potrzebujemy, ponieważ na linii pogoda była okropna. (...) Jak się teraz miewa Tata? Czy nadal regularnie pracuje? Przypuszczam, że ciągle jest w obronie terytorialnej i oddaje się żołnierce. Chciałbym być w tej paczce.
>
> Jutro, 4 stycznia, będziemy świętować nasze Boże Narodzenie, bo 25 grudnia byliśmy w kłopotliwym punkcie, ale tak naprawdę nie ma to znaczenia, którego dnia mamy tu święta, bo teraz każdy dzień jest taki sam: mam nadzieję, że w domu miło spędziliście Boże Narodzenie, mam nadzieję, że będę z Wami w przyszłym roku, bo pokładam ufność w Bogu, że w 1944 roku wszystko to się skończy i że będę daleko od cuchnących Włoch, (...) gdy byliśmy na linii, lało bez przerwy (...).

Stara się, by list kończył się optymistycznym akcentem: „Czuję się całkiem dobrze, odkąd tu jestem, Mamo (pomimo warunków zjadłem mnóstwo pomarańczy i innych owoców. Mam wrażenie, że wkrótce nie będę mógł na nie patrzeć). Zaczynam już nieźle rozumieć ten język. Powinnaś zobaczyć, jak rozmawiam z którymś z tych Włochów, to przezabawny widok".

W środkowej części linii 10. korpusu znajdowała się 56. dywizja, która miała po lewej świeżo przybyłą 5. dywizję, trzymającą teren do wybrzeża, a po prawej 46. dywizję. Zgodnie z planem McCreery'ego 56. i 5. dywizja miały przeprawić się przez rzekę Garigliano w różnych miejscach i „skręcić w prawo", w górę doliny rzeki Ausente, która płynie na południe i wpływa do Garigliano niemal u jej ujścia. Dolina ta prowadzi do „jaru Ausonii" – wąskiego górskiego wąwozu, który pozwoliłby wkroczyć w dolinę Liri za głównymi umocnieniami niemieckimi. Tymczasem 46. dywizja miała przeprawić się przez rzekę na wysokości Sant' Ambrogio, żeby zabezpieczyć wysoko położony teren po lewej stronie doliny Liri, by ochraniać flankę teksańczyków, gdy ci będą przechodzić przez Rapido w głównym uderzeniu armii. Pierwsze przeprawy 10. korpusu brytyjskiego miały zostać przeprowadzone w nocy z 17 na 18 stycznia. Jeśli chodzi o 5. dywizję, to postanowiono ją pozbawić wsparcia artyleryjskiego, próbując wykorzystać element zaskoczenia, ale dla przeprawy 56. dywizji artyleria miała dać z siebie wszystko.

4 stycznia artylerzystę Spike'a Milligana z 10. korpusu obudzono o 4.20. Doskwierało mu „czarne jak smoła zimno i zawodzący wiatr". Siedząc z tyłu należącej do baterii ciężarówki z radiostacją, Milligan pojechał do Lauro, małej wioski na pogórzu, które schodziło na równinę Garigliano. „Po dru-

giej stronie brązowej Garigliano wznosiły się góry – napisał Milligan. – Tam czekały szkopy, a wśród nich szkop, który miał mnie wykończyć. Ślizgając się, parliśmy naprzód po błotnistej, wąskiej drodze". W Lauro Milligan zajrzał na posterunek policji, gdzie przetrzymywano cywilów, którzy przekroczyli linię frontu, przesłuchiwano ich i sprawdzano, czy nie ma wśród nich szpiegów. Wielu odniosło rany w wyniku wybuchów niemieckich lub alianckich min lub też straciło bliskich w czasie tej ryzykownej wyprawy i niewiele można było zrobić, żeby ich pocieszyć. „Smród w areszcie był okropny – napisał Milligan. – Nie było tam ustępu i więźniowie musieli wypróżniać się w celach".

Po przybyciu na pozycje w pobliżu Garigliano bateria Milligana przystąpiła do zwykłego kopania okopów gniazdowych dla dział, mes i latryn, a zdenerwowanie zbliżającym się atakiem rosło. „To będzie coś wielkiego – zapisał w swoim notesie 16 stycznia Milligan. – Wszystko jest tajne". Następnego ranka dokuczały mu hemoroidy i był w kiepskim nastroju: „Mam okropne przeczucie, że zginę – pisze. – Nigdy wcześniej go nie miałem. Cały dzień pętamy się bez celu. Najgorsze jest właśnie to czekanie. Naoliwiłem swój pistolet maszynowy, nie wiem po co, bo już był naoliwiony".

Wezbrana deszczami Garigliano stanowiła potężną przeszkodę, a wszystkie mosty na niej zostały zniszczone. Jednak główne umocnienia niemieckie znajdowały się na wysoko położonym terenie około tysiąca jardów za zachodnim brzegiem rzeki. Przed nimi na bagnistej, pociętej kanałami i rowami melioracyjnymi ziemi rozmieszczono liczne stanowiska karabinów maszynowych. Głównym czynnikiem powstrzymującym były jednak miny, około 24 tysięcy, co było liczbą zdumiewającą. Większość należała do dwóch typów: S-42, czyli Schümine, która eksplodowała po niewielkim nacisku i zwykle odrywała człowiekowi stopę, oraz S, która wyrzucała ładunek w powietrze mniej więcej na wysokość pachwiny. Amerykanie nazywali ją „podskakującą Betty"; dla żołnierzy brytyjskich była „urywaczem jaj". Oba typy często umieszczano w drewnianych obudowach, co bardzo utrudniało ich wykrycie.

Noc 17 stycznia była mroźna, a niebo zupełnie bezchmurne. Chociaż raz Len Bradshaw nie odczuwał zimna, gdy jego drużyna 9. batalionu fizylierów ruszyła w górę rzeki tuż przed dziewiątą wieczorem – miał zbyt dużo adrenaliny we krwi – ale jedną podeszwę jego butów wessało błoto. Sama przeprawa, w łodziach przeciąganych na linie przymocowanej do drugiego brzegu, poszła dość gładko. Potem na drugim brzegu zapanował chaos, gdy

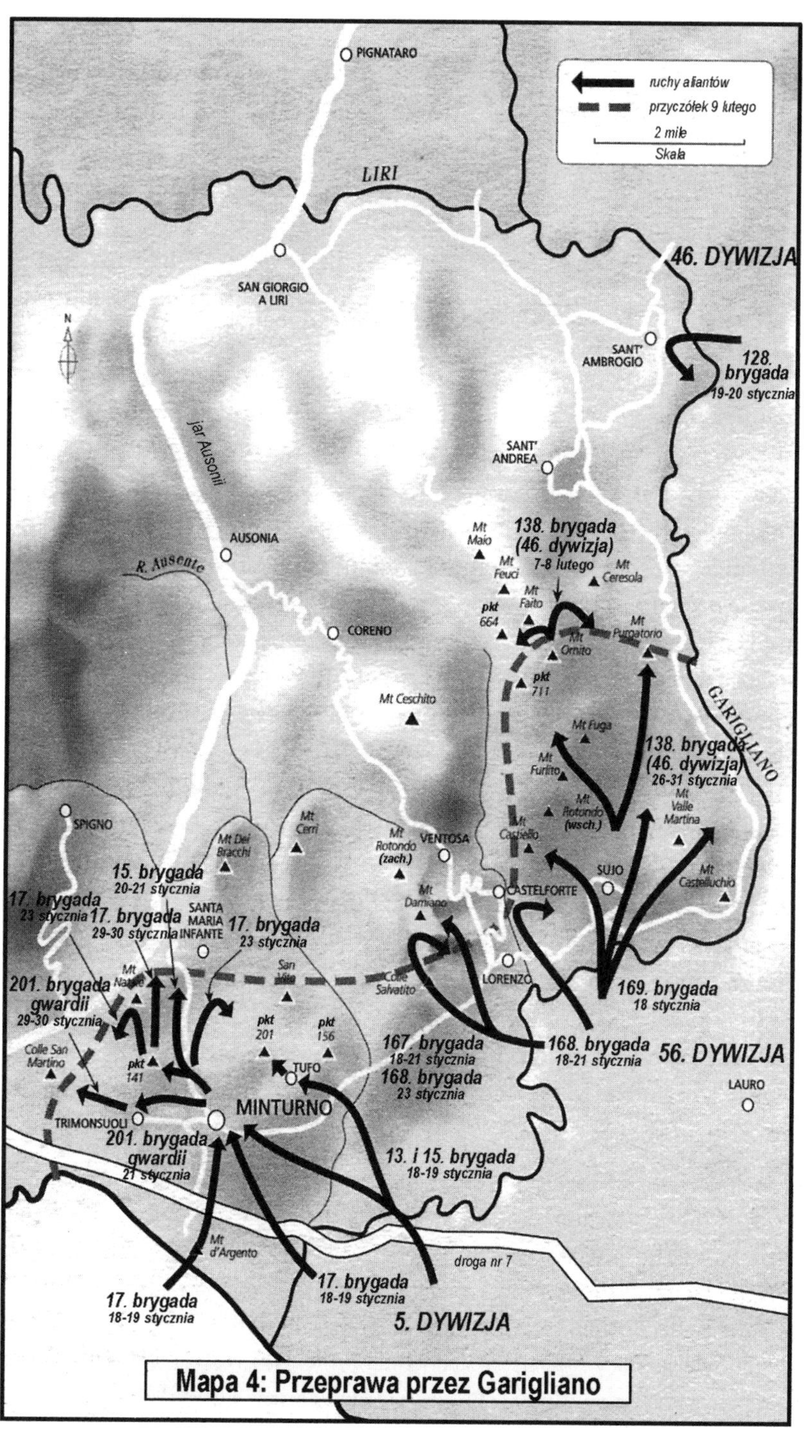

Mapa 4: Przeprawa przez Garigliano

żołnierze zostali rozdzieleni i przygwożdżeni ogniem karabinów maszynowych i moździerzy. Wśród wielu ofiar znalazł się dowódca kompanii Bradshawa, co jeszcze zwiększyło zamęt. „Nie wiedzieliśmy, co się dzieje – mówi Bradshaw. – Cała noc właśnie tak wyglądała". Jako goniec kompanii Bradshaw był cały czas zajęty, usiłował zlokalizować miejsca spotkania i pozostałe części batalionu. W końcu jakiś oficer zdołał zebrać wystarczającą liczbę żołnierzy i początkowy cel batalionu – wzgórze o nazwie Colle Salvatito niecałą milę od rzeki – został zajęty tuż przed dziesiątą rano następnego dnia. Przybyły posiłki i batalion przygotowywał się na nieuniknione kontrnatarcie.

Przeprawiający się na prawo od 9. batalionu 8. batalion fizylierów królewskich Glyna Edwardsa miał mniej trudności nad rzeką, ale okazało się, że jego celu – zwalistego wzniesienia Monte Damiano – Niemcy zażarcie bronią. Gilbert Allnutt, inny fizylier z 8. batalionu, opisuje swoją wędrówkę w kierunku szczytu: „Dobrze przed świtem znaleźliśmy się u stóp góry. (...) Major Allison ruszył na czoło naszego oddziału i szedł ku szczytowi w takim tempie, że nikt nie był w stanie dotrzymać mu kroku. Nasze natarcie zaczynało przypominać sadystyczny bieg przełajowy, bo obciążeni plecakami z uporem staraliśmy się dogonić dowódcę, co dla wielu było niemożliwe do wykonania. Widzieliśmy, że góra ma terasy z głazów, wiele strzaskanych i przemieszczonych po ostrzale. Z tyłu dwoił się i troił starszy sierżant sztabowy, każąc maruderom utrzymać jakiś szyk wojskowy. Utkwiłem mocno wzrok w majorze Allisonie, który wyglądał imponująco, gdy tak sadził wielkimi krokami, zatrzymując się tylko po to, by okrzykiem zachęcić idących za nim żołnierzy. Nagle przed nami zaczęły spadać pociski artyleryjskie i major Allison został trafiony. Widzę go teraz, we wspomnieniach, z krwią spływającą po twarzy, ranionego po raz drugi, i zmuszonego wycofać się i zostawić swoją kompanię".

Pozbawieni dowódcy fizylierzy parli naprzód i do wieczora dotarli do szczytu. Cena była wysoka, w niektórych kompaniach zostało trzydziestu lub czterdziestu sprawnych żołnierzy z początkowej siły około stu. Następnego dnia posłano naprzód patrole, ale dostały się pod ostrzał artylerii aliantów i zostały zmuszone do odwrotu. Po kolejnym dniu, w którym musieli znosić sporadyczny ostrzał z moździerzy i karabinów maszynowych, 20 stycznia nastąpiło główne niemieckie kontruderzenie z ciężkim ostrzałem z moździerzy i ogniem artyleryjskim na odsłoniętą pozycję oraz z infiltracją oddziałów piechoty i pojedynczych snajperów. Po zażartej walce atak został do wieczora odparty, ale batalion był teraz w bardzo kiepskiej formie. Tego wieczoru zostali zluzowani przez 1. batalion London Scottish ze 168. brygady ich dywizji i przeniesieni do wsi Lorenzo, rzekomo spokojnego sektora za linią frontu. Gdy jednak tam dotarli, stwierdzili, że wieś nadal jest zajęta przez Niemców, i nastąpiły dwa dni walk o każdy dom. W końcu 23 stycznia resztki batalionu wycofano za rzekę do Dodi San Marco na prawdziwy odpoczynek.

Glyn Edwards miał jeszcze dość sił, by 24 stycznia napisać krótki list, który zaczyna się tak samo jak zawsze, ale dowodzi, że ten młody mężczyzna okrzepł po walkach poprzedniego tygodnia:

> Droga Mamo, Tato i cała Rodzino!
>
> Piszę tych kilka słów, żebyście wiedzieli, że wciąż żyję i mam się dobrze (dzięki Bogu), bo dopiero co wróciłem z akcji. To było osiem dni piekła na ziemi i ciężkiej walki (bardzo ciężkiej).
>
> Nie wiem, jak długo będę poza linią. Mam nadzieję, że na zawsze, bo szkop to twardy typ: straciłem paru kumpli i jest ciężko. (...) Muszę kończyć, napiszę wkrótce. Ale zemściłem się za kilku swoich kolegów, którzy zginęli, i to jest jakaś pociecha.
>
> Pozdrawiam serdecznie, Glyn

Główne przeciwuderzenie na 9. batalion królewskich fizylierów Lena Bradshawa zostało rozbite przez artylerię aliantów, ale infiltracja i sporadyczny ogień z moździerzy i karabinów maszynowych nie ustawały przez następne trzy dni. Do tego czasu, mówi Bradshaw, „byliśmy nieźle przetrzebieni, mieliśmy mnóstwo strat". Rankiem 21 stycznia wzmacniał swoje stanowisko, układając przed nim stos kamieni, gdy został trafiony przez snajpera. Kula strzaskała mu biodro, a jej impet powalił go na ziemię: „To było jak mocne kopnięcie – wspomina. – Nie mogłem wstać". Szybko zjawił się noszowy i nałożył na ranę opatrunek. Droga powrotna do doliny była długa i bolesna, ale – przyznaje Bradshaw – poza tym, że został rozdzielony ze swoimi przyjaciółmi z oddziału, cieszył się, że wraca, a gdy dotarł do punktu opatrunkowego i zobaczył paru innych rannych, uznał się nawet za szczęściarza. Otrzymał środek znieczulający i obudził się w szpitalu. „Były tam czyste prześcieradła – mówi. – Kula leżała na szafce przy łóżku. Podeszła pielęgniarka i podała mi szklankę prawdziwego soku cytrynowego. Myślałem, że jestem w niebie".

O ile to możliwe, przeprawa 5. dywizji bliżej wybrzeża była jeszcze bardziej niebezpieczna. Miejsca przeprawy były całkowicie zdominowane przez pozycje niemieckie na leżącym na północ wysokim terenie. Płaska, rozmiękła równina została oczyszczona z przeszkód, co dało Niemcom doskonałe pola ostrzału. Obie strony rzeki gęsto zaminowano, a niemieckie patrole działały w nocy po alianckiej stronie. Dywizja dopiero co przybyła na ten obszar, ale jej saperzy zabrali się do pracy, oczyszczając bliższą stronę rzeki z min i zaznaczając bezpieczne przejścia białą taśmą. Ale gdy rozpoczęło się natarcie, tuż przed tym, jak na prawo od nich ruszyła 56. dywizja, czołowe oddziały wpadły w kłopoty, zanim w ogóle dotarły do rzeki. Kronika 1. lekkiej piechoty King's Own Yorkshire wyjaśnia, co poszło źle: „Było to trudne i nieprzyjemne, miny stanowiły bardzo realne niebezpieczeństwo, a królewscy saperzy wyznaczyli pojedynczy szlak przez tę okolicę. Mogło to wystarczyć żołnierzom za dnia, ale dla ciężko obładowanych ludzi w ciemności to był koszmar, pomimo księżyca w nowiu". Wiele nacierających kompanii musiało nieść łodzie do rzeki przez „zaminowane moczary" z głębokimi rowami i groblami co kilkaset jardów. Natarcie 6. Seaforths w najbardziej na lewo wysuniętej części frontu wydawało się iść dobrze, gdyż Niemcy zauważyli ich dopiero wtedy, gdy znaleźli się oni o kilkaset stóp od rzeki. Historyk batalionu opisał tę scenę: „W końcu można było zobaczyć samą rzekę, w której oleistych, płynących spokojnym nurtem wodach dziwacznie odbijało się niebo. Widoczny był też drugi brzeg i jak dotąd nieprzyjaciel nie wyczuł jeszcze, co się święci. Poza odległymi odgłosami artyleryjskiej wymiany ognia w naszym sektorze panowała całkowita cisza. To było zbyt piękne, żeby mogło być prawdziwe". Wtem, zaledwie na kilka chwil przed wyznaczonym czasem przeprawy, „porucznik John Holcroft (...) nadepnął na minę. Natychmiast oderwało mu z okropnym chrzęstem lewą stopę. Majorzy Low i Mackenzie, którzy podchodzili, żeby do niego dołączyć, zostali oślepieni przez nagły nocny wybuch i dostali odłamkami w twarz. (...) Niektórzy nasi najlepsi oficerowie już byli wyłączeni z walki. Coś szło strasznie nie tak i słusznie wszczęto alarm. Gdy wybuchło jeszcze parę min, nagle w niebo wystrzeliły jaskrawozielone flary" i w skraj rzeki skierował się ogień obronny karabinów maszynowych. W innym miejscu nie pojawili się obiecani przewodnicy i wielu innych żołnierzy utknęło na polach minowych, przez co poniesiono ciężkie straty. Podobnie jak w przypadku Seaforths, gdy miny zaczęły wybuchać, Niemcy rozpoczęli ostrzał z moździerzy i dział, jeszcze bardziej niszcząc oznaczone ścieżki.

Istniał ambitny plan wykorzystania w ujściu rzeki amfibii desantowych do wysadzenia oddziałów niedaleko na północ od ujścia. Znowu jednak na przeszkodzie stanął chaos wojennej rzeczywistości. Silne prądy w ujściu rzeki bardzo utrudniały nawigację. Amerykańskie załogi łodzi miały kierować się na światła wskazujące miejsce lądowania, które się nie pojawiły lub pojawiły się zbyt późno, żeby się przydać. Poświata na morzu wywołana przez łodzie musiała być dobrze widoczna dla Niemców, którzy skierowali na amfibie desantowe ogień obronny, gdy znajdowały się jeszcze dwieście jardów od brzegu. W tym zamieszaniu królewscy fizylierzy wylądowali na niewłaściwym brzegu ujścia rzeki i mało brakowało, żeby zaatakowali kwaterę główną własnej brygady. Jako pierwszy we właściwym miejscu wylądował pododdział 141. szpitala polowego wraz z małym oddziałem aprowizacyjnym pułku Northampton. Zgodnie ze swoim wyszkoleniem zaczęli budować składy zapasów, chociaż na brzegu nie było jeszcze żołnierzy, którym te zapasy mogliby dostarczać.

Kilka amfibii desantowych zniosło na morze. Łódź jednej z kompanii znalazła się tak daleko, że natknęła się na krążownik, zajęty ostrzeliwaniem niemieckich pozycji w kierunku północnym. Mieli właśnie zapytać ich o drogę, gdy nagle w pobliżu wyłonił się na powierzchnię okręt podwodny. Niepewni co do jego przynależności fizylierzy zaczęli przygotowywać granatnik przeciwpancerny PIAT i już mieli okręt zatopić, gdy z wieży dowodzenia wyłoniła się czyjaś głowa i usłyszeli:

– Kim wy, do cholery, jesteście?

– Królewskimi fizylierami szkockimi – odpowiedzieli szybko i z niejaką ulgą w głosie.

– Nigdy o was nie słyszałem – padła jeszcze szybsza odpowiedź, po czym właz opadł i okręt podwodny się zanurzył.

Gdy żołnierze z 17. brygady z trudem przedzierali się w kierunku rzeki, a potem przez nią przeprawiali, w niewielkiej odległości w górę biegu Garigliano dwa bataliony z 13. brygady – 2. Wiltshires i 2. Inniskilling Fusiliers – zbliżały się do rzeki. Jack Williams, noszowy w batalionie fizylierów, opisuje, co się stało: „W tamtym momencie nie było tak źle, bo szkopy nie zdawały sobie sprawy, że właśnie będziemy się przeprawiać przez rzekę. Na rzece panował spokój, zajęliśmy pozycje i czekaliśmy na znajdujące się za nami transportery. Czekanie. Ta niewiedza, co się zdarzy, była denerwująca. Wszyscy byli podenerwowani. Zrobiłem się bardzo cichy". Po tym szarpiącym nerwy opóźnieniu przybyły łodzie prowadzone przez Służbę Zaopatrzenia i Transportu Królewskich Wojsk Lądowych. W miejscu przeprawy rzeka miała około dwudziestu stóp szerokości. Nadal panowała cisza. „Gdy dotarły łodzie, rozkazano nam przeprawić się przez rzekę – mówi dalej Williams. – Myśleliśmy, że dostaniemy się na drugi brzeg bez najmniejszych problemów, jak niektórzy inni". Pierwsza kompania zaczęła się przeprawiać. W dalszym ciągu „nic się nie działo, żadnego ostrzału z karabinów czy dział; potem zaczęliśmy przechodzić – kompania A – i przeszliśmy, i wtedy wszystko ruszyło – moździerze, osiemdziesiątki ósemki, ogień karabinów maszynowych, naprawdę silny, zmasowany ostrzał. Wybuchł prawdziwy chaos. Ludzie machali rękami i biegali w tę i z powrotem, próbując dostać się do łodzi, próbując wrócić".

Williamsowi udało się przeprawić w jednej z ośmioosobowych łodzi, ale wkrótce jedenaście z dwunastu amfibii batalionu zostało uszkodzonych. Doszło do kilku bezpośrednich trafień w zatłoczone łodzie, a wiele innych wywróciło się, wrzucając swoich ciężko obładowanych pasażerów do lodowatej wody. Niektórym udało się poluzować sprzęt, wyplątać się z niego i dopłynąć do drugiego brzegu. Inni poszli jak kamień na dno. Szef plutonu Williamsa powiedział mu następnego dnia, że gdy płynął do brzegu, czuł czyjeś ręce, które rozpaczliwie chwytały go pod wodą za stopy.

„Wyszliśmy z łodzi – mówi dalej Williams – i od razu musieliśmy ruszać na cel, którym było gospodarstwo rolne po prawej. Musieliśmy natychmiast tam dotrzeć, nie mogliśmy siedzieć na brzegu rzeki. Słyszeliśmy krzyki i wrzaski ludzi, którzy rzucali się w wodzie, którzy zostali trafieni. W tamtym momencie był niezły kocioł i wszyscy panikowali".

Gospodarstwo rolne oczyszczono granatami i bagnetami, wzięto jeńców, ale w czasie tej potyczki dowódcę kompanii Williamsa, wraz z czterema niemieckimi jeńcami, których wziął do niewoli, zabił ogień moździerzowy. Następnego dnia rano, mówi Williams, „chodziło o to, żeby znaleźć ludzi ze swojego batalionu, bo wszyscy byli rozproszeni. Każdy szukał swoich kolegów, żeby sprawdzić, czy przeżyli. Każdy po takich koszmarnych przeżyciach poprzedniej nocy był spanikowany. Zastanawialiśmy się, w co się pakujemy".

W rzeczywistości kompania, mając niemal osiemdziesiąt ofiar, była niezdolna do udziału w dalszych walkach, dopóki straty nie zostaną uzupełnione. Jedynymi podoficerami, którzy przeżyli, byli sierżant i młodszy kapral. Williams, który służył w wojsku od 1940 roku i walczył w całej kampanii włoskiej, nazywa noc 17 stycznia „najgorszym momentem. W Salerno było bardzo nerwowo, ale nic, co przydarzyło mi się wcześniej czy później, nie wytrzymywało porównania z tą przeprawą przez rzekę".

Pod koniec następnego dnia 5. dywizja zabezpieczyła płytki i niebezpieczny przyczółek, ale straty były tak wielkie, że dużo przed planowaną datą trzeba było wprowadzić brygadę rezerwową, 15., żeby kontynuować natarcie na Minturno, które zostało oczyszczone do końca 19 stycznia. Jak w sektorze 56. dywizji, przez następnych kilka dni Niemcy przeprowadzili kilka kontruderzeń, ale ponowne ataki, wspierane przez ogień artyleryjski z okrętów, zaczęły wypierać obrońców z zajmowanych przez nich pozycji na wysoko położonym terenie, górującym nad doliną. Wojska brytyjskie były pod wrażeniem solidności i wygody ziemianek Niemców. Jedną z nich zdobyto z całym nie ruszonym gorącym śniadaniem. Ale już samo utrzymanie zdobytego terenu okazało się bardzo trudne, ponieważ Niemcy w dalszym ciągu przeprowadzali kontruderzenia jeszcze większymi siłami, i 24 stycznia ofensywa w sektorze 5. dywizji została całkowicie wstrzymana. Przyczółek zamknięto bez widoków na planowane przełamanie linii frontu w kierunku doliny Liri.

Jak podczas całej kampanii włoskiej, najważniejszy był wysoko położony teren, ponieważ stanowił świetny punkt obserwacyjny. Obserwacja była kluczem do sukcesu w bitwach lądowych drugiej wojny światowej, zwłaszcza na górzystych obszarach środkowych Włoch. Ówczesna technika artyleryjska i urządzenia radiotelegraficzne mogły skierować działa całej armii na każdy widoczny cel w ciągu paru minut. Dopóki Niemcy kontrolowali wysoko położony teren między Minturno w pobliżu wybrzeża a Monte Damiano i Castelforte naprzeciwko 56. dywizji, mogli uniemożliwiać saperom przerzucenie mostu przez rzekę. Bez mostu niemożliwy był transport czołgów czy dużej liczby ludzi, co było potrzebne do powiększenia przyczółka po drugiej stronie rzeki.

Po pierwszej przeprawie łodziami użyto różnych promów, tratw i pływających kładek, żeby przerzucić na drugą stronę lekkie pojazdy i ludzi oraz przewieźć z powrotem sanitarki z rannymi. Ale miny i ogień artyleryjski utrudniały transport ciężkiego sprzętu przeprawowego i rozpraszały grupy robocze. Wkrótce zniszczone pojazdy całkowicie zablokowały szlaki prowadzące do punktów przeprawy. Saperzy chcieli osłonić rzekę dymem, ale wiatr wiał z niewłaściwego kierunku i prace nad mostami Baileya trzeba było zarzucić. Tymczasem wszystkie dostępne tratwy były w użyciu dzień i noc. Saper Matthew Salmon pracował przy budowie i zajmował się obsługą promu, który składał się z jednego przęsła mostu Baileya, przymocowanego do dwóch dużych tratw. Z powodu zbliżającego się ognia artyleryjskiego ciągle dochodziło do opóźnień i trzeba było stale naprawiać łodzie, a resztę czasu poświęcano na usuwanie samochodów ciężarowych, które utknęły po drodze na miejsce przeprawy. Teraz przynajmniej zasłona dymna zaczynała przynosić korzyść, chociaż Salmon wspomina, że Niemcy wysyłali włoskich cywilów – prawdopodobnie pod przymusem – często z jasnymi workami na plecach, w kierunku rzeki, żeby za ich pomocą spróbować określić dokładne miejsce przeprawy. Brytyjscy saperzy nie mieli innego wyjścia, jak zawracać ich najszybciej jak mogli, nawet jeśli oznaczało to otworzenie do nich ognia.

Po drugiej stronie linii niemiecka 94. dywizja, chociaż wypoczęta, bardzo rozciągnęła się na długim fragmencie linii Gustawa. Cierpiąc to samo zimno i wilgoć, żołnierze niemieccy dotkliwie odczuwali wielką siłę ognia artylerii aliantów i – gdy pogoda pozwalała – naloty samolotów myśliwsko-bombowych. „Na jeden nasz pocisk artyleryjski zarzucacie nas dziesięcioma lub dwudziestoma" – często powtarzali jeńcy wojenni. „Cały dzień ogień zaporowy – czytamy w dzienniku osiemnastoletniego żołnierza niemieckiego, tego, który dostał od włoskiej rodziny krucyfiks. – Angielscy żołnierze atakują, (...) ogień zaporowy jest jeszcze silniejszy. Obok mnie leży ranny żołnierz, a przede mną trzech martwych. Bardzo się zmieniłem. Nie umiem się już uśmiechać". List do domu żołnierza z 276. pułku 94. dywizji ukazuje cierpienia, których doświadczali Niemcy w sektorze Garigliano: „Po drodze do kwatery głównej kompanii, w odległości niespełna dwustu metrów, leży co najmniej dwudziestu martwych Niemców – jak zginęli, widać aż nadto dobrze. Staramy się na nich nie patrzeć. W nocy raczej się spada ze skał, niż po nich chodzi. Angielscy żołnierze podkradają się niezauważenie. Ich snajperzy strzelają o wiele za celnie. Raz po raz rany głowy. Dzień i noc bez końca ogień moździerzowy, wycie i wybuchy pocisków. Czasami na zaledwie parę chwil zapanuje cisza i wtedy myślę o domu. Noc spędzam na zimnych, za dnia nasłonecznionych kamieniach". Podoficerowi z tego samego pułku udało się prowadzić dziennik, który później znaleźli i przetłumaczyli brytyjscy oficerowie wywiadu. Pod datą 22 stycznia czytamy: „Jestem wykończony. Ogień artyleryjski doprowadza mnie do szaleństwa. Boję się jak nigdy dotąd, (...) zimno. (...) W nocy nie można opuścić nory wygrzebanej w ziemi. Ostatnie dni kompletnie mnie wykończyły. Potrzebuję kogoś, na kim mógłbym się oprzeć". Trzy dni później pisze: „Zaczyna się ze mnie robić pesymista. Anglicy piszą w swoich ulotkach, że wybór należy do nas, Tunis albo Stalingrad, (...) dostajemy połowę racji. Żadnej poczty. Wzięliśmy do niewoli angielskiego żołnierza. Bardzo niedługo i ja będę jeńcem". Pięć dni później: „Zjadają nas wszy. Nic mnie to już nie obchodzi. Racje są coraz mniejsze, 15 ludzi, trzy bochenki chleba, brak gorących posiłków, (...) skradziono mi worek z bielizną".

Kesselring i von Senger niepokoili się siłą 94. dywizji na prawej flance 10. armii, ale ciągle byli zaskoczeni tym, że Brytyjczykom udało się przeprawić przez rzekę i dotrzeć do położonego za nią pogórza. Von Senger przeprowadził wczesnym rankiem 18 stycznia inspekcję sektora 94. dywizji i – uważając, że Brytyjczycy są w stanie przedrzeć się do położonej za Cassino doliny Liri, oskrzydlając linię obronną z Cassino w środku – natychmiast poszedł prosto do Kesselringa z prośbą o uzupełnienia. Kesselring miał w rezerwie w pobliżu Rzymu dwie zaprawione w boju dywizje – 29. i 90. grenadierów pancernych – które były przeznaczone do odparcia prawdopodobnego desantu morskiego za linią Gustawa. Od dawna obawiał się ataku z morza na jednej ze swoich długich flank i wcale nie miał ochoty rozstawać się z tymi mającymi decydujące znaczenie oddziałami rezerwowymi. Od oficerów wywiadu otrzymywał sprzeczne raporty o możliwości rychłego desantu, od szpiegów w Neapolu zaś wiedział, że w tamtejszym porcie znajduje się znaczna liczba okrętów. Ale przekonany, że los całej 10. armii „wisi na włosku", zatwierdził to posunięcie i po dwóch czy trzech dniach od natarcia aliantów zaczęły przybywać nad Garigliano świeże dywizje.

To właśnie tłumaczy większą siłę niemieckich przeciwuderzeń na 54. i 56. dywizję brytyjską po 21 stycznia. W typowej akcji, szturmie przez Castelforte 21 stycznia, 29. dywizja grenadierów pancernych dopadła Brytyjczyków dokładnie w momencie, w którym pierwszy impet ich własnego natarcia ustał, ludzie byli zmęczeni, a artyleria była w trakcie zajmowania nowych pozycji. Wzięto wielu jeńców i zaczęło to wyglądać tak, jakby natarcie brytyjskie, już dużo spóźnione, miało zostać cofnięte.

Szeregowiec S. C. Brooks z 6. Cheshires, strzelec przydzielony do tej samej brygady co Len Bradshaw i Glyn Edwards, napisał 22 stycznia w dzienniku: „Nie ma jeszcze mostu przez rzekę, wszystkich żołnierzy itp. przeprawia się na tratwach, sytuacja jest zła. Nasz pluton wyszedł wczoraj punktualnie o północy i dziś wieczorem znowu jest w walce, mamy o tym własne zdanie. Dwóch chłopaków, Mcnaba i Beresforda, nie można znaleźć, to w sumie 4 z tej kompanii, nic więcej nie powiem. 9 ludzi przybywa jako uzupełnienie, najstarszy ma 20 lat, są z Afryki Północnej i służą w wojsku od 9 miesięcy, w tym w sumie dwa miesiące służby za granicą, oczywiście nie byli w boju. Zabieramy ich w pole i pokazujemy, gdzie spadają nasze pociski artyleryjskie, a gdzie lądują ich, idą do swoich plutonów. Życzę im dużo szczęścia". Matthew Salmon na przeciążonym promie zauważył, że morale było teraz niskie. „Ludzie coraz bardziej wściekali się na siebie nawzajem i pytali: «Ile jeszcze tu będziemy? Czas już, cholera, żeby ktoś nas zluzował». Nie byli zbyt zadowoleni".

Tego samego dnia ogłoszono, że desant pod Anzio, operacja „Shingle", zakończył się powodzeniem. Na niemieckie linie wystrzelono ulotki, w których tłumaczono, że wpadną w pułapkę. Żołnierze brytyjscy na froncie Garigliano spodziewali się, że Niemcy się wycofają, a przynajmniej będą niespokojnie zerkać przez ramię, ale „wydawało się, że nie sprawiło im to żadnej różnicy". 23 stycznia Niemcy przeprowadzili kontruderzenie na grzbiet górski Damiano i odzyskali pozycje zdobyte przez 8. batalion fizylierów podczas pierwszej nocy natarcia. 1. kompania London Scottish otrzymała rozkaz ataku w nocy, by odbić utracone pozycje. Kompania nacierała dwoma plutonami, ale dowódca i jedyny inny oficer zostali ranni już na samym początku natarcia, które zostało potem powstrzymane przez karabiny maszynowe wroga. 9. drużyna 9. plutonu otrzymała od dowódcy plutonu, sierżanta Hancocka, rozkaz wykonania manewru oskrzydlającego z prawej strony niemiecką pozycję. Hancock zginął niemal tuż po tym, jak wydał ten rozkaz. Drużyna składała się teraz z młodszego kaprala i trzech szeregowców, ale szybko dołączyło do nich dwóch ludzi z drużyny dwucalowych moździerzy, szeregowcy Miller i Mitchell, ten drugi był trzydziestojednoletnim żołnierzem zawodowym z Highbury w Londynie. W czasie natarcia Niemcy otworzyli z bliska ciężki ogień z karabinów maszynowych. Mitchell upuścił moździerz, który niósł, i chwyciwszy karabin i bagnet, rzucił się w pojedynkę pod silnym ostrzałem w górę stromego i kamienistego wzgórza. Dobiegł do niemieckiego karabinu maszynowego nie draśnięty, wskoczył do artyleryjskiego okopu gniazdowego, zastrzelił jednego członka załogi, a bagnetem zabił drugiego, uciszając tym samym karabin. Dzięki temu natarcie posuwało się naprzód, ale wkrótce potem czołową drużynę powstrzymał ogień prawdopodobnie dwóch, mocno okopanych niemieckich drużyn. „Szeregowy Mitchell – czytamy w pochwale za odwagę – podjął szybkie działanie, które było konieczne, i rzucił się do przodu w wypadzie, strzelając z karabinu z biodra, kompletnie nie zważając na niezliczone kule. Reszta drużyny, którą natchnął jego przykład, poszła za nim i przybyła na czas, żeby zakończyć zajmowanie stanowiska, na którym zginęło sześciu Niemców, a dwunastu wzięto do niewoli".

W taki sam sposób oczyszczono kilka innych stanowisk, Mitchell objął dowodzenie drużyną i sam ją prowadził. Wzięto następnych jeńców, ale jeden z nich po poddaniu się chwycił za karabin i strzelił Mitchellowi w głowę. Do tego czasu ranny dowódca kompanii postanowił, że cel nie zostanie zajęty przed świtem, i nakazał odwrót. Ale rozkaz ten drużyna otrzymała dopiero po śmierci Mitchella. Jego ciało trzeba było zostawić na zboczu wzgórza. George'owi Mitchellowi przyznano pośmiertnie Krzyż Królowej Wiktorii, najwyższe bojowe odznaczenie brytyjskie.

„Bóg stworzył ludzi słabych i ludzi silnych – napisał Spike Milligan. – Pechowo dla wysiłku wojennego, ja należałem do tych słabych". Początek natarcia 17 stycznia przyciągnął ogień przeciwartyleryjski ze strony Niemców i następnego dnia bezpośrednie trafienie zabiło czterech, a raniło sześciu ludzi. Dla oddziału Milligana był to jak dotąd najcięższy cios i wszyscy byli przygnębieni. Po południu, kierowani przez ludzi z baterii na wysuniętym stanowisku obserwacyjnym na samej linii frontu na Monte Damiano, ostrzelali skrzyżowanie dróg za liniami niemieckimi i zostali z kolei zbombardowani z lotu nurkującego i ostrzelani przez Luftwaffe. Następnego dnia jeden z wysuniętych obserwatorów wrócił do baterii we łzach, „wykończony"; potrzebni byli ochotnicy, którzy przeprawiliby się przez rzekę i pomogli obsługiwać radiostację w taktycznej kwaterze głównej, gdzie ich nie cieszący się sympatią major miał swój wysunięty punkt dowodzenia. Milligan się zgłosił i następnego dnia jechał dżipem w górę rzeki, widząc sznur sanitarek ciągnących z przeciwnej strony. Gdy zbliżał się do linii frontu, odgłosy artylerii przycichły i zostały zastąpione hałasem broni strzeleckiej i moździerzy. Milligan odczuwał zmęczenie, bo był na nogach już dwie noce, i coraz bardziej dokuczały mu hemoroidy. „Zbliżyliśmy się do promu na Garigliano – napisał. – Szkopy od czasu do czasu wystrzeliwały wysokim łukiem jakiś pocisk w dym, który przesłaniał przeprawę. (...) «Jeszcze ktoś na prom Woolwich?» – ktoś zapytał wesoło".

Znalazłszy się po drugiej stronie rzeki, Milligan dostrzegł przed sobą Monte Damiano. Dżip skręcił w prawo i podjechał pod mały, częściowo zniszczony wiejski dom, który pełnił funkcję taktycznej kwatery głównej: „Wszędzie wokół leżą martwe szkopy. Kule z karabinów maszynowych świszczą nad głowami, gdy schylamy się i wpadamy do środka". Było około czwartej po południu. Natychmiast zapędzono go do pracy przy radiu, nad którym spędził następnych siedemnaście godzin, a nieprzyjacielskie pociski, wycelowane w przeprawę, ciągle trafiały niedaleko. O świcie Milligan był już „otępiały ze zmęczenia, a moje hemoroidy zaczęły krwawić". Ale o dziewiątej rano wysłano go z czterema innymi żołnierzami na stanowisko obserwacyjne z nowymi bateriami, z których każda ważyła pięćdziesiąt funtów, i drugą radiostacją. Mała grupa ruszyła drogą do Castelforte, po czym skręciła w lewo w żleb prowadzący w kierunku góry, mijając znajdujące się po lewej okopy piechoty w jarze. Na końcu żlebu wyczerpani mężczyźni zaczęli wspinać się na górę, która w tym miejscu miała terasy przeznaczone pod drzewa oliwne. To właśnie tutaj musiał ich dostrzec niemiecki obserwator.

„BUM! BUM! BUM! Moździerze! Przypadliśmy do ziemi – pisze Milligan o tym pamiętnym ataku. – Spada na nas grad pocisków. Przywieram do ziemi. Moździerze nas zasypują. Czeka mnie mordęga, ot co. Trzymam w garści kępę wiciokrzewu, wtem słychać hałas jak grom. To jest wprost nad moją głową, słyszę wysoki świst, najpierw mam ciemno przed oczami, potem czerwono, jestem dziwnie ogłuszony. Leżałem na brzuchu, teraz leżę na plecach. (...) Wiem, że jeśli tu zostaniemy, wszyscy zginiemy". Zszokowany i ranny Milligan zaczął gramolić się w dół wzgórza. Słyszał krzyki, ale nie pamięta, jak wrócił do kwatery głównej. „W następnej chwili jestem u stóp góry, rozmawiam z majorem Jenkinsem, płaczę, nie wiem dlaczego, a on mówi: «Dlaczego wróciłeś?» Krzyczy na mnie i grozi mi (...) Potem jestem w sanitarce, trzęsę się, sanitariusz okrywa mi ramiona kocem. Znowu płaczę, dlaczego, dlaczego, dlaczego?"

Milligan został lekko raniony w nogę i w wysuniętym punkcie opatrunkowym dostał gorącą, bardzo słodką herbatę i parę tabletek. Ciągle płakał, ale nie wiedział dlaczego. Senny od środków uspokajających i nadal zdezorientowany, dostał etykietkę i został umieszczony w następnej sanitarce z ciężko rannymi żołnierzami. „Nagle przejeżdżamy przez nasze linie artyleryjskie, działa strzelają. Podskakuję przy każdej eksplozji, a wtedy – tego gestu nigdy nie zapomnę – młody żołnierz obok mnie z prawą ręką na zakrwawionym temblaku obejmuje mnie i próbuje pocieszyć. «Już dobrze, wyjdziesz z tego, stary»".

Sanitarka przewiozła Milligana do punktu pierwszej pomocy rannym, gdzie stwierdził on, że przypięto mu etykietę „wyczerpanie bojowe". Ciągle „bardzo poruszony", czuł się osamotniony i wytrącony z równowagi. „To był paskudny czas – pisze. – Brak chlebaka, brak ręcznika, brak mydła, brak przyjaciół. To zdumiewające, jakie znaczenie dla podtrzymania życia mają drobiazgi". Dostał następne środki uspokajające i trafił do psychiatry, kapitana, który zadał mu mnóstwo pytań, po czym na koniec powiedział donośnym głosem: „Polepszy ci się. Zrozumiano?" Trzy dni później Milligan wrócił do baterii, ciągle znajdującej się na tym samym stanowisku w pobliżu Lauro. „Jak wróciłem do baterii, nie wiem – pisze – w tym okresie w moim życiu byłem bardzo zniechęcony. Odtąd już nie byłem taki sam".

Gdy Milligan, czując się po zażyciu środków uspokajających jak „zombi", wrócił do swojego oddziału, trafił przed oblicze majora i dowiedział się, że straci pasek młodszego kaprala „z powodu nieodpowiedzialnego zachowania – pisze. – Przypuszczam, że w pierwszej wojnie światowej ten bydlak kazałby mnie rozstrzelać. (...) Nie byłem typem bezmyślnego żołnierza, którego potrzebował. Podnosiłem morale chłopaków, organizując tańce i koncerty i zawsze starając się, żeby panowała wesoła atmosfera, coś, czego on nie potrafił zapewnić. (...) Jestem teraz kompletnie zniechęcony. Koniec ze śmiechem".

Następny tydzień płaczu, jąkania się i zaburzeń wywołanych hukiem dział dał jasno do zrozumienia, że dni Milligana na polu walki dobiegły końca i że będzie on musiał na zawsze opuścić swoją ukochaną baterię. Był to, jak później napisał, „jeden z najsmutniejszych dni w moim życiu. (...) Wstałem wcześnie. Z nikim się nie pożegnałem. Wsiadłem na ciężarówkę, (...) gdy jechałem z powrotem błotnistą, górską drogą, patrząc na wypełniające doliny poranne mgły, czułem się, jakby przewożono mnie przez Styks. Nigdy nie przezwyciężyłem tego uczucia".

Od 23 stycznia z przyczółka Minturno–Castelforte przeprowadzano znowu brytyjskie natarcie, walki trwały do 9 lutego, gdy 10. korpus próbował przebić się na szczyt Monte Damiano i dalej doliną Ausente w kierunku rzeki Liri. Oddziały komandosów i piechoty morskiej wkroczyły do boju na ponurych zboczach Monte Ornito i zdobyły trochę terenu, ale McCreery miał niewystarczające rezerwy, żeby podtrzymać impet natarcia. Zgodnie z powszechnie wówczas akceptowaną mądrością akcja ofensywna wymagała przewagi w piechocie co najmniej w stosunku trzy do jednego, a przeciwko wojskom dobrze okopanym na stałych pozycjach raczej sześć do jednego. 10. korpus, zaatakowawszy najpierw zmęczonymi i przetrzebionymi oddziałami, nie miał takiej przewagi, a zimno i wilgoć na odsłoniętych zboczach gór zbierały żniwo wśród atakujących. Do końca stycznia korpus miał ponad 4 tysiące ofiar.

Warunki pogarszały się wskutek odosobnienia wysuniętych oddziałów, które znajdowały się w odległości wielu mil od jakichkolwiek dróg. Gdy droga się kończyła, zaopatrzenie ładowano na muły, ale w wielu przypadkach racje, wodę i amunicję na wysunięte pozycje musieli nosić tragarze lub sami żołnierze po śliskich, wąskich i zdradliwych ścieżkach. Aby nie ściągać ognia, trzeba było robić to jak najciszej i nocą. George Pringle, wówczas dwudziestosześcioletni, który służył w 175. pułku saperów na przyczółku nad Garigliano, wspomina wyczerpujące i wykańczające nerwowo zadanie zapewnienia wojskom w górach żywności, wody i wyposażenia: „Służby transportowe dostarczały zaopatrzenie drogą jak najbliżej podnóża wzgórz, gdzie przejmowały je muły, prowadzone przez kompanie poganiaczy z pułku, wspinające się wąskimi i krętymi szlakami do chwili, gdy kończyły się ścieżki. Tutaj przejmowaliśmy je my, nieuzbrojeni, żeby mieć wolne ręce do wspinaczki. Z solidnie przymocowanym ładunkiem o wadze pięćdziesięciu funtów pomalutku szliśmy naprzód w ciemność. Przystawaliśmy, bojąc się odetchnąć, gdy patrol wroga zdał sobie sprawę z naszej obecności. Za każdym razem gdy jakiś obluzowany kawałek skały urywał się i hałaśliwie spadał w leżącą poniżej dolinę, zamieraliśmy w bezruchu, a wróg lub nasze wojska wystrzeliwały w niebo rozpoznawczy pocisk oświetlający. Nikt nie rozmawiał, nie kichał ani nawet nie oddychał zbyt głośno, przerażony, że mogłoby to zdradzić naszą pozycję. W końcu docieraliśmy do naszej piechoty i przekazywaliśmy zaopatrzenie, które zawsze witano z zadowoleniem". To wcale nie był koniec nocnego zadania, ponieważ w drodze powrotnej zwiadowcy pełnili funkcję noszowych. Gdzie szlak był wystarczająco szeroki, nosze niosło czterech ludzi, ale często „było to dwóch ludzi, którzy ślizgali się i potykali o skały, podczas gdy ranny jęczał i klął w ciemności".

Od początku natarcia korpusowi rozpaczliwie brakowało mułów. Brakowało też ludzi, którzy wiedzieli, jak się z nimi obchodzić. David Cormack był początkowo w załodze czołgu, ale ponieważ przed wojną miał do czynienia z końmi – jego ojciec był weterynarzem – uczyniono go odpowiedzialnym za czterdzieści mułów i liczący sześćdziesięciu żołnierzy szwadron kawalerii armii włoskiej, który pełnił funkcję poganiaczy. Porozumiewając się kiepską francuszczyzną, Cormack szybko nauczył żołnierzy z oddziału obchodzenia się z mułami, choć byli słabo karmieni i wyposażeni. 29 stycznia odbył pierwszą wyprawę przez Garigliano, niosąc wodę, amunicję strzelecką, pociski moździerzowe i jedzenie. Po pokonaniu rzeki pontonem okazało się, że trudno jest zmusić muły, by trzymały się wąskiej, oznaczonej białą taśmą ścieżki przez wszechobecne pola minowe. Wyprawa w górę zajęła sześć godzin, a droga powrotna niewiele mniej.

Cormack podejmował kolejne wyprawy i 7 lutego wziął 100 mułów na Colle Salvatito. Następnego ranka był z powrotem: „Dzień strawiłem na dwóch wyprawach na wzgórze Salvatito z trzycalowym moździerzem – czytamy w jego dzienniku – cholernie to męczące, bo jest tam stromo, a skały są obruszone, (...) padało jak diabli, zimno".

Następnego dnia skończyła się akcja ofensywna na przyczółku Minturno–Castelforte. Niemcom udało się odciąć klin i wojska brytyjskie przeszły do aktywnej obrony, patrolując i nękając przeciwnika, ale nie przeprowadzając poważniejszych natarć. Zostawieni u stóp wzgórz ludzie McCreery'ego zajmowali wcześniejsze wysunięte stanowiska linii Gustawa na długości około dwunastu mil. Głębokość przyczółka wynosiła zaledwie kilka mil, zamiast siedmiu, na które liczono.

Chociaż dowódcy brytyjscy byli rozczarowani, w świetle doniosłych wydarzeń, do których dochodziło na prawo od nich w dolinie Liri od 20 stycznia, było to znaczne osiągnięcie. Ten mały przyczółek okaże się później bardzo istotny i – co najważniejsze – niemieckie rezerwy, które mogły zniweczyć desant pod Anzio, od 18 stycznia przerzucano na linię Gustawa, dzięki czemu alianckie wojsko osiągnęło jeden z najważniejszych celów szerszego natarcia, zanim jeszcze poszedł główny atak w dolinę Liri.

Ale 19 stycznia po południowej stronie doliny Liri naprzeciwko Sant' Ambrogio 46. dywizja miała przeprowadzić trzecią przeprawę, aby wesprzeć lewą flankę zbliżającego się natarcia amerykańskiego. W opinii Clarka był to najważniejszy z celów 10. korpusu, ale z niewiadomych powodów McCreery zaatakował tutaj z dużo mniejszym przekonaniem niż dalej na południe. W dniu natarcia Niemcy otworzyli śluzy tamy położonej w górnym biegu Rapido, więc Garigliano była o sześć stóp głębsza i płynęła szybszym nurtem, niż przewidywano. Przeprawa łodziami desantowymi stała się chaotyczna, utrudniała ją mgła na rzece i tylko jednej kompanii z jedynej biorącej w niej udział brygady udało się zająć pozycję na drugim brzegu. Niemieccy obrońcy Sant' Ambrogio, wzmocnieni dywizjami uzupełnień z okolic Rzymu, przeprowadzali ciężkie przeciwuderzenie. Nadejście dnia zwiększyło dokładność niemieckiego ostrzału, a powodzenie drugiej przeprawy stawało się coraz mniej prawdopodobne. Żołnierze z drugiej strony rzeki otrzymali rozkaz powrotu na własny brzeg i nie podjęto już – co później wywołało wściekłość Amerykanów – żadnej próby przeprawy.

Clark nie miał złudzeń co do znaczenia, jakie będzie miało niepowodzenie akcji 46. dywizji dla Amerykanów, którzy tej nocy powinni przeprawić się przez Rapido w niewielkiej odległości w górę rzeki. W dzienniku żalił się na „racjonalne zastrzeżenia co do możliwości powodzenia operacji" brytyjskiego dowódcy dywizji i dalej pisał: „Chociaż przedsięwzięcie 46. nie do końca ochroniłoby lewą flankę [36. dywizji amerykańskiej], niepowodzenie pozostawiłoby ją całkowicie odsłoniętą w czasie przeprawy przez rzekę Rapido". Generał dywizji Fred Walker, który miał dowodzić natarciem 36. dywizji amerykańskiej, zapisał w dzienniku, że dowódca 46. dywizji brytyjskiej zjawił się na jego stanowisku dowodzenia, żeby przeprosić za nieudaną przeprawę przez rzekę. „Jego niepowodzenie bardzo utrudnia zadanie moim ludziom, którzy nie mają teraz żadnej z korzyści, jakie zapewniłaby przeprawa. Brytyjczycy są najlepszymi dyplomatami na świecie – pisał dalej Walker – ale nie można na nich liczyć w niczym poza słowami". Clark w swoim dzienniku odnotował ostrzeżenie McCreery'ego, że natarcie 36. dywizji ma „małe szanse powodzenia z powodu silnej pozycji obronnej nieprzyjaciela na zachód od Rapido". Clark zakończył: „Twierdzę, iż muszę koniecznie przeprowadzić natarcie z pełną świadomością nieuniknionych ciężkich strat, w celu utrzymania wszystkich wojsk na moim froncie i przyciągnięcia kolejnych, co umożliwi przeprowadzenie operacji «Shingle». Natarcie trwa".

ROZDZIAŁ 6

Krwawa rzeka

Amerykańska 36. dywizja „teksaska", poturbowana w grudniowych walkach o San Pietro, potrzebowała licznych uzupełnień, by odzyskać dawną siłę. Stojąca teraz przed najtrudniejszym zadaniem dywizja miała duży odsetek niedoświadczonych żołnierzy. W artykule w czasopiśmie „Yank" z czerwca 1944 roku „doświadczeni w boju dowódcy plutonu" wyjaśniają typowe i często fatalne w skutkach błędy zawsze popełniane przez „zielonych" żołnierzy w czasie chrztu bojowego: „Pierwszy błąd, który popełniają rekruci pod ogniem, polega na tym, że zamierają w bezruchu i zbijają się w gromadę. Padają na ziemię i po prostu leżą, nawet nie odpowiadają ogniem. Miałem jednego żołnierza, który po prostu leżał na ziemi, gdy pojawił się Niemiec i strzelił do niego. A on nawet nie odpowiedział ogniem" – powiedział jeden z dowódców plutonów.

„Żaden z nowych żołnierzy nie okopuje się wystarczająco głęboko ani wystarczająco szybko – stwierdził inny dowódca. – Widziałem, jak wielu ludzi ginie, ponieważ nie okopało się wystarczająco głęboko – powiedział trzeci. – Większość z nich zginęła pod nacierającymi czołgami. Dziewięćdziesiąt pięć procent ludzi z mojej kompanii żyje dzisiaj, bo okopało się na pełne sześć stóp". Narzekano również na to, że niektórzy z nowych żołnierzy nie umieją właściwie posługiwać się bronią, ale szeroki napływ nowych żołnierzy oznaczał przede wszystkim, że tylko w nielicznych oddziałach ludzie dobrze się znali, a wielu nie wiedziało nawet, jak nazywa się dowódca ich drużyny.

Wśród młodszych oficerów, gdzie straty zawsze były największe, odsetek niedoświadczonych żołnierzy w 36. dywizji amerykańskiej po walkach o San Pietro był jeszcze większy. W jednym z batalionów 75 procent stanu stanowiły uzupełnienia. Należał do nich dwudziestotrzyletni Carl Strom z Grand

Rapids w stanie Michigan. Przeszedł szkolenie dla oficerów rezerwy w liceum i jako absolwent wyższej uczelni po zgłoszeniu się na ochotnika został przydzielony do personelu obsługi naziemnej lotnictwa. Jednak jego ojciec, weteran pierwszej wojny światowej, wykorzystał swoje znajomości i Strom zgodnie ze swoim życzeniem stał się żołnierzem piechoty. Skończywszy szkołę podchorążych, wyruszył statkiem do Oranu wraz z innymi podporucznikami i dotarł do Afryki w czasie desantu pod Salerno. Tam przeszedł pod kierunkiem brytyjskich komandosów specjalistyczne szkolenie, a potem zaokrętował się na statek płynący do Neapolu. Po nudnym pobycie w obozie uzupełnień 1 stycznia 1944 roku przydzielono go do 1. batalionu 141. pułku 36. dywizji. Gdy do niego przybył, stwierdził ze zdziwieniem, że na siedmiu oficerów w jego kompanii czterech było prosto z uzupełnień.

Po tygodniu szkolenia górskiego otrzymał własny pluton, liczący niemal czterdziestu żołnierzy. Połowa z nich, tak jak i on sam, dopiero miała przejść chrzest bojowy. „Ciągle żartowano z nowo przybyłych podporuczników, zielonych oficerów – wspomina Strom – ale nie było niechęci. Starsi rozumieli sytuację: Przecież to niebezpieczna sprawa i nie wiadomo, jak długo taki facet z nami będzie. Po prostu zróbmy dla niego wszystko, co w naszej mocy". Strom był głęboko świadomy swojego braku doświadczenia. „Zebrałem dowódcę plutonu i dowódców drużyn, w sumie czterech ludzi, i powiedziałem: «Dobra, chłopaki, ja jeszcze nie brałem udziału w walce, a wy tak. Pomożecie mi, pokażecie co i jak. Chcę, żebyście byli ze mną absolutnie szczerzy. Jeśli uważacie, że nie robię czegoś właściwie lub najlepiej, powiedzcie mi o tym. Wy wiecie o tym więcej niż ja nawet po tym całym szkoleniu. Nie dorównuje to temu, czego wy się nauczyliście nawet w ciągu trzech czy czterech dni walk»".

Koło 14 stycznia pluton Stroma – 3. w kompanii B – przeniósł się na pozycję etapową tuż za Monte Trocchio. Następnego dnia oficerowie kompanii wspięli się do punktu obserwacyjnego na Trocchio, żeby przyjrzeć się terenowi, na którym będą nacierać. Na wprost nich znajdowało się wejście do doliny Liri, zamknięte z lewej Monte Maio, a z prawej Monte Cassino. Była to zatem droga do Rzymu, jedyne miejsce, w którym alianci mogli rozlokować swoją przeważającą liczbę czołgów, oraz główny cel potężnych natarć piątej armii na całym froncie. „Oczywiście nie miałem doświadczenia w tego typu sprawach – mówi Strom – ale od razu stało się dla mnie i wszystkich pozostałych oficerów kompanii oczywiste, że nie będzie to dziecinnie łatwe. Widzieliśmy obszar, na którym mieliśmy nacierać: był w zasa-

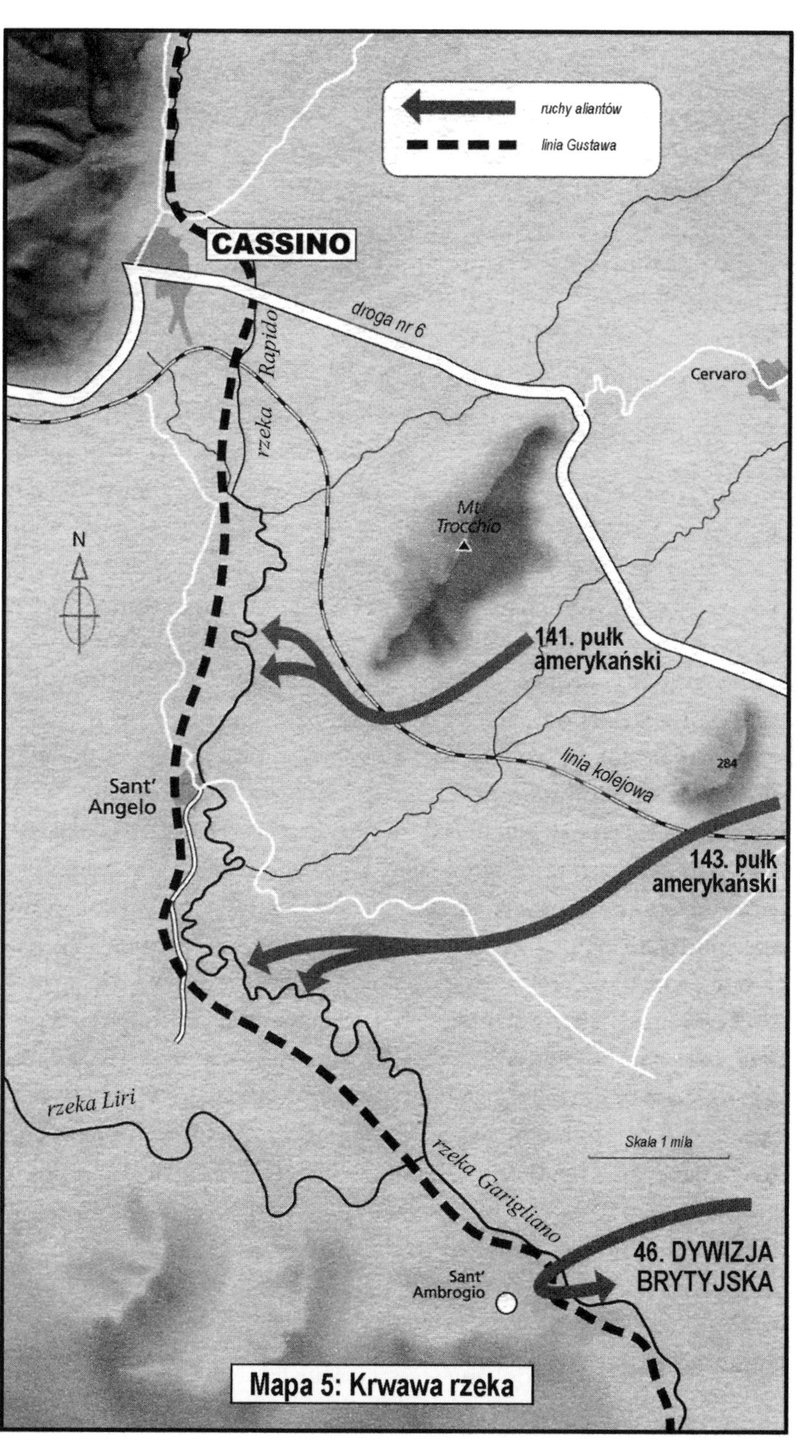

Mapa 5: Krwawa rzeka

dzie płaski, pochylony w kierunku rzeki i pozbawiony osłon. Wszystkie zarośla usunięto i zobaczyliśmy, że po drugiej stronie rzeki jest tak samo. Nie zauważyliśmy żadnych niemieckich umocnień czy czegoś takiego, zbyt dobrze je zamaskowano, ale wiadomo było, że tam są".

Przełożony Stroma, generał dywizji Fred Walker, również niepokoił się perspektywą natarcia i brakiem czasu na przygotowanie. Niemcy zajmowali wysoko położone tereny po obu stronach doliny Liri, a także mieli doskonały punkt obserwacyjny w ufortyfikowanej wsi Sant' Angelo na wysokim na czterdzieści stóp urwisku po drugiej stronie rzeki w środkowej części doliny. Oznaczało to, że przesunięcie oddziałów o mniej więcej dwie mile naprzód po płaskim terenie będzie za dnia niemożliwe bez zdziesiątkowania ich przez ogień artyleryjski. Trzeba będzie zatem nacierać w nocy, co zawsze jest trudniejsze, zwłaszcza dla niedoświadczonych wojsk. Po obfitych deszczach i zalaniu doliny droga do rzeki zrobiła się niezwykle błotnista i nie było żadnych tras dojazdowych na tyle dobrych, żeby pojazdy mogły nimi bez trudności przejechać. Sama rzeka stanowiła potężną przeszkodę. Chociaż miała zaledwie od dwudziestu pięciu do trzydziestu stóp szerokości, była głęboka na dwanaście stóp i miała wysokie, strome brzegi, między którymi płynęła silnym nurtem lodowata woda. Sama wąskość rzeki oznaczała, że artyleria aliancka nie będzie mogła ostrzeliwać drugiego brzegu, gdy żołnierze zaczną się już przeprawiać. Po bliższej stronie rzeki znajdowały się liczne miny, a po dalszej Niemcy – jak sądzono – zbudowali szereg ziemianek, które chroniły dwa rzędy zasieków z drutu kolczastego, gniazda karabinów maszynowych, miny pułapki i miny z wyzwalaczami drutowymi. Nacierające wojska będą musiały donieść łodzie na skraj rzeki, gdzie saperzy będą musieli zbudować kładki, żeby przerzucić większość czołowych oddziałów. Ale, jak stwierdził Walker, takich kładek, podobnie jak innych materiałów konstrukcyjnych, było bardzo mało.

7 stycznia Walker polecił swojemu dywizyjnemu saperowi sztabowemu, majorowi Oranowi C. Stovallowi, przygotować ocenę przeprawy dla celów planowania. Stovall przeleciał nad rzeką i dotarł pieszo tak daleko, jak tylko się odważył – bliższy brzeg wcale nie był zabezpieczony. Rozmawiał z cywilami i jeńcami wojennymi, sporządził mapy i szukał możliwych miejsc przeprawy. Raport, jaki złożył Walkerowi, w najmniejszym stopniu nie rozwiał obaw generała: „Po pierwsze – stwierdził Stovall – nie uda nam się dotrzeć do rzeki. Po drugie, nie zdołamy jej sforsować, i po trzecie, jeśli się przez nią przeprawimy, nie ma tam miejsca, do którego moglibyśmy się udać". Pozo-

stali saperzy zgodzili się, że chociaż dolina Liri stanowi jedyną drogę nie blokowaną przez góry, jest dobrze bronionym „błotnistym wąskim gardłem".

Walker miał inne, osobiste powody, by martwić się przeprawą przez rzekę. W pierwszej wojnie światowej został odznaczony, gdy 1200 amerykańskich żołnierzy pod jego dowództwem odparło ośmiokrotnie liczniejsze siły niemieckie, próbujące sforsować Marnę podczas ostatecznej niemieckiej ofensywy. Amerykanie rozgromili nacierających. Walker dobrze zdawał sobie sprawę, że tutaj obrońcy będą mieli przewagę podobną do tej, którą on wykorzystał w 1918 roku. Były też niepokojące raporty patroli, które zapuszczały się na brzeg rzeki. Niewielu udało się przedostać na drugą stronę, żeby przeprowadzić rozpoznanie niemieckich linii obronnych, a zespoły rozminowujące nie miały dość czasu, żeby usunąć wszystkie miny umieszczone na zalanej wodą równinie Rapido po stronie aliantów. Nawet gdy saperzy oznaczyli bezpieczne przejścia, niemieckie patrole przeprawiały się przez rzekę i przesuwały taśmy znaczące lub umieszczały nowe miny na „bezpiecznych obszarach".

Chociaż Walker powierzył swoje wątpliwości dziennikowi, jeszcze 18 stycznia powiedział Clarkowi, że uważa, iż jego dywizja osiągnie cel i otworzy wejście do doliny Liri. Planował rozpocząć przeprawę 20 stycznia trzy godziny po zachodzie słońca, czyli o ósmej wieczorem. W górę rzeki od Sant' Angelo 141. pułk miał przeprawić się w dwóch punktach, prowadzony przez 1. batalion Stroma. Około tysiąca jardów poniżej wioski przeprawiać się miał również w dwu punktach 143. pułk. Trzeci pułk dywizji, 142., miał być w rezerwie. Plan ten dawał sześciu batalionom jedenaście godzin ciemności na przedostanie się na drugą stronę. Gdy brzegi rzeki nie będą już ostrzeliwane przez nieprzyjaciela, zbuduje się dwa mosty Baileya, które posłużą do przetransportowania na pole bitwy czołgów. Pierwsze oddziały miały przedostać się na drugi brzeg pontonami lub łodziami desantowymi o długości trzynastu stóp.

Im bliżej było do rozpoczęcia natarcia, tym bardziej wzrastało zdenerwowanie Walkera. Po południu 20 stycznia zapisał w dzienniku: „Może nam się udać, ale nie wiem jak. Zadanie wyznaczono na nieodpowiedni moment. Nad przeprawą dominują wysoko położone po obu stronach doliny tereny, gdzie czekają obserwatorzy niemieckiej artylerii, gotowi skierować na naszych ludzi silny ogień. Rzeka jest największą przeszkodą głównej niemieckiej linii oporu. (...) Jestem więc przygotowany na niepowodzenie. Zadanie to w ogóle nie powinno zostać przydzielone jakimkolwiek oddziałom z odsłoniętymi flankami. Clark przesłał mi życzenia wszystkiego najlepszego; powiedział, że martwi się o powodzenie akcji. Myślę, że martwi się tym, że przydzielając nam zadanie sforsowania rzeki w tak niesprzyjających warunkach taktycznych, podjął niemądrą decyzję. Jeśli jednak zrobimy kilka wyłomów, może się nam udać".

Po zapadnięciu ciemności dolinę szybko spowiła mgła, ograniczając widoczność na rzece do kilku jardów. Z tyłu w punkcie wyjścia dowódcy plutonów kompanii Stroma ciągnęli karty, żeby wyznaczyć, kto będzie na czele natarcia. „Wyciągnąłem mocną kartę, więc musiałem wziąć pluton czołowy" – mówi Strom. Żołnierze wyruszyli o szóstej wieczorem, każdy niósł dodatkowy pas z amunicją. Bagnety były założone. Wkrótce prowadzący ich saper źle skręcił w kompletnych ciemnościach i grupa wylądowała w pobliżu stanowiska dowodzenia wysuniętego batalionu. Hałaśliwy zwrot przyciągnął ogień nieprzyjaciela, a gdy żołnierze starali się skryć z dala od ścieżek, natychmiast zaczęli wpadać na miny. Gdy w końcu zlokalizowali skład, w którym pozostawiono łodzie, stwierdzili, że część z nich zniszczył już ogień artyleryjski. Było tuż przed 19.30. Następnie ciężkie i masywne, ważące ponad 400 funtów łodzie zaczęto taszczyć nad rzekę, właśnie w chwili, gdy rozpoczął się zaporowy ogień artyleryjski aliantów, wywołując natychmiastową odpowiedź Niemców. Około jednej czwartej mili od rzeki Stromowi przydarzyło się nieszczęście: „Miałem dla swojego plutonu dwie łodzie, a do niesienia jednej potrzeba było sześciu do ośmiu ludzi z każdej strony. Musieliśmy schodzić tą zatopioną drogą w dół do rzeki, a Niemcy mieli wszystkie te miejsca na celowniku swojej artylerii, więc mogli strzelać na ślepo. Znajdowaliśmy się mniej więcej w połowie długości tej zatopionej drogi, (...) byłem na przedzie z gońcem i prowadzącym nas saperem i wyprzedzałem kompanię prawdopodobnie o mniej więcej trzysta stóp. Gdy się odwróciłem, żeby spojrzeć za siebie, nadleciały dwa niemieckie pociski i uderzyły prosto w mój pluton. Zabiły lub raniły ludzi". Wśród zabitych znalazł się zarówno dowódca kompanii, jak i jego zastępca. „Do dowodzenia kompanią zostało więc teraz tylko trzech oficerów, a żaden z nich wcześniej nie brał udziału w walce. Porucznik Taylor, który miał o kilka tygodni dłuższy staż, przejął dowodzenie".

Strom przyłączył się do innego plutonu. „Sporo czasu zajęło zrobienie porządku na zatopionej drodze" – mówi. Potem Strom i żołnierze na czele 1. batalionu zabłądzili jeszcze raz i musieli ciągnąć łodzie, bo nie było już wystarczającej liczby ludzi, żeby je nieść, ale w końcu około jedenastej wieczorem dotarli do rzeki. „Podjęliśmy próby spuszczenia na wodę łodzi – mówi dalej Strom – a z powodu panujących kompletnych ciemności nic nie widzieliśmy. Umieściliśmy kilka łodzi na wodzie, załadowaliśmy do nich ludzi i od razu stwierdziliśmy, że łodzie są dziurawe od ostrzału i toną. Straciliśmy od dziesięciu do dwunastu ludzi, którzy byli w pełni obładowani amunicją, karabinami, granatami i tak dalej, więc oczywiście byli ciężcy. No cóż, zdaliśmy sobie sprawę, że nie będziemy mogli wykorzystać łodzi, więc posłaliśmy do tyłu wiadomość, żeby ściągnąć kilku saperów, którzy zbudowaliby jakiś most".

Próby spuszczenia na wodę nieuszkodzonych łodzi również zakończyły się niepowodzeniem. C. P. „Buddy" Autrey, sierżant w kompanii Stroma, wspominał: „Nad rzeką zsunęli pierwszą łódź z brzegu, nachylonego pod kątem czterdziestu do pięćdziesięciu stopni, i umieścili ją na wodzie dziobem do przodu. Natychmiast zatonęła. Próbowałem powiedzieć im, żeby umieszczali je na wodzie bokiem, z powodu tego nachylenia i prądu". Gdy Autrey wsiadł do łodzi, została ona porwana przez nurt i zaczęła nabierać wody. Wściekle wiosłujący żołnierze wpadli do rzeki, gdy łódź wywróciła się dnem do góry. Autrey, chociaż był obciążony wyposażeniem, próbował pomóc młodemu szeregowcowi Carlowi W. Buckleyowi, który z trudem utrzymywał się na powierzchni wody: „Nasze rzeczy zamoczyły się i ciągnęły nas na dno – powiedział Autrey. – Musiałem puścić tego młodego człowieka i on utonął. (...) Ośmiu z naszej dwunastki się utopiło, a czterech dopłynęło do niemieckiej strony". Czterech przemoczonych, zmarzniętych i pozbawionych broni żołnierzy próbowało bez powodzenia wykrzyczeć informacje przez rzekę na stronę aliancką.

Kompania C pierwszego batalionu miała podobne trudności nawet z dotarciem do rzeki. Bill Everett, dwudziestodwulatek z Baltimore, był w plutonie ciężkiej broni, dowodził drużyną moździerzy. Podobnie jak w przypadku Stroma, był to jego chrzest bojowy. „Pamiętam, że rozmawiałem ze swoimi chłopakami, gdy odbijaliśmy łodzią – mówi. – Powiedziałem im, że dziś w nocy spełnią swą powinność jako Amerykanie. Wiedzieli, że nie mają żadnych szans przedostania się na drugą stronę, bo wcześniej patrolowaliśmy tę rzekę. Nie udało nam się przeprawić nawet patrolu rozpoznawczego".

Z powodu małej liczby punktów przeprawy i wąskich podejść żołnierze stanowili dobry cel dla niemieckiego ognia. Gdy zaczęły nadlatywać pociski artyleryjskie i moździerzowe, wojska rozproszyły się w poszukiwaniu osłony, porzucając łodzie i wchodząc w ciemności na pola minowe. Znaki wskazujące oczyszczone trasy szybko zostały zniszczone przez pociski lub zalane błotem, a drogi dojazdowe zablokowały porzucone łodzie i ciała żołnierzy. Było tak jak nad Garigliano, tylko gorzej. Tutaj Niemcy mieli dużo większe siły artyleryjskie i bardzo skutecznie je wykorzystywali.

„Mieliśmy bardzo dużo szczęścia – mówi Everett. – Nie mogliśmy się dostać na drugą stronę, bo rozwalili nam łodzie. To był totalny chaos. Za cholerę nie można było się domyślić, co się dzieje. Nieśliśmy w ciemnościach w pełnym rynsztunku te wielkie, czterystufuntowe drewniane łodzie przez pola minowe. Musieliśmy je nieść, bo ja wiem, tak ze dwie mile. Oczywiście paru ludzi weszło na miny i od tego rozpętało się piekło. Jeden z moich chłopaków wszedł na minę, stracił wzrok. Na całym polu wszędzie był ogień z karabinów maszynowych. Straciłem sporo ludzi. Ale gdy dostaliśmy się na brzeg rzeki, próbowaliśmy spuścić naszą łódź. Położyliśmy ją na wodzie, a ta zaczęła wpływać przez dno łodzi. Musieliśmy się wycofać na nasze pierwotne pozycje. Taka była ta noc. Kompletna katastrofa. To była moja pierwsza operacja. Straciłem mnóstwo przyjaciół, którzy tamtej nocy szli ze mną, i wielu innych, którzy byli w tej samej grupie oficerów przybywających jako uzupełnienia".

Carl Strom musiał czekać do czwartej nad ranem, żeby po kładce przedostać się na drugą stronę rzeki. Początkowo były w pułku cztery kładki, ale jedna okazała się uszkodzona, jedną po drodze zniszczyły miny, a pozostałe dwie rozniósł na skraju rzeki ogień artyleryjski. W końcu saperzy sklecili jedną kładkę z resztek. Żołnierze 1. batalionu zaczęli przedzierać się przez rzekę, natomiast żołnierze, których odkomenderowano do drugiego miejsca przeprawy pułku, czekali z tyłu, żeby przejść po nich po tej jedynej kładce. Po stronie niemieckiej ludzie z batalionu Stroma natychmiast natknęli się na miny i zasieki z drutu kolczastego, a także ogień karabinów maszynowych z silnie umocnionych pozycji w odległości około 250 jardów od brzegu rzeki. Próbowali się okopać, najpierw sprawdzając bagnetami teren w poszukiwaniu min, ale stwierdzili, że w rozmiękłej ziemi ich okopy zapadały się lub szybko wypełniały sięgającą pasa wodą. Większość żołnierzy schroniła się w rowach lub wypełnionych wodą lejach po pociskach artyleryjskich. Po przeprawie nie działało ani jedno radio, a druty łączności szybko zostały zniszczone, więc nie mieli kontaktu z tymi, którzy zostali na bliższym brzegu.

Początkowo przeprawa 143. pułku w dole rzeki szła dużo lepiej. Pierwsza kompania przedostała się przez rzekę bez większych problemów, ale potem ogień nieprzyjaciela zniszczył wszystkie łodzie i spowodował duże straty w następnych dwóch kompaniach. Kładka została zniszczona niemal w tej samej chwili, gdy ją złożono. Niemniej jednak o piątej nad ranem większa część 1. batalionu znalazła się po drugiej stronie rzeki. 3. batalion, odkomenderowany do przeprawy w innym, niedalekim punkcie, nawet nie dotarł do rzeki. Zamiast tego żołnierze zabłądzili w ciemności i mgle i natknęli się na pole minowe. Wszystkie ich liche pontony zostały zniszczone.

Tymczasem żołnierze z 1. batalionu pułku po niemieckiej stronie rzeki Rapido nie byli w stanie powiększyć wąskiego przyczółka i zostali skutecznie przygwożdżeni ogniem nieprzyjaciela na małym obszarze, z rzeką za plecami. O 7.15 oficer dowodzący batalionem poprosił o zgodę na wycofanie swoich ludzi. Prośbę przekazano generałowi dywizji Walkerowi, który odmówił, ale do tego czasu dowódca na miejscu wydał rozkaz odwrotu z własnej inicjatywy. Do dziesiątej rano wszyscy żołnierze ze 143. pułku byli ponownie po amerykańskiej stronie rzeki.

Niemiecka 15. dywizja grenadierów pancernych podała tego ranka w raporcie: „Silne pododdziały szturmowe nieprzyjaciela, które przeprawiły się przez rzekę, zostały unicestwione". Dowódca 10. armii von Vietinghoff nie zdawał sobie nawet sprawy, że było to główne natarcie na linię Gustawa. Uznał to tylko za silny rekonesans.

W górę rzeki od Sant' Angelo Carl Strom i ponad 400 żołnierzy z 1. batalionu 141. pułku, którzy przeprawili się przez rzekę i się utrzymali, byli całkowicie odsłonięci, gdy światło dzienne ujawniło ich pozycje. „Wystawiłem raz głowę, żeby zobaczyć, co się dzieje przede mną, i kula trafiła w bok mojego hełmu" – mówi Strom. Żołnierz obok niego „wystawił głowę" i dostał kulę między oczy. „Przez cały dzień byliśmy bez chwili przerwy ostrzeliwani – wspomina Strom. – Gdy tylko ktoś wystawił głowę lub ujawnił swoją pozycję, natychmiast ściągał na siebie ogień, (...) nie mieliśmy miejsca. Około trzeciej czy czwartej po południu spora grupa z kompanii – prawdopodobnie od dwunastu do piętnastu ludzi – wstała i poddała się. Krzyknąłem do nich, żeby padli na ziemię i wytrzymali do nadejścia nocy".

Strom czekał do zapadnięcia ciemności, a potem kazał swoim żołnierzom się wycofać. „Zostało nas tam za mało, żebyśmy mogli czegokolwiek dokonać, kończyła nam się amunicja, nie mieliśmy łączności z tyłami, więc zabraliśmy tylu rannych, ilu się dało, i zanieśliśmy ich z powrotem przez most".

Gdy Strom wrócił, stwierdził, że z jego liczącej około stu czterdziestu pięciu żołnierzy i sześciu oficerów kompanii zostało czternastu żołnierzy i dwóch oficerów.

Rankiem 21 stycznia, gdy pozostali przy życiu ludzie z 1. batalionu Stroma kryli się przed ogniem po niemieckiej stronie rzeki, dowódcy 36. dywizji próbowali zaplanować następne posunięcie. Pułkownik William Martin, dowódca 143. pułku, zwołał naradę o 9.45, wściekły, że jest tak wielu ludzi, „którzy narzekają i próbują wrócić na tyły pod pozorem choroby". Clark upierał się, żeby Walker przerzucił przez rzekę więcej żołnierzy, wznawiając ataki, nawet za dnia. Walker niechętnie wydał rozkaz przeprowadzenia nowych szturmów w obu punktach przeprawowych, gdy tylko będzie można je zorganizować. „Spodziewam się, że ten szturm będzie niewypałem, podobnie jak ten ostatniej nocy. Głupota wyższego dowództwa wydaje się nie znać granic" – wyznał Walker w dzienniku.

Zamęt na polu rażenia na otwartej równinie Rapido niewiele się zmniejszył od poprzedniej nocy. Wydawało się, że nikt nie jest w stanie znaleźć wystarczającej liczby łodzi, żeby dokonać przeprawy, i ciągle nie było łączności z żołnierzami ze 141. pułku po drugiej stronie rzeki. Do osłony wojsk zbliżających się do punktów przeprawy używano dymu, ale ponieważ Niemcy strzelali do wcześniej namierzonych celów, było to mało skuteczne i tylko myliło alianckich artylerzystów, którzy próbowali osłonić ogniem własnych żołnierzy. Niemniej jednak większej części 3. batalionu 143. pułku udało się przedostać po kładkach na drugi brzeg na południe od Sant' Angelo do około 18.30.

Bill Hartung, dwudziestojednoletni zwiadowca batalionu, opisał swoje przeżycia podczas przeprawy przez rzekę, swój chrzest bojowy: „Schodziliśmy wiejską drogą, po prawej stronie mieliśmy wysoką na mniej więcej sześć stóp skarpę. Nieśliśmy już nasze pontony, więc obcierały się o nią bokami, gdy zmierzaliśmy w stronę rzeki. Kilkaset jardów od rzeki odnieśliśmy wrażenie, że nie idziemy po błocie i skałach. Wkrótce przekonaliśmy się, że to byli martwi szeregowcy, niekiedy w stertach po sześciu. Brali udział w przeprawie poprzedniej nocy. Nigdy nie udało im się przedostać na drugą stronę rzeki". Hartung dotarł do Rapido około czwartej po południu, znalazł kładkę i przeszedł na drugą stronę rzeki razem z dowódcą kompanii i dowódcą plutonu. Natychmiast zostali rozdzieleni i Hartung nigdy już nie zobaczył żadnego z tych oficerów. „Z drugim zwiadowcą szliśmy dalej. (Powinniśmy byli wiedzieć lepiej.) Ogień karabinowy trzaskał mi koło głowy ze wszystkich stron – mówi Hartung. – Rodgie, drugi zwiadowca, i ja szliśmy dalej, trzymając się taśmy ułożonej przez saperów poprzedniej nocy, dopóki się nie skończyła. Nie miałem pojęcia, jak udało mi się dotrzeć tak daleko, bo ogień niemieckich karabinów był bardzo blisko nas. W końcu zaczął nieco słabnąć i zobaczyliśmy, że w pewnym miejscu ktoś zaczął poprzedniej nocy robić okop, ale miał on tylko około dziesięciu cali głębokości. Ten szeregowiec nadal tam leżał, to, co z niego zostało. Wtedy po raz pierwszy zobaczyłem człowieka, który zginął w walce, ale nie był to ostatni raz, nawet tamtego dnia".

Dwaj zwiadowcy zdjęli sprzęt i zaczęli pracować nad pogłębianiem okopu. Przez jakiś czas chroniła ich zapora dymna, a także mgła i para wodna unosząca się znad rzeki. „Zeszliśmy na głębokość mniej więcej trzech stóp, gdy zauważyli nas Niemcy, i wtedy rozpętało się piekło. Uderzyły w nas wyjące pociski nebelwerferów, zwykłych moździerzy, ogień artyleryjski i ogień z karabinów maszynowych od sześciu do ośmiu cali nad ziemią. Nasz sprzęt rozleciał się w drobny mak, ziemia, którą usypywaliśmy, z powrotem wpadła do okopu. Nadal nie wiedzieliśmy, w jak fatalnym jesteśmy położeniu, bo gdy przestali na kilka chwil strzelać, wstaliśmy i próbowaliśmy zobaczyć, co się dzieje. Widzieliśmy tylko, jak ustawiają w rzędy i biorą do niewoli szeregowców. Nieprzyjaciel miał też czołgi okopane po lufę i ufortyfikowane jak schrony stalą i betonem o grubości jakichś dwóch stóp. Każdy, kto wychylił się nad poziom gruntu, był stracony. W końcu okopaliśmy się na głębokość sześciu stóp, ale zaczęła napływać woda, więc przestaliśmy. Do tego czasu krew leciała mi już z nosa i jednego ucha. Nad poziomem gruntu nie zostało nic, a bok okopu zawalił się od niemal bezpośrednich trafień".

Większość żołnierzy ze 143. pułku szybko została przygwożdżona ogniem około 500 jardów od rzeki. Za nimi saperzy próbowali zbudować mosty pontonowe i mosty Baileya, ale dostarczenie do przodu wyposażenia było niemal niemożliwe, a miejsca przerzucenia mostów znajdowały się pod ciągłym ostrzałem. Większa liczba żołnierzy zdołała jednak później w nocy przejść na drugą stronę rzeki po kładkach.

Podporucznik Robert Spencer z 2. batalionu 143. pułku został wezwany pod koniec tego dnia na odprawę prowadzoną przez oficerów pułkowych. „Oficerowie byli wyraźnie zdenerwowani i zmartwieni – wspomina – i ze współczuciem powiedzieli nam, że mamy przeprowadzić kolejne natarcie przez rzekę następnego dnia rano i że uda nam się przedrzeć przez linie niemieckie. Niepowodzenie nie będzie tolerowane!" Spencer pamięta ranek 22 stycznia jako „zimny, wilgotny i mglisty. (...) Nasza artyleria zarzuciła obszar pociskami dymnymi, ograniczając widoczność niemal do zera. Trochę przed świtem dostałem rozkaz poprowadzenia kompanii F wąską kładką i związania nieprzyjaciela razem z oddziałami, które ruszyły krótko przed nami. W tym czasie niemiecki ogień moździerzowy, artyleryjski i z broni krótkiej był niezwykle silny".

Przedostawszy się po kładce na drugą stronę rzeki, Spencer i jego ludzie przeszli przez dziurę w zewnętrznych zasiekach z drutu kolczastego i kontynuowali natarcie. „Wkrótce potem – mówi Spencer – natknąłem się na ludzi z poprzedzającego nas oddziału, którego straty były tak wielkie, że wielu tych, którzy siedzieli w okopach, bało się ruszyć. Teren, na którym nacieraliśmy, był równy, brakowało jakichkolwiek naturalnych zagłębień, które można byłoby wykorzystać jako osłonę, a Niemcy ustawili swoje karabiny maszynowe na ogień obronny na wysokość około dwóch stóp nad ziemią. Ponadto ich moździerze i artyleria celowały w obszar tuż przed ich liniami, co uniemożliwiało przeprowadzenie zorganizowanego natarcia. Sytuacja była jeszcze trudniejsza z powodu kiepskiej widoczności. (...) Straciłem kontakt z częścią swojej kompanii".

Posuwając się naprzód, Spencer słyszał w oddali krzyczących do siebie Niemców, ale nie potrafił ocenić, jak daleko się znajdowali. Pamięta zimno i ciemności, które nasilały „to okropne uczucie, gdy się nie wie, co zdarzy się za chwilę ani gdzie to się zdarzy". Nagle został trafiony w głowę i stracił przytomność. „Gdy doszedłem do siebie, byłem otępiały, omdlały i przerażony – mówi dalej. – Gdy tak leżałem w zimnie, nie wiedząc, jak ciężko zostałem ranny ani co ze mną będzie, głowa mi pękała i bałem się ruszyć czy dotknąć rany". Na szczęście znalazł go sierżant z jego plutonu, który zabandażował go najlepiej jak umiał.

„W miarę upływu czasu zacząłem myśleć i czuć się lepiej" – mówi Spencer. Postanowił spróbować na własną rękę dostać się na tyły. „Widoczność się poprawiła i zobaczyłem rów melioracyjny, który – jak się wydawało – prowadził w kierunku rzeki. Powoli podczołgałem się i zwaliłem w niego, nie zważając na głęboką na stopę wodę, bo przemoczenie było niewielką ceną za osłonę". Spencer cal po calu posuwał się tym rowem, dopóki nie pojawiły się zasieki z drutu kolczastego, które zagrodziły mu drogę. „Wyjrzałem z rowu i zobaczyłem, że kilka jardów obok w zasiekach jest dziura, ale był wtedy ciężki ostrzał i żeby zaryzykować, musiałem opanować nerwy. Na czworakach wygramoliłem się z rowu, przecisnąłem się przez tę dziurę i rzuciłem się z powrotem do rowu". Ten rów doprowadził go do brzegu rzeki, gdzie Spencer zobaczył kładkę, którą wcześniej przeszedł. Nadal była nietknięta, chociaż w dużym stopniu znajdowała się pod wodą, bo zbiorniki pływalnościowe zostały trafione przez artylerię. „Postanowiłem doczołgać się do kładki, starając się trzymać jak najbliżej ziemi – mówi. – Znowu musiałem opanować nerwy, żeby podjąć próbę przedostania się na drugi brzeg, ponieważ mogłem tam się jedynie doczołgać, trzymając się kładki, żeby nie dać się porwać silnemu nurtowi zimnej wody. Ciągle osłabiony i trochę otępiały ruszyłem na czworakach po kładce. Ile czasu to trwało, naprawdę nie wiem; wiem natomiast, że było to kilka najdłuższych minut w moim życiu".

Goniąc resztkami sił, dotarł na drugą stronę. Tam natknął się na znajomego oficera, który czekał, żeby poprowadzić swoją kompanię na drugi brzeg, gdy otrzyma rozkaz. „Musiałem okropnie wyglądać, bo byłem zakrwawiony, przemoczony i ubłocony. «Dobry Boże, Spencer – powiedział – co ci się stało?»"

Rankiem 22 stycznia kompania Roberta Spencera z 2. batalionu 143. pułku składała się z trzech oficerów i stu czterdziestu szeregowych. Dwadzieścia cztery godziny później wszyscy oficerowie byli ranni i tylko piętnastu szeregowcom, w tym wielu również rannym, udało się dotrzeć w bezpieczne miejsce.

Wschód słońca 22 stycznia ujawnił Niemcom położenie nacierających wojsk ze 143. pułku i silny ogień zrównał z ziemią mały przyczółek. Coraz więcej żołnierzy – rannych, „pomocników", zszokowanych lub „przenoszących wiadomości" – zaczęło jeden po drugim wracać przez rzekę. W południe dowódca pułku wiedział, że to beznadziejne, i wydał reszcie rozkaz odwrotu.

Trzy godziny później Bill Hartung, który nic nie wiedział o jakichkolwiek rozkazach, uznał, że dłużej już nie wytrzyma: „Powiedziałem Rodgiemu, że się stamtąd wynosimy. Poszedłem pierwszy, nie wiedząc, którędy iść na tyły. Nigdy już nie zobaczyłem Rodgiego. W końcu znalazłem fragmenty taśmy i wróciłem do Rapido. Wszędzie leżały ciała, przeważnie ich części: ręce, nogi, korpusy bez głów, ciała niemal pozbawione ubrania. Myślałem, że zwymiotuję, ale wydaje mi się, że nie miałem na to czasu, i bez przerwy słyszałem mrożące krew w żyłach wołania o «sanitariusza». Ale żadnego już nie było. Kładka znajdowała się na większej części swojej długości jakąś stopę pod wodą i zatrzymały się przy niej stosy ciał, które zniósł nurt rzeki. Wielu ludzi utopiło się z całym swoim wyposażeniem. Przyjrzałem się kilku z nich, wtedy właśnie zauważyłem, że większość zmarła z wyrazem zaskoczenia na twarzy, jakby chcieli zapytać «co się stało?» czy «dlaczego mam umierać w ten sposób?»"

Hartung wrócił na stronę amerykańską i dotarł do drogi, którą przyszedł poprzedniej nocy. „Stosy ciał zniknęły. Wróciłem na teren naszego obozowiska, znajdujący się poza zasięgiem artylerii. Kompletnie wyczerpany położyłem się i poczułem się tak, jakbym w ciągu jednej nocy stał się starcem. Gdy to do mnie dotarło, byłem zły; płakałem i cały się trząsłem".

Sanitariusz podał mu tabletkę, po której Hartung zapadł w sen, a gdy się obudził, było niemal ciemno. Noc spędził na wysuniętym posterunku w pobliżu rzeki, wypatrując możliwego niemieckiego przeciwuderzenia. „Wołanie o «sanitariusza» nadal było słychać z drugiej strony rzeki. To bardzo smutne".

Żołnierzom 141. pułku również udało się sforsować rzekę w nocy z 21 na 22 stycznia, a następnie przedrzeć się 1000 jardów od rzeki. Ale i tutaj nie można było zbudować mostów Baileya i wkrótce polegli wszyscy dowódcy kompanii. Gdy 143. pułk koło południa 22 stycznia się wycofał, Niemcy mogli skoncentrować cały swój ogień na 141. pułku, co miało katastrofalne skutki. Wszystkie mosty i łodzie uległy zniszczeniu, żołnierze nie mogli ani uciec, ani liczyć na posiłki, a łączność została bezpowrotnie zerwana. Ci, którzy znajdowali się po alianckiej stronie rzeki, mogli jedynie wsłuchiwać się w odgłosy walki po drugiej stronie. Do dziesiątej wieczorem amerykański ogień ustał na dobre.

Trzy dni później Amerykanie poprosili o zawieszenie broni, żeby można było zabrać poległych i tych rannych, którzy pozostali jeszcze przy życiu. Niemcy zgodzili się i znieśli ciała na brzeg rzeki, żeby Amerykanie nie zdołali oznaczyć ich pozycji. Doszło do kilku rozmów i uścisków dłoni. Kapral Zeb Sunday ze 143. pułku wspomina: „Ten Niemiec przyszedł na naszą stronę i (...) dałem mu papierosa. Rozmawiałem z nim tylko parę minut. Całkiem dobrze mówił po angielsku. Powiedział, że ma w Brooklynie brata, który ma na imię Heinz". Niemcy dbali o przyjazną atmosferę i chętnie pomagali. Ale to była makabryczna praca. „Nad rzeką Niemcy i Amerykanie ciężko pracowali ramię w ramię – relacjonował weteran. – Wzdłuż brzegu ułożono stos osiemdziesięciu ciał, które miały zostać zabrane później; ci zostali bezpośrednio trafieni pociskami z moździerzy, gdy stali w swoich okopach, i byli pozbawieni głów, ramion lub rąk. Trudno było ich zidentyfikować".

Natarcie zakończyło się krwawą klęską, a Niemcy nawet nie musieli wzmacniać swoich pozycji. Naliczyli 430 poległych Amerykanów, 770 wzięli do niewoli, a po amerykańskiej stronie rzeki było 900 kolejnych poległych lub rannych. Nie osiągnięto praktycznie niczego. Straty niemieckie wyniosły 64 poległych, 179 rannych. W sprawozdaniach w amerykańskich gazetach nazwano to największą katastrofą od czasu Pearl Harbor.

Po wojnie 36. dywizja zażądała śledztwa Kongresu, mając nadzieję, że Clark weźmie na siebie winę za to, co okazało się wydaniem rozkazu samobójczego ataku. Młodszy oficer oznajmił przesłuchującemu: „Zobaczyłem, że mój dowódca z pułku stoi ze łzami w oczach, gdy zaczynaliśmy przeprawę, i zrozumiałem, że coś jest nie tak. Na początku dowodziłem kompanią liczącą 184 ludzi. Czterdzieści osiem godzin później zostało nas 17". Clark został w śledztwie oczyszczony z zarzutów – co zapewne było nieuniknione – ale dywizja wciąż pała nienawiścią do niego.

Być może Clark powinien był się zapoznać z trudnościami, na jakie natknęli się Brytyjczycy podczas forsowania Garigliano. Być może sądził, że jego amerykańscy chłopcy pokażą tym pozbawionym ikry Brytyjczykom, jak to się robi. W każdym razie natarcie było źle przygotowane. Początkowe siły szturmowe składały się z zaledwie czterech batalionów, nieprzyjaciel wiedział o ataku, a piechota musiała nieść ciężkie łodzie desantowe dwie mile po grząskim gruncie. Od początku drogi podejścia i punkty przeprawy znalazły się pod tak intensywnym ogniem, że wielu żołnierzy piechoty rzucało swój ładunek i rezygnowało. Nowozelandzki oficer Howard Kippenberger dwa tygodnie później stwierdził bez ogródek: „Jedynie odwaga była właściwa". Nawet ona jednak nie była czymś powszechnym, a amerykańscy dowódcy mieli uzasadnione powody, by niepokoić się duchem bojowym teksańczyków. Znamy przygnębiające opowieści, wielu z nich nie sposób zweryfikować, o żołnierzach odmawiających przeprawienia się przez rzekę lub posyłanych do ataku pod groźbą broni. Bez wątpienia zdrowy rozsądek i instynkt samozachowawczy przeważały nad bezsensownym męstwem. Trudno się dziwić, że z tak wieloma niedoświadczonymi żołnierzami i w naprawdę koszmarnych warunkach niektórzy – jak ujmuje to pewien historyk – „okazali się nieodpowiedni".

Zapytany o to Bill Everett gwałtownie zaprzecza, że doszło do jakichkolwiek przypadków tchórzostwa, ale przyznaje, że wielu żołnierzy po prostu się załamywało. „Chłopcy znikali, a potem znowu się pojawiali, wiesz? Oczywiście ludzie okaleczali się, odstrzeliwali sobie palce nóg i tym podobne. Po prostu tracili rozum. Żołnierz na froncie ma przedziwną psychikę. Mawialiśmy: «Każdy człowiek ma taki długi sznurek. Ty nie wiesz, jak długi jest twój sznurek. Ja nie wiem, jak długi jest mój» i tak pogrywaliśmy. Co do tego panuje zgoda – mówię o ludziach, którzy za pomocą M-1 pozbawią się palców. Można sobie wyobrazić, jak to jest. Odrywa im też resztę ręki. Są pod presją. Ludzie na froncie rozumieją. Gdy wracasz, słyszysz, że jesteś tchórzem, takim owakim. To przychodzi później. To pierdoły dla takich facetów jak Patton. On co najwyżej siedziałby w jakimś namiocie w pobliżu linii frontu. Ci ludzie tam [na linii frontu] w pełni rozumieją, co się działo. Panuje tam wielkie współczucie. To znaczy, widziałem, jak się troszczą [o siebie nawzajem], jakby byli małymi dziećmi, wiesz, ponieważ oni rozumieją. Wiedzą, że jutro mogą się znaleźć w takim samym dołku".

ROZDZIAŁ 7

Anzio i Cassino

Gdy przygasły nadzieje na przełamanie oporu nieprzyjaciela nad rzeką Rapido, 22 stycznia wojska brytyjskie i amerykańskie wylądowały z wielkim rozgłosem pod Anzio i pobliskim Nettuno, około sześćdziesięciu mil za linią Gustawa. Nie napotkały niemal żadnego oporu, żołnierze z bronią wylegli tłumnie na brzeg, a towarzysząca im prasa radośnie świętowała wielki sukces. Zanim dzień dobiegł końca, na brzegu znalazło się 36 tysięcy żołnierzy z 1. dywizji brytyjskiej i 3. dywizji amerykańskiej, wraz z lekką piechotą desantową do zadań specjalnych i piechotą morską, co pochłonęło tylko trzynaście ofiar.

Dla Niemców była to niespodzianka raczej taktyczna niż strategiczna. Od samego początku kampanii spodziewali się – i obawiali – desantu gdzieś na wybrzeżu Włoch. Mimo że rozpoznanie lotnicze Niemców praktycznie nie istniało, wiedzieli o koncentracji okrętów w Neapolu przed 22 stycznia. Ale miejsce i dokładna data desantu morskiego pozostawały nieznane. Na trzy noce przed desantem Kesselring ogłosił w całych Włoszech powszechny alarm inwazyjny. Ale w noc operacji „Shingle", kiedy ostrzeżono go, że żołnierze są zmęczeni ciągłym stanem gotowości, odwołał rozkaz. Generał Siegfried Westphal, szef sztabu Kesselringa, dodaje w swojej relacji opowieść o wizycie szefa niemieckiego kontrwywiadu admirała Canarisa w kwaterze głównej grupy armii 21 stycznia: „Usilnie starano się zasięgnąć jego opinii o zamiarach nieprzyjaciela. Chcieliśmy przede wszystkim poznać liczbę i miejsce przebywania okrętów wojennych, lotniskowców i okrętów. Canaris nie potrafił nam podać dokładnych danych, ale głęboko wierzył, że w żadnym razie nie należy w najbliższym czasie obawiać się desantu. Jest oczywiste, że nie tylko nasz zwiad lotniczy, ale również kontrwywiad został w gruncie rzeczy sparaliżowany. Nieprzyjaciel wylądował pod Anzio i Nettuno kilka godzin po wyjeździe Canarisa".

Wiadomość o desancie została przez Niemców przyjęta z niepokojem. Między Anzio a odległym o dwadzieścia dwie mile Rzymem były tylko dwa bataliony, a taktyczna rezerwa antyinwazyjna walczyła – jak widzieliśmy – z Brytyjczykami na przyczółku nad Garigliano. Przeciw armadzie desantowej wysłano cenne samoloty Luftwaffe, a wojskom aż z Francji i Jugosławii polecono natychmiast przygotować się do wyjazdu do Anzio.

Po desancie Churchill przewidywał, że dowódca przyczółka, amerykański generał dywizji John Lucas, uderzy w głąb lądu, żeby odciąć drogę zaopatrzenia z Rzymu do linii Gustawa. Ale Lucas otrzymał inne zalecenia od swojego dowódcy Marka Clarka. „Nie wychylaj się, Johnny – powiedział mu Clark, gdy ruszała ekspedycja. – Ja to zrobiłem pod Salerno i wpadłem w kłopoty". Lucas za radą Clarka postanowił zabezpieczyć przyczółek przed nieuniknionym kontruderzeniem i w decydujących pierwszych dniach po wylądowaniu żołnierze okopali się i zorganizowali stanowiska artyleryjskie. Cały czas w wielkiej liczbie lądowali żołnierze i pojazdy, ale Niemcy niezwykle szybko otrząsnęli się z szoku i w ciągu kilku dni Kesselring przesunął potężne siły, które miały odciąć przyczółek, bez osłabienia – na co liczyli alianci – garnizonu linii Gustawa. Skończyło się na ciężkich walkach i impasie militarnym.

Rozsierdzony Churchill stwierdził, że miał nadzieję, iż „ciskamy na wybrzeże dzikiego kota, a okazało się, że to tylko wyrzucony na brzeg wieloryb". Pod koniec stycznia Lucas miał na brzegu 70 tysięcy żołnierzy i 356 czołgów. (I 18 tysięcy innych pojazdów. Churchill zapytał zdumiony: „Ilu naszych ludzi prowadzi lub obsługuje 18 tysięcy pojazdów na tak małej powierzchni? Musimy mieć wielką przewagę w kierowcach".) Mimo to Lucas nadal nie był w stanie nawet podjąć próby natarcia. Swoje uczucia powierzył dziennikowi, z którego wynika, że miał poważne zastrzeżenia do desantu, jeszcze zanim go przeprowadzono: „Cała ta sprawa mocno mi śmierdzi Gallipoli i najwyraźniej na ławce trenerskiej siedzi ten sam amator" – napisał 10 stycznia.

Walki pod Anzio, jedne z najtrudniejszych podczas wojny, wykraczają poza zakres tej książki, opowiadającej o walkach na większą skalę na linii Gustawa. Wiele dyskutowano o tym, czy większa śmiałość w pierwszych kilku dniach dałaby pożądane rezultaty. W rzeczywistości odwieczne kłopoty z niedoborem okrętów oznaczały, że nie dałoby się wysadzić na brzeg wystarczającej

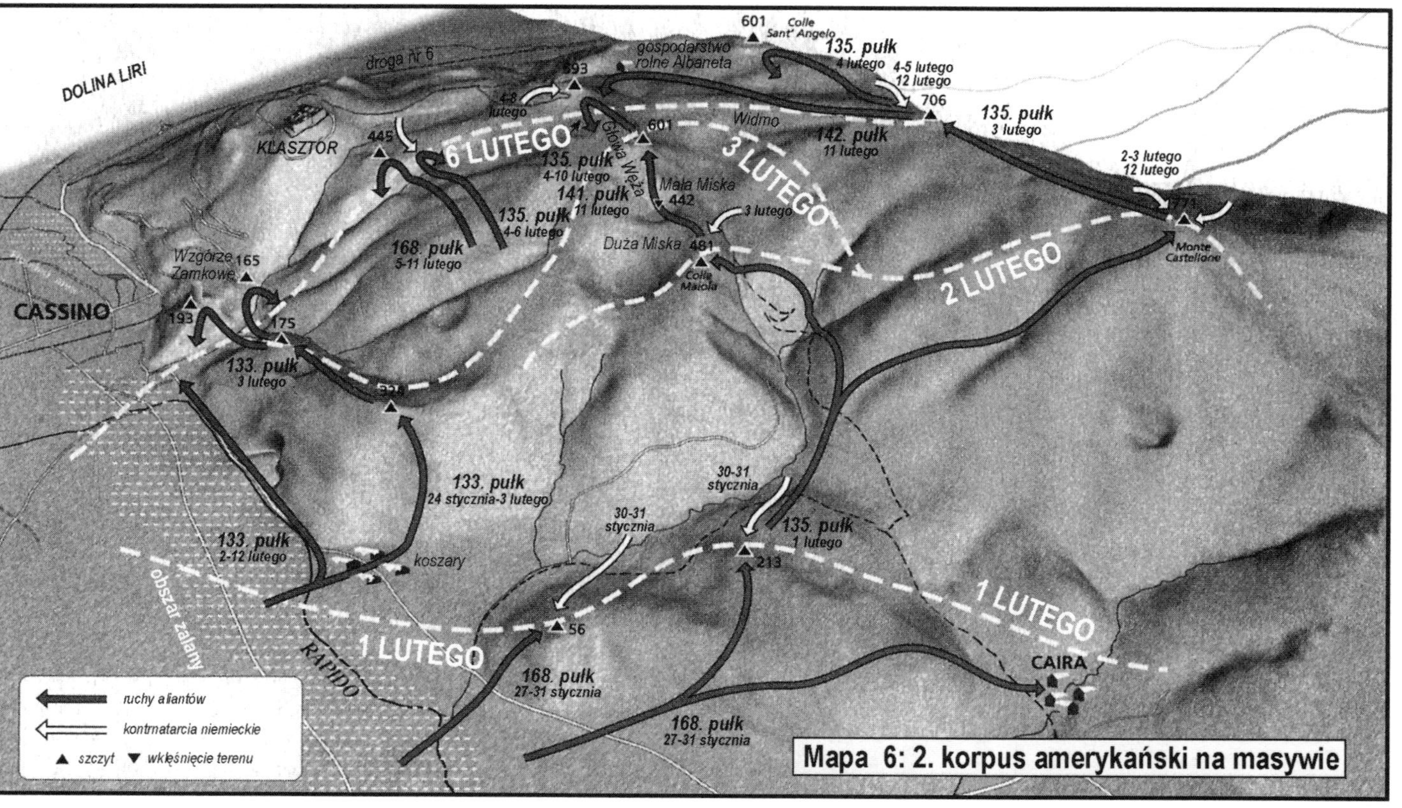

Mapa 6: 2. korpus amerykański na masywie

liczby żołnierzy w odpowiednio krótkim czasie, żeby jednocześnie zabezpieczyć przyczółek i z niego uderzyć. Nawet jeden z najsurowszych krytyków Lucasa, brytyjski generał brygady W. R. C. Penney, przyznał: „Moglibyśmy być w jedną noc w Rzymie lub spędzić 18 miesięcy w obozach jenieckich".

Po odcięciu przyczółka zdano sobie sprawę, że Niemcy mogą szybciej ściągnąć uzupełnienia pod Anzio drogą lądową niż alianci drogą morską. Operacja pod Anzio, która miała otworzyć drogę wojskom pod Cassino, teraz sama potrzebowała wsparcia ze strony tych wojsk. Z powodu Anzio nie można było odwołać się do rozsądku i poczekać na nadejście wiosny i poprawę warunków dla alianckich sił pancernych. Posunięcie, które w zamyśle miało pomóc nacierającym na Cassino, przyniosło skutek odwrotny do zamierzonego. Gdy pod Anzio rozpoczęło się nieuniknione przeciwuderzenie niemieckie, Clark został zmuszony przeprowadzić kolejne pośpieszne natarcia na Cassino, żeby osłabić napór na swój cenny przyczółek.

Źle zgrano to w czasie. Wojska wylądowały pod Anzio w chwili, gdy brytyjskie i francuskie natarcia na flankach Cassino traciły impet. Ani 10. korpus brytyjski na przyczółku nad Garigliano, ani Francuski Korpus Ekspedycyjny w górach na północ od klasztoru nie miały szybkim posunięciem zająć Cassino, a główne natarcie frontalne w dolinie Liri skończyło się oczywiście klęską 36. dywizji amerykańskiej. Ale wywierane na Clarka naciski, nie tylko w Anzio, lecz również przez opinię publiczną i polityków w kraju, sprawiły, że koniecznie musiał utrzymać swoich ludzi pod Cassino w ofensywie. „Istnieje ogromna potrzeba ciągłego angażowania ich w walkę – nalegał tym razem Churchill. – Nawet walka na wyniszczenie jest lepsza niż stanie z boku i przyglądanie się, jak walczą Rosjanie".

Jedyną znaczącą nową siłą pozostającą do dyspozycji Clarka była amerykańska 34. dywizja „Red Bull", która miała pójść za ciosem po wdarciu się w dolinę Liri. Dywizja ta utrzymywała front między Francuzami po prawej i 36. dywizją amerykańską po lewej stronie. Przed nimi znajdowały się miasto Cassino i masyw Cassino, zwieńczony ogromnym klasztorem.

To właśnie tam Clark postanowił wysłać 34. dywizję, jednocześnie usilnie nakłaniając Juina i McCreery'ego, by ze wszystkich sił atakowali w swoich sektorach. Jak widzieliśmy, Brytyjczycy niewiele mogli osiągnąć, powstrzymawszy tylko niemieckie kontrnatarcia przez poprzednie dwa dni. Również Francuzi byli wyczerpani po nieudanej próbie zajęcia i utrzymania Monte San Croce, ale Juin niechętnie zgodził się przygotować swoich ludzi do następnego ataku 25 stycznia.

Clark zaplanował, że 34. dywizja Rydera zaatakuje wzdłuż dalszego brzegu rzeki północną część miasta i – w odrębnym uderzeniu – bezpośrednio przez masyw Cassino, żeby pojawić się w dolinie Liri około trzech do czterech mili za Rapido i Monte Cassino. Pierwszym celem były położone niedaleko rzeki dawne koszary dwie mile na północ od Cassino oraz fragment wyżej położonego terenu, znany jako punkt 213, który strzegł podejścia do Cairy. W tym miejscu rzeka Rapido miała mniejszą szerokość i głębokość niż dalej w dole biegu, ale nadal stanowiła potężną zaporę przeciwczołgową. Ponadto teren po obu brzegach rzeki był zalany i grząski. Po niemieckiej stronie znajdował się szeroki na około 300 jardów pas min przeciwpiechotnych, a po jego pokonaniu nacierające wojska musiałyby przejść po zupełnie płaskim terenie, z którego usunięto wszelką roślinność w celu zapewnienia doskonałego pola ostrzału licznym karabinom maszynowym, umieszczonym w przenośnych stalowych bunkrach i starannie przygotowanych schronach u stóp wzgórza. Nieliczne budynki na tym płaskim terenie silnie umocniono i wyposażono w samobieżne działa przeciwpancerne. Około stu jardów od stóp wzgórza znajdował się ciągły pas wysokich zasieków z drutu kolczastego, o szerokości jakichś piętnastu jardów, chroniący okopy strzeleckie. Jeden z dowódców batalionu ze 168. pułku zauważył, że było tam „dość drutu kolczastego, żeby ogrodzić wszystkie farmy w stanach Iowa i Illinois". Gdyby nacierające wojska przedarły się przez to wszystko, czekało na nie beznadziejne zadanie zdobycia szeregu leżących dalej urwistych gór, chronionych zasiekami z drutu kolczastego, minami, bunkrami i stanowiskami karabinów maszynowych zamontowanych w stalowych wieżyczkach. Już samo ukształtowanie terenu masywu stwarzało nacierającym poważne trudności. „Grzbiety, gdy patrzy się na nie z pewnej odległości, wyglądają jak gładkie, nagie zbocza biegnące w górę i w dół – czytamy w oficjalnym alianckim raporcie z walk. – Pod Cassino kryło się za tym straszne ukształtowanie terenu. Był to obszar niewypowiedzianie nierówny, poprzecinany bezładną mieszaniną grzbietów, pagórków i wgłębień. W jednym miejscu przeszkodą mogły być głębokie rozpadliny, w innym ściany litej skały lub strome płyty skalne, a spotykało się też wszystkie trzy na kilku akrach. (...) Teren stawiał nacierającym wojskom jedną okropną zagadkę taktyczną po drugiej. Ten czy inny pagórek albo grzbiet mógł wydawać się obiecującym celem, ale okazywało się, że dominuje nad nim z nieprawdopodobnej strony inny pagórek czy grzbiet albo kilka. Linia podejścia mogła wyglądać tak, jakby dało się ją «przejść», a okazywało się, że jest zablokowana przez jakąś niemożliwą do pokonania przeszkodę. Teren dawał przewagę wyłącznie broniącym się wojskom".

Pierwotny cel, koszary, były silnie ufortyfikowane bunkrami zbudowanymi pod gruzami starego budynku. Dwa bataliony 133. pułku, wspierane przez czołgi, zaatakowały przez Rapido o dziesiątej wieczorem 24 stycznia, mając za cel koszary i punkt 213. Natychmiast wpadły w kłopoty. Wybuchające po obu stronach rzeki miny pociągnęły ofiary w ludziach i wywołały zamieszanie. Czołgi próbowały rozbić wysoki przeciwległy brzeg rzeki, ostrzeliwując go ponad tysiącem 75-milimetrowych pocisków burzących, ale bez powodzenia, a silny ogień z koszar odparł natarcie piechoty. O północy 25 stycznia, chociaż przedarł się trzeci batalion pułku, Amerykanie mieli jedynie płytki przyczółek po niemieckiej stronie rzeki.

26 stycznia zawiodły za dnia próby wsparcia czołgami nękanej kłopotami piechoty, gdy pierwsze pół tuzina pojazdów ugrzęzło, zanim dotarło do rzeki, blokując drogę następnym. Tej nocy 1. batalion 135. pułku przeprawił jedną kompanię na drugą stronę rzeki, ale i oni nie zdołali posunąć się do przodu. Dym bitwy utrudniał wsparcie amerykańskiej artylerii w ciągu dnia. Przyglądający się temu ze stanowiska obserwacyjnego na Monte Trocchio Ivar Awes wspomina: „Bardzo współczuliśmy piechocie". 26 stycznia zadzwonił do niego jego dowódca.

– Ivar, co się dzieje tam na górze? – zapytał major.

– Słyszę straszny hałas przy koszarach – odparł Awes.

– Widzisz je?

– Nie, są całkowicie przesłonięte dymem przemieszanym z mgłą.

– O Boże, szkoda, że nie mogę tego zobaczyć – krzyknął major.

Rankiem 27 stycznia 168. pułk nacierał w miejscu przeprawy nieco w górę rzeki, poprzedzany przez pluton czołgów. Niektóre czołgi ześliznęły się z wąskich tras, które w wielu miejscach były zalane wodą, ale o 8.30 dwa znalazły się po drugiej stronie rzeki, a godzinę później następne dwa. Żaden czołg już nie mógł pojechać za tymi pierwszymi, ponieważ bardzo rozorały ziemię. Ale piechota ruszyła tuż za tymi czterema czołgami. Dowódca jednego z batalionów relacjonował później: „W moim rozumieniu czołgi z 756. batalionu miały do wykonania trzy główne zadania. Pierwszym było stworzenie przejścia przez pola min przeciwpiechotnych dzięki temu, że przez nie przejechały i zdetonowały miny. Piechota mogła przejść po śladach czołgów, nie wpadając już na miny. (...) Drugim głównym zadaniem czołgów było umożliwienie piechocie przejścia przez wysokie zasieki z drutu kolczastego. Trzecim i prawdopodobnie najważniejszym celem było wystraszenie niemieckich strzelców karabinów maszynowych do tego stopnia, żeby ze strachu przed trafieniem z bliskiej odległości 75-milimetrowym pociskiem strzelali rzadziej. Z kolei piechota pomagała czołgom, zapewniając im osłonę przed działami przeciwpancernymi i samobieżnymi". Jak mówi dalej raport: „Gdy ostatecznie namierzono samobieżną broń artyleryjską i ruszyli na nią żołnierze piechoty, długo na tym stanowisku nie postała".

O pierwszej po południu wszystkie cztery czołgi zostały wyłączone z walki, dwa trafiły pociski przeciwpancerne, jeden wjechał na minę, a czwarty dostał pociskiem artyleryjskim, ale piechota bardzo wcześnie 28 stycznia dotarła do podstawy punktu 213. Jednak dowódca kompanii, uznawszy, że jego pozycja za dnia będzie nie do obrony, wycofał się. „Gdy to robił – czytamy w oficjalnym raporcie – odwrót przerodził się w niepohamowany pogrom. Żołnierze uciekli przez rzekę".

Sądząc, że następuje ogólny odwrót, pozostali żołnierze na wschodnim brzegu Rapido wpadli w panikę i zaczęli wycofywać się za rzekę. Dopiero tam ich zatrzymano, ale dwie pozostałe po drugiej stronie rzeki kompanie były teraz zbyt odsłonięte i je również trzeba było wycofać. Następnie wysłano tych ludzi do innego miejsca przeprawy 500 jardów na północ. Tutaj pokonali rzekę i posunęli się mniej więcej milę w kierunku Cairy, gdzie się okopali. Tymczasem saperzy pracowali nad zbudowaniem drogi utwardzonej okrąglakami z powiązanych ze sobą pni drzew, żeby można było przerzucić na drugą stronę więcej czołgów, które wsparłyby atak zaplanowany na następny dzień, 29 stycznia.

23 stycznia Clark rozkazał francuskiemu korpusowi Juina skręcić ostro w lewo, żeby zaatakować Colle Belvedere i wysoko położony teren po prawej stronie 34. dywizji, co – jak miał nadzieję – ochroniłoby flankę Amerykanów i odciągnęłoby wojska niemieckie od samego Cassino. Francuzów to nie ucieszyło, pewien dowódca tak to skomentował: „Szturm na Belvedere? Kto to wykombinował? Szalone ryzyko, *mon général*!"

Juin też nie miał ochoty rezygnować ze swojego natarcia w kierunku Atiny, które uważał za klucz do szerokiego oskrzydlenia linii Gustawa wokół Cassino: „Poproszono mnie o wykonanie zadania – napisał po wojnie – które w innych okolicznościach uważałbym za niewykonalne, przede wszystkim dlatego, że nie podobał mi się pomysł zmiany kursu ze względu na podobną nieistotną odległość, że rozciągnęłoby to mój front, który już był wystarczająco szeroki, i że odciągnęłoby mnie od mojego celu, Atiny, który uznawałem za decydujący dla rozwoju manewru armii. Zostałem zatem zobowiązany do zawieszenia wszelkich działań na moim froncie z wyjątkiem jednego, bardzo dziwacznego, zleconego mi przez dowódcę 5. armii". Była to również, zauważył Juin, jedna z najtrudniej dostępnych części linii Gustawa, oparta o ogromny, ośnieżony szczyt Monte Cairo, który swoimi 1669 metrami wysokości przytłaczał nawet klasztor. Początkowe natarcie obejmowałoby przeprawę przez dwie rzeki, Secco i Rapido, a następnie przedarcie się przez umocnienia w dolinie, po czym wspięcie się po ponad 800 metrach nagiej skały, a wszystko to pod bacznym okiem niemieckich obserwatorów z artylerii na Monte Cifalco.

Juin miał też bardzo niewiele czasu na przygotowania. Clark chciał, żeby natarcie zostało przeprowadzone za dwa dni, i uważał, że ma to decydujące znaczenie dla bezpieczeństwa amerykańskich Red Bulls. Francuzom mocno dawały się we znaki trudności z zaopatrzeniem. Juin miał tylko jedną nieodpowiednią drogę górską, która obsługiwała jego sektor, i szlak ten znajdował się pod ciągłym niemieckim ostrzałem artyleryjskim. Niemniej jednak bezzwłocznie rozpoczęto przygotowania Tunezyjczyków Juina z 3. dywizji algierskiej, którą wybrano do poprowadzenia natarcia.

Z powodu niewystarczającej liczby mułów nacierające wojska musiały nieść całe swoje wyposażenie podczas ośmiogodzinnej wędrówki przez góry na wysunięte francuskie stanowiska. W celu uniknięcia ostrzału artyleryjskiego i moździerzowego trzeba było maszerować w ciemnościach po zdradliwych górskich zboczach, kierując się jedynie małą białą łatą przyczepioną do ładunku żołnierza na czele. Był wśród nich René Martin, sierżant dowodzący jedną z drużyn moździerzy 3. batalionu pułku. Aby zająć pozycję do głównego natarcia, jego oddział musiał sforsować rzekę Secco. „[Saperzy] zbudowali mały, prowizoryczny most, który został zniszczony przez niemiecki ogień, więc przeciągnięto linę przez rzekę – ta wydawała się ogromna. Przede mną był mały kapral, drobniutki". Samemu Martinowi woda sięgała po szyję, gdy przechodzili, trzymając się liny. „Ten mały facet trzymał plecak w powietrzu, a sam szedł pod wodą, podciągając się na linie, żeby zaczerpnąć powietrza. Mówię o tym po to, byście wiedzieli, jak dotarliśmy na miejsce [rozpoczęcia akcji]. Musieliśmy zacząć walkę przemoczeni do suchej nitki". Martin widział wiele walk. Zaczął służbę wojskową w południowej Tunezji na granicy, został zwolniony, ożenił się i doczekał syna. Dziecko miało trzy miesiące, gdy Martina ponownie powołano do służby, ponieważ Amerykanie wylądowali w Algierze. Następnie wysłano go, by walczył dla Niemców. Gdy ogłoszono zawieszenie broni, wrócił do domu, tylko po to, by znowu zostać wezwanym dzień czy dwa później do dalszej walki, tym razem przeciwko Niemcom. Ale przy całym jego doświadczeniu ten cel był inny. „Gdy spojrzeliśmy w górę i zobaczyliśmy, co musimy zrobić, powiedzieliśmy, że to niemożliwe. Wszyscy uważali, że to szaleństwo".

Wcześnie rano 25 stycznia batalion Martina prowadzony przez komendanta Gandoëta rozpoczął nowe natarcie. „Batalion jest fizycznie i psychicznie gotów – napisał Gandoët w dzienniku. – Gotów przeprowadzić szarżę na bagnety, zginąć na zboczu góry, zadać nieprzyjacielowi wszelkie możliwe ciosy". Celem było zdobycie wzgórza 470 w celu zabezpieczenia wejścia do doliny Secco, a następnie kontynuacja natarcia wzdłuż północnego zbocza Belvedere, by zająć wysoko położony teren na północnym krańcu skarpy Belvedere/Abate. Wybrano wąwóz – i nazwano go „wąwozem Gandoëta" – jako oś natarcia, ponieważ wydawał się zapewniać osłonę przed ogniem artyleryjskim i sposobność zaskoczenia obrońców. Niemcy jak zawsze przeprowadzali kontruderzenia, ilekroć Francuzi zdobyli trochę terenu, a początkowy cel, wzgórze 470, wysoko położony teren blisko linii frontu, został zdobyty z wielkim trudem.

We francuskiej relacji spisanej bezpośrednio po wojnie przedstawiono, jak ranny francuski oficer dowodzący wstępnym natarciem przekazał dowodzenie zaufanemu Tunezyjczykowi, porucznikowi el Hadiemu. Dwukrotnie zajmowano szczyt i dwukrotnie nacierających odrzuciły gwałtowne przeciwuderzenia. W końcu około dziesiątej wieczorem el Hadi zebrał swoich żołnierzy i parł do przodu. „Pocisk artyleryjski urwał mu przedramię – czytamy w relacji. – Przez pół godziny dowodzi kompanią, wlokąc to przedramię. Istny sztandar dla swoich ludzi, wrzeszczy i idzie dalej jak szaleniec. Małe grupy krok po kroku prą naprzód. Docierają do szczytu. W tej chwili porucznik el Hadi zostaje trafiony kulą z karabinu maszynowego, która przeszywa jego ciało. Woła do tirailleura Barellego, który stoi przy nim: «Ty, wystrzel flarę». Potem upadł i krzycząc na cały głos *Vive la France*, zmarł na zdobytym szczycie".

Reszta 3. batalionu posuwała się w poprzek doliny i dalej w leżących za nią górach, wspierana na części swojej drogi przez amerykańskie czołgi. Historię ich natarcia udokumentował René Chambe, naoczny świadek, aczkolwiek zbyt skłonny do podkreślania bohaterskiej natury działań sił francuskich. Opisuje, jak dowodzona przez porucznika Jordy'ego czołowa kompania dotarła do „wąwozu Gandoëta" i była wstrząśnięta zadaniem, które ją czekało. Z daleka wydawało się ono możliwe do realizacji, ale z bliska „zbocze jaru było tak strome, że ciarki przechodziły po plecach. (...) A co gorsza, blokowały je płyty skalne, niektóre ogromne. (...) Pokonanie ich wymagałoby połączenia alpinizmu z akrobatyką. Wspiąć się tam? Całe 800 metrów, każdy żołnierz z ogromnym ładunkiem, korzystając wyłącznie ze swoich stóp, rąk, kolan i zębów. Wysokość niemal trzy razy większa od wieży Eiffla i trzeba się wdrapać stopa po stopie, bez stopni, bez poręczy, bez kogoś, kto by pomógł".

Niemniej jednak żołnierze rozpoczęli tę imponującą wspinaczkę i szybko przekonali się, że w różnych miejscach wąwóz wchodził w zasięg ognia niemieckich karabinów maszynowych. To oznaczało, że ochotnicy musieli wychodzić zza osłony, żeby atakować bunkry granatami. O czwartej po południu zaczęły spadać niemieckie pociski artyleryjskie, ale żołnierze nadal się wspinali, zmęczeni, nękani pragnieniem i mimo zimna zlani potem. „Wspinaczka przerodziła się w koszmar – kontynuuje Chambe. – Wysiłek fizyczny i psychiczny, jakiego wymagano od żołnierzy, doprowadził ich do kresu ludzkiej wytrzymałości, a w końcu i za tę granicę. Tirailleurs, którzy dotąd wychodzili ze wszystkiego bez szwanku, mieli zaburzenia wzroku, co było skutkiem przemęczenia serca i całkowitego zmęczenia mięśni. Musieli przystawać, by zwalczyć chwilowe omdlenia, by rozpaczliwie utrzymać się na krawędzi otchłani".

Osiem godzin po rozpoczęciu wspinaczki żołnierze dotarli do celu, punktu 681. Stwierdzili, że jest słabo obsadzony, i przeszli do usuwania Niemców, na których się natknęli. W zapadającym mroku okopali się uniesieni zwycięstwem, ale nie mieli kontaktu ze swoimi zwierzchnikami, a ich zapasy jedzenia i wody były niemal całkowicie wyczerpane.

Na całej długości frontu posunięto się naprzód, ale z wielkim trudem. Na południe od Colle Belvedere 2. batalion Tunezyjczyków nacierał na punkt 700, który wznosił się nad drogą łączącą Sant' Elię z Terelle. Odrzucony przeciwnatarciem, zachował kontrolę nad południowymi zboczami Belvedere. Francuscy dowódcy robili wszystko, co w ich mocy, żeby rzucić do przodu więcej żołnierzy i załatać luki w linii. Następnego dnia kolejni żołnierze Gandoëta odbyli morderczą wspinaczkę do kompanii Jordy'ego, dotarli do niej o drugiej po południu i natychmiast otrzymali rozkaz kontynuowania natarcia w kierunku punktu 862. W tym samym czasie 2. bata-

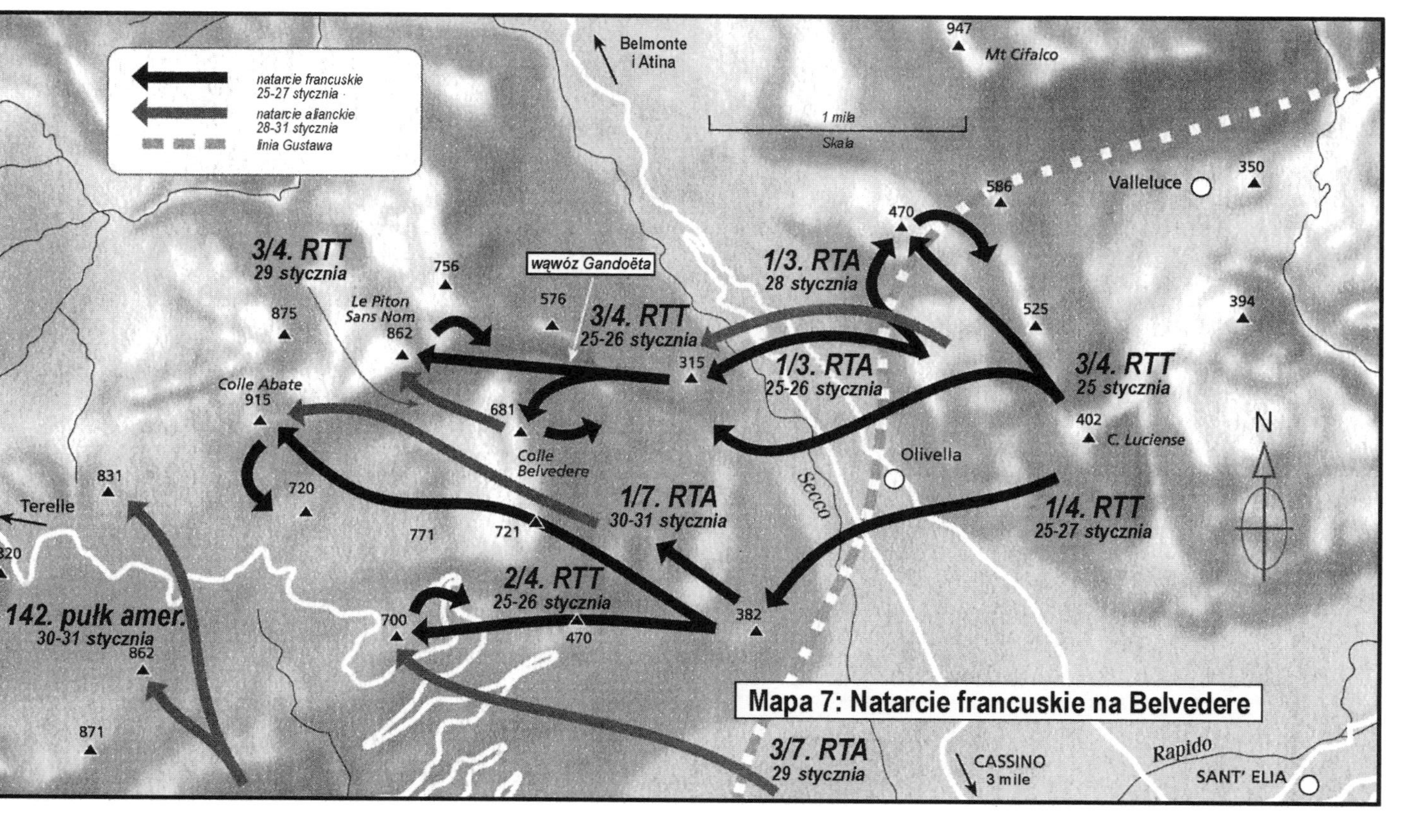

Mapa 7: Natarcie francuskie na Belvedere

lion miał oczyścić Belvedere i również ruszyć na Colle Abate, punkt 915. O ósmej wieczorem Belvedere została zabezpieczona, ale kapitan Léoni, który objął dowodzenie 2. batalionem, poprosił o odpoczynek przed kontynuacją natarcia na Colle Abate. Odmówiono mu go i resztki batalionu o dziewiątej wieczorem ruszyły naprzód. Żołnierze dotarli do szczytu o drugiej trzydzieści w nocy, choć niewielu ich już zostało. Ludzie Gandoëta, atakujący z obszaru na północ od Belvedere, również osiągnęli cel, punkt 862, który Francuzi nazywali *le Piton sans Nom*. Bardzo pomogło im ponowne nawiązanie kontaktu z tyłami, co pozwoliło skierować na szczyt niezwykle silny ogień artylerii.

Von Senger słusznie zaniepokoił się tym głębokim uderzeniem na jego linię i szybko przeszedł do wzmacniania tego sektora. Następnego dnia przeprowadził kontrnatarcie, dzięki czemu wyparł Francuzów z ich wysuniętych pozycji i odrzucił w kierunku rzeki Secco. René Martin ledwo zdążył ustawić stanowisko dla swoich moździerzy, gdy „chorąży nagle krzyknął: «Wynosić się, wynosić, wynosić», ponieważ Niemcy nacierali całym pułkiem, a nas było tak niewielu. Musieliśmy wycofać się w kierunku stanowiska dowodzenia Gandoëta. Kazał nam tam zostać". Przeciwuderzenia trwały cały następny dzień, a samo Belvedere wyglądało tak, jakby było okrążone. „Belvedere pokrywały małe bunkry – mówi Martin. – Wchodziliśmy do nich, a Niemcy zaczynali strzelać ze wszystkich stron. Byliśmy w pułapce. Z kompanii tirailleurs liczącej trzydziestu ośmiu żołnierzy zostało zaledwie sześciu czy siedmiu".

Na szczęście Martin znalazł solidnie zbudowane wcześniejsze stanowisko niemieckie. „Niemcy wykuli w skale dziurę przypominającą okrągłą studnię, którą osłaniał głaz, tworzący coś w rodzaju kapelusza. Utknąłem tam z sierżantem Blanchardem i – ponieważ było to całkiem okrągłe – spaliśmy tam, ja z głową między jego nogami, a on z głową między moimi nogami, zwinięci w kłębek jak dwa psy. W tym czasie Niemcy wystrzeliwali sześćdziesiąt pocisków artyleryjskich na minutę. Przez pięć nocy bez wody, a oni cały czas strzelali; bez jedzenia, bez niczego. Według naukowców po pięciu dniach dopada cię szaleństwo. Usta miałem boleśnie spieczone. Miałem małą puszkę groszku, który miażdżyłem o usta, żeby zmniejszyć spierzchnięcie. Dałem też go trochę Blanchardowi i w ten sposób łagodziliśmy ból".

Ale została przywrócona poprzednia sytuacja, z pomocą alianckiej artylerii, która zapoznała się już z różnymi szczytami i jarami masywu Belvedere. Niemcy też zaczynali słabnąć i 29 stycznia Gandoëtowi udało się ponownie zdobyć *le Piton sans Nom*. Dwa dni później znowu zdobyto również Colle Abate i w końcu resztki pułku tunezyjskiego zostały zluzowane przez oddziały algierskie.

„Arabowie dokonywali czynów, na które Europejczycy nigdy by się nie poważyli – mówi René Martin. – To właśnie Arabowie mówią: «Marokańczycy są wojownikami, Algierczycy mężczyznami, a Tunezyjczycy kobietami». Ale jak na kobiety dokonali niemożliwego. Właśnie dlatego tak wielu z nich zginęło".

Gdy ci, którzy ocaleli z pułku tunezyjskiego, dotarli do Sant' Elii, powitał ich Juin. „Nasze serca przepełniały współczucie i duma – napisał – gdy patrzyliśmy, jak wracają ci wspaniali żołnierze z pułku, którzy przeżyli, wynędzniali, nie ogoleni, w mundurach w strzępach, unurzanych w błocie". Wspaniali, ale nieliczni. Z nacierających kompanii jedynie 30 procent wróciło bez szwanku.

Dla Juina działania z ostatnich pięciu dni stanowiły dodatkową pożywkę dla jego niezadowolenia z anglo-amerykańskiego dowództwa. Gdy w końcu przebito się przez linię Gustawa, dlaczego dokonania Francuzów nie zostały właściwie wsparte? Czy nadal im nie ufano? Jeśli te dwa natarcia miały odbywać się jednocześnie, dlaczego Amerykanie w dalszym ciągu siedzieli nisko w dolinie Rapido, a nie znajdowali się na wysoko położonym terenie na południe od Belvedere, jak zaplanowano? 29 stycznia, gdy 168. pułk 34. dywizji amerykańskiej okopał się zaledwie milę od rzeki, Juin napisał do Clarka: „3. dywizja algierska wykonała – niewiarygodnym kosztem i przy ciężkich stratach – zadanie, które pan jej wyznaczył. (...) Nie mam absolutnie żadnych dalszych rezerw, które wsparłyby działania ofensywne. Ponadto, z lewej strony, 34. dywizja amerykańska nie postawiła jak dotąd stopy na wysoko położonych terenach na południowy zachód od Cairy, a obecne położenie 3. dywizji algierskiej jest niezwykle niebezpieczne". Dalej zagroził, że jeżeli wojska amerykańskie nie zaczną zdobywać swoich celów, będzie zmuszony wycofać swoich ludzi z odsłoniętych i oddalonych pozycji na masywie Belvedere, o który tak zaciekle walczyli. Według Juina, list ten „wpadł do kwatery głównej generała Clarka jak bomba".

W rzeczywistości w tym samym dniu, w którym Juin pisał ten list, 168. pułk przeprowadził zakrojone na szeroką skalę natarcie przez Rapido na wysoko położony teren blokujący drogę do wsi Caira, punkty 213 i 56 oraz przebiegający między nimi grzbiet górski. Z początku czołgi nie mogły przedostać się na drugą stronę, a piechotę znowu powstrzymały pola minowe i zasieki z drutu kolczastego, ale po południu czołgi zaczęły się przedzierać. Wysłano ich ponad pięćdziesiąt, z czego mniej więcej tuzinowi udało się dotrzeć do piechoty po drugiej stronie rzeki. Stało się tak głównie dzięki korzystniejszym warunkom w północnym miejscu przeprawy oraz dzięki wytężonej pracy dywizyjnych saperów, odpowiedzialnych za poprawę szlaków dojazdowych. Pozostałe czołgi zostały zniszczone lub po prostu ugrzęzły w błocie. Ale tych kilka maszyn, którym udało się przedrzeć, wystarczyło, żeby detonować miny przeciwpiechotne i usunąć zasieki, i do zmierzchu wszystkie trzy bataliony pułku zajęły swoje cele.

Na pagórkach odkryto rozbudowane umocnienia – betonowe bunkry na tyle duże, że mogły pomieścić do trzydziestu ludzi, z piętrowymi pryczami, mnóstwem jedzenia i amunicji oraz sprawnym systemem ogrzewania. Następnego dnia odparto niemieckie przeciwuderzenie i zdobyto Cairę. Niemieckie i amerykańskie pozycje nadal były przemieszane i znajdowały się tak blisko siebie, że żołnierze słyszeli rozmowy nieprzyjaciela. Pewien amerykański oficer, który wracał ze szpitala z trzydziestoma zmiennikami, poprowadził ich prosto na niemieckie linie, gdzie zostali wzięci do niewoli.

Dalej z tyłu pogłoski o upragnionych zdarzeniach rekompensowały brak informacji z linii frontu. 30 stycznia Tom Kindre, oficer amunicyjny w 34. dywizji, napisał w dzienniku: „Co dzień donosi się o zajęciu Cassino, co wieczór ta pogłoska jest dementowana". Ryder przynajmniej zdawał sobie sprawę z tego, że konieczne będą jeszcze ciężkie walki, zanim Cassino zostanie zdobyte. Z przechwyconych meldunków radiowych wiedział, że von Senger zajmował się wzmacnianiem sektora Cassino. W mieście Cassino umieszczono nowy pułk niemiecki, a 30 stycznia dwa bataliony 90. dywizji grenadierów pancernych postawiono w stan gotowości do przeniesienia się z sektora Garigliano na masyw Cassino. Z nimi pojawiła się kwatera główna dywizji, dowodzonej przez generała dywizji Ernsta Günthera Baadego. Był on bliskim przyjacielem von Sengera i ekscentrycznym oficerem, cieszącym się sympatią swoich żołnierzy. Lubił nosić na mundurze kilt, a zamiast z pistoletem paradował z wielkim sztyletem z trzonkiem z kości. Choć podobnie jak von Senger był anglofilem, postanowił stawić zdecydowany opór i w swoim bunkrze trzymał mnisi habit, żeby się przebrać, gdy zajdzie potrzeba. Baade przejął dowodzenie nad całym sektorem i wziął ze sobą batalion z 1. dywizji spadochroniarzy.

1 lutego Ryder, mając nadzieję na otwarcie wąskiej drogi do północnego skraju miasta Cassino, wydał 133. pułkowi rozkaz ponownego natarcia na koszary. Wspierani teraz przez czołgi Amerykanie zdołali w końcu usunąć nieprzyjaciela ze zrujnowanego budynku i następnego dnia ruszyli w dół wąskiej półki, o szerokości od 300 do 400 jardów, między urwistymi ścianami masywu i rzeką Rapido. Jednocześnie jedna z ich kompanii parła wzdłuż grzbietu górskiego powyżej drogi, kierując się na punkt 175 powyżej północnego krańca miasta. Gdy już przedarli się na północne rogatki Cassino, rozpoczęły się tam wściekłe walki uliczne. Każdy dom został zamieniony w twierdzę, a posuwanie się do przodu mierzyło się w jardach. Niemcy mieli doskonały przegląd sytuacji z wysoko położonego terenu za miastem, czego skutkiem były ciężkie straty amerykańskie. Okazało się, że pole rażenia czołgów jest niewielkie, i gdy jeden z nich został zniszczony ogniem przeciwpancernym, często blokował drogę maszynom z tyłu. „Stanowiska dział były również zamaskowane stosami gruzów, przypuszczalnie będących dziełem naszej własnej artylerii i czołgów – opowiadał po walce major Warren C. Chapman ze 133. pułku. – Ich ogień był dobrze zaplanowany i skoordynowany, tak że każde działo osłaniały inne". Ręczny granatnik przeciwpancerny, umieszczany na ramieniu przy odpalaniu pocisków, miał fundamentalne znaczenie i służył nie tylko do niszczenia niemieckich czołgów, ale i do wysadzania dziur w ścianach budynków, żeby można było się do nich dostać. „W wielu przypadkach «ziemię niczyją» stanowiła dziesięciojardowa odległość między dwoma domami – kontynuuje Chapman. – Było to idealne do gry w piłkę granatami". Walki toczyły się przez ponad tydzień, ale nacierający niewiele posunęli się do przodu.

Najważniejszym celem było Wzgórze Zamkowe, wznoszące się niemal pionowo na północnym skraju miasta na wysokość 193 metrów, na którego szczycie znajdował się zniszczony fort, gdzie Tony Pittaccio z kolegami bawił się w wojnę. Żołnierze ze 100. pułku Nisei, złożonego z „Amerykanów pochodzenia japońskiego" z Hawajów, przeprowadzili natarcie w poprzek głębokiego wąwozu, który oddzielał zamek od punktu 175, ale nie byli w stanie utrzymać pozycji.

Na masywie jednak szczęście sprzyjało Amerykanom.

ROZDZIAŁ 8

Masyw Cassino

W czasie gdy 133. pułk 34. dywizji amerykańskiej ciągle jeszcze oczyszczał koszary, Ryder rzucił swój 135. pułk na masyw Cassino, żeby zająć wysoko położony teren na lewo od Francuzów, a potem opanować klasztor i leżące za nim góry. Ich pierwszym celem były Colle Maiola i Monte Castellone. „Początkowo byliśmy w rezerwie – wspomina Don Hoagland z 3. batalionu 135. pułku. – Potem przesunęliśmy się do małej miejscowości Caira. Stamtąd ruszyliśmy w górę, a nasze zadanie polegało na dostaniu się na wzgórze za Niemcami. Ten ranek był bardzo mglisty – mieliśmy szczęście". Wchodząc gęsiego na górę, żołnierze byli całkowicie niewidoczni z niemieckich stanowisk obronnych, zwróconych ku bliższym zboczom pasma górskiego. Gdy żołnierze przechodzili niepostrzeżenie, słyszeli rozmawiających nieopodal Niemców. „Byliśmy dużo nad nimi i przeszliśmy obok we mgle. W innych okolicznościach nigdy by się to nam nie udało" – mówi Hoagland. Oba cele – Colle Maiola i Monte Castellone – zostały zajęte do dziesiątej rano 1 lutego. Hoagland, przygotowujący teraz stanowiska obronne na Maiola, nie musiał nawet wystrzelić ze swojego karabinu.

Następnego dnia, gdy żołnierze na Castellone odparli przeciwnatarcie zaniepokojonych Niemców, reszta ludzi z batalionu Hoaglanda podążała z Maiola wzdłuż grzbietu górskiego, który prowadził ostatecznie do klasztoru. Ze względu na swój kształt grzbiet nosił nazwę „Głowa Węża". Pod koniec dnia znajdowali się około 850 jardów od Monte Calvary, wówczas lepiej znanego jako punkt 593, pagórka o stromych zboczach około 2 tysięcy jardów od tylnego wejścia do klasztoru. Stanowisko to, na którego szczycie znajdowały się ruiny małego fortu, blokowało drogę do samego klasztoru, było dobrym punktem obserwacyjnym i umożliwiało ostrzał we wszystkich kierunkach.

Pod koniec 2 lutego Clark, bardzo zachęcony tymi sukcesami, poinformował Alexandra, że „obecna sytuacja wskazuje na to, że wzniesienia Cassino zostaną zdobyte w bardzo krótkim czasie". Następnego dnia 135. pułk został wzmocniony batalionem z pułku 168. i kontynuował ofensywę w kierunku południowym ku dolinie Liri. Z Castellone batalion posuwał się naprzód grzbietem „Widmo", który biegł równolegle do Głowy Węża wzdłuż Colle Sant' Angelo, a w swej środkowej części miał wysoko położony teren znany jako punkt 706. Z lewej jednak zażarty opór na Głowie Węża i z wysoko położonego terenu z jej prawej strony oznaczał, że nie posunięto się zbyt daleko. Tego samego dnia Niemcy przeprowadzili kontruderzenie na Colle Maiola, gdzie drużyna Dona Hoaglanda zajmowała stanowisko obronne.

Pod warstwą gleby o grubości mniej więcej stopy znajdowała się lita skała, więc okopanie się było niemożliwe. Żeby się osłonić, żołnierze musieli wyskrobać płytkie zagłębienia, a następnie ułożyć wokół nich jeden na drugim kamienie, tworząc tak zwane „sangary"*. Natarcie zostało odparte, a reszta batalionu następnego dnia zbliżyła się do punktu 593 na odległość dwustu jardów, na lewo zaś od nich inny batalion ze 135. pułku zbliżył się do punktu 445, położonego jeszcze bliżej klasztoru. Po drugiej stronie Widma przesunięto się na krótko w kierunku stanowisk na Colle Sant' Angelo, ale nacierający zostali odparci z powrotem na punkt 706.

Niemcy trzymali się teraz kurczowo ostatnich zboczy przed doliną Liri. Tuż za nimi leżała upragniona droga do Rzymu. Gdyby tylko Amerykanie zdołali oczyścić te ostatnie stanowiska, klasztor i cała linia Gustawa zostałyby oskrzydlone. Ale sami nacierający bardzo cierpieli. „Nie było chwili, żebyśmy nie byli ostrzeliwani przerywanym lub silnym ogniem moździerzowym – mówi Hoagland. – Przeżyliśmy tam na górze wiele kontrataków. Rozmieszczasz swoich ludzi, którzy spodziewają się, że zostaną trafieni. Niemal zawsze zdarzało się to nocą i tamci podkradali się po cichu jak najbliżej. Nagle tuż przed tobą wyłaniały się jakieś postaci. Co noc następował kolejny atak i chociaż zdołaliśmy wszystkie odeprzeć, w końcu dopada cię potworne zmęczenie. Pamiętam, jak pewnej nocy usłyszałem, że Leroy Rogers, który był jednym z moich dowódców plutonów, wrzeszczy do nich: «Podejdźcie tutaj, wy szkopskie skurwysyny, podejdźcie i dorwijcie nas!»"

---

* „Sangar", zniekształcone słowo *sunga* z języka hindustani, to kamienny parapet, który budowało się przed stanowiskiem dzięki ułożeniu luźnych kamieni w obronny mur. Brytyjczycy dobrze się z nimi zaznajomili podczas działań wojennych w Północno-Zachodniej Prowincji Pogranicznej [Polacy nazywali te płytkie schrony „składakami" – przyp. red.].

Gdy Niemcy doszli już do siebie po głębokich wypadach z 1 lutego, szybko się przeorganizowali i uświadomili nacierającym, jak dokładnie drogi dostępu do klasztoru osłania ogień moździerzy i karabinów maszynowych. „Niemcy wiedzieli, jak rozmieścić stanowiska obronne – mówi Hoagland. – Cały ten nisko położony teren osłaniali ogniem i oczywiście mieli czas na to, żeby przewidzieć prawdopodobne miejsca, gdzie będziemy atakować lub ustawiać własne moździerze".

Do wyczerpania nacierających, poza ogniem nieprzyjaciela, przyczyniły się warunki panujące na masywie. „Była to straszna okolica do prowadzenia walki – mówi Hoagland – pełna urwisk, z których w ciemnościach można było spaść". 4 lutego pogoda się pogorszyła, nadciągnęła śnieżyca, co jeszcze bardziej zwiększyło udrękę żołnierzy przemoczonych już zamarzającym deszczem. Przerywany ogień moździerzowy nie pozwalał im zasnąć, a także brał ofiarę po ofierze. „Leżałeś w nocy w płytkiej jamie – wspomina Hoagland – i jeśli miałeś dwa koce, rozpościerałeś jeden na dnie mokrej jamy, kładłeś się i przykrywałeś drugim mokrym kocem. Tak się spało".

Chociaż pogoda była oczywiście taka sama dla obrońców, Niemcy mieli przynajmniej mnóstwo czasu, żeby za pomocą ładunków wybuchowych wydrążyć w skale głębokie okopy, a także zgromadzić na masywie zapasy żywności, wody i amunicji. Co do Amerykanów, to im bardziej zbliżali się do klasztoru, tym trudniej było im zaopatrywać wysunięte oddziały. Wszystko trzeba było transportować mułami lub dźwigać na plecach po wąskich, śliskich ścieżkach z położonej niżej Cairy.

Dywizja traciła teraz przerażająco dużo ludzi. Dziennikarz Gordon Gammack donosił po bitwie: „W głębokich zaspach, na kamienistych, śliskich, zdradliwych zboczach stworzono w ciągu pierwszych dwóch tygodni lutego prawdopodobnie najdłuższą w dziejach armii amerykańskiej kolumnę noszy w celu ewakuacji rannych".

Sanitariusz Robert Koloski, dowodzący batalionowym punktem pomocy dla oddziału Hoaglanda, założył bazę w Cairze w „budynku gospodarczym, pozbawionym części dachu, ale za to posiadającym ściany. W tym czasie – mówi – mieli wielką liczbę ofiar. Pojawiały się rany bardzo rozległe i było ich więcej niż wcześniej, włącznie z okresem kampanii afrykańskiej i początkami kampanii włoskiej. Nigdy nie mieliśmy do czynienia z taką liczbą ofiar jak wtedy. Wiedzieliśmy, że nasi chłopcy dostają niezłe lanie". Gdy żołnierz trafiał do punktu Koloskiego, jego ranę zasypywano antybiotykiem w proszku (który Koloski trzymał w wielkiej solniczce), a następnie bandażowano.

„Staraliśmy się też minimalizować skutki wstrząsu i zużywaliśmy ogromne ilości osocza krwi – wspomina. – Bardzo hojnie szafowaliśmy też morfiną. Na początku powiedziano nam, żeby nie używać więcej niż jedną strzykawkę na ciężko rannego, ale skończyło się na tym, że wstrzykiwaliśmy dwie albo trzy, wbijając igłę przez odzież".

W liczącej około 15 tysięcy żołnierzy dywizji tysiąc osób należało do służb medycznych. Każda kompania miała trzech szeregowych udzielających pomocy medycznej, którzy mieli własny punkt, a noszowi ewakuowali stamtąd rannych do kompanijnego lub batalionowego punktu pomocy. „Szybko się nauczyliśmy, że jeśli zdołamy jak najszybciej ich stamtąd wysłać, załatać, to może uda im się wrócić. W tamtym czasie robiliśmy prawdopodobnie wszystko, co dało się zrobić" – mówi Koloski. Zdarzały się operacje ze wskazań nagłych, zwłaszcza w przypadku ran brzucha, ale najważniejsze było to, żeby jak najszybciej przekazać poszkodowanych dalej, nie tylko dla ich własnego dobra, lecz także po to, by przygotować miejsce na wypadek nagłego, katastrofalnego napływu rannych w bitwie.

Z punktu Koloskiego zabierano żołnierzy do zbiorczej stacji pomocy, znajdującej się około ćwierci mili za linią, następnie do bazy sanitarnej, w rzeczywistości małego szpitala, a potem do właściwych szpitali poza kontrolą dywizji. „Nie byłeś już więc wspaniałym lekarzem, byłeś człowiekiem udzielającym pierwszej pomocy – mówi Koloski – ale to również było przyjemne uczucie: możliwość zrobienia czegoś dla tych ludzi. Czułeś, że robisz coś ważnego".

Większość ran zadawały moździerze, a nie pociski artyleryjskie czy kule. „Zważywszy na to, że każdy żołnierz miał karabin i że były karabiny maszynowe i pistolety, zdumiewająco mało było ran od kul – mówi Koloski. – Tak naprawdę ogień karabinowy zmuszał cię tylko do trzymania nisko głowy". Jeśli chodzi o piechotę, z broni nieprzyjaciela najbardziej bano się moździerzy. „Są bardziej dotkliwe [niż artyleria] – napisał inny amerykański lekarz. – Moździerze są celniejsze. Kiedy pociski spadają blisko żołnierzy, powodują rozległe obrażenia. Jeden człowiek nierzadko może mieć złamania wieloodłamowe kilku kończyn jednocześnie, a także głębokie rany brzucha i twarzy".

Ernie Pyle w jednym z nielicznych przypadków, gdy bez ogródek mówi o ranach na polu bitwy, daje wyraz zdumieniu, że niektórych omija najgorsze: „Czasami kula przechodzi przez człowieka na wylot i nie wyrządza mu większej szkody. Kule i odłamki wyczyniają niesamowite rzeczy. Nasi chirurdzy wyciągnęli z jednego żołnierza ponad dwieście odłamków szrapnela. Trudno było znaleźć na całym jego ciele od głowy do palca u nogi cal kwadratowy, który pozostałby nietknięty. Mimo to żadna z ran nie okazała się śmiertelna i ten żołnierz przeżył".

Ale zdarzały się też całkowicie odmienne przypadki. Jeden maleńki, rozżarzony do białości odłamek pocisku mógł spowodować ogromne uszkodzenia. „Jeśli z tętnicy biła krew, niewiele mogliśmy na to poradzić – mówi Koloski. – Nie mieliśmy wyposażenia i większości z nas, z wyjątkiem chirurgów, brakowało umiejętności, a zanim dostarczyło się człowieka do chirurgów, mógł się wykrwawić na śmierć. Zazwyczaj jeżeli żołnierze docierali żywi do bazy sanitarnej, wychodzili z tego".

Jednak największych strat osobowych 34. dywizji na masywie nie spowodowały rany odniesione w walce, lecz „stopy okopowe". Jeśli człowiek przez długi czas miał mokre i zimne stopy, szybko tracił zdolność chodzenia. „Tak naprawdę nie bardzo to rozumieliśmy – mówi Koloski. – Stopy puchły tak bardzo, że palce wyglądały dosłownie jak kiełbaski, i jeśli się tego przez odpowiednio długi czas nie leczyło, człowiek tracił stopy. Miały w tym swój udział odmrożenia; wpływały na to zimno i wilgoć. Starałeś się, by stopy były jak najbardziej suche. Do tego były oczywiście potrzebne dodatkowe skarpety, których zwykle nie mogłeś dostać. Gdy żołnierzom spuchły stopy, próby chodzenia sprawiały im ogromny ból. Gdy puchły, siniały. Jeśli długo się tego nie leczyło, wdawała się gangrena". Stopy okopowe leczono gencjaną, panaceum stosowanym również na wszy łonowe. „To bardzo przestarzała kuracja – mówi Koloski. – To nie jest prawdziwy antybiotyk, bardziej przypomina wodę utlenioną. W większości przypadków była nieskuteczna". W rezultacie tacy żołnierze byli dla dywizji straceni. „Szybko zorientowaliśmy się, że nie ma sensu trzymać tu tych ludzi – na nic nie mogli się przydać. Do wszelkich celów praktycznych byli bezużyteczni jako żołnierze, więc ich ewakuowano. Wielu przydzielono do różnych działań w podstawowych jednostkach taktycznych. Nie wydaje mi się, żeby więcej niż około dziesięciu procent wróciło na linię frontu. Przyczyną tego był brak sprzętu. Nigdy nie mieliśmy odpowiedniego sprzętu, gdy był potrzebny. Najwyraźniej ktoś uznał, że we Włoszech będzie sucho, ale można powiedzieć wszystko, tylko nie to, że było sucho".

Rany odniesione w walce, stopy okopowe i inne nie związane z walką choroby, takie jak zapalenie płuc, przyczyniały się do stałego odpływu ludzi z oddziałów 34. dywizji, próbujących się przebić przez góry znajdujące się za

Cassino. Clark wyznaczył już jeden pułk z 36. dywizji amerykańskiej – 142. pułk Clare'a Cunninghama, który uniknął rzezi nad Rapido – do walki na masywie, a teraz wysłał na górę zmęczonych żołnierzy z pozostałych dwóch pułków. 142. pułk walczył wcześniej na lewej flance Francuzów, a teraz otrzymał rozkaz wzmocnienia stanowisk 34. dywizji na Monte Castellone. 5 lutego oddział Cunninghama wspiął się na górę, mijając zabitych z 34. dywizji, i Cunningham zajął dwuosobowy okop zbudowany przez Niemców, mający około sześciu stóp szerokości i siedmiu długości. Dzielił go ze swoim kumplem Stanleyem Katulą. Było to przerażające miejsce. „Odnosiło się wrażenie, że przez cały czas jesteśmy pod obserwacją – mówi Cunningham. – Przez cały dzień przyglądali nam się z góry. Wiedzieli o każdym naszym ruchu". Dwaj żołnierze leżeli przytuleni do siebie, żeby było cieplej, ale cierpieli z powodu „kąsającego, okropnego zimna, (...) mnóstwo ludzi miało odmrożone stopy". Doskwierało im też poczucie bezsilności – Cunningham nie miał pojęcia, co się dzieje pięćdziesiąt stóp dalej, a przemieszczanie się za dnia było niemożliwe. „Niektórzy wpadali w szał – wspomina Cunningham. – Wysunięty obserwator artylerii, który był z nami zaledwie od dwóch czy trzech dni, wpadł w panikę i pognał bez broni, bez niczego, prosto na niemieckie linie. Krzyczeliśmy do niego – był z nami od tak niedawna, że nie znaliśmy jego nazwiska – po prostu cały czas wrzeszczeliśmy: «Nie w tę stronę, nie w tę stronę». Nigdy więcej już go nie widzieliśmy".

Mając zabezpieczone tyły, wojska rozmieszczone na Głowie Węża i Widmie, a także bezpośrednio przed klasztorem, w dalszym ciągu przeprowadzały natarcia, małe grupy żołnierzy posuwały się wolno naprzód w poprzek górskich grzbietów lub w górę zboczy. Skupiono się teraz zdecydowanie na Monte Calvario, punkcie 593, uznanym za kluczowe stanowisko taktyczne na masywie. W trakcie chaotycznych walk to ważne wzgórze kilkakrotnie w ciągu kilku następnych dni przechodziło z rąk do rąk, gdy natarcia na sam klasztor przeprowadzał z lewej 168. pułk. Pochodzący z Chicago szeregowiec John Johnstone miał niedługo obchodzić swoje dwudzieste urodziny, gdy jego oddział otrzymał rozkaz natarcia 8 lutego. W 168. pułku był zaledwie od trzech miesięcy. „Przyszedł sierżant – wyjaśnia Johnstone – i powiedział: «Okej, chłopaki, posłuchajcie, co teraz będzie się działo. O trzeciej zacznie się piętnastominutowy ogień zaporowy, potem zagwiżdżę i ruszamy do przodu»". Zanim sierżant odszedł, zapytał Johnstone'a o nazwisko. Gdy usłyszał odpowiedź, powiedział: „Okej, od tej chwili pełnisz obowiązki sierżanta".

„O trzeciej pojawił się ogień zaporowy – mówi Johnstone – i o trzeciej piętnaście usłyszeliśmy gwizdek, chociaż nie wiedzieliśmy, gdzie jest sierżant". Johnstone obrócił się do swojego kolegi i powiedział:

– No, Harry, ruszamy.

– Ja nie idę, ty idź – odparł Harry.

– Jesteśmy zespołem, musimy iść.

– Ja nie idę – padła ostateczna odpowiedź.

Johnstone wyszedł więc sam ze swojego sangaru i wraz z porucznikiem, gońcem, żołnierzem z karabinem automatycznym Browning, czterema innymi żołnierzami i sierżantem ruszył do natarcia. Po pokonaniu około stu jardów „dostaliśmy się pod ogień broni ręcznej. Wszyscy rzuciliśmy się w błoto, ja leżałem na plecach – mówi Johnstone. – Nie widziałem nic, z wyjątkiem strzelającego z browninga żołnierza. Ten obrócił się, żeby wyjąć magazynek i włożyć nowy, i gdy to robił, nadleciał granat. Nie widząc go, znowu się obrócił, i wtedy granat wybuchł. Żołnierz miał wielką dziurę w brzuchu. Cofał się, pytając: «Czy umrę? Czy umrę?» Gdy dotarł do mnie, powiedziałem: «Nie, połóż się, uspokój, nie biegaj, uspokój się, uspokój, uspokój, wyjdziesz z tego». Potem sierżant przyklęknął na jednym kolanie i zaczął strzelać. Nagle padł. Miał kulę w udzie".

Johnstone nadal leżał na plecach, ale wkrótce potem sam został raniony przez niemiecki granat. „Nadszedł cofający się porucznik i powiedział, że idzie do tyłu po pomoc i że musimy wytrzymać jeszcze trochę, po czym odszedł". Niemcy trzy razy wzywali Amerykanów do poddania się, gdyż ci byli okrążeni, i za trzecim razem Johnstone i jego towarzysze wolno powstali i podnieśli ręce. „Czterech, którym nic nie było, pomagało rannym, i Niemcy zaprowadzili nas do jaskini za klasztorem" – mówi Johnstone. Tam przeszukano ich i zabrano przedmioty osobistego użytku. Opatrzono im rany. Ku zdumieniu Johnstone'a zwrócono mu zegarek.

Pułk podjął próbę kolejnego natarcia, ale raz jeszcze dostał się pod ogień z flanki i został zmuszony do odwrotu. Często tuż przed początkiem natarcia dochodziło do przeciwuderzenia niemieckiego i żołnierze mieli trudności z utrzymaniem dotychczasowych pozycji. Nie ulegało wątpliwości, że obrońcy są zdeterminowani i dobrze zorganizowani. Od 7 lutego von Senger zaczął przerzucać większe siły na masyw Cassino, a 10 lutego Baade miał pod swoją komendą kilka dodatkowych oddziałów spadochroniarzy. Ten ostatni doskonale zdawał sobie sprawę ze znaczenia punktu 593 i wydał rozkaz nieustannego atakowania, aż w końcu, 10 lutego, Niemcy trzymali go mocno w rękach.

Teraz żołnierze z 34. dywizji byli wyczerpani z powodu stresu oraz braku gorącego pożywienia i snu. Raz po raz planowano natarcia i przekładano je na później, ponieważ piechota była fizycznie niezdolna do działań lub tak zniechęcona, że odmawiała opuszczenia swoich okopów i sangarów. Don Hoagland wspomina, że „po jakimś tygodniu kilka razy zdarzyło się, że planowano jakieś natarcie, ale zanim do niego doszło, ktoś stwierdzał, że w jednostce po prostu nie ma dość chęci, żeby cokolwiek zrobić. Więc potem brało się po prostu na przeczekanie". W 135. pułku bardzo brakowało teraz żołnierzy i tylko nieliczne z jego kompanii piechoty były w stanie wystawić więcej niż około trzydziestu ludzi – mniej niż jedną trzecią pełnej siły. Pułk 168. znajdował się w podobnej sytuacji, a ze 133., w dole na rogatkach miasta, nie było lepiej. Ale naczelne dowództwo amerykańskie w dalszym ciągu wydawało rozkazy ataków, widocznie nieświadome okoliczności walki i życia na masywie. 9 lutego oficer nowozelandzki, który świeżo przybył pod Cassino, poszedł na przednie linie, żeby osobiście się przekonać, jakie panują tam warunki. W raporcie stwierdził, że „piechota amerykańska jest wyczerpana i w zasadzie niezdolna do walki bez gruntownego wypoczynku, (...) było oczywiste, że [żaden ze starszych oficerów amerykańskich] nie był z przodu lub w ogóle nie miał kontaktu ze swoimi ludźmi". Wkrótce potem Alexander przysłał swojego szefa sztabu, amerykańskiego generała Lymana L. Lemnitzera, żeby osobiście ocenił nastroje panujące wśród żołnierzy. Ten stwierdził, że „morale stale się obniża, (...) [żołnierze] zniechęceni, na krawędzi buntu".

Cykl listów znaleziony mniej więcej w tym czasie przy wziętym do niewoli żołnierzu z 90. dywizji grenadierów pancernych Baadego wydaje się wskazywać, że podobna sytuacja panowała po drugiej stronie linii frontu. „Od dwóch tygodni bierzemy udział w walkach – pisał żołnierz do ojca, który walczył na froncie wschodnim. – Tych kilkanaście dni wystarczyło, żebym miał tego dość. Przez cały ten czas spaliśmy wyłącznie w okopach, a z powodu ognia artyleryjskiego przez cały dzień musieliśmy trzymać nosy w błocie. W ciągu kilku pierwszych dni czułem się bardzo dziwnie i (...) w ogóle nic nie jadłem. Straciłem apetyt, gdy zobaczyłem to wszystko. (...) Nie został ani jeden człowiek z pierwotnego składu mojej drużyny, nikogo nie ma. Wydaje się, że tak samo jest w całej kompanii". Znaleziono przy nim również listy od ojca z Rosji i od matki z Niemiec. W liście od ojca czytamy: „Jesteśmy w odwrocie, cofnęliśmy się już ładny kawałek. (...) Wszyscy są chorzy i zmęczeni wojną, ale nie zanosi się na zakończenie tego nonsensu.

Czuję, że będę tutaj, dopóki wszystko nie zostanie całkowicie zniszczone". Matka, skarżąc się na nieustanne naloty, błaga syna we Włoszech: „Czekam i czekam, zamartwiając się o moich synów na froncie. Trudno jest znieść matce to, że jesteś w takim niebezpieczeństwie. Uważaj na siebie, zrób to dla mnie".

Clark zdecydowanie uważał, że jego ludzie ciągle jeszcze mogą się przebić przez ostatnie przed doliną Liri stanowiska obronne, i zdawał sobie sprawę z tego, że Niemcy także ponoszą ciężkie straty. 11 lutego 141. pułk z 36. dywizji amerykańskiej dotarł do Głowy Węża i otrzymał rozkaz oczyszczenia doliny między Głową Węża i Widmem, a następnie przedarcia się na północną stronę ważnej doliny w dole. 3. batalionem tego pułku dowodził kapitan C. N. „Red" Morgan. Przybywszy rankiem 10 lutego jako szpica, złożył meldunek w batalionowym stanowisku dowodzenia jednego z oddziałów 34. dywizji, „znajdującym się około tysiąca jardów od klasztoru Monte Cassino i 300 jardów na wschód od grzbietu Głowa Węża. (...) Dowódca batalionu przekazał nam wszystkie informacje, jakie posiadał – czytamy w relacji Morgana. – Gdy wskazywał stanowiska na mapie, zaczęliśmy podejrzewać, że nic nie zgadza się z tym, co wcześniej nam mówiono. Nasz rekonesans na tym obszarze to potwierdził". Wbrew temu, co usłyszeli żołnierze 141. pułku, punkt 593 nie był w rękach Amerykanów. Ich najbliższe szczytu stanowiska znajdowały się na pobliskich zboczach w odległości około 100 jardów. Bez wątpienia nie dałoby się przeprowadzić natarcia na prawo od tego stanowiska, jeśli ciągle było ono kontrolowane przez nieprzyjaciela. „Mówiło się o następnym natarciu wojsk 34. dywizji na wzgórze 593 – napisał Morgan. – Natarcie to miało się rozpocząć w nocy z 10 na 11 lutego. Kiedy zdobyliby cel, mieliśmy nacierać przez nich. Natarcie to nie doszło do skutku. Nieliczni żołnierze z 34. dywizji, którzy przeżyli na Głowie Węża, po ponad dwóch tygodniach zażartych walk byli skrajnie wyczerpani. Natarcie odwołano. 1. i 3. batalion 141. pułku zluzowały oddziały 34. dywizji na Głowie Węża. Te dwa bataliony przybyły po długim, mozolnym marszu śliskimi górskimi szlakami. Zluzowano żołnierzy 34. dywizji na Głowie Węża i rankiem 11 lutego 1. i 3. batalion znajdowały się na stanowisku. Natarcie zaplanowano na 11.00 tego dnia".

„Ruszyliśmy w górę szlaku w rzęsistym deszczu, który zamienił się w śnieg, i dotarliśmy tam późnym wieczorem – wspomina Bill Everett ze

141. pułku. – Przeszliśmy na pozycje w porywistej zamieci. Następnego ranka rozpętało się piekło". Zaatakowali o godzinie jedenastej w marznącym deszczu i porywach wiatru dochodzących do pięćdziesięciu mil na godzinę. Wkrótce potem Niemcy przeprowadzili ciężkie kontruderzenie i Amerykanie z trudem utrzymali pozycje wyjściowe. „Straciliśmy tego pierwszego ranka dowódcę kompanii i paru ludzi – wspomina Everett. – Po prostu powiedziałem chłopakom: «Trzymajcie się. Komuś cholernie zależy na tym wzgórzu. Trzymajmy się i nie oddawajmy go». Wkrótce straciliśmy resztę oficerów i większość szeregowców. W naszej jednostce sytuacja z oficerami była tak zła, że jeżdżono do szpitali, szukano ludzi, którzy byli ranni nad rzeką Rapido, i ściągano ich z powrotem. Współczynnik strat wśród oficerów na szczeblu kompanii, podporuczników i poruczników piechoty, był olbrzymi". Porucznik Carl Strom, również ze 141. pułku, z którego kompanii, liczącej około czterdziestu ludzi, po klęsce nad Rapido została grupa w sile mniej więcej plutonu, mówi, że po prostu mieli za mało żołnierzy, żeby natarcie mogło się powieść. Za to nękali ich Niemcy, którzy „nacierali kilka razy. Weszli na wzgórze z jaru. Zużywaliśmy na nich jedną skrzynkę granatów po drugiej, ponieważ można było wziąć granat ręczny, po prostu rzucić go w dół i paru z nich załatwić, ale oni cały czas atakowali i atakowali".

„Tamtego dnia panował zamęt – powiedział Red Morgan. – Niemców od opanowania naszych stanowisk powstrzymywała nieustępliwość i ikra oficerów i żołnierzy z kompanii liniowych. Gdy było już po natarciach i kontrnatarciach, te dwa bataliony skończyły walkę mniej więcej na tej samej linii, którą przejęły od 34. dywizji. Niemcy kontrolowali sytuację na wzgórzu 593. Niemiecka maszynka do mięsa było gotowa przemielić każdą liczbę żołnierzy, jaką byliśmy skłonni do niej wrzucić".

Tego samego dnia dowodzący 34. dywizją generał Ryder rozkazał 168. pułkowi przeprowadzić jeszcze jedno natarcie na klasztor. W tym czasie jego trzy bataliony liczyły jedną trzecią pełnego stanu i większość tych nielicznych żołnierzy pochodziła z uzupełnień, pośpiesznie ściąganych z plutonów wywiadu, przeciwpancernych i rozpoznania. Rzucono naprzód nawet kierowców, kucharzy, personel administracyjny i pomocniczy, żeby wzmocnić linię. Ale ponieważ punkt 593 nadal znajdował się pod kontrolą Niemców, pułk nie miał żadnej osłony z prawej strony i pomimo odważnego wypadu w gęstą zamieć wkrótce został odparty na linię wyjściową.

Na Głowie Węża żołnierze ze 141. i 142. pułku liczyli swoje straty. „Około siedemnastej 11 lutego – napisał Red Morgan – łączna siła batalionów 1. i 3. wynosiła około 20 oficerów i 150 szeregowych. Normalny stan łącznej siły tych dwóch batalionów wynosiłby w przybliżeniu 70 oficerów i 1600 szeregowców". W takich okolicznościach, kontynuował Morgan, „chodzący ranni byli szczegółowo badani. Nie mogliśmy zrezygnować z żołnierza, który nadal był w stanie rzucić granat czy strzelać z karabinu". Następny dzień przyniósł trochę wytchnienia: „W świetle dnia można było obserwować praktycznie każdy ruch każdego żołnierza batalionów. To prowadziło do wymiany ognia z broni ręcznej, a także cięższego uzbrojenia".

Ale w końcu generałowie ustąpili i – w ciągu dwóch następnych dni – Amerykanów zmieniły wojska brytyjskie. Żołnierze z 36. dywizji zostali przesunięci na inną pozycję na grzbiecie, około 500 jardów z tyłu, ale dla 34. dywizji, czy raczej tego, co z niej zostało, był to wreszcie koniec męki. Gdy w ciemności wygramolili się z okopów, wielu zemdlało wskutek skurczów i wyczerpania. Inni stwierdzali, że z powodu stóp okopowych nie mogą chodzić. „Ledwo wlokłem tyłek, jak wszyscy – mówi Don Hoagland. – Ale ponieważ jako sierżant wziąłem na siebie odpowiedzialność, więc miałem być ostatnim, który odejdzie. Patrzyłem, jak schodzą w dół, i nie potrafię wyobrazić sobie ludzi w gorszej formie. Wyglądali jak powłóczący nogami zombi. Byli kompletnie wyczerpani, i to nie tylko nasza kompania – wszyscy. Był to ciągły brak snu, ciągły grzmot, ciągły ostrzał. Była to paskudna, paskudna bitwa w paskudnej, paskudnej wojnie".

Jedna z ciężarówek wywożących Red Bulls z frontu ugrzęzła w małym strumieniu. W pobliżu była fotograf Margaret Bourke-White. „Dało mi to sposobność przestudiowania twarzy ludzi transportowanych przez ciężarówkę – napisała w książce wydanej przed końcem wojny. – Po odznakach dywizji, które nosili na rękawach, poznałam, że ci ludzie byli w górach wokół Cassino. (...) Pomyślałam, że nigdy nie widziałam tak zmęczonych twarzy. Nie chodziło tylko o szczecinę zarostu, chodziło o puste, szeroko otwarte oczy. Ci żołnierze byli tak zmęczeni, że wyglądali, jakby umarli za życia. Wracali z takich głębi znużenia, że zastanawiałam się, czy kiedykolwiek będą w stanie całkiem wrócić do życia i myśli, które znali wcześniej".

Clare Cunningham ze 143. pułku 36. dywizji amerykańskiej przebywał na Monte Castellone od tygodnia, gdy rozpoczęło się wielkie kontruderzenie niemieckie. Baade zdał sobie sprawę z kluczowego znaczenia punktu 593 i nalegał, żeby go ponownie zająć, bez względu na koszty. Teraz postanowił przeprowadzić kontruderzenie na Monte Castellone, dzięki któremu trzymały się pozycje aliantów na Głowie Węża. Natarcie pod kryptonimem operacja „Michael" rozpoczęto o czwartej rano 12 lutego, a poprzedził je najcięższy niemiecki ostrzał we wszystkich walkach pod Cassino. Cunningham szybko został ranny. „Katula i ja zostaliśmy trafieni przed świtem. Pocisk uderzył prosto w koniec naszego okopu, wyrzucił nas na zewnątrz i zapełnił okop błotem". Dwaj koledzy wylecieli z okopu w przeciwnych kierunkach. „Przez kilka chwil byłem nieprzytomny, potem próbowałem dostać się z powrotem do okopu, ale właściwie już go nie było". Cunningham miał jedną nogę kompletnie zmiażdżoną, a drugą złamaną. „Odczołgałem się do pozostałości okopu, a nieprzytomny Katula leżał na odsłoniętym terenie. Przez większość dnia przysypiałem. Słyszałem, że strzelanina trwa".

Zaraz za ostrzałem nadciągnęły dwa bataliony najlepszych żołnierzy Baadego, prące naprzód po nagich zboczach góry. Było przejmująco zimno. Amerykanie na szczycie zauważyli, że część broni zamarzła; jeden z żołnierzy zapalał zapałki, aby rozgrzać karabin maszynowy, innym kazano oddać mocz na karabiny: „Nie pachniało to tak dobrze po paru godzinach strzelania, ale uratowało nam życie" – napisał pewien podoficer.

Początkowo Niemcy odnosili sukcesy, zajmując bliższe stoki góry, ale tuż po zachodzie słońca na nacierających spadło podwójne nieszczęście. Ponieważ niemieccy artylerzyści byli wyczerpani, stali się niedokładni i teraz pociski zaczęły trafiać w atakujących. W tym samym czasie zmobilizowali się Amerykanie na szczycie i odparli natarcie. W południe Baade odwołał atak. Niemcy pozostawili na zboczach co najmniej 150 poległych, większość z nich zginęła od ognia własnej artylerii. Strona niemiecka zaczęła dostawać teraz od terenu takie same nauczki jak wcześniej alianci: na górze obrońca miał ogromną przewagę, a artyleria z równym prawdopodobieństwem trafiała w żołnierzy własnych jak w nieprzyjaciela.

Clare Cunningham został ewakuowany około piątej tego popołudnia, ale przez kolejnych dziesięć godzin nie dostał się nawet do sanitarki. Gdy w końcu dotarł do bazy sanitarnej, trzeba było mu amputować nogę poniżej kolana.

Następnego dnia, 13 lutego, niemiecki dowódca pułku wysłał mówiącego po angielsku oficera, by poprosić o rozejm, podczas którego Niemcy mogliby zabrać swoich poległych. Ustalono, że przerwa w walkach będzie trwała od ósmej do dziesiątej rano następnego dnia, dnia świętego Walentego, a ze strony amerykańskiej nadzór nad tym sprawował podpułkownik Hal Reese. Odbywszy smutną wędrówkę na górę, obok poległych żołnierzy obu walczących stron, przybył na kilka minut przed czasem wprowadzenia rozejmu w życie. W tym momencie na niemieckich liniach pojawiła się biała flaga i Reese z dowódcą batalionu zaczął schodzić w dolinę, niosąc małą flagę amerykańską. Na płaskowyżu zastali dwóch Niemców z flagą Czerwonego Krzyża. Trzeci Niemiec obserwował ich zza krzaka. Było to dziwne, pełne napięcia spotkanie na polu walki i Reese przejął rolę tłumacza, chociaż kiepsko znał niemiecki. Zebrała się grupa Niemców i jeden z nich powiedział, że pochodzi z Koblencji i pamięta, jak pod koniec pierwszej wojny światowej stacjonowali tam amerykańscy żołnierze. Reese odparł, że jest jednym z tych Amerykanów, i – widząc niedowierzanie Niemców – wyciągnął dawną kartę identyfikacyjną ze swoim zdjęciem, zrobionym w tym mieście w styczniu 1919 roku. Po chwili wszyscy wyciągali portfele i pokazywali fotografie rodziców, żon i dzieci. Pojawił się aparat fotograficzny i zrobiono nowe zdjęcia.

Tymczasem niemieccy noszowi pracowicie przenosili poległych na swoje linie. Reese zauważył dwóch żołnierzy z interesująco wyglądającymi pakunkami, wchodzących w kępę krzaków w odległości około 200 jardów w kierunku Monte Cassino. Jeden z Niemców z uśmiechem wciągnął Reese'a ponownie w rozmowę, przysuwając się bliżej, żeby przesłonić mu widok. Następnie rozejm przedłużono o pół godziny, ponieważ Niemcy ciągle jeszcze nie zabrali wszystkich poległych, a Reese i drugi oficer usiedli na ziemi niczyjej w pełnej widoczności, aby zapewnić Niemców, że rozejm ciągle obowiązuje. Gdy Reese wyjął lornetkę i zaczął lustrować zbocza za niemieckimi liniami, usłyszał gwizd kuli, potem drugi, bliżej. „Pułkowniku – powiedział towarzysz Reese'a – nie wydaje mi się, żeby podobało im się to, że przygląda się im pan przez te szkła". Potem sprawdzili zegarki: jeszcze pięć minut. Czas było wracać za własne linie.

Żołnierze z 36. dywizji mieli pozostać w klinie wokół Castellone przez następny tydzień. „Przez połowę czasu padał śnieg, a przez drugą deszcz, i cały czas było zimno – wspomina Carl Strom. – Straciłem niemal połowę oddziału z powodu okopowych stóp". Bill Everett również był „w naprawdę złej formie, gdy się wycofaliśmy. Dostałem zapalenia płuc, bo przemokłem w zacinającym deszczu i śniegu w górach". Gdy w końcu żołnierze dotarli do bezpiecznego miejsca po alianckiej stronie Rapido, dostali w nagrodę ogromny stek na obiad. Po tygodniach suchych racji wszyscy się od tego pochorowali.

Pomimo męstwa Francuzów i ofiarności Amerykanów pierwsza bitwa zakończyła się klęską aliantów, zwycięstwem broniących się Niemców. Pierwotny plan Clarka ujawnił jego niechęć do zaatakowania fortecy Cassino od czoła, a gdy został on zmuszony do zmiany zdania, na polu walki działała tylko jedna zmęczona i zdziesiątkowana dywizja. Chaotycznie posyłane oddziały odrzucali zdecydowani obrońcy i skuteczne przesuwanie rezerw z sektorów spokojnych do zagrożonych. Alianci zapłacili wysoką cenę – pięć dywizji (36. i 34. dywizję amerykańską, 56. i 5. dywizję brytyjską, 3. algierską) uznano za niezdolne do dalszej walki. Opinia publiczna była zaniepokojona. Media i kanapowi generałowie u władzy oczekiwali, że dostaną Rzym na koniec stycznia, i nie mogli zrozumieć, jak sprawy mogły się tak źle potoczyć. Szczególnie zaniepokojone było naczelne dowództwo brytyjskie – przede wszystkim tym, że Amerykanie mogliby stracić zainteresowanie kampanią włoską i jeszcze bardziej obniżyć rangę południowego teatru działań wojennych. Co więcej, głęboko niepokojono się losem coraz silniej okrążonego przez nieprzyjaciela przyczółku pod Anzio. Desant przysporzył kłopotów. Coś trzeba było zrobić pod Cassino.

CZĘŚĆ TRZECIA

Druga bitwa

Zimne są kamienie,
Z których zbudowano mury Troi,
Zimne są kości
Martwego greckiego chłopca,
Który dla jakiejś mglistej idei
Honoru poległ;
Powiedzieć, dlaczego walczył,
Też by jasno nie umiał.

Patric Dickinson, ok. 1946

W tych starych, oklepanych melodiach,
Głuchych w pudle fortepianu,
Dostrzegam wszystkie śmieci epoki –
Sztukę, urządzenia, bomby i kłamstwa.

Roy Fuller, ok. 1949

ROZDZIAŁ 9

Zniszczenie klasztoru

Chociaż walki pod Anzio i Monte Cassino wzbudzały żywe zainteresowanie w Londynie, Berlinie i Waszyngtonie, zniszczenie 15 lutego zabytkowego klasztoru na Monte Cassino trafiło na pierwsze strony gazet na całym świecie i pozostało jednym z symbolicznych momentów wojny. Nie było tajemnicą, że do tego dojdzie, więc zgromadzili się tam przedstawiciele prasy. John Lardner nazwał to w „Newsweeku" „najbardziej rozreklamowanym bombardowaniem w dziejach". Pewna grupa lekarzy i pielęgniarek przyjechała dżipem aż z Neapolu, żeby nie przegapić tego spektaklu. Ze wzgórz naprzeciwko klasztoru obserwowali go generałowie; z bliższej odległości przypatrywali się mu oniemiali z wrażenia żołnierze obu stron. Jedynie dla żołnierzy z linii frontu był on niespodzianką.

Aby przeprowadzić nowe natarcie, którego wymagała niebezpieczna sytuacja pod Anzio, Alexander zgromadził wielonarodowe siły elitarnych oddziałów, na które składały się 2. dywizja indyjska, 2. dywizja nowozelandzka i brytyjska 78. dywizja „Battleaxe". W swojej relacji z walk o Cassino major Rudolph Böhmler, który walczył w niemieckiej 1. dywizji spadochronowej, nazwał ten tercet „najdoskonalszą bronią w całym arsenale Alexandra". Wycieńczonych żołnierzy z 2. korpusu amerykańskiego zastąpiła na masywie Cassino 4. dywizja indyjska, przeniesiona z frontu adriatyckiego. Pierwotnie przeznaczona do działań w górach za klasztorem po ich zajęciu przez 34. dywizję amerykańską, 4. dywizja indyjska miała teraz zająć samo Monte Cassino. Żołnierze z dywizji byli pewni siebie; dzięki walkom z Włochami w Erytrei w 1941 roku mieli doświadczenie w działaniach bojowych w górach i odnieśli godne uwagi zwycięstwa na Pustyni Zachodniej i w długim pościgu do Tunezji.

Dowódcy, starsi oficerowie sztabowi i większość oficerów pułkowych w 4. dywizji indyjskiej byli Brytyjczykami, podobnie jak artyleria i jeden batalion w każdej z trzech brygad piechoty – 1. Royal Sussex, 1/4. Essex i 2. Cameron Highlanders. W każdej brygadzie był też jeden batalion Gurkhów i jeden żołnierzy indyjskich. Kontyngent indyjski składał się z ludów tradycyjnie uważanych za „rasy wojownicze" – Pendżabczyków, Pasztunów, sikhów, Radżputów, Dogrów, Dżatów i Marathów – i wszyscy byli ochotnikami i ludźmi o wysokiej pozycji społecznej. Większość pochodziła z rodzin o długiej tradycji żołnierskiej i z racji zaszczytnej profesji miała silne poczucie grupowej tożsamości. Dowodzili nimi sami najlepsi brytyjscy oficerowie, którzy otrzymywali wyższy żołd niż oficerowie na równorzędnych stanowiskach w armii brytyjskiej.

Żołnierze nepalscy z wchodzących w skład dywizji trzech batalionów Gurkhów również przebyli długą drogę z domu, by bić się o zachodnie demokracje. Nie żeby demokracja coś dla nich znaczyła. Nepal w tym czasie był niemal całkowicie odciętą od świata zewnętrznego feudalną, skrępowaną kastami i dotkniętą ubóstwem autokracją, w której zakazana była edukacja, a niemal cała ludność należała do analfabetów. Zostanie żołnierzem było jedynym sposobem wyrwania się z życia, w którym dominowało „ubóstwo, niedostatek, znój i znużenie". Teoretycznie wszyscy Gurkhowie byli ochotnikami, chociaż w niektórych przypadkach naczelnicy wsi po prostu otrzymywali polecenie wysłania do armii wszystkich mężczyzn w wieku poborowym. Rekrutowano mężczyzn w różnym wieku: niektórzy z żołnierzy walczących we Włoszech mieli prawdopodobnie tylko piętnaście lat (chociaż mało kto z Nepalczyków wiedział, w którym roku się urodził), a inni byli już po pięćdziesiątce. W 1/2. batalionie 7. brygady była nawet załoga obsługująca moździerz, która składała się z ojca i syna. Podobnie jak w batalionach indyjskich, większość młodszych oficerów brytyjskich, bez względu na młody wiek, przewyższała stopniem najbardziej doświadczonych Nepalczyków.

Nawet w 1942 roku niewielu ludzi w Nepalu wiedziało, że toczy się wojna. „Zgłosiłem się do wojska dla pieniędzy i zaszczytów, więc byłem zadowolony, gdy 31 października 1939 roku mnie do niego przyjęto – powiedział jeden z Gurkhów osobom przeprowadzającym wywiady w Nepalu. – Nikt mi nie powiedział, że wybuchła wojna". To zdumiewające, ale minął niemal rok, zanim jego brytyjski oficer dowodzący poinformował go, że toczy się wojna i że on będzie w niej walczył.

Balbahadur Katuwal zgłosił się do armii w listopadzie 1942 roku. Gdy tylko go przyjęto, ogolono mu głowę, jak wszystkim Gurkhom do końca wojny. „Pojechałem do Dehra Dun na dziesięciomiesięczne szkolenie rekrutów – wspomina Katuwal. – Było tak ciężko, że niektórzy uciekli". Jumparsad Gurung, który również walczył pod Cassino, opisuje surowy rygor w obozie szkoleniowym: „Nasi podoficerowie karali za błędy, ciągnąc nas za uszy lub bijąc nas. Posługiwali się wulgarnym językiem. Codziennie rano musieliśmy wypucować podłogi, a to oznaczało, że musieliśmy wstawać przed świtem, żeby wszystko było gotowe przed musztrą o siódmej rano. Maszerowaliśmy do dziewiątej. Brytyjscy oficerowie w czasie pierwszej musztry przejeżdżali obok nas konno, ale nigdy się do nas nie odzywali. Poranny posiłek był między dziewiątą a dziesiątą i zawsze mieliśmy za mało jedzenia". Po śniadaniu, na które zazwyczaj był ryż, rekruci do południa uczyli się liczyć i pisać alfabetem łacińskim, a także poznawali język urdu. Popołudnia wypełniały ćwiczenia fizyczne i szkolenie strzeleckie, po których był posiłek wieczorny, składający się z ćapati, a dwa razy w tygodniu mięsa, a później, mówi dalej Gurung, „praliśmy ubrania lub wspólnie śpiewaliśmy. Co wieczór musieliśmy otworzyć usta, a podoficer wlewał nam łyżkę tranu. Nie miałem pojęcia dlaczego. Często myślałem o mojej wiosce".

Pod koniec 1943 roku szkolenie Balbahadura Katuwala dobiegło końca: „Trzeba było już ruszać za morze. Rodziny pożegnały nas, przelały dużo łez, długo kiwały rękami. Nikt nie powiedział nam, dokąd płyniemy. Nawet gdy byliśmy we Włoszech, musieli nam dopiero powiedzieć, gdzie jesteśmy". Ale Katuwal, którego zajęcie motocyklisty przewożącego rozkazy pozwoliło mu zobaczyć spory kawałek tego kraju, szybko go polubił. „Dużo jeździłem po Włoszech, a jedna z dziewcząt, chyba córka generała, była dla mnie bardzo miła – wspomina. – Poznałem ją, gdy prała swoje ubrania i powiedziała, że może też wyprać moje. Karmiła mnie chlebem z masłem. Chciała za mnie wyjść, ponieważ mówiłem trochę po włosku. Włochy to wspaniały kraj, a Włosi to wspaniali ludzie. Mówiło się, że «łysi» (bo my, Gurkhowie, goliliśmy głowy) to najlepsi ludzie, a Niemcy to najgorsi ludzie. Wszyscy zachowywali się przyzwoicie. Nie miałem pojęcia, dlaczego Niemcy są we Włoszech – dodaje Katuwal. – Być może byłoby lepiej, gdyby nam to powiedziano".

Kharkabahadur Thapa z 1/2. Gurkha Rifles był jednym z niewielu rekrutów, którzy potrafili czytać i pisać, i przydzielono mu funkcję sygnalisty: „Zaciągnąłem się 19 listopada 1940 roku jako chłopiec – mówi. – Mój dziadek był żołnierzem i nauczył mnie czytać i pisać. Pojechałem do Dehra Dun i nauczono mnie tam podstaw sygnalizacji, po tygodniu na obozie wypoczynkowym, gdzie mieliśmy szkołę i podstawy dyscypliny. Chodziło o to, jak się zachowywać, jak rozpoznać pułkownika i jak odpowiadać podoficerom. Wydano nam odzież i nauczono, jak ją wkładać. Codziennie dostawaliśmy mleko, żebyśmy się dobrze rozwijali. Co wieczór były wykłady. Szkolenie chłopców trwało rok, ale po sześciu miesiącach zabrano mnie ze szkolenia i zrobiono ze mnie rekruta. Żołd wynosił pięć rupii miesięcznie, ale po odliczeniu kosztów prania i strzyżenia zostawały nam dwie rupie. Wystarczało.

Ciągle byłem niewysoki i zbyt chudy. Dowódca wydał rozkaz, że nadal mam pić mleko. Po sześciu miesiącach szkolenia rekruckiego otrzymałem promocję na wyszkolonego żołnierza i złożyłem przysięgę pułkową na Nishani Mai [pałka pułkowa, którą królowa Wiktoria nadała pułkowi zamiast trzeciego koloru po oblężeniu Delhi w 1857 roku]. Gdy wyjeżdżaliśmy z Dehra Dun do Karaczi, przygrywała nam orkiestra dęta".

Do 1944 roku Thapa walczył dla Brytyjczyków na Bliskim Wschodzie i w Afryce Północnej. „We Włoszech – mówi – mijaliśmy pola pszenicy i wiele winnic. Piliśmy wino".

Gurkhowie, na ogół niezwykle uprzejmi, cieszyli się względną sympatią Włochów. „Nie odzywaliśmy się do dziewcząt, dopóki one nie odezwały się pierwsze" – wspomina jeden z nepalskich weteranów. Ale bardzo obawiali się ich Niemcy, szczególnie ich umiejętności organizowania nocnych zasadzek. Po Włoszech zaczęły wkrótce krążyć drastyczne opowieści, jedną z nich przytacza w dzienniku pewien brytyjski major z 78. dywizji: „Natknąłem się na paru Gurkhów, którzy śmiali się na całe gardło. Gdy zapytałem, co ich tak śmieszy, jeden z nich, który mówił trochę po angielsku, wyjaśnił, że podczas patrolu natknęli się na trzech śpiących Niemców w rowie przeciwodłamkowym. Ucięli głowy dwóm leżącym po bokach, ale trzeciego oszczędzili, żeby przeżył straszliwy wstrząs, gdy się obudzi!"

Za przyjemną, pogodną powierzchownością Gurkhów kryły się stalowe nerwy i ogromne zdolności przetrwania w skrajnie trudnych warunkach. Dowódcy alianccy uważali ich za doskonałe wojska górskie i żywili głębokie przekonanie, że zdołają oni zająć klasztor.

Sygnalista 4/16. batalionu pendżabskiego B. Smith opisuje we wspomnieniach podróż dywizji znad Adriatyku: „W drodze różne bataliony i kompanie formowały dziwacznie wyglądający konwój. Ciężarówki przewożące żołnierzy obrastały przeróżnymi naroślami, takimi jak skrzynki z żywymi kurczakami, wiadra przeciwpożarowe, bukłaki, meble i suszące się na wietrze ubrania. Z niektórych ciężarówek dobiegało beczenie owiec i kóz, bo zarówno muzułmanie, jak i hindusi wozili swoje mięso żywe i ubijali je rytualnie zgodnie z nakazami religii. Cały konwój przypominał wędrowny cyrk, aczkolwiek najeżony bronią, a wymęczona wojną ludność Włoch oglądała ten spektakl ze zdumieniem".

Gdy zakładano dywizyjną kwaterę główną w Cervaro, gdzie przed miesiącem toczyła zaciekłe walki 34. dywizja amerykańska, Smith zakwaterował się wraz z kilkoma towarzyszami u zubożałego włoskiego małżeństwa. To był niespokojny okres. „Wojna toczyła się trzydzieści mil dalej – pisze – i ograniczała się jedynie do głuchego dudnienia w nocy i sporadycznych błysków przypominających letnie błyskawice, ale wiedzieliśmy, że czeka na nas i że nie jesteśmy bynajmniej bohaterami". Następnego dnia odważył się pojechać drogą i rzucić okiem na pole bitwy – góry i wejście do doliny Liri. „W środku – pisze – znajdował się sam klasztor, wznoszący się majestatycznie tysiąc stóp nad miasteczkiem, błyszczący bielą w słońcu, ogromny, stary, piękny, złowieszczy i zagadkowy".

36. dywizję amerykańską zastąpiła w rozmiękłych okopach naprzeciwko doliny Liri 2. dywizja nowozelandzka, całkowicie różniąca się od 4. dywizji indyjskiej z wyjątkiem tego, że również uważano ją za jeden z najlepszych oddziałów bojowych po obu stronach. Nowa Zelandia wypowiedziała wojnę Niemcom 3 września 1939 roku o 21.30. Premier Michael Joseph Savage oświadczył: „Z wdzięczności za przeszłość i z ufności w przyszłość stajemy bez obaw u boku Wielkiej Brytanii. Tam, dokąd pójdzie ona, i my pójdziemy, tam, gdzie ona stanie, i my staniemy". Za tą retoryką kryło się zrozumienie gorzkiej prawdy, że również dla Nowej Zelandii będzie to wojna o przetrwanie. Chociaż geograficznie odległa od walk w Europie, Nowa Zelandia była uzależniona od Europy i Ameryki politycznie, gospodarczo i kulturalnie. Pomimo poważnych zastrzeżeń w kraju Savage podjął decyzję o stworzeniu dużego korpusu ekspedycyjnego, ale obiecał, że nie będzie przymusowego poboru.

Savage jednak był już śmiertelnie chory na raka i gdy zmarł 27 marca 1940 roku, jego następca Peter Fraser natychmiast wprowadził pobór mężczyzn od osiemnastego roku życia. Dla tych, którzy stawiali opór, przewidziano drakońskie kary, a szeroko znanych przeciwników poboru, odwołujących się do norm moralnych, natychmiast usunięto z ulic. Było to paradoksalne, ponieważ sam Fraser przebywał krótko w więzieniu podczas pierwszej wojny światowej z powodu sprzeciwu z pobudek moralnych. Ale tak naprawdę nie miał zbyt wielu możliwości działania poza wprowadzeniem przymusowego poboru, ponieważ w czasie poprzedniej wojny wielu mężczyzn zgłosiło się na ochotnika i wyjechało do Europy, po czym trzeba było ich ściągać z powrotem, gdyż okazało się, że wykonują ważne prace w kraju. Była to kwestia zarządzania siłą roboczą: Nowa Zelandia musiała zmobilizować się zarówno przemysłowo, jak i wojskowo, gdy ustały dostawy wyrobów fabrycznych z Europy.

Z początku było jednak bardzo wielu ochotników. Pierwszego dnia po otwarciu biur rekrutacji i rozlepieniu plakatów z napisem „Wzywa cię Korpus Wojskowy Australii i Nowej Zelandii" zjawiło się pięć tysięcy ochotników, a do sierpnia 1940 roku było ich już ponad sześćdziesiąt tysięcy. Nawet po wprowadzeniu przymusowego poboru wysyłani za granicę żołnierze byli teoretycznie ochotnikami, chociaż – jak wyjaśnia pewien weteran – na tych, którzy ukończyli dwadzieścia jeden lat, co było granicą wieku dla wysłania za granicę, wywierano pewne naciski: „Właśnie tuż po tym, jak skończyłem dwadzieścia jeden lat, nasz oddział miał dołączyć do uzupełnień za granicą i poproszono nas, żebyśmy zgłaszali się na ochotnika. (...) Tych, którzy się nie zgłosili, oficerowie wypytywali o powody. W wielu przypadkach spodziewano się, że żonaci mężczyźni zostaną, ale młodszych i kawalerów surowo przesłuchiwano".

Clem Hollies miał w chwili wybuchu wojny dwadzieścia lat i był zatrudniony w filii National Bank of New Zealand w Onehunga w stanie Auckland. „Paru śmiałków czym prędzej się zaciągnęło" – pisze w swojej relacji z wojny. Święta Bożego Narodzenia przyszły i minęły, a jemu ciągle „wcale się nie spieszyło, żeby się zaciągnąć", ale po Nowym Roku coraz więcej jego znajomych zaczynało wstępować do armii. „Dlaczego młody człowiek zgłaszał się na ochotnika, by walczyć w wojnie, która w tamtym czasie toczyła się w odległości wielu tysięcy mil? – pyta Hollies. – Na pewno nie kierował się patriotyzmem i nacjonalizmem, nie myślał też o tym, by «zrobić swoje». Nie miał żadnego sensownego powodu, żeby opuszczać ojczyste strony. Jego życie było przewidywalne i bezpieczne. Może tu kryje się odpowiedź. Wraz z tysiącami innych mógł zrozumieć, że dzięki wyjazdowi za granicę zdoła zmienić swoje przepełnione cichą desperacją życie, bo tylko nieliczni mieli na to szansę w tym powolnym światku. Nie bardzo zdawał sobie sprawę, że jego zagraniczna wyprawa będzie trwała cztery lata".

Aby wyjechać za granicę, Hollies podał fałszywy wiek i po okresie szkolenia w kwietniu 1941 roku znalazł się z naszywką kaprala na wypływającym z Wellington transportowcu. Statek zapełniały rozentuzjazmowane tłumy żołnierzy. „Oto my – pisze Hollies – bezpieczni na naszym transportowcu, niecierpliwie oczekujący wyjścia z portu i rozpoczęcia naszej WIELKIEJ PRZYGODY, nie wiedzący i prawdopodobnie nie dbający o to, co może przynieść przyszłość".

W Afryce Północnej Hollies dołączył do 21. batalionu Nowozelandzkich Sił Ekspedycyjnych, który walczył już na Krecie i w Grecji. Po pobycie w Syrii i Palestynie Hollies walczył pod El-Alamejn i został awansowany na podporucznika. „Wraz ze statusem oficera – pisze – otwierały się nowe możliwości – otrzymywało się dostęp do lepszych restauracji i nocnych klubów, dzięki czemu moje życie stało się bardzo przyjemne".

Nowozelandzcy żołnierze byli odważni i przyzwyczajeni do spędzania czasu na świeżym powietrzu oraz posiadali najważniejszą dla żołnierza piechoty umiejętność oceny ukształtowania terenu. Byli również wykształceni, praktyczni i biegli w improwizowaniu. Niemiecki generał Erwin Rommel uznał ich za najlepszych żołnierzy, z jakimi walczył, i pod koniec kampanii afrykańskiej dywizja nowozelandzka stała się mobilnym oddziałem o wielkiej sile uderzeniowej, zdolnym do przeprowadzania manewrów oskrzydlających i szybkiego przemieszczania się.

Dowodził nią generał dywizji sir Bernard Freyburg. Freyburg przekroczył już pięćdziesiątkę, walczył w meksykańskiej wojnie domowej i wyróżnił się na zachodnim froncie w pierwszej wojnie światowej, podczas której zdobył Krzyż Królowej Wiktorii i dziewięciokrotnie został ranny. Był imponującą postacią, bohaterem narodowym, i ogromnie przewyższał doświadczeniem swojego dowódcę pod Cassino, Marka Clarka. Zważywszy na to, ile razy Freyburg był ranny, zakrawa na cud, że przeżył pierwszą wojnę światową. Zbyt wielu jego rodaków nie przeżyło. Z liczącej około miliona ludności poległo osiemnaście tysięcy, a dużo więcej zostało okaleczonych, co stanowiło najwyższy odsetek strat wśród głównych państw uczestniczących w wojnie. Wywarło to głęboki wpływ na Freyburga. Brytyjski szef połączonych sztabów Alan Brooke zauważył lekceważąco, że Freyburg „zwraca uwagę na straty", i oskarżano go między innymi o to, że nie forsuje natarć. Ale Freyburg był kimś więcej niż tylko dowódcą dywizji czy korpusu. Był przedstawicielem Nowej Zelandii na śródziemnomorskim teatrze działań wojennych i podlegał wyłącznie własnemu rządowi. Doskonale zdawał sobie sprawę, że odpowiada za życie znacznej części swoich rodaków w wieku poborowym.

Jack Cocker był szóstym z siedmiu synów w rodzinie mieszkającej na najbardziej na południe wysuniętym krańcu Wyspy Południowej. Wszyscy jego bracia z wyjątkiem najmłodszego służyli w wojsku. Wyszkolił się na strzelca karabinu maszynowego i w 1943 roku, w wieku osiemnastu lat, wstąpił do Nowozelandzkich Sił Ekspedycyjnych. Był „jak należy (...) kłuty i dźgany przeróżnymi szczepionkami, [aż] wystarczało, żeby ktoś rzucił okiem na moje spuchnięte ramię, i już się wzdrygałem". Opuścił Wellington i spędziwszy pewien okres w „gigantycznym obozie namiotów przy piramidach", wypłynął do Tarentu jako uzupełnienie 27. batalionu karabinów maszynowych. „Chwilę to potrwało, zanim zaaklimatyzowaliśmy się po Egipcie – wspomina – ale wkrótce byliśmy starymi wygami, cieszącymi się winem i panienkami".

Dywizja nowozelandzka przybyła do Włoch w październiku 1943 roku. W różnych rzutach przetransportowano z nią 4600 pojazdów, co stanowiło oznakę jej mobilności na pustyni. Według pierwotnych ustaleń z premierem Fraserem wojska miały wrócić do domu po zakończeniu kampanii północnoafrykańskiej. Australijczycy, obawiający się ataków Japończyków na swój kraj, już wyjechali. Doszło do teatralnych apeli Churchilla, żeby Nowozelandczycy zostali, ale to Roosevelt, zwracając uwagę na trudności logistyczne z odesłaniem wojsk do kraju, a następnie zastąpieniem ich w Europie przez Amerykanów znajdujących się już na Pacyfiku, przekonał Frasera, by ustąpił i pozwolił dywizji walczyć dalej w basenie Morza Śródziemnego.

Pod koniec 1943 roku Nowozelandczycy brali udział w zażartych walkach na froncie adriatyckim, nad Sangro i pod Ortoną. Gdy stało się oczywiste, że dalszy postęp jest niemożliwy, dywizja otrzymała rozkaz usunięcia wszystkich plakietek i naszywek oraz przygotowania się do przejścia 20 stycznia w tajemnicy na front 5. armii, właśnie gdy 36. dywizja amerykańska prowadziła natarcie przez Rapido. Srebrne paprocie na pojazdach – przez „Angoli" żartobliwie nazywane „białymi piórkami"* – zostały oczywiście zamalowane, ale, wspomina Clem Hollies, „cała ta «tajemnica» była śmieszna, bo wszędzie miejscowi witali nas jako «kiwi»".

Historyk nowozelandzkich jednostek medycznych przydzielonych do dywizji opisuje podróż w poprzek Włoch: „W czasie podróży za dnia włoscy

* Symbol poddania się, tchórzostwa (przyp. tłum.).

cywile, nie wyłączając nieprawdopodobnej liczby nie umytych dzieci, hałaśliwie błagali o herbatniki, czekoladę i papierosy. Większość mijanych wsi była mała i brudna, każda miała specyficzny dla siebie smród, a cechą wspólną łączącą je wszystkie było ubóstwo".

3 lutego Alexander powołał nowy korpus w ramach 5. armii Clarka, nazwany Korpusem Nowozelandzkim i składający się z 2. dywizji nowozelandzkiej i 4. dywizji indyjskiej. Inna doborowa dywizja brytyjska, 78., miała również dołączyć do korpusu z frontu adriatyckiego, ale zatrzymał ją leżący na górskich przełęczach śnieg i do Cassino dotarła dopiero 17 lutego. W tym nowym korpusie znajdował się również brytyjski i amerykański sprzęt pancerny, ale rozpaczliwie brakowało doświadczonego personelu do planowania i logistyki. Freyburg miał dowodzić korpusem, a generał brygady Howard Kippenberger objął dowodzenie 2. dywizją nowozelandzką.

Był to pospiesznie opracowany układ i – nie pierwszy i nie ostatni raz – międzynarodowy charakter armii alianckich wzmagał niechęć, zamieszanie i brak zdecydowania. Clark doskonale zdawał sobie sprawę ze szczególnego statusu Freyburga, który przed wojną był podejmowany obiadem przez Churchilla, oraz jego żołnierzy – w dzienniku pod datą 4 lutego napisał: „To są wojska dominium, bardzo zazdrosne o swoje przywileje. Brytyjczykom trudno było sobie z nimi poradzić. Zawsze okazywano im szczególne względy, których nie okazalibyśmy własnym wojskom". Clark stwierdził, że trudno mu się współpracuje z onieśmielającym Freyburgiem, i był zły, że nie omówiono z nim roli, jaką w jego 5. armii miał pełnić nowy korpus. Zauważając, że ma pod swoim dowództwem pięć korpusów, z których tylko dwa były amerykańskie (2. i 6., walczące pod Anzio), wyznał w dzienniku: „I tak bliski byłem zgody na wniosek Napoleona, że lepiej jest walczyć ze sprzymierzeńcami, niż być jednym z nich".

Na razie jednak wojska były wyczerpane ciężkimi walkami i nędznymi warunkami na froncie nad rzeką Sangro. Podporucznik Alf Voss, oficer wywiadu w 21. batalionie, stracił w boju dobrych przyjaciół. „Pod koniec kampanii nad Sangro byliśmy kompletnie wycieńczeni – mówi. – Włosy zaczęły mi siwieć. (...) Zacząłem też palić. Szczególnie stresujące było ściąganie artylerii. Kiedyś nie spałem siedemdziesiąt sześć godzin, po czym zasnąłem z papierosem w ustach, a gdy się obudziłem, tablica z mapą stała w płomieniach. (...) Ciągle wtedy mokliśmy, więc nieustannie próbowaliśmy się wysuszyć, mnóstwo czasu zajmowało nam też wyciąganie naszych ciężarówek i dział z błota". Jack Cocker dołączył do 27. batalionu karabinów maszynowych nad Sangro jako „czerwona dupa" – wyrażenie to oznaczało kogoś, kto jeszcze nie walczył. „Przybyliśmy do dowództwa plutonu – wspomina. – Nikt nawet nie podniósł głowy, gdy weszliśmy do budynku. Tak normalnie witano czerwone dupy". Szybko dowiedział się, jaki los spotkał żołnierzy, których zastępowali. Cała drużyna karabinów maszynowych, licząca około dwunastu ludzi, została wzięta do niewoli po przeprawieniu się przez Sangro. Kiedy przedostali się przez rzekę, brodząc po pierś w wodzie i niosąc karabiny i amunicję, musieli okopać się na przeciwległym brzegu. Byli po tym tak wyczerpani, że chociaż znajdowali się na linii frontu, szybko zapadli w sen, a następnie zostali pojmani przez niemiecki patrol.

Teraz żołnierze mieli krótką przerwę w Piedemonte D'Alife w dolinie Volturno. Było tu dużo cieplej niż w górach, gdzie stacjonowali, a okolica należała do przyjemnych i stosunkowo mało zniszczonych walkami. Kilku tęskniących za krajem Nowozelandczyków mogło nawet sobie wyobrazić, że wrócili do domu. Dwudziestoośmioletni artylerzysta John Blythe pisał o tym okresie: „Chociaż nadal była zima, po śniegach Ortony można było odnieść wrażenie, że w dolinie Volturno panuje jesień. Biwakowaliśmy w pięknym miejscu pełnym drzew w pobliżu Alife, a kiedy się wyglądało z okna na piętrze wiejskiego domu, łatwo było wyobrażać sobie, że widzi się wiejską scenę w domu w Otago". Nocą były przymrozki, ale dni były słoneczne, a wycieczki do Pompejów, wspinaczki na wzgórza, mnóstwo wina, posiłki z miejscowymi rodzinami włoskimi i mecze rugby ożywiły żołnierzy. Dwudziestoletni mieszkaniec Wyspy Północnej Brick Lorimer, kierowca czołgu z 19. pułku pancernego, wspomina, że Włosi początkowo podchodzili do nich z ostrożnością: „Propaganda przedstawiała nas jako dzikusów z pomalowanymi twarzami, którzy noszą spódniczki z trawy i pożerają ludzi" – mówi – ale z licznych opowieści wynika, że miejscowa ludność okazywała Nowozelandczykom taką samą życzliwość, z jaką traktowała inne wojska. Nowozelandczycy korzystali też z pobliskich luksusowych pryszniców Amerykanów, organizowano imprezy rozrywkowe, a nawet wycieczki do niedawno ponownie otwartej opery w Casercie.

„Widziałem, jak z każdym dniem z ich twarzy znikają oznaki przemęczenia – napisał dowódca Kippenberger w relacji z tamtego okresu. – Co z tego, że mieliśmy przed sobą całą letnią kampanię, przez krótką chwilę byliśmy bardzo zadowoleni z życia". Niezależnie od rozrywek, odbywały się marszobiegi i ćwiczenia z przeprawiania się przez rzekę na Volturno, które jeden z weteranów wspominał jako „kupę śmiechu". Wyjaśniono żołnierzom, czemu będą musieli stawić czoło pod Cassino, ale nie zachwiało to ich pewnością siebie. Jack Cocker wspomina: „Powiedzieli nam wszystko o ukształtowaniu tego terenu, ale my sądziliśmy, że to będzie pestka".

Nowozelandczycy zetknęli się też po raz pierwszy z żołnierzami amerykańskimi w „nie znanych zielonych kurtkach polowych i hełmach o innym kształcie. (...) Prawdopodobnie myśleli, że jesteśmy «Angolami», i nie zwracali na nas specjalnej uwagi – pisze John Blythe – ale my bacznie się im przypatrywaliśmy". Najbardziej zdumiewające było bogate wyposażenie dla szeregowców i ogromne zużycie cennych materiałów. Zepsute pojazdy po prostu porzucano, a – ciągnie Blythe – „drogi były przystrojone liniami telefonicznymi na skalę dotąd nie spotykaną. (...) Jankesi muszą być bardzo gadatliwi". Nowozelandczycy zauważyli też w 5. armii inny styl: wszystko było błyszczące i szorstkie. Było to – pisze Blythe – „całkiem nowe środowisko i atmosfera całkowicie obca naszemu dawnemu nieformalnemu porządkowi w 8. armii". Zwłaszcza Nowozelandczycy szczycili się nieformalnymi stosunkami i mieli mało cierpliwości do pucowania sprzętu czy subtelności związanych ze stopniem. Poza linią frontu rzadko występował podział na oficerów i szeregowców; żołnierze brytyjscy byli zdumieni, gdy nowozelandzcy oficerowie wpadali do mesy szeregowców i jedli z nimi posiłek. Jeden z weteranów wyjaśnia to następująco: „Nowozelandczycy sami ustalają sobie prawo. Widzisz, byliśmy siłami cywilnymi, a nie ściśle wojskowymi. Staraliśmy się prowadzić jak najbardziej cywilne życie, poza wykonywaniem roboty, którą wykonać musieliśmy".

Pewna słynna, chociaż najprawdopodobniej apokryficzna opowieść dobrze oddaje reputację Nowozelandczyków. W czasie kampanii afrykańskiej starszy generał brytyjski odwiedził dywizję nowozelandzką. Przy obiedzie zagadnął Freyburga:

– Chłopaki, wy nie salutujecie, prawda?

– Niech pan spróbuje do nich pomachać – odparł Freyburg. – Oni zawsze machają w odpowiedzi.

Na wyjątkowy charakter sił nowozelandzkich składają się pewne czynniki poza cechami narodowymi i szczególnym statusem tych wojsk. Armię Nowej Zelandii w Europie tworzyła jedna niezależna dywizja, w której wielu oficerów mogłoby – w większych armiach – awansować na szczebel ponaddywizyjny. Spora część żołnierzy znała się z kraju, czy też, jak ujmuje to pewien weteran: „Nowa Zelandia jest taka mała, że jeśli natknąłeś się na jakiegoś gościa, to był on kimś, kto znał kogoś, kto znał kogoś, kto znał twoją rodzinę". Do czasu rozpoczęcia kampanii włoskiej dywizja była już dobrze naoliwioną maszyną. Przed operacją wystarczały im rozkazy spisane na jednej kartce, a nie mniej więcej trzydziestu, co było powszechne w armii brytyjskiej. To właśnie ten swobodny profesjonalizm bardziej niż wszystko inne tłumaczy nieformalność stosunków w tej dywizji.

Po „idyllicznych dwóch tygodniach", kiedy to żołnierze nabrali fałszywego przekonania, że zachodnie wybrzeże jest łagodniejsze, bardziej suche i słoneczne od adriatyckiego, 4 lutego zaczął padać ulewny deszcz. Tego samego dnia 21. batalion Clema Holliesa dostał rozkaz zluzowania 143. pułku 36. dywizji amerykańskiej nad rzeką Rapido na wysokości Sant' Angelo. „Na całym obszarze wokół Cassino wyczuwało się coś złowieszczego – relacjonował Hollies. – Płaskie przestrzenie zalanych terenów poprzetykane bardziej suchym gruntem zrytym ogniem artyleryjskim; wraki pojazdów, włącznie z podziurawionymi kulami łodziami desantowymi; zaniedbane rzędy winorośli i żałosne, zniszczone drzewa; kamienne domy pozbawione dachów, z ziejącymi dziurami w murach (część tych domów ciągle zamieszkiwały włoskie rodziny). I rażąca w oczy, wszechobecna, ogromna bryła klasztoru Monte Cassino w odległości 1700 stóp od nas".

Tego samego dnia artylerzysta John Blythe zajął stanowisko w pobliżu Monte Trocchio. „Pułk zaczął ruszać na front – pisze. – Otaczające nas wzgórza były ciemne, a leżące przed nami góry wyglądały ponuro i przygnębiająco. Nie ulegało wątpliwości, że o tę okolicę toczyły się ciężkie walki – były tam dziury po pociskach artyleryjskich, leje po bombach, niektóre bardzo duże, pniaki i osmalone drzewa wznoszące trzeszczące konary. Mieliśmy mnóstwo czasu, żeby się rozejrzeć, ponieważ tłok na jedynej drodze prowadzącej na front zmuszał do częstych postojów. Mogliśmy usiąść i pomyśleć, zdać się na stary, zimny instynkt".

Clark był pewien, że Korpus Nowozelandzki zajmie klasztor, i utrzymywał, że jego 2. korpus amerykański zrobiłby to sam, gdyby miał tylko trochę większe rezerwy. Nawet drażniło go to, że zaszczyt zdobycia klasztoru przypadnie „Brytyjczykom" po długich ciężkich walkach amerykańskich wojsk.

Freyburg nie był tego taki pewny. Po inspekcji wysuniętych obszarów zameldował rządowi nowozelandzkiemu: „Stoimy niewątpliwie przed jedną z najtrudniejszych operacji ze wszystkich naszych bitew". Ale sami żołnierze przybyli pod Monte Cassino absolutnie wierzyli w to, że mogą wykonać zadanie. Oto 8. armia przybywa znowu z odsieczą, tak samo jak w Afryce. Oto niezwyciężona dywizja, wzbudzająca strach u wroga, która nie zna niczego oprócz sukcesu.

Zgodnie z pierwotnym planem Korpus Nowozelandzki miał przeprowadzić szerokie natarcie oskrzydlające przez góry na północ od Monte Castellone. Było to z pewnością rozwiązanie preferowane przez francuskiego dowódcę Juina, który naciskał na Clarka, by ten wsparł francuskie ataki na północ od klasztoru i uczynił z nich główne natarcie. Istniały jednak wątpliwości co do możliwości zaopatrzenia i wsparcia wysuniętych wojsk w strzelistych, pokrytych śniegiem górach, a wysłanie oddziałów na pozycję do ataku w tym sektorze wymagałoby sporo czasu, którego nie było. Zamiast tego uznano, że „jeszcze jedno uderzenie", przeprowadzone przez świeże, doborowe oddziały, pozwoli osiągnąć to, co właśnie wymknęło się wyczerpanym Amerykanom. 4. dywizja indyjska, z 7. brygadą na czele (składającą się z 1. Royal Sussex, 4/16. batalionu pendżabskiego i 1/2. Gurkha Rifles), ma przypuścić szturm na klasztor, oczyścić otaczający go teren, a następnie wkroczyć do doliny Liri kilka mil na północ od rzeki Rapido. Tuż za nią będzie 5. brygada (składająca się z 1/4. Essex, 1/6. Rajputana Rifles i 1/9. batalionu Gurkhów), stojąca w pogotowiu, by zająć klasztor i Wzgórze Klasztorne po jego zdobyciu. 2. dywizja nowozelandzka ma przeprawić się przez Rapido tuż na północ od Sant' Angelo, zająć miasto Cassino i otworzyć dolinę Liri dla amerykańskiej 1. dywizji pancernej, która przypuści szturm i spotka się z przyciśniętymi do muru wojskami pod Anzio.

Doświadczony dowódca 4. dywizji indyjskiej, generał brygady Francis („Gertie") Tuker, był przerażony tym planem. Podobnie jak Juin, wolał zaatakować Monte Cassino szerokim natarciem oskrzydlającym. Ale jeśli miało to być natarcie frontalne – nalegał Tuker – musi mu towarzyszyć przytłaczająca koncentracja siły ognia. Chodziło mu o zarówno lotnictwo, jak i artylerię. Ale Tuker był chory. Dotknięty zagadkową przypadłością, przechodził właśnie wyczerpującą kurację i nie wykazywał oznak poprawy. Jednym z opiekujących się nim lekarzy był trzydziestodwuletni John David. Ten syn biskupa Liverpoolu przybył do Włoch po służbie w Indiach i Afryce Północnej. 6 lutego napisał w liście do domu: „Generał Tuker najwyraźniej ma nawrót zapalenia zatok i przyjmie serię zastrzyków z penicyliny, (...) należy dołożyć wszelkich starań, aby zapewnić absolutną sterylność i wygodę". Podawano dużą dawkę co trzy godziny. „Seria zastrzyków z penicyliny jest w najwyższym stopniu dokuczliwa" – pisał David. Następnego dnia

Tuker rozmawiał ze swoim lekarzem o ewentualnej konieczności zbombardowania klasztoru. We wpisie do dziennika z 7 lutego David wspomina, że powiedział Tukerowi, że taki czyn byłby świętokradztwem. Tuker zapytał go, czy ma lepszy pomysł. Nie miał.

Alianci w pełni zdawali sobie sprawę ze znaczenia Monte Cassino dla Włoch i dla świata. Pewien Włoch z Cassino określił to jako odpowiednik zbombardowania przez Włochy opactwa Westminster. Już w październiku 1943 roku włoskie władze muzealne zwróciły uwagę 5. armii na unikatowy status klasztoru i kwatera główna Clarka podkreślała potrzebę uchronienia budowli przed bombardowaniem. Pod koniec grudnia Eisenhower, wówczas ciągle jeszcze głównodowodzący na Morzu Śródziemnym, stale powtarzał, że należy podjąć wszelkie działania, by uniknąć zniszczenia licznych budowli Włoch o znaczeniu historycznym i religijnym. „Walczymy dzisiaj w kraju, który wniósł bardzo wiele do naszego dziedzictwa kulturowego – czytamy w jego wiadomości do „wszystkich dowódców" – w kraju bogatym w pomniki, które przyczyniły się do rozwoju cywilizacji, a teraz w swojej starości ilustrują rozwój cywilizacji, naszej cywilizacji. Jesteśmy zobowiązani uszanować te pomniki w takim stopniu, w jaki pozwala na to wojna". Ale Eisenhower kończy przestrogą: „Jeśli będziemy zmuszeni dokonać wyboru między zniszczeniem słynnej budowli a poświęceniem naszych żołnierzy, to życie naszych żołnierzy ma nieskończenie większe znaczenie, a budowle muszą runąć. (...) Nic nie może przeważyć argumentu konieczności militarnej".

Na początku stycznia, po otrzymaniu skarg z Watykanu, że alianckie pociski artyleryjskie trafiły w klasztor, Alexander powtórzył rozkaz, żeby nie celować w budynek, ale na koniec stwierdził: „Względy bezpieczeństwa takich miejsc nie mogą ograniczać konieczności militarnej". Niemcy zapewnili Watykan, że ich wojska nie będą okupować klasztoru, ale mało kto po stronie aliantów wierzył w te obietnice. W Wielkiej Brytanii i Stanach Zjednoczonych prasa zastanawiała się, czy klasztor powinien zostać zachowany. Na początku lutego podczas debaty w Izbie Lordów arcybiskup Canterbury zabiegał o ochronę skarbów narodowych Włoch, które „należą do świata, (...) nie do żadnego określonego czasu". Lord Latham odparł: „Nie chcę widzieć Europy zapełnionej pomnikami kultury, czczonymi przez ludzkość w kajdanach i na kolanach. (...) Naród tego kraju nie złoży niepotrzebnie swoich chłopców w ofierze – ani jednego z nich – by ocalić jakąkolwiek budowlę".

arl Strom, który 21 stycznia
·zeprawił się przez rzekę Rapido
36. dywizją amerykańską

Saper Matthew Salmon,
który skończył na tym samym
oddziale psychiatrycznym
co Spike Milligan

John Johnstone z 34.
dywizji amerykańskiej.
Został wzięty do niewoli
podczas natarcia na klasztor

ıadochroniarz Robert Frettlöhr, z prawej, z trzema przyjaciółmi. Frettlöhr jako jedyny z tej grupki przeżył wojnę

ıny Pittaccio z matką i siostrami

Amerykański
artylerzysta
Ivar Awes
na fotografii
zrobionej podczas
pobytu dywizji
w Irlandii Północnej

Gemma Notarianni z rodziną.
Miała siedemnaście lat, gdy walki dotarły do jej domu w Valvori niedaleko Cassino

Brytyjscy i amerykańscy żołnierze pomagają cywilom rannym wskutek wybuchu bomby zegarowej na poczcie w Neapolu 20 października 1943 r.

W tonących w błocie żyznych dolinach transport kołowy został sparaliżowany. Alianci musieli liczyć na ludzi i muły

IWM; NA 8787

IWM; NA 11342

stycznia 1944 r. Mężczyźni z Basuto niosą opatrzenie dla żołnierzy 56. dywizji brytyjskiej

IWM; NA 13282

17. indyjska kompania mulników zaopatruje 4. dywizję indyjską w marcu 1944 r.

IWM; NA 13884

Marokański batalion medyczny transportuje rannych z gór, kwiecień 1944 r.

Włosi z mułami w drodze na front koło Castelforte, styczeń 1944 r., podążający oczyszczonym z min szlakiem, oznaczonym białymi taśmami

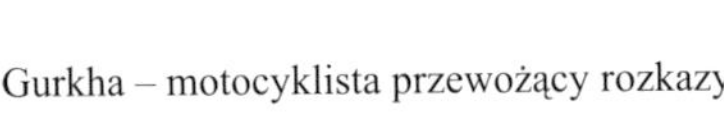

Gurkha – motocyklista przewożący rozkazy

Amerykański żołnierz dzieli się swoimi racjami żywnościowymi z głodnym włoskimi wieśniakami w okolicach Cassino, 1944

US NATIONAL ARCHIVES; 111-SC-213022

om, zbudowany z jednego przęsła mostu Baileya, przymocowanego do tratw, przewozi sanitarki z powrotem
ez rzekę Garigliano, styczeń 1944 r.

asztor Monte Cassino i okoliczne wzgórza przed bombardowaniem

© BETTMANN/CORBIS

Flying Fortress nad klasztorem, 15 lutego 1944 r.

Osiemdziesięcioletni
opat Gregorio Diamare
wyjeżdża z kwatery głównej
von Sengera (drugi z lewej)
rankiem 16 lutego.
Wkrótce potem został
zatrzymany przez SS

IWM; MH 6353

Niemcy szybko zajęli
ruiny klasztoru

IWM; MH 6354

To upiorne miejsce zwane Głową Węża”.
ołnierze batalionu Royal Sussex w sangarach
grzbiecie górującym nad klasztorem

IWM; MH 11246

Żołnierze z 1/4. batalionu Essex w Wadi Villi, 27 lutego 1944 r. Już ponosili regularne straty wskutek ostrzału artyleryjskiego

Żołnierze z nowozelandzkiego 22. batalionu zmotoryzowanego grają w rugby podczas odpoczynku w dolinie Volturno, początek marca 1944 r.

IWM: NA 12670

Podczas gdy Amerykanom często instalowano wspaniałe prysznice z gorącą wodą, inni żołnierze alianccy musieli zadowalać się balią

Na początku stycznia Niemcy stworzyli wokół klasztoru strefę zamkniętą, a bramy strzegła żandarmeria wojskowa. Dziennik prowadzony przez sekretarza opata, don Martina Matronolę, potwierdza, że Niemcy co do joty spełniali obietnicę, że nie będą umieszczać żołnierzy w budowli. Ale nie zmienia to faktu, że klasztor ciągle znajdował się pośrodku linii Gustawa. Wszędzie wokół zbudowano umocnienia, a głęboką jaskinię pod murami wykorzystywano jako skład amunicji. Zabudowania gospodarcze klasztoru zrównano z ziemią, żeby oczyścić pole ostrzału, a w cieniu murów usytuowano stanowiska obserwacyjne i obronne. W tamtym czasie Niemcy próbowali też usunąć wszystkich ludzi z klasztoru. Ewakuowano wszystkich uchodźców, z wyjątkiem trzech rodzin, które były zbyt chore, żeby je przewieźć, poproszono też opata, by wyjechał. Ten odmówił i został z szóstką braci, wśród których był don Martino. Przypadkowe trafienia artylerii obu stron zdarzały się nadal w styczniu, pomimo protestów Watykanu, a 5 lutego, gdy wojska amerykańskie kontynuowały natarcie wzdłuż Głowy Węża, pewnego cywila uśmiercił szrapnel, który wpadł do budynku. Tej nocy przeszła gwałtowna burza, a także doszło do gwałtownego ostrzału artyleryjskiego pobliskich pozycji niemieckich. Około 150 cywilów wyszło z jaskiń, w których się kryli, i stukało do drzwi klasztoru. Gdy zagrozili, że go podpalą, drzwi zostały otwarte i uchodźcy – zmarznięci, zagłodzeni i oszalali z przerażenia – wpadli do środka. Następnego dnia zakonnicy, którzy zostali w klasztorze, robili wszystko, co w ich mocy, żeby uspokoić i rozlokować uchodźców, ale kończyło się jedzenie i woda, a wkrótce pogorszyły się warunki sanitarne. Jak było do przewidzenia, wybuchła epidemia, prawdopodobnie duru rzekomego. Nikt się nie spodziewał, że może być jeszcze gorzej.

Z powodu choroby generał dywizji Tuker musiał przekazać 6 lutego dowództwo 4. dywizji indyjskiej generałowi brygady Harry'emu K. Dimoline'owi. Lekarz Tukera, John David, nazwał to „złowieszczą zmianą. (...) [To] znaczy, że idą do tej następnej, jakże ważnej bitwy, bez staruszka!" Ale Tuker nadal powtarzał Freyburgowi, żeby ten ponownie zastanowił się nad swoim planem frontalnego natarcia na klasztor, i jednocześnie starał się sprawdzić, co może zrobić w sprawie samej budowli. Nie otrzymawszy żadnej pomocy ze strony wywiadu 5. armii, wysłał adiutanta do Neapolu, który w końcu znalazł wydaną w 1879 roku książkę, zawierającą szczegółowy plan budowli. 12 lutego Tuker poinformował o swoich odkryciach Freyburga:

„Główna brama ma masywne drewniane belki w niskim łuku, który składa się z wielkich kamiennych bloków o długości od dziewięciu do dziesięciu metrów. Tylko tamtędy można wejść do klasztoru. Mury mają około 150 stóp wysokości, są solidne, a u podstawy liczą co najmniej dziesięć stóp grubości. (...) Monte Cassino to zatem współczesna forteca i należy ją zdobyć współczesnymi środkami. (...) Bezpośrednio można ją zająć jedynie dzięki zrzuceniu z powietrza bomb burzących".

Freyburg ostrzegał już wcześniej Clarka, że być może klasztor trzeba będzie „zburzyć", i 12 lutego oficjalnie poprosił o zaatakowanie go z powietrza. Clark był w Anzio, więc Freyburg rozmawiał z amerykańskim szefem sztabu, generałem Gruentherem. „Chcę, żeby go zbombardowano – zażądał Freyburg. – Pozostałe cele są nieważne, ale ten ma zasadnicze znaczenie. Dowódca dywizji, który przeprowadza natarcie, uważa, że jest to istotny cel, i całkowicie się z nim zgadzam". Gruenther skontaktował się z Clarkiem i pozostałymi wyższymi dowódcami amerykańskich sił lądowych, z których żaden nie sądził, by bombardowanie było uzasadnione. Generał dywizji Geoffrey Keyes, dowódca 2. korpusu amerykańskiego, ostrzegał nawet, że bombardowanie „prawdopodobnie zwiększy wartość klasztoru jako przeszkody militarnej, ponieważ Niemcy uznają, że mogą go wykorzystać jako barykadę". Dowódcy aliantów zdawali też sobie sprawę z obecności w budynku uchodźców.

W swoich wspomnieniach Clark utrzymuje, że gdyby Freyburg był jednym z dowódców jego korpusu amerykańskiego, po prostu odrzuciłby żądanie. Ale „ze względu na pozycję generała Freyburga w siłach zbrojnych imperium brytyjskiego" przekazano rzecz Alexandrowi, który instynktownie poparł Nowozelandczyka. „Gdy żołnierze walczą o słuszną sprawę – napisał Alexander w uzasadnieniu swojej decyzji – i są gotowi na śmierć lub kalectwo, to żadna budowla, bez względu na to, jak szacowna, nie może być ważniejsza od ludzkiego życia". Ale decyzja należała do Clarka jako dowódcy armii, a on nadal utrzymywał, że zbombardowanie klasztoru nie tylko da Niemcom do ręki świetny, gotowy materiał propagandowy, ale uderzy w cywili, a także ma wątpliwą wartość militarną. Jednak gdy Freyburg zwrócił uwagę na to, że wyższy oficer, który odmówi autoryzacji bombardowania, będzie musiał wziąć na siebie winę, jeśli natarcie się nie powiedzie, a następnie przywołał magiczną formułę Eisenhowera – „konieczność militarna" – Clark uległ i zgodził się wydać rozkaz, o ile zostanie on zaaprobowany na najwyższym szczeblu.

Tymczasem analizowano informacje, żeby ustalić, czy klasztor jest zajęty przez Niemców. Dotarły raporty od ludzi w terenie: żołnierz zastrzelony przez snajpera, błysk szkieł lornetki polowej w jednym z okien, dobiegające z pobliża klasztoru odgłosy strzałów z broni ręcznej. 13 lutego generał Eaker, głównodowodzący wojsk lotniczych na Morzu Śródziemnym, przeleciał nad klasztorem na wysokości 200 stóp i wydawało mu się, że widział antenę wojskowego radia, a także wchodzący i wychodzący z budowli personel wojskowy. Tego samego dnia generał Maitland Wilson, który zastąpił Eisenhowera na stanowisku głównodowodzącego wojsk alianckich na Morzu Śródziemnym, powołał się na „niepodważalne dowody", że klasztor stanowi część głównej niemieckiej linii obrony. Uznano, że to wystarczy, i rozpoczęły się przygotowania do zmasowanego nalotu na lotnisku w Foggii, a także na lotniskach w Wielkiej Brytanii i Afryce Północnej.

W rzeczywistości „dowody" zajęcia przez Niemców klasztoru – o których bez końca od tamtej pory dyskutowano i które okazały się w znacznej mierze tendencyjne i błędne – były jakby tematem zastępczym, przynajmniej dla brytyjskich dowódców w terenie. Dla nich budowla i wzgórze stanowiły pojedynczy cel wojskowy i nie dawały się oddzielić. Co więcej, w notatce skierowanej do Freyburga Tuker zaznaczył: „Bez względu na to, czy klasztor jest obecnie zajęty przez garnizon niemiecki czy nie, jest oczywiste, że będzie broniony jak twierdza przez pozostałość garnizonu na tym stanowisku. Zasadnicze znaczenie ma zatem to, by budowla została tak zniszczona, aby uniemożliwić jej skuteczną okupację". Spór toczył się nie o to, czy w tamtym czasie Niemcy znajdowali się w środku, a raczej o to, czy żołnierze będą atakować nieuszkodzony budynek z masywnymi murami i tylko jednym wejściem. Nowozelandczyk Kippenberger w tekście napisanym po wojnie poparł punkt widzenia Tukera: „W Korpusie Nowozelandzkim opinie co do tego, czy klasztor jest zajęty, były podzielone. Osobiście uważałem tę kwestię za nieistotną. Jeżeli nie był zajęty dzisiaj, mógłby być jutro, i nie wydaje się, że nieprzyjaciel miałby trudności ze sprowadzeniem do niego rezerw w trakcie natarcia lub że żołnierze mieliby trudności ze znalezieniem w nim schronienia, gdyby zostali wyparci ze stanowisk na zewnątrz. Nie można żądać od żołnierzy przypuszczenia szturmu na wzgórze zwieńczone takim nienaruszonym budynkiem jak ten, który mógł zapewnić schronienie kilkuset żołnierzom piechoty, doskonale broniąc ich przed ostrzałem artyleryjskim, gotowym w krytycznym momencie wyjść z niego i przeprowadzić kontruderzenie".

We wspomnieniach Alexander przyznaje też, że zniszczenie klasztoru było „konieczne bardziej ze względu na morale nacierających niż z powodów czysto materialnych". Dowodzi w ten sposób, że dowódcy brytyjscy lepiej niż Amerykanie orientowali się w nastrojach żołnierzy na froncie. Dla ludzi zajmujących stanowiska w grząskich okopach w dolinie Rapido czy wspinających się mozolnie górskimi ścieżkami ku wysuniętej północnej części budowli masywny klasztor z małymi, przypominającymi cele oknami stał się czymś złowieszczym. Zdominował ich życie. Za dnia niemożliwy był jakikolwiek ruch bez uprzedniego sprawdzenia, czy nikt cię nie widzi z klasztoru albo „wszechwidzącego oka" – jak to ujął jeden z weteranów. Fred Majdalany, który służył w fizylierach Lancashire w 78. dywizji, opisał, co czuli żołnierze podchodzący do grzbietu zwieńczonego klasztorem: „Gdy droga stała się mniej zatłoczona, zacząłeś odnosić wrażenie, że klasztor cię obserwuje. Gdy walczysz od długiego czasu, zaczynasz instynktownie wyczuwać stanowiska obserwacyjne, (...) czujesz się tak, jakbyś nagle został pozbawiony ubrania. Gdy szliśmy w górę wąską dróżką pomiędzy gajami oliwnymi, każdy nasz krok obserwowały oczy w klasztorze". David Cormack, który przeszedł znad Garigliano ze swoją grupą włoskich poganiaczy mułów, wspomina „gapiący się na nas przeklęty klasztor. Nie można było się podrapać, żeby tego nie zobaczono. To była sprawa psychiki. Im dłużej się tam było, tym było to silniejsze". Większość żołnierzy pochwaliłaby brawurę dowódcy sił powietrznych 15. grupy armii generała Johna Channona, który powiedział Alexandrowi: „Jeśli pozwoli mi pan użyć wszystkich naszych bombowców przeciwko Cassino, usuniemy go błyskawicznie jak martwy ząb".

13 lutego w rejonie Cassino szalały gwałtowne zamiecie, ale następnego dnia meteorolodzy zapowiedzieli na najbliższe dwadzieścia cztery godziny dobre warunki pogodowe. Bezzwłocznie zaplanowano bombardowanie na ranek 15 lutego. Dzień wcześniej nad klasztorem eksplodowały wypełnione ulotkami pociski artyleryjskie. Na ulotkach napisano po angielsku i po włosku: „Włoscy przyjaciele, uważajcie: do tej pory szczególnie staraliśmy się uniknąć bombardowania klasztoru na Monte Cassino. Niemcy wiedzą, jak na tym skorzystać. Ale teraz walki coraz bardziej zbliżają się do tego uświęconego miejsca. Nadszedł czas, kiedy musimy wycelować nasze działa w sam klasztor. Udzielamy wam ostrzeżenia, abyście mogli się uratować. Ostrzegamy was usilnie: opuśćcie klasztor. Opuśćcie go natychmiast. Zastosujcie się do tego ostrzeżenia. To dla waszego dobra. – Piąta armia".

Żadna z ulotek nie spadła w obrębie murów klasztornych, ale jakiś uchodźca złapał jedną na zewnątrz i pokazał ją osiemdziesięcioletniemu opatowi. Gdy wiadomość o ostrzeżeniu rozniosła się wśród uchodźców, jedni uciekli do pobliskich jaskiń, inni znaleźli głębsze schronienia, a jeszcze inni pokładali wiarę w Bogu, że nie pozwoli zniszczyć grobu św. Benedykta. Sugerowano, że wszyscy powinni opuścić budowlę pod białą flagą, ale uznano to za zbyt ryzykowne. Zamiast tego opat postanowił skontaktować się z Niemcami i poprosić o pomoc w ewakuacji klasztoru. Don Martino Matronola zanotował w dzienniku, że niemiecki oficer, porucznik Daiber, i jeszcze jeden żołnierz przyjechali następnego ranka, tuż przed piątą, na rozmowę z opatem. Gdy oficer obejrzał ulotkę, oznajmił, że zrzucono to „dla zastraszenia i w celach propagandowych". Podkreśliwszy, że natychmiastowa ewakuacja jest niemożliwa z powodu zaciekłych walk wokół klasztoru, stwierdził, że jeśli ludności chroniącej się w klasztorze „udałoby się przypadkiem uciec, to około jednej trzeciej, sądząc po poprzednim przypadku, zginęłoby na drodze". Mnisi podzielali sceptycyzm Niemców: Z pewnością alianci nigdy nie zrealizowaliby takiej groźby. Ostatecznie ustalono, że wszyscy opuszczą klasztor następnego dnia o piątej rano.

Po rozmowie oficer zapytał don Martina, czy może obejrzeć kościół. „Nie można było nic zobaczyć z powodu ciemności – napisał mnich – więc z wielką ostrożnością zapaliłem na krótko lampę i natychmiast potem wyszliśmy". Porucznik Daiber był ostatnim obcokrajowcem, który widział wspaniałe sanktuarium na Monte Cassino. Cztery godziny później na niebie pojawiły się latające fortece z 13. strategicznych sił powietrznych.

Gdy przywódcy aliantów dyskutowali, czy należy bombardować klasztor, uwagę wszystkich zaprzątało Anzio. Z wiarygodnych informacji uzyskanych dzięki Ultrze wynikało, że 16 lutego można spodziewać się silnego niemieckiego kontrnatarcia na ten kruchy przyczółek. Powszechnie żywiono obawy, że dojdzie do „drugiej Dunkierki", jeśli nie przeprowadzi się udanej ewakuacji. Gdy zatwierdzono bombardowanie, przeprowadzenie operacji nad Cassino stało się jeszcze pilniejsze, żeby samoloty można było wykorzystać 16 lutego w Anzio.

Ale przerzucenie wojsk na górę w celu zluzowania Amerykanów i zajęcia pozycji do ataku na klasztor okazało się niezwykle żmudne. Odosobniony klin powyżej klasztoru stanowił praktycznie odrębne pole bitwy w pewnej odległości przed główną pierwszą linią aliantów. 4. dywizja indyjska, która podchodziła w górę z tyłów, stwierdziła, że drogi bezpośrednio za liniami aliantów są wyjątkowo kiepskie i zatłoczone. Gdy już je pokonano, dalsza wyprawa do wysuniętego klina obejmowała sforsowanie zalanej doliny Rapido, widocznej dla niemieckich obserwatorów na Wzgórzu Klasztornym, a potem wspinaczkę wąskimi, śliskimi ścieżkami kozic, wszystko praktycznie na ziemi niczyjej za wysuniętą linią frontu.

Natarcie dywizji miało zostać poprowadzone przez 7. brygadę, dowodzoną przez brygadiera O. de T. Lovetta, z 1. batalionem Royal Sussex na czele. Batalion zaczął przesuwać się w górę w nocy 10 lutego do nowego rejonu koncentracji w pobliżu Cairy. Brakowało dostatecznej liczby pojazdów, które radziły sobie na błotnistym gruncie, i żołnierze musieli w zacinającym deszczu i w porywającym wietrze przeprawić się przez grząską dolinę Rapido pieszo, a zaopatrzenie przewoziły ciężarówki. Dwa samochody wpadły w poślizg, zjechały z drogi i runęły ze stromej skarpy. Te dwa pojazdy wiozły całą rezerwową amunicję do moździerzy oraz granaty dla batalionu Royal Sussex.

Dwudziestoletni Douglas Hawtin był młodszym kapralem w oddziale łączności przy batalionie Sussex. Pochodził z rodziny przedsiębiorców budowlanych z Northampton i służył w wojsku od dwóch lat. Następne dwa miesiące – jak powiedział – „były najbardziej ponurym okresem w mojej karierze wojskowej, a zapewne i w całym życiu". Ponieważ odpowiadał za ciężkie radia i baterie do nich, należał do szczęściarzy, którzy jechali przez odsłoniętą dolinę Rapido. „Załadowaliśmy mnóstwo sprzętu na amerykańskiego dżipa, który wiózł nas okropnie wyboistą i niemal nieprzejezdną polną drogą (...) prosto w dolinę rzeki Rapido, całkowicie widoczną dla znajdującego się w górach nieprzyjaciela. Ostrzał był ciągły, (...) obszar ten nosił nazwę «szalonej mili». Wszędzie pełno było ofiar i pojazdów, a oddziały maszerowały między nimi".

Hawtin przybył do wysuniętego obozu w pobliżu Cairy wieczorem 12 lutego. Trwał nieustanny ostrzał, również z dział alianckich. Nie był to ostatni „własny ogień", od którego miała ucierpieć dywizja, gdy alianccy artylerzyści starali się rozgryźć zawiłości ukształtowania górskiego klina. Z tej bazy do pozycji przed klasztorem było jeszcze siedem mil, a trakt był w większej części nieprzejezdny nawet dla dżipów. Dysponowano też tylko jedną trzecią koniecznej liczby mułów i brakowało czasu na skoncentrowanie skromnych zasobów dywizji. Hawtinowi jednak przydzielono trzy muły i ich arabskiego poganiacza. „O zmierzchu, po załadunku, wyruszyliśmy z mułami i setkami żołnierzy w góry". Szlak szybko zwęził się do zaledwie osiemnastu cali szerokości, z jednej strony znajdowała się tysiącstopowa przepaść, a z drugiej strome urwiska. „Panowały gęste, kompletne ciemności, byliśmy zmęczeni, od wielu dni mało spaliśmy, ciągle byliśmy przemoczeni do suchej nitki" – wspomina Hawtin. Muły zaczynały tracić oparcie dla nóg, a jeden z przydziału Hawtina, zbyt obciążony zapasowymi bateriami do radia, pośliznął się i spadł w przepaść. Była to bardzo długa i wyczerpująca wspinaczka, a gdy Hawtin w końcu dotarł do kwatery głównej batalionu w dawnym niemieckim bunkrze, natychmiast musiał zabrać się do pracy. W dzienniku pod datą 14 lutego napisał: „Wędrowaliśmy całą noc niemal do upadłego, (...) założyliśmy stację i zbudowaliśmy sobie kryjówkę. Ciągle próbujemy się dzisiaj wysuszyć, więc przez cały dzień jesteśmy dość przygnębieni".

W każdej wyprawie tracono niemal jedną trzecią mułów, tak jak w przypadku Hawtina, co sprawiło, że batalion Sussex miał poważne problemy z zaopatrzeniem. „Nie mieliśmy zapasowych racji i ledwo jeden koc przypadał na żołnierza – napisał w dzienniku dowódca batalionu, podpułkownik J. Glennie. – Sytuacja administracyjna zła".

Inne bataliony miały podobne trudności. 4/16. pendżabski miał zająć pozycje na lewo od Głowy Węża, ale – razem z drugim batalionem swojej brygady, 1/2. Gurkhów – spóźniły się 12 lutego, gdyż poszły na pomoc Amerykanom odpierającym kontrnatarcie na Monte Castellone. Po wyczerpującej wędrówce w poprzek doliny Rapido sygnalista B. Smith wraz ze swoim batalionem, 4/16. pendżabskim, pokonywał trasę z wysuniętego obozu na szczyt masywu. Jeden z etapów nosił nazwę „Doliny Śmierci", ponieważ był pod niemiecką obserwacją i ostrzałem. Smith, prowadząc muły niosące jego wyposażenie sygnalizacyjne, przedostał się na drugą stronę, ale część batalionu ciągle jeszcze była w trakcie przeprawy, gdy „seria flar zalała całą dolinę upiornym niebieskim światłem". Artyleria otworzyła ogień, co pochłonęło wiele ofiar. O świcie Smith znalazł schronienie w maleńkim wiejskim domu, gdzie indyjscy i brytyjscy żołnierze tłoczyli się z amerykańską grupą grabarzy. Następnej nocy zabrakło już zapasowych mułów. Zamiast tego, na następnym etapie wspinaczki, żołnierze musieli nieść, z pomocą dwóch tragarzy, całe swoje wyposażenie radiowe. Obładowany trzydziestopięciofuntową baterią ołowiowo-kwasową, a także ekwipunkiem osobistym, chlebakiem i śpiworem, Smith stwierdził, że jego regulaminowe buty, nabijane płaskimi metalowymi ochraniaczami, zapewniają słabe oparcie na śliskim szlaku. W pewnym momencie w drodze na Głowę Węża zabłądzili w ciemnościach: „Była jasna, księżycowa noc – wspomina Smith – nie było ani śladu naszej kwatery głównej, tak naprawdę nie było śladu nikogo. (...) Nasz szlak zmienił się w labirynt wąskich ścieżek i musieliśmy wybierać drogę. Dwaj tragarze cierpliwie szli za nami, nie pytając o nic, i prawdopodobnie przypuszczali, że wiemy, dokąd idziemy. Trzymaliśmy się tego samego kierunku, w górę wzgórza i na zachód, idąc ostrożnie, niewiele się odzywając i uważnie nasłuchując. Ta wąska ścieżka, którą szliśmy, doprowadziła nas do czoła dwóch stromych żlebów i biegła dalej w kierunku oświetlonego księżycem zarysu długiej bocznej grani. Minąwszy ostry zakręt, stanęliśmy jak wryci. Przed nami grunt opadał stromo w ciemną pustkę, a wysoko po przeciwnej stronie wznosił się klasztor, którego całą południową stronę jasno oświetlał księżyc. Była to piękna, zapierająca dech w piersiach chwila, po której pospiesznie wróciliśmy za zakręt. Nie rozumiem, dlaczego nie zasypał nas grad kul: okopani wokół podstawy murów w odległości może czterystu jardów od nas Niemcy musieli nas wyraźnie widzieć".

W końcu po pełnych trzech dobach od wyruszenia znaleźli kwaterę główną swojego batalionu – „zniszczony, biały wiejski dom na wzgórzu pociętym terasami" – oraz miejsce, gdzie mogliby się przespać: „Tuż poniżej gospodarstwa na małej terasie z trudem dostrzegliśmy szereg śpiących postaci, na którego końcu było trochę wolnego miejsca. Dołączyliśmy więc do nich, rozwinęliśmy nasze wodoodporne śpiwory, użyliśmy chlebaków jako poduszek i skonani szybko zasnęliśmy. Było już jasno, gdy obudziły nas krzyki i śmiech. Z góry, z murku terasy, śmiali się z nas trzej artylerzyści, nasi przyjaciele, członkowie elitarnego bractwa obserwatorów. «Dzień dobry, sygnaliści – krzyknęli. – Śpicie w dziwnym towarzystwie». Spojrzeliśmy w lewo na leżące postacie. Wszystkie spoczywały na noszach, na twarze miały naciągnięte koce, a buty wystawały nieosłonięte. Spaliśmy z poległymi nieszczęśnikami, Amerykanami. Skrzywiliśmy się, po czym też zaczęliśmy się śmiać. Tak wojna upokarza człowieka i tak człowiek kryje swoje wyższe uczucia w obronie własnej".

Tuż za wysuniętymi wojskami lekarze dywizji szli do Cairy, żeby otworzyć wysunięty punkt opatrunkowy. Był wśród nich John David, który wspomniał w dzienniku o spotkaniu z amerykańskimi żołnierzami. Skarżyli się na swoich generałów dwadzieścia mil za liniami frontu, którzy mówili: „Niech chłopcy spróbują jeszcze raz". Pewien „znużony walką" młody żołnierz, z którym David rozmawiał, „widział, jak ginie sześciu jego kumpli.

(...) Amerykanie odwalali nielichą robotę, przykładali się. Jedynym problemem wydają się ich generałowie".

Ale wyczerpanie Amerykanów, w połączeniu z brakiem dostatecznej liczby szlaków na zboczach gór, jeszcze bardziej opóźniało odsiecz. Douglas Hawtin podsumowuje sytuację: „Żywi, czy ledwo żywi, jankescy żołnierze odchodzili, (...) mieli ogromne straty i byli zachwyceni, że są luzowani. Cała operacja miała się zakończyć poprzedniej nocy, ale przy ograniczonym dostępie, okropnej pogodzie i działaniach nieprzyjaciela trwała dużo dłużej i przez cały dzień widać było Amerykanów, którzy pojawiali się jakby znikąd i kierowali się na ten szlak kozic, prowadzący w dół góry. Nie było miejsca, żeby się wyminąć, więc nie mieli możliwości zejścia, dopóki cała nasza dywizja nie weszła na górę".

Wąskie gardła i ograniczona liczba szlaków sprawiły, że dwa dodatkowe bataliony – 1/9. Gurkhów i 4/6. Rajputana Rifles – oddane pod dowództwo 7. brygady, stwierdziły, że nie są w stanie dotrzeć na masyw na początek zbliżającego się natarcia. Ciągle zmniejszająca się liczba mułów oznaczała też, że nie tylko żołnierze z rezerwowej brygady dywizji – 11. – ale również z nacierającej brygady musieli zostać wykorzystani jako tragarze. Gdy w końcu zajęli stanowisko na Głowie Węża, szybko odkryli, że jest to paskudne miejsce, z trzech stron wznoszą się nad nim pozycje nieprzyjaciela. Dwudziestoletni John Buckeridge był dowódcą plutonu w kompanii C batalionu Royal Sussex i zajął stanowisko na grzbiecie w odległości zaledwie pięćdziesięciu jardów od Niemców. „Trzeba było budować sangary z porozrzucanych wszędzie wokół głazów i kamieni – wspomina Buckeridge. – Amerykanie zbudowali małe, podłużne schronienia, które nie miały więcej jak osiemnaście cali wysokości i w których nie mieściło się więcej niż dwóch żołnierzy. Z nadejściem świtu stało się zupełnie jasne, że te murki nie były na tyle wysokie, żeby uniemożliwić Niemcom obserwowanie nas. Gdy tego ranka siedziałem ze swoim ordynansem w sangarze, zabił go snajper z drugiej strony doliny, z miejsca zwanego grzbietem Widmo. Nie był pierwszym, który zginął od kuli snajpera. Tak się zapoznałem z tym upiornym miejscem zwanym Głową Węża".

Miało być jeszcze gorzej. Wspiąwszy się na Głowę Węża w nocy 13 lutego, batalion Sussex stwierdził, że rozpoznanie jest niezwykle trudne, ponieważ ruch za dnia natychmiast ściągał ogień, a w nocy trudno było rozpracować urozmaicone ukształtowanie terenu. Jedno jednak stało się oczywiste: punkt 593, góra Calvary, z której batalion miał przypuścić szturm na klasztor, nadal był w rękach niemieckich. Postanowiono, że oddzielne natarcie na ten niezwykle ważny punkt oporu będzie musiało poprzedzać szturm na klasztor. Stało się też oczywiste, że około pięćdziesięciu amerykańskich żołnierzy utrzymujących się na najbardziej wysuniętych pozycjach jest tak wyczerpanych, że trzeba będzie ich znieść na noszach. Ponieważ do każdych noszy potrzeba było czterech noszowych, żeby przenieść je w tym trudnym terenie, nic nie można było zrobić w nocy 14 lutego, więc natarcie na punkt 593 wyznaczono na noc 15 lutego.

Wkrótce oczywista stała się waga zadania, przed jakim stała 4. dywizja indyjska. Wszędzie porozrzucane były ciała w różnym stopniu rozkładu i okaleczenia. „Przypominało to cmentarz – mówi Jack Turner, weteran Royal Sussex – pozbawiony wszelkiej zieleni, (...) pustkowie i nieszczęście. Wszędzie wokół ciebie gnijące zwłoki". Sygnalista B. Smith był równie wstrząśnięty: „Wokół leżało wielu martwych szeregowców – pisze. – Dzięki Bogu ich matki nie widziały tego smutku i poniżenia".

Bombardowanie rozpoczęło się o 9.45 we wtorek 15 lutego. Był to ogromny pokaz siły. Dowódcy armii poprosili, żeby bombowce nurkujące zburzyły mury klasztoru, ale gdzieś po drodze skala się rozrosła. Być może dowódcy sił powietrznych, zdający sobie sprawę, że ciężkie bombowce strategicznych sił powietrznych miały zostać użyte do taktycznego wsparcia piechoty, postanowili urządzić pokaz, aby zademonstrować potęgę broni znajdującej się w ich dyspozycji.

Tego dnia korespondent wojenny BBC Christopher Buckley nadawał z Cassino. Opisał, jak atakujące samoloty „leciały w doskonałym szyku z tą arogancką dumą, która charakteryzuje bombowiec. (...) Gdy przelatywały nad granią wzgórza klasztornego, ze szczytu poleciały w powietrze małe smugi ognia i drobiny czarnej ziemi. Tuż przed drugą (...) przeleciała formacja mitchelli. Chwilę później jasny płomień, który mógłby wzniecić jakiś wielkolud, pocierając olbrzymią zapałką o zbocze, buchnął szybko w górę. (...) Przez prawie pięć minut utrzymywał się nad budowlą, niknąc stopniowo na szczycie i zmieniając się w dziwną, groźnie wyglądającą arabeskę. (...) Potem ta kolumna zbladła i rozwiała się. Znowu można było zobaczyć klasztor. Cały jego zarys się zmienił. Zachodnia ściana została całkowicie zburzona, a cały bok budowli na długości około stu jardów po prostu się zapadł. Był dostępny dla atakującego".

W pierwszej fali 142 bombowce B-17 Flying Fortress z 13. strategicznych sił powietrznych, stacjonujących w Foggii, zrzuciły 253 tony bomb burzących i zapalających. Nowozelandczyk John Blythe przyglądał się temu z pozycji ogniowych baterii dział przy Trocchio: „Gdy nadlatywała fala za falą, zaczął unosić się dym, smugi kondensacyjne powiększały się i zlewały ze sobą, a słońce było rozmyte i całe niebo zmieniło kolor na szary". Zakonnicy modlili się w małym pomieszczeniu pod północno-zachodnim skrzydłem klasztoru. Gdy usłyszeli pierwsze wybuchy bomb trafiających w budowlę, zgromadzili się na kolanach wokół opata, który każdemu z nich udzielił rozgrzeszenia. Jeden z zakonników, don Agostino, wyjaśnił: „Usłyszeliśmy nadlatujące samoloty, a potem potężne wybuchy. Wszystko się trzęsło, wszędzie było pełno dymu". „Cała góra stała w płomieniach – mówi niemiecki weteran, który stacjonował wtedy w pobliżu. – Drzewa oliwne płonęły całymi dniami. To była pochodnia, prawdziwe morze ognia". Druga fala, składająca się z 47 dwusilnikowych mitchelli i 40 dwusilnikowych marauderów z Śródziemnomorskich Sił Powietrznych, zrzuciła około pierwszej po południu następnych 100 ton bomb. Sierżant sztabowy Kenneth E. Chard, znajdujący się na pokładzie prowadzącego średniego bombowca, doniósł: „Cel zdjęty naprawdę dobrze". Tylko materiał filmowy może naprawdę oddać gwałtowność i brutalność bombardowania, gdy widać, jak bomby rozrywają klasztor na kawałki.

Po bombardowaniu nastąpił ostrzał artyleryjski, którego skutki były spektakularne. „New York Times" nazwał to „najcięższym w historii atakiem powietrznym i artyleryjskim na pojedynczy budynek". Porucznik Daiber, niemiecki oficer, który tego ranka spotkał się z opatem, powiedział, że efekt był taki, „jakby góra się rozkruszyła, potrząśnięta gigantyczną ręką". Zakonnicy w swojej kryjówce głęboko w klasztorze nie odnieśli obrażeń, ale musieli się przekopać na górę. Powitał ich obraz kompletnego zniszczenia. Pośrodku dziedzińca klasztornego ział ogromny lej, krużganki się zawaliły, a piękny centralny dziedziniec był całkowicie zrujnowany. Bazylika ze swoimi freskami, wspaniałym chórem i cudownymi organami była teraz kupą gruzów. Również zakrystia z pięknymi malowidłami ściennymi i rzeźbami została zrównana z ziemią. Wszędzie wokół leżeli ranni lub zabici uchodźcy. Uważa się, że zginęło ich ponad stu. Ani jeden żołnierz niemiecki nie poległ wskutek bombardowania.

Brytyjski artylerzysta, który leciał z amerykańskim pilotem w jednym z wszechobecnych samolotów koordynujących ogień artyleryjski nad polem walki, zauważył: „Tego widoku nikt ze świadków nigdy nie zapomni. Klasztor zmienił się nie do poznania". Reakcje obserwatorów były różne. Wielu wiwatowało, zwłaszcza ci, którzy wcześniej już walczyli w zgubnym cieniu klasztoru. Pewien Amerykanin entuzjazmował się następnego dnia: „Widok wszystkich nadlatujących i zrzucających bomby latających fortec był wspaniałym spektaklem". Doświadczona korespondentka wojenna Martha Gellhorn była świadkiem bombardowania i około trzydziestu lat później napisała: „Pamiętam bombardowanie Monte Cassino. Przyglądałam się mu, siedząc na kamiennym murze czy kamiennym boku mostu, widziałam nadlatujące i zrzucające ładunek samoloty, widziałam, jak klasztor obraca się w kłębowisko pyłu, słyszałam huk. Byłam absolutnie zachwycona i wiwatowałam jak wszyscy inni głupcy". Inni, którzy dopiero niedawno przybyli do Cassino, mieli raczej bardziej mieszane odczucia. Nowozelandczyk Brick Lorimer stwierdził, że „przyglądanie się temu niszczyło duszę, (...) w końcu uświadomiliśmy sobie, po co tu jesteśmy, że to zasadniczo smutne czasy". Młody oficer Gurkhów Eric „Birdie" Smith, który niedawno przybył do Cassino, napisał tego dnia w dzienniku: „Alianckie lotnictwo zbombardowało klasztor. Budzący grozę i podziw widok. Teraz klasztor spowija pył. Nie było żadnego oporu ze strony Niemców, żadnego ognia przeciwlotniczego. Przypuszczam, że klasztor można nazwać kolejną tragiczną ofiarą wojny".

W młodym Tonym Pittacciu jednak nie wzbudziło to bynajmniej mieszanych uczuć, a tylko smutek i rozpacz: „Jeśli chodzi o Monte Cassino, to choć wojskowi mogli czuć na sobie wzrok szpiegującego ich nieprzyjaciela, my czuliśmy na sobie wzrok dobrotliwy. Klasztor był dla nas gwarancją przyszłego tryumfu dobra nad złem, a obietnica oszczędzenia go oznaczała, że życie będzie trwało dalej. Nasze codzienne modlitwy odmawialiśmy z oczami zwróconymi na klasztor. Był źródłem wielkiej pociechy. Gdy go zbombardowano, nie mogliśmy po prostu uwierzyć własnym oczom. Wraz z nim umarła jakaś część nas wszystkich, szczególnie we mnie i mojej rodzinie, ze względu na to, ile dla nas znaczył. Nic już nie było święte i świat stał się naprawdę mrocznym miejscem".

O ósmej wieczorem porucznik Daiber wrócił do ruin klasztoru. Znalazł zakonników w Capella della Pieta i poprosił opata o potwierdzenie na piśmie, że gdy klasztor został zbombardowany, nie było w nim niemieckich żołnierzy. Wyczerpany osiemdziesięciolatek natychmiast podpisał oświadczenie na ołtarzu kaplicy. Następnego dnia o świcie wielu cywilów opuściło klasztor. Relacja don Martina z tego dnia obejmuje znalezienie trójki małych dzieci, ich matka nie żyła, a ojciec je porzucił. Wpis do dziennika kończy się refleksją, że człowiek nie może się wyzbyć nadziei.

Wcześnie rano następnego dnia ludzie z klasztoru, prowadzeni przez opata niosącego wielki drewniany krucyfiks, wyruszyli w kierunku Piedimonte za niemieckimi liniami. Po drodze don Martino został ranny w rękę, gdy blisko niego wybuchł pocisk. Kobietę, która straciła obie nogi, trzeba było zostawić na pewną śmierć. Dotarli do małego domu, skąd niemiecki ambulans zabrał ich późnym popołudniem i zawiózł do kwatery głównej von Sengera. Ten wysłał ich następnego dnia do klasztoru benedyktynów w Sant' Anselmo nad Aventine, ale za Rzymem zostali schwytani przez SS. We wspomnieniach von Senger pisze: „Znużonego starca zaciągnięto do wielkiej stacji nadawczej, gdzie nawet nie podano mu posiłku. Tu musiał zdać relację [nadawaną przez radio] z różnicy między postępowaniem Niemców i aliantów. (...) Zmęczony, głodny i przygnębiony opat trafił do ambasady niemieckiej w Watykanie, gdzie poproszono go o podpisanie propagandowego memorandum, skierowanego przeciwko aliantom. (...) Opat odmówił umieszczenia swojego nazwiska pod takim dokumentem".

Pamiętnikarka Iris Origo, Angielka, która wyszła za włoskiego markiza, odnotowała reakcję przyjaciela, który usłyszał przez radio wypowiedź opata Diamarego: „Bez jednego przymiotnika, cicho, zmęczonym i przybitym głosem, opowiedział tę historię tak, jakby zdarzyła się sto lat temu. Było to niezwykle poruszające i trudno mi sobie wyobrazić, co benedyktyni z klasztoru, obecnie rozproszeni po całym świecie, musieli czuć, słuchając tego spokojnego, szczerego opisu końca tego źródła cywilizacji – teraz, po czternastu stuleciach życia religijnego, pogrzebanego na zawsze".

Sposób, w jaki potraktowano opata, rozwścieczył Watykan, ale niemiecka propaganda miała świetną okazję i zamierzała jak najlepiej ją wykorzystać. Sfilmowano ruiny klasztoru i wysłano ten materiał samolotem do Berlina. „W bezsensownej żądzy zniszczenia odzwierciedla się cała wściekłość brytyjsko-amerykańskiego dowództwa – minister propagandy Goebbels oznajmił narodowi. – Jest to jeden z groteskowych przejawów historii, że młodzi mężczyźni brytyjscy i amerykańscy ryzykują życie, żeby zrealizować żydowskie pragnienie niszczenia". To Niemcy, oświadczył, są prawdziwymi obrońcami cywilizacji europejskiej.

Alianci z kolei upierali się, że wina leży po stronie Niemców, którzy okupowali klasztor. „To było konieczne – oświadczono w serwisie Pathé. – Wojsko niemieckie zamieniło go w twierdzę". Pokazano spektakularny film z bombardowania, nakręcony z linii aliantów, po którym oświadczono, że „tak skończyło się to niezwykle nieprzyjemne zadanie".

Kesselring, rozwścieczony, że jego żołnierzy wini się za zniszczenie, oznajmił, że zarzuty, iż Niemcy okupowali klasztor, są „pozbawionym podstaw wymysłem". Winić za to wszystko należy, jak stwierdził, „amerykańskie żołdactwo, pozbawione wszelkiej kultury" i „anglosaskie i bolszewickie działania wojenne, które mają tylko jeden cel: zniszczyć czcigodne dowody kultury europejskiej".

Spory o to, czy bombardowanie było uzasadnione, toczą się do dziś. W rzeczywistości zniszczenie klasztoru było wstrząsem dla obu stron. Być może nie przewidywanym następstwem było to, że mogło przekonać Kesselringa, by oszczędzić Rzym, Wenecję i inne miejsca o wyjątkowym znaczeniu historycznym i artystycznym. W istocie na wszystkich, którzy obejrzeli film z bombardowania lub widzieli fotografie zrujnowanego klasztoru, zrobiło to wrażenie. Zniszczenie takiego skarbca cywilizacji jak Monte Cassino odbiło się szerokim echem na całym świecie jako szczyt szkodliwości, głupoty i barbarzyństwa wojny.

ROZDZIAŁ 10

Grzbiet Głowa Węża

Zniszczono niemal wszystko, co było w klasztorze cennego. Ale w jaki sposób pomogło to aliantom? Masywne mury były u swoich podstaw ciągle nienaruszone, więc nie otworzyło to drogi nacierającym wojskom. Nie było nawet sił gotowych do szturmu na budowlę po zakończeniu bombardowania i ostrzału artyleryjskiego. Dimoline, dowódca 4. dywizji indyjskiej, wielokrotnie prosił Freyburga o opóźnienie natarcia do chwili, gdy jego wojska zajmą pozycję, ale presja Anzio i pogody oraz brak koordynacji między siłami powietrznymi i wojskami lądowymi sprawiły, że bombardowanie przeprowadzono dwadzieścia cztery godziny wcześniej, niż spodziewał się Dimoline. Dowódcy 7. brygady powiedziano, że natarcie rusza, zaledwie piętnaście minut przed jego rozpoczęciem. Zatem dla wysuniętych oddziałów 4. dywizji indyjskiej, znajdujących się naprzeciwko budowli, które miały tam wkroczyć, zanim Niemcy się otrząsną, bombardowanie było całkowitym zaskoczeniem. Glennie, dowódca batalionu Sussex, napisał później: „Wydaje się, że wszyscy oprócz nas, nawet mnisi i nieprzyjaciel, znali termin bombardowania".

4/16. batalion pendżabski umieszczono z lewej strony żołnierzy z batalionu Sussex na Głowie Węża. Kronika wojenna opisuje bombardowanie z ich punktu widzenia: „Podeszliśmy do drzwi punktu dowodzenia, zrujnowanej wiejskiej chałupy, i spojrzeliśmy w bladoniebieskie niebo. Zobaczyliśmy białe ślady wielu bombowców o wysokim pułapie. Najpierw pomyśleliśmy, że to samoloty nieprzyjaciela, potem ktoś powiedział: «Latające fortece», po czym nastąpił gwizd, świst i wybuchy, gdy pierwsze eskadry uderzyły na klasztor. Ziemia jeszcze właściwie nie przestała drżeć, gdy rozdzwoniły się telefony. Jedna z naszych kompanii znajdowała się w odległości 300 jardów od celu, a druga jakieś 800 jardów dalej. Wszyscy zostali powaleni na ziemię i zaczęli dość szorstko zadawać pytania".

Żołnierze z batalionu Sussex także znajdowali się niebezpiecznie blisko klasztoru. John Buckeridge z kompanii C wyjaśnia: „Widziałem mrowie latających fortec i gdy się im tak przyglądałem, nagle – gdy dotarły nad Cassino – zauważyłem, że otwierają luki bombowe. Patrzyłem, jak bomby lecą w dół. Niektóre trafiły klasztor, bardzo wiele nie. Ponieważ podłoże było granitowe, wybuchające bomby odrywały od niego odłamki i straty, które ponieśliśmy w trakcie tego właśnie bombardowania, były spowodowane głównie tymi granitowymi odłamkami, a nie żadnym bezpośrednim trafieniem". Rannych zostało dwudziestu czterech żołnierzy batalionu.

Gdy popołudniem 15 lutego kontynuowano ostrzał artyleryjski, Freyburg, który najwyraźniej nadal nie zdawał sobie sprawy, że mający decydujące znaczenie punkt 593 ciągle jest w rękach nieprzyjaciela, chciał rzucić do natarcia część 4. dywizji indyjskiej, żeby wykorzystać przewagę, jaką dawał ogień artyleryjski. Ale dowódcy na miejscu odmówili natarcia na klasztor, dopóki nie zostanie zajęty punkt 593, dowodząc, że każdy ruch na otwartym terenie w kierunku opactwa zostanie powstrzymany ogniem z flanki z tego stanowiska, i postawili warunek, że ten przygotowawczy atak musi nastąpić po zapadnięciu zmierzchu. Zatem – po całej tej wściekłości i wrzasku, tysiącach ton bomb, które przyleciały aż z Afryki, po straszliwym zniszczeniu – nic się nie wydarzyło.

Nawet zorganizowanie tego wstępnego natarcia przysparzało strasznych trudności. Bardzo trudno było określić prawdziwe ukształtowanie terenu czy siłę nieprzyjaciela na wzgórzu 593. Z powodu stromych zboczy po obu stronach grzbietu żołnierze mogli zaatakować tylko po bardzo wąskim pasie. Nie można więc było rzucić dużej liczby żołnierzy, bo stanowiliby oni jedynie łatwiejszy cel dla Niemców. W końcu tylko jedna kompania, składająca się z trzech oficerów i sześćdziesięciu trzech szeregowców, została odkomenderowana do natarcia tej nocy. Jednym z tych trzech oficerów był John Buckeridge: „Mieliśmy zaatakować i zająć punkt 593 z myślą o tym, żeby batalion się przedarł i spróbował zająć klasztor, który był już kupą gruzów, z Niemcami na pozycjach obronnych. Kompania C podniosła się ze swoich sangarów, żeby wykurzyć Niemców z 593". Żołnierze posuwali się naprzód jak najciszej i kompania pomyślała już, że udało się jej zaskoczyć Niemców, ale w ostatniej chwili, w odległości około dziesięciu jardów, obrońcy otworzyli ogień z karabinów maszynowych i rzucili grad granatów. „Nadlatywały z trzech czy czterech różnych kierunków, co było bardzo, bardzo niebezpieczne" – wspomina Buckeridge. W chwili ataku sygnalista Douglas

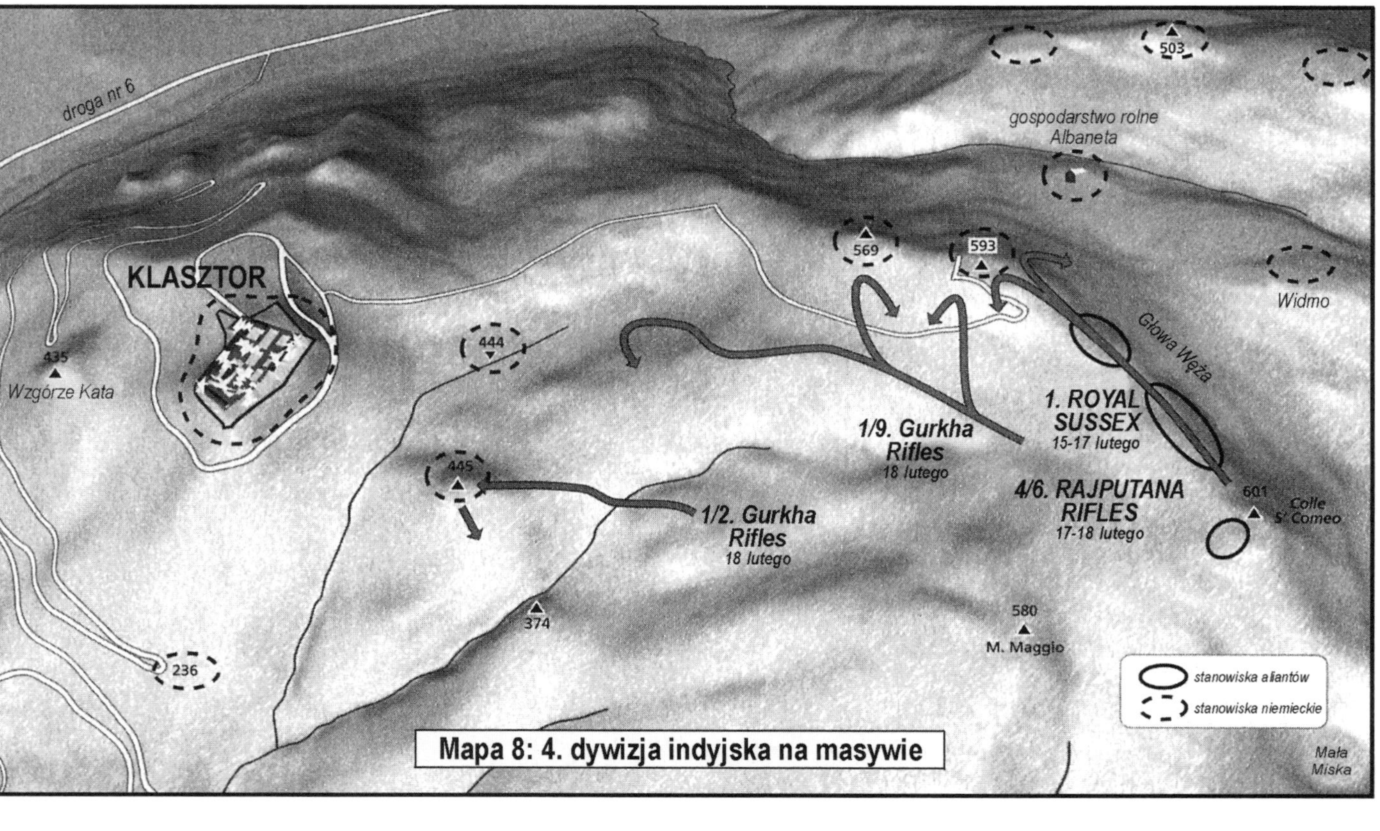

Mapa 8: 4. dywizja indyjska na masywie

Hawtin szedł na górski grzbiet z dowódcą batalionu: „Była to zażarta walka wręcz. A ja, całkowicie odsłonięty na tej litej ścianie skalnej, obsługiwałem radio przez całą noc przy świstających kulach i zamęcie, bez jakiejkolwiek osłony, nawet bez kamyka". Nacierający próbowali obejść z boku pozycję, ale szybko skończyły im się granaty, które dla walki tego rodzaju mają zasadnicze znaczenie. Przed pierwszym brzaskiem Glennie rozkazał im się wycofać. Dwaj inni oficerowie, koledzy Buckeridge'a, byli wśród ofiar, podobnie jak trzydziestu dwóch szeregowców.

Tymczasem Niemcy zajęli ruiny klasztoru i wzmocnili kluczowe pozycje obronne wokół Wzgórza Klasztornego. Wśród uzupełnień, które dotarły w nocy 15 lutego, znalazł się osiemnastoletni Werner Eggert. Niemcom równie trudno jak aliantom było dostarczać ludzi i zaopatrzenie do swoich wysuniętych pozycji i gdy nowy oddział wspinał się do klasztoru, Eggert dostał się pod ogień artyleryjski. „Nagle usłyszeliśmy świst i coś bezlitośnie uderzyło w wysoki mur oporowy przed i za nami – wspomina. – Jęcząc i krzycząc, stanąłem z powrotem na nogi. Przewracający się z masami ziemi mur pogrzebał niektórych naszych ludzi. Strząsnąłem ziemię i sprawdziłem, czy jestem cały. Nie byłem nawet zadraśnięty. (...) Pod dalszym ogniem gorączkowo odkopywaliśmy zasypanych i pomagaliśmy ranionym odłamkami i kawałkami kamieni. Dwaj sanitariusze biegali od jednego rannego do drugiego, ale to nie wystarczało. W ręce włożono mi kilka napełnionych już strzykawek. «Wstrzyknij to temu w ramię, a tamtemu w pośladek, szybko, przez spodnie!» – powiedział do mnie jeden z nich. Wskazał coś pochodnią. Usłyszałem jęki. (...) Nagle ktoś stanął koło mnie. Prawą dłoń trzymał tam, gdzie miał kiedyś policzek. Zawołałem sanitariusza, ale ten żołnierz już się przewrócił. Sanitariusz rozrywał jeden pakiet za drugim i próbował zatamować lejącą się krew. Podałem mu ostatnią strzykawkę, jaką miałem. Nie wiem, czy ten żołnierz przeżył. Tutaj nasza kompania poniosła pierwsze straty pod Cassino, dwóch poległych i czterech ciężko rannych; sześciu żołnierzy przeznaczono do niesienia noszy. Nie minęło chyba nawet pięć minut, odkąd się to wszystko zaczęło. Największa część pozostałych ludzi już pospiesznie nas minęła. Gdy ruszyłem za nimi, ledwo udało mi się dotrzymać im kroku, z trudem łapałem oddech, idąc w górę zbocza".

W ciemnościach niektórzy żołnierze zaczęli wątpić, czy znajdują się na właściwej ścieżce, i wysłano Eggerta, żeby znalazł drogę. „Skierowałem się w stronę przełęczy. (...) Jeszcze nie świtało. Poczekałem na koniec jednego ze sporadycznych ataków artyleryjskich i zacząłem biec, najszybciej jak pozwalała wydeptana ścieżka, w kierunku klasztoru. Nagle, gdy pył się trochę rozwiał, południowo-zachodnia część opactwa, która wytrzymała bombardowanie, pojawiła się na wprost mnie – ogromna kolumna – wyzywająca, groźna i przypominająca pomnik. Wyrastała nade mną ukośnie z czarnej ziemi jak szaro-biały dziób okrętu".

Dla Eggerta, podobnie jak dla żołnierzy obu stron, oczekiwanie na wkroczenie do boju i poczucie bezradności pod ostrzałem artyleryjskim były gorsze niż sama walka: „Każdy człowiek się boi – mówi. – To naturalny składnik instynktu samozachowawczego. Jednak zaobserwowałem u siebie, że niekiedy wściekłość i gniew znoszą strach. Jestem pewien, że inni też tego doświadczali – gdy normalne reakcje były wykluczone. Gdy jest się wystawionym na pociski artyleryjskie, przeciwko którym nie ma się żadnych szans, wściekłość wydobywa się z bezsilności na powierzchnię. Gdy ludzie zbliżają się, by cię zabić, jest już inaczej. Są równi tobie. Przez jedną chwilę widzisz w człowieku człowieka. Moment później postrzegasz go jako maszynę do zabijania. Obraz ten zmienia się raz po raz, dopóki nie utrwali się na ludzkiej maszynie do zabijania. I stąd właśnie bierze się wściekłość. Wtedy właśnie strzelasz. Bez strachu. Bez skrupułów. Gdy tylko palec zakrzywi się na spuście, ogarnia cię całkowity spokój".

Następnego dnia, 16 lutego, nastąpiły kolejne ataki alianckich samolotów myśliwsko-bombowych i artylerii na klasztor, ale sam punkt 593 nie mógł pojawić się na celowniku, ponieważ znajdował się zbyt blisko pozycji batalionu Sussex. Po kilku opóźnieniach, gdy żołnierze czekali na przybycie mułów z dodatkowymi granatami, batalion przypuścił wieczorem następny szturm, ciągle starając się oczyścić i utrzymać punkt 593. Glennie był niezadowolony, że nie miał więcej czasu na zwiad i zgromadzenie większej ilości amunicji, ale jak powiedział: „Radziliśmy sobie z tym, co mieliśmy, ponieważ a: wielokrotnie podkreślano, że musimy coś zrobić, żeby odciążyć przyczółek pod Anzio, który był bezpośrednio zagrożony; b: jak dotąd zawsze odnosiliśmy sukcesy. Mieliśmy manię wyższości, charakteryzującą resztę 4. dywizji indyjskiej". Gdy natarcie się rozpoczęło, alianckie pociski artyleryjskie trafiły żołnierzy formujących się na rubieży wyjściowej. Nacierający posunęli się zaledwie pięćdziesiąt jardów, gdy dostali się pod huraganowy ogień, a między nich spadł grad granatów. Jednak niektórzy żołnierze z kompanii D zdołali obejść flankę i na szczycie wywiązała się zażarta walka wręcz. Ostre niemieckie kontruderzenie zwiększyło jeszcze zamęt i żołnierze z batalionu Sussex stwierdzili, że znowu zaczynają się im kończyć granaty. Glennie posłał kompanię rezerwową, która według planu miała umocnić 593 po jego zdobyciu, ale w tym momencie Niemcy wystrzelili trzy zielone rakiety oświetlające, które przypadkiem były dla batalionu Sussex sygnałem do odwrotu. Niektórzy z nacierających, nawet ci, którzy dotarli do punktu 593, zaczęli się wycofywać na własne linie. W tym momencie jednak zbliżał się już świt, który niebezpiecznie odsłoniłby żołnierzy, i Glennie był zmuszony wstrzymać atak. W ciągu dwóch nocy straty wśród walczących żołnierzy z batalionu Sussex wyniosły ponad 50 procent.

Cierpliwość Freyburga się wyczerpała. Pozwoliwszy 4. dywizji dwukrotnie zaatakować punkt 593 małymi grupami, następnego dnia domagał się natarcia na większą skalę na szerszym froncie bezpośrednio na klasztor, czyli praktycznie żądał powrotu do podejścia zastosowanego dwa tygodnie wcześniej przez 34. dywizję amerykańską. Dowódcy sprzeciwili się temu, twierdząc, że między ogromnymi szczelinami i stromymi zboczami jest po prostu za mało miejsca, aby rozmieścić w natarciu trzy bataliony, i że muszą wykorzystywać znaczną część wojsk nacierających dywizji jako tragarzy. Ale pod naciskiem Clarka, przy pogarszającej się sytuacji pod Anzio, Freyburg uparł się i wydał polecenie, żeby jednocześnie atak w dół doliny Rapido przeprowadziła 2. dywizja nowozelandzka.

Kippenberger, po raz pierwszy dowodzący dywizją, natykał się na podobne problemy do tych, które miała 4. dywizja indyjska. Chociaż jego sytuacja zaopatrzeniowa była lepsza, zalanie doliny Rapido przez Niemców praktycznie stworzyło fosę przed miastem Cassino i wejściem do doliny Liri. Ulewne deszcze od 4 lutego pogorszyły jeszcze sytuację i znaczna część doliny znalazła się pod wodą, przez co stała się w zasadzie nieprzejezdna dla czołgów i pozostałych pojazdów. Jedyna oś ataku przebiegała wzdłuż nasypu kolejowego prowadzącego do dworca. Ale był on w znacznym stopniu zniszczony i zaminowany, a przygotowanie go wymagałoby licznych napraw i dwóch mostów Baileya. Podobnie jak na Głowie Węża, ten wąski teren mógł pomieścić tylko ograniczoną liczbę nacierających żołnierzy, więc Kippenberger postanowił, że podejmie próbę zajęcia dworca jednym tylko batalionem, a potem saperzy naprawią drogę na grobli i będzie mógł pchnąć oddziały pancerne i resztę dywizji. Kippenberger zdał sobie sprawę, że absolutnie decydujące znaczenie będzie miało dotarcie czołgów do nacierającego batalionu, zanim światło dnia zrobi z nich łatwy cel. Oddziałem, który wybrał na szpicę, był 28. batalion maoryski.

Stworzono go na życzenie wpływowego maoryskiego polityka, aby dowieść odwagi tubylczego ludu Nowej Zelandii i zademonstrować jego chęć ponoszenia ofiar dla narodu. Rekrutacja dla Maorysów była dobrowolna i według historyka batalionu „miała niewiele wspólnego z patriotycznym obowiązkiem, była to raczej odwieczna tradycja podtrzymywania *many*, czyli statusu rodziny, *hapu* (szczepu plemienia) i *iwi* (ludu)". Kompanie stworzono według kryterium plemiennego, dzięki czemu powstały zżyte grupy ludzi i w tym samym oddziale służyło wiele grup braci. George Pomana z kompanii C wspomina, że większość żołnierzy z jego plutonu chodziła razem do szkoły, i w batalionie było czterdziestu ośmiu mężczyzn z jego miasteczka: „Gdy znasz ludzi od dawna – mówi – nigdy nie przyjdzie ci do głowy kogoś zawieść". Pomana, którego ojciec zmarł tuż przed jego narodzinami wskutek efektów następczych zatrucia gazem bojowym podczas pierwszej wojny światowej, pamięta z okresu dorastania w rodzinnym gospodarstwie mlecznym nieustanną, ciężką, fizyczną pracę: „Żaden z nas nie był specjalnie wykształcony – mówi. – Uczono nas raczej korzystania z mięśni niż głowy".

Maorysi wywodzili się oczywiście z tradycji powszechnych działań wojennych i byli bez wątpienia agresywnymi i skutecznymi żołnierzami. Ale cechowało ich również ciepło i poczucie humoru. Brick Lorimer wspomina ich jako „wiecznych kawalarzy. Niezrównanych żartownisiów (...) z wypaczonym poczuciem humoru". Sam Lorimer należał do wojsk pancernych, gotowych pójść za ciosem i wedrzeć się w dolinę Liri. „Mówiło się, że Maorysi przełamią linię frontu, postawi się most, a potem nadciągnie kawaleria, następny postój w Rzymie".

17 lutego o 20.45 czołowe kompanie ruszyły naprzód. Była to ciemna i zimna noc, a żołnierze musieli najpierw pokonać 600 jardów rozmiękłego gruntu, żeby dotrzeć do rubieży wyjściowej. Stąd o 21.30 przypuścili atak. Niemal natychmiast natknęli się na pola minowe i świeżo postawione zasieki z drutu kolczastego, a także ogień moździerzowy. Ale po godzinie dostali się do peronów dworca kolejowego. Kompanią B dowodził kapitan Monty Wikiriwhi. Już wcześniej ranny i odznaczony podczas walk na pustyni, miał dwóch braci w batalionie. „Mój 12. pluton z prawej zawahał się w obliczu szczególnie silnego ognia karabinów maszynowych z dwóch stanowisk szkopów – wspominał. – Natychmiast wydałem rozkaz szturmu – żołnierze skoczyli naprzód i jak na szkoleniu, dwóch żołnierzy skoczyło na zasieki z drutu kolczastego, a pozostali przez nie przeskoczyli (było wystarczająco jasno dzięki flarom i błyskom dział) i bagnetami i granatami oczyścili stanowiska.

Inni zajęci byli przecinaniem zwykłego drutu i wkrótce plutony przedarły się do swojego pierwszego celu". Był nim Okrągły Dom, duży budynek położony na południe od dworca kolejowego. Stamtąd, przy wsparciu artylerii, Maorysi ruszyli w kierunku samej stacji. Przez godzinę toczyły się bezładne walki o opanowanie budynków. „Tej nocy była tylko walka wręcz na bagnety i ręczne karabiny maszynowe Bren – powiedział Wikiriwhi. – Nigdy nie zrozumiem, jak moi żołnierze wiedzieli, kto jest kim i co jest czym. Było ciemno choć oko wykol, a mimo to do rana wytłukli w tym miejscu wszystkich szkopów". Celem kompanii był mały pagórek leżący blisko dworca. Odkryto jednak, że stanowisko to jest chronione przez głęboki, niemożliwy do sforsowania rów. Niemniej za oddziałami pierwszej linii praca postępowała szybko. Do drugiej nad ranem saperzy pracowali nad trzema rozbiórkami jednocześnie i tylko jedna pozostawała jeszcze nie tknięta.

Dwa tysiące stóp wyżej, w górach za klasztorem, o północy zaczęło się natarcie 4. dywizji indyjskiej. Pierwszy szturm, podobnie jak przedtem, przypuszczono na punkt 593; zaplanowane były dwa następujące po sobie ataki batalionów Gurkhów na nierównym terenie na lewo od Głowy Węża bezpośrednio na teren tuż przed klasztorem. Naoczny świadek Peter Cochrane, kapitan w jednym z batalionów dostarczających zaopatrzenie atakującym wojskom, opisuje, jak – po gęstej zaporze ogniowej – indyjscy żołnierze z 4/6. Rajputana Rifles wymaszerowali wzdłuż Głowy Węża. „Niemcy wystrzelili flary, wyjątkowo krótko świecące, więc pole walki widziało się w szeregu jaskrawych błysków". Przez dym i pył wzniecony przez odłamki pocisków zdołał zauważyć, że sprawy nie idą dobrze: „Sipaje szli jak tygrysy, ale zbocze wzgórza, zasieki z drutu kolczastego i gwałtowny ogień obronny to było dla nich zbyt wiele. Zginęło wielu ludzi". Większość została przygwożdżona ogniem nieprzyjaciela około stu jardów od celu, ale garstka żołnierzy dotarła do szczytu wzgórza 593. Nie byli jednak w stanie oczyścić wszystkich niemieckich pozycji na bliższym zboczu i nie mogli, jak planowano, posunąć się naprzód wzdłuż skalnego siodła w kierunku klasztoru. Nie mogli też powstrzymać ognia dochodzącego z pozycji wokół 593 i zakłócającego kolejne natarcie, około 300 jardów na lewo od nich, prowadzone przez 1/9. batalion Gurkhów. Po wyczerpującym, czterogodzinnym marszu Gurkhowie zaatakowali o 2.15, kierując się w dół wzgórza ku punktowi 444. Byli narażeni na miażdżący ogień z okolic wzgórza 593, a także ze stanowisk na wprost nich, i czołowa kompania została odrzucona z wytyczonej trasy. Natarcie po lewej stronie 593, prowadzone przez drugą kompanię, niewiele posunęło się naprzód. Po lewej 1/2. batalion Gurkhów był w jeszcze gorszej sytuacji. Kharkabahadur Thapa wspomina swój udział w walkach: „My również od czasu do czasu otwieraliśmy ogień. Pewien Gurkha o innej randze został trafiony, kulą w brzuch, z lekkiego karabinu maszynowego z dołu. Rzuciłem granat w tamtym kierunku, strzeliłem z karabinu i zabiłem niemieckiego strzelca. Nałożyliśmy rannemu żołnierzowi opatrunek i zaciągnęliśmy go do miejsca, w którym był adiutant dowódcy. Przesunęliśmy trochę pozycję i pociski artyleryjskie spadały tam, gdzie się wcześniej znajdowaliśmy. Ranny żołnierz zmarł. Adiutant zapytał o jego krewnych i powiedziałem, że ja jestem jego bliskim krewnym i sąsiadem ze wsi. (...) Nie czułem strachu, gdy zaczęły przelatywać kule. Żołnierze brytyjscy mawiali: «Zgiń, idź do nieba. Bardzo dobrze, stary, bardzo dobrze, stary», i śmiali się z nami".

Atakując bezpośrednio w kierunku klasztoru, kompania czołowa musiała przejść przez spłacheć sięgających piersi kolcolistów, które na zdjęciach lotniczych wyglądały niewinnie. Ale Niemcy hojnie obsiali ten gąszcz minami i drutami wyzwalającymi, połączonymi z minami pułapkami, oraz założyli w pobliżu stanowiska ogniowe. Niemal wszyscy żołnierze z czołowego plutonu wylecieli w powietrze na minach, a gdy reszta kompanii próbowała się dalej przedzierać, została zaatakowana granatami i ogniem karabinów maszynowych. Następne dwie kompanie z trudem okrążyły zarośla z lewej i utorowały sobie drogę na szczyt wzgórza 445, zaledwie 800 jardów od samego klasztoru. Żołnierze byli ostrzeliwani z trzech stron, gdy gorączkowo próbowali sklecić sobie jakąś osłonę na górskim szczycie.

Na Głowie Węża zerwała się łączność między kompaniami Rajputana Rifles i stanowiskiem dowodzenia batalionu, więc o czwartej nad ranem dowódca batalionu osobiście poszedł naprzód, żeby ocenić sytuację. Pół godziny później wezwał majora Johna ffrencha, dowódcę ostatniej kompanii, niezaangażowanej w walkę. „Powiedział, że ponieśliśmy duże straty, ale że był na punkcie 593, który jest oczyszczony z nieprzyjaciela, i że mam rzucić kompanię A, żeby go zabezpieczyć – wspominał ffrench. – Wysłałem gońca, żeby ściągnął kompanię. Doszło do pewnego opóźnienia, wywołanego przybyciem grupy tragarzy z dostawą granatów, które Subedar Mohammed Yusef następnie rozkazał uzbroić i rozdzielić między żołnierzy. Byłem w czołowym plutonie, gdy dotarliśmy do niskiego muru, który stanowił rubież wyjściową, i sangarów nadal zajmowanych przez żołnierzy Royal Sussex, i wtedy dosięgła nas salwa z grani wzgórza 593, oddalonego tylko o 70 jardów. Spóźniliśmy się. Niemcy już je ponownie zajęli. Dwaj noszowi z Royal Sussex podnieśli się, żeby przynieść jednego ze swoich rannych, leżącego zaledwie kilka jardów z przodu, i natychmiast zginęli od kul. Niemcy najwyraźniej ustawili w szeregu snajperów z lunetami, którzy śledzili każdy ruch. Właśnie świtało, więc dałem sygnał pozostałym dwóm plutonom, żeby się kryli. Czołowy pluton już przypadł do ziemi".

Wraz z nadejściem dnia postanowiono, że całe natarcie trzeba będzie zatrzymać. Żołnierzom wydano rozkaz powrotu na rubież wyjściową, jedynie 1/2. batalion Gurkhów trzymał się, dopóki nie ewakuował swoich rannych.

Łącznie ze stratami poniesionymi przez batalion Royal Sussex, był to ciężki cios dla takiej elitarnej dywizji. 1/9. batalion Gurkhów stracił prawie stu żołnierzy, zabitych, rannych lub wziętych do niewoli; 1/2. batalion – 149, w tym niemal wszystkich oficerów; a najcięższe straty ponieśli Rajputana Rifles – niemal 200. „Batalion, w którym służyło wielu weteranów, nigdy już nie był taki sam – napisał w swojej relacji z walk oficer z 4. dywizji indyjskiej – i była to przygnębiająca, kosztowna klęska po serii zwycięstw we wcześniejszych bitwach". Według naocznego świadka Petera Cochrane'a przyczyną porażki był niewłaściwy czas bombardowania oraz błędy kwatery głównej stworzonego naprędce korpusu Freyburga: „Ta beznadziejnie chaotyczna bitwa charakteryzowała się tym, że bez żadnej winy armii lądowej atak dywizyjny nie mógł zostać zsynchronizowany ze zbombardowaniem klasztoru, co dałoby nieszczęsnej piechocie sporą szansę. (...) Cassino to był dla nas pierwszy przypadek bitwy „alianckiej" i wcale nam się to nie podobało. Mogliśmy szanować i szanowaliśmy naszych towarzyszy broni wszelkich narodowości, ale struktura dowodzenia i praca sztabowa wydawały nam się nie na poziomie". Z pewnością, podobnie jak wcześniej, gdy na tym samym terenie atakowali Amerykanie, wyglądało na to, że naczelne dowództwo alianckie niewiele wie o warunkach walki na masywie. To, co na mapie wyglądało na niewielką odległość, mogło obejmować głębokie wąwozy, pionowe urwiska lub nieprzebyte skały. Poza tym dowództwo nie doceniło wagi problemów z zaopatrzeniem żołnierzy z linii frontu, jak również nieustępliwości i determinacji niemieckich obrońców.

Następnego dnia doktor John David zamieścił w dzienniku długi wpis, który żywo oddaje zamęt i szok w dywizji: „Dzisiejszy dzień obfitował w wydarzenia. Straszny huk przez całą noc, potem dość spokojny poranek.

Znowu żadnych wiadomości, klasztor podobno został zajęty przez naszych chłopców, ale potrzebują posiłków, żeby go utrzymać". Po obiedzie nadeszła wiadomość, że jak najszybciej trzeba wysłać na linię frontu dwudziestu czterech noszowych i oficera. David dotarł do wysuniętego punktu w pobliżu Cairy, ale nie udało mu się zdobyć „żadnych spójnych informacji o tym, co się dzieje. (...) Nieustannie znoszono pacjentów. W ciągu dwóch dni przyniesiono ich około 240". Poszedł do wiejskiej chaty, w której 7. brygada założyła kwaterę główną. Po drodze zobaczył trzynaście grup noszowych okopujących się między martwymi mułami co 300–400 jardów. W końcu dotarł do wysuniętego punktu opatrunkowego tuż przed linią frontu. „Zastałem w nim wielu zbielałych na twarzy oficerów, z których nie mogłem wyciągnąć nic sensownego".

W dolinie plany Nowozelandczyków zostały pokrzyżowane około trzeciej nad ranem, gdy wyjrzał księżyc, ujawniając Niemcom pozycje saperów pracujących nad drogą do dworca. Rozpoczął się celny ostrzał z moździerzy i karabinów maszynowych i tuż przed świtem ich wycofano. Gdy stało się oczywiste, że tego ranka nie pojawią się żadne czołgi, ostrzeliwani z trzech stron Maorysi na dworcu poprosili o zgodę na odwrót. Oznaczałoby to, że cały wysiłek poszedłby na marne. Ale pozostanie na miejscu narażało atakujących żołnierzy na śmierć lub wzięcie do niewoli. Kippenberger uznał, że „prawdopodobnie nieprzyjaciel nie przeprowadzi kontruderzenia czołgami", i wydał rozkaz postawienia zasłony dymnej i otworzenia jak najsilniejszego ognia wspierającego z alianckiej strony Rapido. Strzelec karabinu maszynowego Jack Cocker pamięta, że strzelał cały dzień i noc, aby wesprzeć Maorysów na dworcu.

Około dziesiątej rano Kippenberger próbował wysłać posiłki z kompanii C George'a Pomany, ale poruszanie się wąską drogą, widoczną z klasztoru i innych stanowisk, przypominało „chodzenie po linie na strzelnicy" i silny ostrzał odrzucił kompanię. Zdeterminowani Maorysi na dworcu utrzymywali pozycję, ale około drugiej po południu dało się słyszeć przez dym dudnienie czołgów. Niemcy najwyraźniej koncentrowali siły przed kontruderzeniem.

Tuż przed 15.15, zastosowawszy zasłonę dymną, żeby podkraść się blisko Maorysów, niemiecka piechota zaatakowała z dwóch stron, wspierana przez zdobyte czołgi typu Sherman. Wkrótce Maorysi zużyli całą amunicję do ręcznych granatników przeciwpancernych i sytuacja wyglądała rozpaczliwie. Pociski wystrzeliwane z czołgów z odległości zaledwie pięćdziesięciu jardów rozniosły niektórych Maorysów na ich pozycjach. Siła wybuchów darła na strzępy ubrania pozostałych. „Tego popołudnia nieprzyjaciel zaatakował nas piechotą i czołgami i to właśnie zmusiło nas do odwrotu – mówi Monty Wikiriwhi. – Powiedziałem pułkownikowi przez radio: «Przyjechały», a on odpowiedział: «Zostańcie tam. Utrzymać pozycję! Utrzymać pozycję za wszelką cenę!» Praktycznie kazałem mu się wypchać, powiedziałem: «Nie, do diabła z tym» i rozkazałem moim ludziom się wycofać".

Gdy żołnierze zaczęli przedzierać się z powrotem, Wikiriwhiego, już wcześniej rannego po wybuchu miny, trafiła w nogę kula. Widząc tryskającą z nogi dowódcy krew, młodszy oficer założył mu prowizoryczną opaskę uciskową i zaciągnął go na nasyp, choć Wikiriwhi powtarzał, że można go zostawić. Parę chwil później młodszy oficer zginął. Wikiriwhi leżał na ziemi, gdy obok przechodzili Niemcy. „Ja i wielu moich ludzi po prostu tam leżeliśmy – mówi. – Jakiś Niemiec podszedł i kopał nas w brzuchy, krzycząc *Raus*, *raus*, jakby chciał nas obudzić. A ja ze swoimi ludźmi po prostu leżałem. Odszedł, a wtedy zacząłem czołgać się z powrotem". Chociaż kości prawej nogi były pogruchotane, Wikiriwhi użył sznura spustowego pistoletu jako opaski uciskowej i zrobił drewnianą szynę. „Ruszyłem około dziesiątej wieczorem – mówi dalej – podciągając się na boku". Pomimo utraty krwi i bólu w zmiażdżonej nodze, Wikiriwhi czołgał się przez całą noc. O wschodzie słońca był około 400 jardów od dworca i chociaż Niemcy wyraźnie go teraz widzieli i strzelali do niego, zdołał dotrzeć do nowozelandzkich linii o piątej po południu.

To była rzeź. Z 200 żołnierzy, którzy wyruszyli poprzedniej nocy, stracono około 130. Freyburg nie miał innego wyjścia, jak przyznać, że natarcie się zakończyło. Sześć tygodni później wrócił tam po poległych oddział rozpoznawczy Maorysów, prowadzony przez dowódcę batalionu Petera Awatere'a, starszego sierżanta sztabowego Martina McCrae, kapelana i jeszcze jednego oficera, Normana Perry'ego. Najpierw natknęli się na zwłoki porucznika George'a Ashera, który stracił obie nogi w czasie walk 18 lutego. Ciało było w stanie takiego rozkładu, że udało się je zidentyfikować tylko dzięki charakterystycznej fryzurze porucznika. Dostrzegli, że zanim zmarł, próbował nałożyć sobie opaskę uciskową z drutu, żeby zatamować upływ krwi. Następnie znaleźli resztę plutonu, wszyscy leżeli zwróceni w jednym kierunku – ku Cassino. Wydaje się, że trafiła ich jedna seria z karabinu maszynowego. Potem Norman Perry usłyszał coś, co opisał jako „straszny jęk". Odwrócił się i zobaczył, że McCrae rozpoznał jednego ze swoich krewnych.

Grupa wróciła następnego dnia, żeby zabrać zwłoki, ale przeszkodził im przyjazd dżipa żandarmerii wojskowej. Żaden z oficerów nie miał dystynkcji, więc żandarmi instynktownie zwrócili się do Perry'ego, jedynego Europejczyka w grupie. Oznajmili, że nie powinno ich tutaj być i że grzebanie poległych należy do obowiązków oddziału rejestracji grobów, a Perry odparł, że własnych żołnierzy pochowają osobiście. Wyższy stopniem oficer, Awatere, zachowywał milczenie, ale w tej właśnie chwili przyjechała ciężarówka wioząca grupę Maorysów, którzy mieli pogrzebać poległych. Awatere krzyknął do nich po maorysku: „Chodźcie tutaj, ale powoli". Następnie odwrócił się do żandarmów i powiedział po angielsku: „Żołnierze, którzy się tu zbliżają, są z 28. batalionu. Przyjechali pochować swoich przyjaciół i krewnych, jeden z nich przyjechał pochować brata. Nie odpowiadam za to, co się stanie, jeśli nie będą mogli tego zrobić". Żandarmi mądrze się wycofali.

Niemcy byli zachwyceni tym, że odbili dworzec i „rozkwasili Nowozelandczykom nosy". Dla nich było to kolejne zwycięstwo obronne. Co więcej, niemal w tym samym czasie pospiesznie sformowana, ale silna niemiecka 14. armia przedarła się przez granice przyczółka pod Anzio i parła prosto na wybrzeże. Wyglądało na to, że alianci zostaną odrzuceni na morze. W Cassino część najlepszych wojsk alianckich niczego nie uzyskała i została wycięta w pień. Był to najcięższy moment w całej kampanii.

ROZDZIAŁ 11

Przejściowy spokój w Cassino, kontrnatarcie pod Anzio

Niemieckie kontrnatarcie na Anzio rozpoczęło się, po intensywnym artyleryjskim ogniu zaporowym, 16 lutego o godzinie piątej trzydzieści rano, dzień po zbombardowaniu klasztoru na Monte Cassino. Był to najcięższy atak niemiecki w kampanii, przeprowadzony przy użyciu 3 dywizji, 452 dział i 270 czołgów, w tym 75 ciężkich czołgów Tygrys. Do wczesnego ranka następnego dnia Niemcy wdarli się na ponad dwie mile w alianckie linie obronne, ale z powodu rozmiękłego gruntu czołgi musiały trzymać się dróg tłuczniowych, gdzie stanowiły łatwy łup dla alianckiego lotnictwa i artylerii, które odpowiedziały na niemieckie natarcie ogromną liczbą bomb i pocisków. Niemiecka piechota została pozbawiona wsparcia i następnego dnia natarcie się załamało, choć było o włos od powodzenia.

Alexander wydał już rozkaz nowego ataku na linię Gustawa, żeby odciążyć oblegane wojska pod Anzio. W pierwszym odruchu chciał poczekać na lepszą pogodę, aby w pełni wykorzystać swoją przewagę w broni pancernej i lotnictwie, ale pod presją Londynu, Waszyngtonu, Anzio i dowódcy Korpusu Nowozelandzkiego Freyburga zdecydował się postąpić inaczej. Freyburg chciał jeszcze raz spróbować ataku na klasztor i drogę numer sześć, ale na innej osi – od północy na miasto Cassino i w kierunku Wzgórza Klasztornego, które wznosiło się między klasztorem i miastem. Po niepowodzeniu poprzednich ataków w kierunku Sant' Angelo i dworca kolejowego oraz przy ciągle stojącej wodzie na znacznej części doliny Rapido było to jedyne podejście do drogi numer sześć dostępne dla sił pancernych aliantów. Miasto było silnie umocnione, więc Freyburg zaplanował niezwykle ciężkie bombardowanie z powietrza i ostrzał artyleryjski, które miały całkowicie zrównać Cassino z ziemią; następnie Nowozelandczycy mieli oczyścić miasto i otworzyć drogę do doliny Liri dla skoncentrowanych czołgów aliantów. Ze

Wzgórza Klasztornego oddziały 4. dywizji indyjskiej z 5. brygadą na czele miały się przedrzeć wijącą się serpentynami drogą do klasztoru i zająć punkt 435. Żołnierze alianccy nazywali go „Wzgórzem Kata", ponieważ na jego szczycie stał zrujnowany pylon, który z dołu niepokojąco przypominał szubienicę. Wzgórze Kata znajdowało się tylko 300 jardów od zewnętrznych murów klasztoru. Z niego przypuszczono by w końcu szturm na ruiny samego klasztoru, oczyszczając kluczowy punkt obserwacyjny.

Alexander zgodził się, pod warunkiem że atak będą poprzedzały trzy dni bez opadów, dzięki czemu grunt na tyle stwardnieje, że 400 czekających czołgów będzie mogło wedrzeć się do doliny Liri. 22 lutego oddziały nowozelandzkie zluzowały ostatnich żołnierzy z 34. dywizji amerykańskiej, utrzymujących północno-wschodnią część miasta Cassino, a 78. dywizja brytyjska przejęła pozycje Nowozelandczyków naprzeciwko Sant' Angelo. Wszystko miało być gotowe na 24 lutego, a hasło „Bradman dzisiaj odbija" miało sygnalizować rozkaz ataku.

Ale 23 lutego pogoda się pogorszyła i deszcz padał bez przerwy przez niemal trzy tygodnie. Atak trzeba było przełożyć. W dolinie Rapido nieprzerwana obserwacja z klasztoru źle zaczynała wpływać na sapera Matthew Salmona. Wkrótce po zbombardowaniu klasztoru uczyniono go odpowiedzialnym za pompę wodną niedaleko rzeki Rapido. Pompa, napędzana małym silnikiem dwusuwowym, napełniała dwa dwustugalonowe zbiorniki, do których Salmon dosypywał chemiczne środki oczyszczające. Pracując samotnie dzień i noc, musiał napełniać zbiorniki, które dostarczano wojskom frontowym. „Nie mogłem tego zrozumieć – mówi. – Niemcy musieli wiedzieć, że pompuję tam wodę". Po około dwóch tygodniach był wyczerpany brakiem snu. Z powodu nieustannej obserwacji, a także braku kontaktu z przyjaciółmi z oddziału, stawał się coraz bardziej roztrzęsiony. Potem doszło do nieuniknionego zmasowanego ostrzału artyleryjskiego. „Gdy nadlatywały pociski, rzuciłem się na ziemię. Było ich siedemnaście w ciągu tyluż sekund" – mówi. Zbiorniki na wodę zostały zniszczone, ale Salmon cudem wyszedł z tego bez szwanku. Nie miał jednak zamiaru tam zostać i ruszył z powrotem do swojej kwatery głównej. „Szedłem w górę szlaku, gdzie zauważył mnie nasz starszy sierżant sztabowy, który powiedział: «Co ty tu robisz? Kto dostarcza wodę na front?» Chciałem mu odpowiedzieć, ale stwierdziłem, że nie potrafię mówić jak należy, i tylko się jąkałem". Sierżant kazał mu znaleźć dżipa, załadować na niego zaopatrzenie i zacząć od nowa. „Odpowiedziałem, że potrzebuję trochę odpoczynku i przerwy, zanim tam wrócę – mówi Salmon – ale on utrzymywał, że to nie jest konieczne, i kazał mi wracać natychmiast. Gdy zorientował się, że mówię poważnie o tym odpoczynku, zasięgnął rady dowódcy, który był na górze".

Dowódca, straszliwy major Smith, chciał zobaczyć Salmona.

– No więc o co w tym wszystkim chodzi? – zapytał mnie.

Najlepiej jak umiałem opowiedziałem mu o ataku nad rzeką, ale on najwyraźniej nie zwrócił uwagi na to, z jakim trudem się wysławiam.

– Myślisz, że ktoś będzie zapieprzał za ciebie? – zapytał major.

– Nie – odparłem – proszę tylko o trochę odpoczynku.

Dowódca wpadł w furię i nazwał mnie tchórzem.

– Dobra, niech mnie pan nazywa tchórzem, jeśli pan chce – odparłem. – Jak długo trzeba walczyć na froncie, żeby stać się tchórzem? Bez względu na to, co pan powie, nie wrócę tam, dopóki się trochę nie prześpię. Nie obchodzi mnie, czy weźmie mnie pan na zewnątrz i zastrzeli, bo jestem u kresu wytrzymałości i mam już dość.

W końcu major się zgodził i wysłał Salmona do polowego punktu opatrunkowego. Tam lekarz poprosił go, by rozniósł rannym żołnierzom herbatę i papierosy. „Było tam trochę rannych niemieckich jeńców – wspomina Salmon – ale bali się pić naszą herbatę i palić nasze papierosy, ponieważ powiedziano im, że chcemy ich otruć. Niektórzy z nich nawet robili ze strachu pod siebie. (...) Niedługo potem zacząłem się trząść i zdałem sobie sprawę, że ze mną też jest naprawdę niedobrze".

Ewakuowano go do szpitala polowego, gdzie lekarz podał mu środki uspokajające i zadał szereg pytań. „Kazał mi wrócić myślami do jak najwcześniejszego okresu w życiu, żeby mógł ustalić przyczynę moich problemów – mówi dalej Salmon. – Zapytał, czy w rodzinie były jakieś przypadki pomieszania zmysłów. Przez trzy dni wypytywał mnie o moje życie. Zacząłem się zastanawiać, który z nas potrzebuje leczenia – on czy ja? Z pewnością dostrzegł, że przyczyną mojego stanu jest koszmar wojny".

Ponownie przeniesiony, tym razem do szpitala ogólnego nr 2 w Casercie, Salmon znalazł się na tym samym oddziale co Spike Milligan. „Większość żołnierzy była w stanie, który zwykliśmy nazywać «bombowym» – wyjaśnia Salmon. – Jedni chodzili, jakby byli pijani, ale ja miałem trudności z chodzeniem, bo bardzo się trząsłem. Ciągle miałem trudności z mówieniem i nie potrafiłem wydobyć z siebie słowa". Na końcu oddziału było „inne pomieszczenie, do którego drzwi były zamknięte. Znajdowali się tam goście o wiele bardziej znużeni walką od nas. Oni naprawdę postradali zmysły, naprawdę popadli w szaleństwo. Cholerna wojna. Byli istotami ludzkimi, żołnierzami, wielu z nich było gwardzistami. Mówili, że widzą duszki i tego typu rzeczy. To było bardzo smutne".

Naczelnym psychiatrą szpitala był major Harold Palmer, twardy, rzeczowy mieszkaniec północy, „surowy mężczyzna ze złamanym nosem". Przed wojną pisał artykuły o znaczeniu „narkozy" w leczeniu symptomów psychiatrycznych, a także cieszył się szacunkiem kręgów psychiatrycznych ze względu na swoją energię i niezachwianą wiarę w swoje zdolności. Niektórzy jednak go nie lubili za jego bezpośrednie metody i sposób, w jaki wypowiadał się o „tchórzostwie". „Ludzie, którzy załamują się na wojnie – pisał – nie wypełniają swojego zadania jako żołnierze. (...) Społeczeństwo w stanie wojny ma takie samo prawo domagać się od żołnierza oddania «nerwów» za ojczyznę, jak z zasady korzysta z prawa, by żądać, żeby żołnierz oddał za ojczyznę swoje oczy, kończyny czy nawet życie".

I Milligana, i Salmona leczył Palmer. Milligan przez kilka dni czytał w łóżku na oddziale, gdzie, jak pisze, „około dwóch trzecich ludzi było na lekach i większość dnia przesypiało. Pozostali byli bardzo cisi i ponurzy. Nikt z nikim nie rozmawiał". Gdy w końcu zobaczył się z Palmerem, oznajmił mu, że potrzebuje jakiegoś zajęcia. „Doceniam to – odparł Palmer. – Wielu bydlaków lubi tu symulować chorobę tak długo, jak się da". Milligan trafił do obozu rehabilitacyjnego na północ od Neapolu i dostał pracę w biurze.

Salmon miał większe problemy. Palmer – mówi – wrzeszczał na niego, „przepytując mnie bez końca i oskarżając o kłamstwa. Po prostu nie udawało mi się go przekonać, że mówię prawdę, a trudności, jakie miałem z wysławianiem się, tylko pogorszyły sprawę". Potem Salmonowi zrobiono zastrzyk z barbituranu nazywanego niekiedy „serum prawdy" i stosowanego z pewnym powodzeniem u pacjentów, którzy przeżyli załamanie psychiczne w czasie koszmarnej ewakuacji spod Dunkierki. Posługiwanie się nim wzbudzało kontrowersje, ponieważ część pacjentów na nowo przeżywała potworności, które doprowadziły ich do załamania nerwowego. Ale dla innych była to szybka ucieczka od objawów związanych z „wyczerpaniem bojowym"; a dla Harolda Palmera był to co najmniej sposób na rozpoznanie „symulanta". Gdy lek zaczął działać, Salmon stwierdził, że znowu może mówić, a Palmer go przesłuchał, tym razem łagodniej. Salmon jeszcze raz opowiedział, co się wydarzyło, i Palmer w końcu oznajmił mu: „Dobra, już nie wrócisz na front. Zostaniesz umieszczony na oddziale i będziemy cię leczyć". „Pomyślałem: Dzięki Ci za to, Boże – wspomina Salmon. – Nie chciałem tam wracać; nikt, kto ma choć odrobinę rozumu, nie chce". Gdy już leżał w łóżku, podano mu coś do picia. „Nic nie pamiętam do następnego ranka, gdy powiedziałem lekarzowi: «Och, wyspałem się za wszystkie czasy, musiałem spać całą dobę»". W rzeczywistości „spał" dwa tygodnie, poddano go leczeniu nazywanemu narkozą „głębokiego snu", który sprowadzała większa dawka barbituranu. Wielu innych ludzi na oddziale, zauważył Salmon, leżało w łóżku lub poruszało się „jak zombi", kiedy przechodziło takie samo leczenie. Salmon odniósł wrażenie, że było ono skuteczne, bo przynajmniej objawy – drżenie i jąkanie – ustąpiły. Nie żywił urazy do majora Palmera z powodu jego początkowo napastliwego podejścia. „Trzeba pamiętać, że w armii było paru bardzo bystrych ludzi, którzy mówili «Zamierzam się stąd wyrwać» i udawali, że są pod ścianą, chociaż nie byli. Ktoś musiał orzec ze stuprocentową pewnością, czy chorują naprawdę. Dlatego on był taki szorstki".

Salmon otrzymał kategorię „trwała B1" – niezdolny do służby na froncie – i zaczął pracować jako stolarz w szpitalu. „Po tym, co przeszedłem, byłem zadowolony, że się z tego wydostałem – mówi. – Muszę powiedzieć to szczerze. Oddałbym wszystko, co miałem, żebym nie musiał już nigdy wracać na linię frontu. Nie, nie, miałem już tego dość".

W Cassino natarcie nadal miało się rozpocząć, gdy tylko poprawi się pogoda, więc żołnierzy wyznaczonych do ofensywy trzymano na wysuniętych pozycjach tuż za linią frontu. Straty utrzymywały się na stałym poziomie, co przygnębiało żołnierzy. John David był teraz oficerem zaopatrzenia wysuniętego punktu opatrunkowego 5. brygady. Jego dziennik opowiada o licznych ofiarach z batalionu Essex. „Żołnierze z Essex mają dość – napisał 18 lutego, gdy dostarczono kolejnych ciężko rannych żołnierzy. – Skarżą się, że nie mogą wziąć odwetu".

1/4. batalion Essex dotarł do Tarentu 22 listopada poprzedniego roku, spędziwszy pięć miesięcy na szkoleniu w Syrii i Egipcie. Nadal służyło w nim wielu żołnierzy, którzy przed wojną tworzyli jednostkę obrony terytorialnej, chociaż sprowadzono uzupełnienia, żeby pokryć straty poniesione podczas walk na pustyni. Jednym ze zmienników był Ken Bond. Wspomina, że dołączył do batalionu po walkach w Afryce Północnej i brązowe kolana weteranów wywarły na nim takie wrażenie, że szybko spalił się na słońcu, co uważano za występek równie ciężki jak własnoręcznie zadana rana. Na szczęście życzliwy sanitariusz, kapral Ted „Nutty" Hazle, poratował go mieszaniną tlenku cynkowego i żelazowego i obiecał, że o tym nie zamelduje. Bond, którego ojciec pracował przy piecu w fabryce chemicznej, urodził się i wychował w przemysłowej dzielnicy Bristolu. Rzucił szkołę, gdy miał czternaście lat, i imał się różnych zajęć, zostając w końcu, w wieku siedemnastu lat, mleczarzem w spółdzielni. Był najmłodszym z jedenaściorga dzieci, z których troje zmarło w dzieciństwie. „Moja matka miała czterdzieści pięć lub czterdzieści sześć lat – mówi Bond. – Więc byłem ostatnim z nie chcianych dzieci!" Kiedy miał osiemnaście lat, został powołany do wojska i – po okresie szkolenia i typowej, morderczej serii zastrzyków – wysłano go na pustynię. Jako młody zmiennik Bond musiał pełnić służbę wartowniczą i wykonywać inne zajęcia. Wielu żołnierzy było nawet o dziesięć lat starszych i trudno było się z kimś zaprzyjaźnić. „Nigdy nie miałem wrażenia, że my, ludzie z południowo-zachodniej części Anglii, jesteśmy akceptowani – mówi. – Londyńczycy nie lubili mieszkańców południowo-zachodniej części Anglii i stanowili od czasu walk na pustyni bardzo zżytą grupę. (...) Nie wiedziałem, gdzie wylądowaliśmy, dopóki ktoś nie powiedział: «Jesteście we Włoszech»". Po przyjeździe z Aleksandrii do Tarentu było przejmująco zimno i Bond pamięta, że szczególnie współczuł w swojej brygadzie Indusom. Żołnierze spędzili krótki okres na froncie adriatyckim, zanim przeniesiono ich dywizję do 5. armii.

Batalion dotarł w rejon Cassino 4 lutego i osiem dni później ruszył dalej do żlebu w pobliżu wsi Valvori. Pod obserwacją nieprzyjaciela i sporadycznym ostrzałem artyleryjskim batalion przyglądał się bombardowaniu klasztoru 15 lutego. Trzy dni później przeniesiono ich dalej w ciemnościach do Wadi Villi – doliny położonej o około milę w górę drogi Caruso z Cassino. Planowano, że stamtąd będą mogli rozwinąć działania 7. brygady na Głowie Węża. Ale po niepowodzeniu tych działań wyznaczono Essex na siły szturmowe w następnym natarciu i zostawiono go na pozycji. Nad Wadi Villą wznosiły się niemieckie stanowiska obserwacyjne na Monte Cairo, więc za dnia niemożliwy był żaden ruch i żołnierze musieli pozostawać w prowizorycznych obozowiskach, usytuowanych na wysuniętych zboczach doliny lub w znajdującym się niżej korycie wyschniętej rzeki.

Po paru dniach pierwszy z żołnierzy batalionu padł ofiarą ostrzału artyleryjskiego – szeregowiec Cole – a inny zdezerterował. Gdy pogoda zmieniła się 24 lutego, warunki dla żołnierzy w Wadi jeszcze bardziej się pogorszyły.

„Padało tak, jak może padać tylko w południowych Włoszech, ulewy nadeszły z gór – skomentował dowódca kompanii B, kapitan J. Beazley. – Woda wypełniła koryto rzeki i przelała się przez nasze linie, porywając ze sobą koce, wyposażenie, a nawet karabin maszynowy średniego kalibru".

Kapral Ted „Nutty" Hazle należał do nieszczęśników, którzy obozowali na dnie doliny: „Rozłożyliśmy się w suchym rowie. Rozbiliśmy obóz, urządziliśmy się". Potem, gdy napłynęła woda, miał tylko siedzieć przez większą część nocy na hełmie, dzięki czemu znajdował się tuż ponad poziomem wody: „Lepiej miał tylko starszy sierżant sztabowy, który siedział na skrzyni z amunicją!" Hazle był teraz noszowym w kompanii D i jako weteran z Afryki Północnej – został odznaczony Medalem Wybitnej Służby za to, że pod El-Alamejn odniósł ciężkie rany, ratując rannych – ciągle nie przejmował się stojącym przed nimi zadaniem: „Wszyscy byliśmy uodpornieni – mówi. – Nie martwiliśmy się atakiem".

Dla majora Denisa Becketta, dowódcy kompanii C, była to „dziwnie nierealna sytuacja. Z pewnością można było odnieść wrażenie, że trzymanie żołnierzy na tak nieprzyjemnej i niebezpiecznej pozycji przez tak długi czas przed natarciem jest oznaką braku planowania. Był to skrajny przypadek rozkazu od wieków wydawanego żołnierzom: «Pospieszcie się i czekajcie»".

Przydzielony do brygady sygnalista Charlie Fraser napisał 27 lutego w dzienniku: „Znowu padało prawie cały dzień. Myślę, że wszyscy mają już dość tych stanowisk w Wadi Villi. Pięciu następnych indyjskich szeregowców zginęło od ognia artyleryjskiego. Ruszmy z tym atakiem, miejmy go za sobą. Ciągle pada, żleby i szlak zalane. Kolejny ostrzał artyleryjski i ogień moździerzowy w rejonie kwatery głównej 5. brygady. Padało całą noc".

Ken Bond świętował swoje dwudzieste pierwsze urodziny 5 marca „w dołku w ziemi, czekając na wkroczenie do boju (...)". Był przemarznięty, zmęczony i przestraszony. „Przemokłem do suchej nitki. Moje posłanie, koce i reszta tak samo". Możliwość spania była bardzo ograniczona, a ostrzał moździerzowy i artyleryjski trwał bez przerwy. Najbardziej przerażały Bonda nebelwerfery, sześciolufowe moździerze, które Niemcy pierwotnie zaprojektowali do wystrzeliwania granatów dymnych, ale przystosowali je do wystrzeliwania materiału wybuchowego kruszącego. Wydaje się, że ta właśnie broń z niemieckiego arsenału, znana pod nazwami „śmiejącego się Jasia", „jęczących mamusiek" czy „wyjących sióstr", wzbudzała największy strach wśród żołnierzy piechoty. „Nigdy nie narysowałem «śmiejącego się Jasia» – napisał amerykański karykaturzysta Bill Mauldin – bo to po prostu wcale nie jest zabawne". Równie przerażający jak skutek ostrzału nebelwerferów był odgłos nadlatujących pocisków. Ernie Pyle napisał: „Działo nie strzelało z rykiem, ale pociski pędziły naprzód ze świstem o niezrównanej zjadliwości i mocy, jakby zgrzytała gigantyczna przekładnia zębata". Pewien oficer brytyjski określił ten dźwięk następująco: „Jakby ktoś gwałtownie naciskał klawisze niskich tonów fortepianu, czemu towarzyszył zgrzytliwy pisk brylantu na szkle". „Bałem się tego jak diabli – mówi Ken Bond – tego pisku sześciu nadlatujących jednocześnie pocisków".

Pierwotne rozkazy dla batalionu na zbliżające się natarcie mówiły, że ma on bronić Wzgórza Zamkowego i jego okolicy, ale 3 marca na kolejnej naradzie w kwaterze głównej korpusu dowódca batalionu, podpułkownik Noble, dowiedział się, że Essex ma teraz także zająć klasztor. Dziesięć dni później John David napisał w dzienniku: „Batalionowi Essex ma podobno przypaść zaszczyt zajęcia klasztoru i umieszczenia tam swojej zawczasu przygotowanej flagi". Kapitan J. Beazley przybiera dość odmienny ton: „Właśnie gdy nasze morale bardzo potrzebuje jakiegoś bodźca, otrzymujemy wiadomość, że ma się rozpocząć atak na Cassino".

W tym okresie, od 19 lutego do 14 marca, gazety w kraju donosiły, że na froncie włoskim panuje całkowity spokój. „Doniesienie równie błędne jak nieprawdziwe! – oburza się w dzienniku z czasu pobytu pod Cassino brytyjski kapitan. – Żołnierze, którzy są najbliżej wroga, nigdy nie mają spokoju!" Na masywie powyżej żołnierzy z batalionu Essex pozostałe dwie brygady 4. dywizji indyjskiej kuliły się w swoich płytkich sangarach, otoczone z trzech stron przez nieprzyjaciela, rozpaczliwie usiłując ochronić się przed zamarzającym deszczem i śniegiem, jak również przed ostrzałem z moździerzy i snajperami, tylko za pomocą skórzanych kamizelek, ubrań przeciwgazowych i szyneli.

Sygnalista B. Smith z 4/16. batalionu pendżabskiego opisał życie naprzeciwko klasztoru w tym okresie: „Podczas wielu nocy słyszeliśmy dziwny trzask karabinu i wydawaliśmy jęk. Schemat ten był niezmienny. Na ten pierwszy trzask odpowiadało kilka strzałów, które zapoczątkowały ogień z lekkich karabinów maszynowych Bren, który rodził szybki terkot niemieckich lekkich karabinów maszynowych, który uruchamiał moździerze, potem dwudziestki piątki i osiemdziesiątki ósemki, a na koniec średnią i ciężką artylerię, i cały obszar tańczył, huczał i rozpadał się jak w *Piekle*

Dantego. Wszystko to działo się w ciągu paru chwil z powodu jednego swędzącego palca i jednego nerwowego oka. Po chwili do obu stron docierało, że nikt nie atakuje, i wszystko cichło". Batalion Smitha nie walczył w drugiej bitwie, ale między 15 lutego i 23 marca stracił w walce 250 osób, jak również dużo więcej z powodu chorób i odsłoniętych pozycji. W sumie 7. brygada traciła sześćdziesięciu żołnierzy dziennie.

Douglas Hawtin, sygnalista batalionu Sussex, był coraz bardziej wyczerpany. „Nie rozbierałem się przez dwa miesiące – cały czas w pełnym umundurowaniu polowym i płaszczu. Zdobyłem trochę pustych worków do piasku i owinąłem nimi nogi od kolan do kostek, obwiązałem je sznurkiem, po czym żeby było cieplej, pozwoliłem zaschnąć na nich błotu". Odłamek pocisku ranił go w nogę, ale chwilowo Hawtin nie mógł być ewakuowany, ponieważ nie został nikt, kto potrafiłby utrzymywać łączność radiową batalionu z kwaterą główną brygady. Ranę opatrywano dwa razy dziennie, ale mimo to doszło do zakażenia. „Naturalnie żyliśmy z wszami – mówi Hawtin. – Zapalaliśmy papierosa i zgniataliśmy je, zwykle pomagając sobie w tym nawzajem". Hawtin miał również ostry atak dyzenterii i wkrótce był tak słaby, że ledwo mógł stać. Wtedy lekarz wojskowy kazał mu wracać na tyły, póki jeszcze może chodzić.

Johna Davida przeniesiono do położonego na masywie wysuniętego punktu opatrunkowego batalionu Gurkhów w zastępstwie za innego lekarza, który poległ. „Nasze kłopoty rozpoczęły się na dobre – napisał David w dzienniku 25 lutego. – Pada bez przerwy, (...) za drzwiami rozlewa się morze błota, a buty nigdy nam nie wysychają. Całą noc słyszymy chlupot mijających nas nieszczęśników z zaopatrzenia. Wszyscy ranni, którzy docierają wieczorem, są zawsze całkowicie przemoknięci. Nie mamy żadnych możliwości, żeby wysuszyć ich ubrania. W te ciemne noce nie można posłać ich szlakiem w dół, więc umieszczamy ich w pomieszczeniu u góry. Nasze koce są zawilgocone. Z godziny na godzinę nasila się u mnie poczucie niemocy, niezdolności do ulżenia ich doli".

Następnego dnia wezwano Davida, by pomógł sprowadzić sygnalistę, szeregowca Jenningsa, przydzielonego do 1/2. batalionu Gurkhów. Z czterema noszowymi wypuścił się w noc. „Ślizgaliśmy się po ścieżce, dwa razy upadliśmy plackiem na ziemię. W końcu na tle nieba zauważyliśmy podekscytowaną grupę noszowych, którzy schodzili z nieszczęsnym pacjentem, jęczącym przy każdym wstrząsie". Na okop sygnalisty spadł pocisk artyleryjski, który nie wybuchł, ale zmiażdżył mu obie stopy, „trzymające się tylko na skórze. Teraz pojawiał się, zziębnięty, zaszokowany, przemoczony deszczem, a [my nie mieliśmy] tu żadnych środków, które przyniosłyby mu ulgę w cierpieniu, z wyjątkiem morfiny, a tę już wcześniej dostał". David stwierdził, że konieczna jest natychmiastowa amputacja jednej stopy. „Zrobiliśmy mu transfuzję i rozgrzaliśmy go, wydawał się spokojniejszy, ale o północy zaczął okazywać ten szczególny nerwowy niepokój, jaki pojawia się u nich przed śmiercią, i nie doczekał ranka". David musiał przygotować Jenningsa do pochówku, „który sprowadzał się jedynie do okrycia go kocem. Trzeba też było znaleźć amputowaną stopę, którą rzucono wcześniej na stos odpadków. Nie chciałem, żeby ktoś niespodziewanie ją tam znalazł, więc po jakimś czasie udało mi się ją złożyć obok ciała".

Im dłużej padało, tym bardziej pogarszała się, i tak już trudna, sytuacja zaopatrzeniowa na masywie i brytyjscy żołnierze rozgrzebali wiele „stosów odpadków" w poszukiwaniu wyrzuconych amerykańskich racji. Znajdowano i łapczywie pochłaniano kawę, herbatniki i cukierki. David Cormack ze swoją kompanią włoskich poganiaczy mułów starał się zaopatrywać Gurkhów na masywie. W porównaniu z tym, co robił teraz, zaopatrywanie przyczółka nad Garigliano wydawało się łatwe. „Wyruszyliśmy z pięćdziesięcioma mułami – napisał w dzienniku 28 lutego – długa droga, przewodnicy do niczego i zaczęło padać w chwili, gdy zaczęliśmy wspinać się na górę. (...) Piekielna wędrówka, ulewny deszcz, błoto, ciemno choć oko wykol, straciliśmy kilka mułów. Przestaliśmy próbować wrócić o 0.30, bo to nie miało sensu". W drodze powrotnej zwykle zlecano mu transport na dół ciał amerykańskich żołnierzy w workach na zwłoki. Niektórzy z nich zginęli niemal przed miesiącem. „Zwłoki nie były świeże" – mówi Cormack.

W klasztorze i wokół niego Niemcy nieustannie ulepszali swoje stanowiska obronne, ale także tracili ludzi, zarówno w czasie wędrówek z zaopatrzeniem ścieżką z tyłu klasztoru, jak i od ciągłego ostrzału alianckiej artylerii. Urodzony w Berlinie w 1917 roku Kurt Langelüddecke był oficerem obserwacyjnym artylerii i w tym czasie stacjonował w klasztorze. „Musiałem opisywać to, co widziałem, a jeśli było warto, to strzelałem w jakieś miejsce – mówi. – Meldunki składałem generałowi. Generał musiał mieć możliwość obserwacji. To dlatego Monte Cassino było takie ważne. Ten, kto miał tę górę, był panem!" Cele jednak trzeba było wybierać starannie. „Nie wolno nam było tak po prostu strzelać. Musieliśmy dzielić się amunicją – mówi

Langelüddecke. – Mieliśmy za mało pocisków. Mieliśmy wiele dział, które nie strzelały, ponieważ nie miały amunicji". Langelüddecke walczył już wcześniej w Polsce, Holandii, Belgii, Francji i Związku Radzieckim, ale walki pod Cassino uznaje za najcięższe z całej wojny. Podczas bombardowania klasztoru znajdował się na stanowisku oddalonym od niego o trzysta jardów i wkrótce potem wraz ze spadochroniarzami wszedł do szkieletu budowli: „Ruiny pełne były pyłu i śmieci. W celi świętych benedyktyńskich zakonników znalazłem łyżkę, którą jadłem zupę. Potrzebowałem jej – niewiele mieliśmy". Podobnie jak w przypadku aliantów, poruszanie się w świetle dziennym było samobójstwem i ruiny ożywały tylko w nocy, gdy żołnierze dostarczali zaopatrzenie i ewakuowali rannych, a dowódcy przeprowadzali inspekcje wysuniętych stanowisk. „Spędziłem na górze dwanaście tygodni i ani razu nie wyszedłem na słońce – mówi Langelüddecke. – Zacząłem wyglądać zupełnie inaczej".

Niektórzy w tym okresie po raz pierwszy wzięli udział w walkach o Cassino. Birdie Smith, młodszy oficer w 2/7. Gurkha Rifles, ku swemu wielkiemu rozczarowaniu musiał zostać w obozie uzupełnień. 4 marca napisał w dzienniku: „Dzień się wlókł. Kilka dziwnych zajęć. Ciągła nuda. Chcę jedynie dołączyć do mojego batalionu. W końcu wojna toczy się piąty rok, a ciągle jeszcze nie widziałem niemieckiego żołnierza". Trzy dni później jego pragnienie się spełniło i Smith zaczął wspinaczkę na pozycje batalionu na masywie. Błyskawicznie jego „romantyczne wyobrażenia" uległy „zniszczeniu". W drodze pod górę natknął się na licznych żołnierzy zmierzających w przeciwnym kierunku: „zmęczonych, niechlujnych, wielu z nich rannych, (...) przemokniętych, przedwcześnie postarzałych ludzi, (...) niewielu tylko okazywało nam jakiekolwiek zainteresowanie". Gdy dotarł do kwatery głównej batalionu, zameldował się u pułkownika. „Był innym człowiekiem – pisze Smith – blada, przemęczona twarz, głębokie, ciemne obwódki wokół oczu; byłem wstrząśnięty zmianą, jaka zaszła w naszym dowódcy". Tydzień później, cudem przeżywszy bliską eksplozję, po której nie mógł powstrzymać dygotu, napisał w dzienniku: „Czy zostaliśmy skazani na wieczne życie w tym zimnym, wilgotnym piekle na ziemi?" Dopiero gdy był sam w swoim okopie, czuł, że poza zasięgiem wzroku towarzyszy może okazać strach.

10 marca John David opuścił wysunięty punkt opatrunkowy i skierował się na tyły. Zaczął już tracić animusz. „Opuściłem wiejski dom, w którym byłem w ostatnim liście – napisał wieczorem do domu – i gdzie wszystko było bardzo trudne, tak trudne, że będę mógł wam o tym opowiedzieć do-

piero później. W moim życiu – i życiu wielu innych ludzi – będzie to okres, w którym nasz optymizm, wytrzymałość i „brytyjski hart ducha" poddano najcięższej próbie. (...) Pogoda jest taka, że mam nadzieję, że już nigdy czegoś podobnego nie przeżyję. (...) Marzy mi się sympatyczna praca w szpitalu w Neapolu i gdy skończymy, postaram się ją dostać".

Na całym froncie żołnierze marzyli o Neapolu i przeklinali obrzydliwą pogodę. Francuz Jean Murat z 4. pułku tunezyjskiego ciągle jeszcze był w szkole oficerskiej w Algierii, gdy jego pułk został zdziesiątkowany podczas natarcia na Belvedere. Pod koniec lutego znajdował się w grupie zmieniającej ostatnie amerykańskie oddziały na Monte Castellone i znaczną część marca spędził na górskim zboczu. Pierwsza odsiecz, w nocy z 28 na 29 lutego, była szczególnie wyczerpująca. „Deszcz leje od kilku godzin – pisze Murat – więc noc jest tak czarna, że z obawy przed zabłądzeniem wszyscy przywiązywaliśmy się do paska żołnierza przed nami". Kompania poniosła tak wielkie straty, że „wszyscy oficerowie, ogromna większość *sous-officiers* i przeważająca część szeregowców są nowi". Zaniepokojony przede wszystkim tym, że może nie sprostać zadaniu, Murat szybko poznał typowe dla linii frontu poczucie zagubienia i bezsilności: „Nie mam żadnych wieści o tym, co nas czeka. Nie mam mapy. Jaki byłby z niej pożytek w tym zacinającym deszczu i w takich ciemnościach, kiedy nie jestem w stanie dostrzec nawet żołnierza, do którego pasa jestem przypięty?"

Ścieżka była stroma i śliska i Murat, idący z tyłu kompanii, czuł ciężar swojego szynela i plecaka, całkowicie teraz przemoczonych. Gdy przewodnik skręcił ze szlaku mułów, „kolumna wspina się w górę, najbardziej stromym zboczem. Pozbawieni tchu żołnierze są całkowicie wyczerpani". Często przystawali, ale gdy któryś odpoczynek się przedłużał, Murat z wysiłkiem ruszył do przodu i stwierdził, że ta pięćdziesiątka żołnierzy, włącznie z nim, zgubiła pozostałą część grupy. Kazał żołnierzom wspinać się dalej, i gdy stopień nachylenia zbocza się zmniejszył – pisze – „ostrożnie idę naprzód. Od czasu do czasu krzyczę niepewnie: «Hej tam, poruczniku, hej tam». Byłoby to bardzo zabawne, gdybym się tak okropnie nie niepokoił. Krzyknąłem jeszcze raz [i] poirytowany głos, dużo bardziej pewny od mojego, odpowiedział: «Zamknij się, idioto!»" Dowódca oddziału prowadził Murata za rękę, ale „jest tak ciemno, że nawet go nie widzę. Wprowadza mnie do czegoś, co było jego punktem dowodzenia. (...) W rzeczywistości jest to dół w ziemi, w którym – przemoczony do suchej nitki – czekam na nadejście świtu. A gdy słońce wschodzi, w bladym świetle dostrzegam, że przez całą noc byłem zwrócony tyłem do nieprzyjaciela, a karabin wycelowałem w naszą stronę!"

Chwilowo Murat pozostał okopany na zboczach Castellone. Pierwszego dnia znalazł but z rozkładającą się stopą. Na szczycie „sytuacja jest dużo trudniejsza. (...) Codziennie zasypują nas setki pocisków. Niemiecka artyleria ma swoje ulubione godziny, od jedenastej do południa i od pierwszej do drugiej po południu. Nikt nie zna przyczyn tego schematu".

Również w tym sektorze Niemcy usilnie pracowali nad umacnianiem pozycji obronnych i od czasu do czasu słychać było, jak za pomocą dynamitu głębiej wgryzają się w skałę. Niektórzy z nich jednak zaczynali odczuwać psychiczne skutki znajdowania się pod sporadycznym ostrzałem. „Od kilku dni jestem na linii – napisał 13 lutego w dzienniku nie wymieniony z nazwiska strzelec karabinu maszynowego ze 115. pułku grenadierów pancernych. – Zajęliśmy nowe pozycje blisko żołnierzy angielskich. Niewątpliwie można stwierdzić, że pole walki pod Sommą nie wyglądało gorzej. To straszne i człowieka ogarnia przerażenie, gdy zastanawia się, kiedy skończy się ten koszmar. Powietrze drży od pocisków, diabłów i śmierci".

Na przyczółku nad Garigliano warunki nie były lepsze. „Pogoda nie poprawiła się – wspominał oficer zwiadowca F. G. Sutton z 2. batalionu Beds and Herts, pierwszego z nowo przybyłej 4. dywizji brytyjskiej, który poszedł na front. „Zimno, deszcz i śnieg uprzykrzały życie. Ruch za dnia był ograniczony; nie rozwiązano problemów sanitarnych i – ponieważ żołnierze przebywali na tym obszarze od sześciu tygodni – zapachy nie były zbyt przyjemne". Podobnie jak na masywie Cassino, samo dostanie się na linię frontu było wyczerpujące i niebezpieczne. Charlie Framp z 6. batalionu Black Watch, innego oddziału 4. dywizji brytyjskiej, który trafił na linię w pobliżu Monte Ornito na pierwsze dwa tygodnie marca, wspomina, jak żołnierzom wydawano pięciostopowe kije, żeby ułatwić im wspinaczkę na nową pozycję. „Jedynymi szlakami były ścieżki kozic, które wiły się w nieskończoność na zboczach góry. Wydawało się, że szliśmy całe mile, żeby posunąć się o kilkaset jardów w górę. Wspinaliśmy się coraz wyżej i pomimo przejmującego zimna wkrótce zalewał nas pot, nogi bolały mnie okrutnie z tego wysiłku".

Po zajęciu pozycji żołnierze wiedli – według jednego z historyków pułku – „dziwnie potajemne życie. Kompanie zaglądały w niemieckie pozycje, a Niemcy zaglądali w ich pozycje, w sposób niemal nieprzyzwoity". „Mój sangar zastąpił sangar znajdujący się kilka jardów dalej i bezpośrednio trafiony nieprzyjacielskim pociskiem – kontynuuje Charlie Framp. – Było w nim wtedy dwóch żołnierzy, teraz została tylko sterta kamieni z wystającym pionowo karabinem, na którego łożu zawieszono hełm. Spomiędzy kamieni wystawała czarno-sina, bezwładna ręka. Chociaż byliśmy na wysokości kilkuset stóp i wiał świeży, zimny wiatr, słodki, mdły zapach śmierci unosił się nad całym tym obszarem".

Gdy żołnierze znaleźli się na wysoko położonych pozycjach na górze, „było przejmująco zimno, często szalały zadymki, lodowaty wiatr nawiewał śnieg przez nieosłonięte otwory w sangarach. (...) Niemcy po drugiej stronie grani, w odległości około dwustu jardów, podobno cierpieli z powodu zimna jeszcze bardziej niż my. Jeden z naszych patroli zameldował o znalezieniu niemieckiego stanowiska z martwym żołnierzem, który nie miał nawet szynela, nie miał ran, chętnie uwierzono, że zmarł z zimna".

Żołnierzom nie wolno było odpowiadać ogniem, ponieważ zdradziłoby to ich pozycję, ale obie strony przeprowadzały regularne patrole i infiltracje, działania szczególnie stresujące, bo najcichszy odgłos, poruszenie najmniejszego kamyczka, mogło ściągnąć śmiertelny ogień. Żołnierz z Coldstream Guards wspominał, że niemieccy snajperzy zawsze celowali w tył patrolu, więc „wszyscy przepychali się jak poparzone szczury, żeby nie znaleźć się na końcu".

W górzystym terenie łatwo było organizować zasadzki na patrole. Kapral z lekkiej piechoty Durham opowiada o takim zdarzeniu: „Wypatrzyli nas. Szkopy skierowały na nas ogień moździerzy, więc musieliśmy wrócić na swoje pozycje. Nigdy wcześniej ani później nie byłem pod takim ostrzałem. Tego popołudnia rzucili przeciwko nam wszystko. Mnóstwo facetów było w szoku – po prostu puściły im nerwy – płakali, a po chwili śmiali się, i tak w kółko. (...) Dziecinne".

Obie strony starały się przeniknąć między sangary przeciwnika, żeby założyć miny pułapki i rozrzucić miny na obszarach uznanych za bezpieczne. Wysunięte punkty obserwacyjne były zajęte też nocą. Framp opowiada o pewnym patrolu, który wyruszył z jego batalionu, żeby sprawdzić, czy Niemcy wykorzystują do obserwacji chatę na „ziemi niczyjej". Dowódca podzielił pluton, żeby zbliżyć się do celu z dwóch stron. Chata okazała się pusta, ale dwie grupy otworzyły ogień do siebie nawzajem i było kilka ofiar.

Kapral Walter Robson był noszowym w 1. batalionie pułku Royal West Kent, kolejnego oddziału 4. dywizji brytyjskiej, który przybył do Cassino w marcu. Był najstarszym z ośmiorga dzieci w robotniczej rodzinie i zakończył swoją formalną edukację w wieku czternastu lat. Poślubił swoją żonę

Margaret zaledwie dwa miesiące przed wyjazdem z kraju. Nie zginął na froncie, ale latem 1945 roku, gdy jego dywizja była w ogarniętej wojną domową Grecji, wyczerpany służbą i walką trafił do szpitala z powodu „udaru cieplnego" i niemal natychmiast zmarł na gruźlicę płuc. Jego poruszające i potoczyste listy do żony zostały opublikowane po wojnie. Jak napisała Margaret we wstępie do tego cienkiego tomiku: „Niemal całe nasze małżeństwo zawiera się w naszych listach".

„W Kairze obejrzałem kronikę filmową, w której pokazano naszych chłopaków we Włoszech – pisał Robson do Margaret w połowie marca. – Pewnie widziałaś podobne filmy. Zobaczyłem grupy mułów mozolnie wspinających się na pokryte śniegiem szczyty i wzdrygnąłem się". Wkrótce po przyjeździe do Cassino batalion przejął część linii frontu w sektorze Garigliano w pobliżu Tufo. Pewnej nocy Robson usłyszał jakiś hałas koło sangaru, który dzielił ze swoim przyjacielem Steve'em. Podczołgali się i znaleźli „chłopaka, hełm, szynel, skórzaną kamizelkę, kamizelkę, dokładnie opatulonego, ale tak drżącego i łkającego, że nie można było tego znieść". Dwaj noszowi zabrali go do wysuniętego punktu opatrunkowego, gdzie dali mu papierosa i gorącą herbatę. „Siedział rozdygotany, a dwie łzy spływały mu po nosie. Lekarz zbadał mu puls i wyszliśmy". W drodze powrotnej było tak ciemno, że musieli się ze Steve'em trzymać za ręce, bo tylko w ten sposób mogli pozostać w kontakcie. „Głośno rozmawialiśmy z myślą o strażach, które – tak jak my nic nie widząc – mogły zacząć strzelać do każdego, kto zachowywał się zbyt cicho i podkradał się. Zaplątaliśmy się w przewody telefoniczne, wspinaliśmy się po głazach, (...) a naszą wędrówkę skończyliśmy na czworakach. Przez cały czas padało. W końcu wróciliśmy do naszych koców i przez całą noc się trzęśliśmy (...) Następnego dnia rano wszystko było białe. Gruba warstwa śniegu. Och, ukochana, a we wsi ciągle mieliśmy w tornistrach tropikalne krótkie spodnie. «Co za urodziny» – powiedziałem, bo był 16 marca". Dla Robsona jedyną pociechą była funkcja noszowego. „Myślę, że trudno byłoby mi żyć, gdybym wiedział, że kogoś zabiłem" – pisze.

Jedenaście dni później mieli zostać zluzowani: „Szkopy nie zaczęły swojego nocnego ataku artyleryjskiego. Chcieliśmy się stamtąd wydostać, zanim to zrobią. Dwa tygodnie czegoś takiego wystarczyły wszystkim. W naszym sangarze papier upchnięty w szparach niezbyt skutecznie hamował podmuchy, więc klęczeliśmy w dziwnej pozycji. Głowy mieliśmy na ziemi, a stopami waliliśmy dla rozgrzewki, przypominaliśmy strusie. Zimno, przenikające do szpiku kości zimno".

Dla żołnierzy znajdujących się na dnie doliny Rapido „przejściowy spokój w działaniach bojowych" oznaczał trzęsienie się z zimna w okopach, w przemoczonym ubraniu, i wybieranie wody z jam w ziemi. „Wielu ludzi chorowało – wspomina Nowozelandczyk Brick Lorimer. – Warunki były okropne. Błoto, deszcz i śnieg, i absolutnie żadnej osłony". Od czasu do czasu przeprowadzano bombardowanie artyleryjskie, a niemieccy snajperzy wypatrywali, czy ktoś się nie wychyla z kryjówki. Nawet w niewielkiej odległości za liniami ginęli ludzie. Do ulubionych celów należeli żołnierze zbierający się na posiłek. Cekaemista Jack Cocker był w pobliżu, gdy Amerykanie w swojej strefie odpoczynku „stali w kolejce po żarcie i szkopy oddały kilka salw artyleryjskich. Rezultat przypominał rzeźnię".

Nastroju dywizji nowozelandzkiej nie poprawiło to, że 2 marca ich szanowanemu dowódcy Howardowi Kippenbergerowi urwała stopy mina pozostawiona na Monte Trocchio. Na liniach nowozelandzkiej artylerii John Blythe wyczuwał upadające morale: „Żołnierze wydawali się przybici – pisze – a cały ten paskudny interes wywoływał posępne myśli. Być może było tak z powodu mrocznych wzgórz, ponurych gór, mgieł na równinie albo pułku po lewej, który nieustannie strzelał pociskami dymnymi, żeby oślepić szkopów. A może był to zapach śmierci? Wybuchy osiemdziesiątek ósemek jak trzaśnięcia z bicza za dnia i głuchy łoskot sto siedemdziesiątek w nocy? Okaleczone drzewa, gruzy, poranna zgaga i zimno? Czy to się nigdy nie skończy?" Na „zgagę" nie pomagało kiepskiej jakości jedzenie i duże ilości cienkiego wina, które żołnierze wypijali co wieczór, próbując zasnąć pomimo ostrzału artyleryjskiego. Gdy tak ciągnął się dzień za dniem, żołnierze stawali się coraz mniej pewni, że przeżyją tę właśnie bitwę. „Byłem zbyt młody i zbyt bezmyślny, żeby już zginąć" – pisze Blythe.

Jednak na początku marca otrzymał kilkudniową przepustkę. Pojechał do Neapolu.

Chociaż wielu żołnierzy alianckich pod Cassino, zwłaszcza piechota z linii frontu, przez cały czas walk nie dostało żadnej przepustki, dla dużej ich liczby port w Neapolu był pierwszym miejscem, jakie widzieli we Włoszech. Wielu innych odwiedziło Neapol w którymś momencie i miasto to odgrywa niebagatelną rolę w ich wspomnieniach z kampanii włoskiej. Pewien amerykański artylerzysta tak je podsumowuje: „Było tam mnóstwo alkoholu (...) i mnóstwo kobiet". Komik Tommy Trinder, który na tyłach zabawiał brytyjskich żołnierzy, zawsze pobudzał ich do śmiechu, gdy opowiadał historię o swoim przybyciu do portu w Neapolu. Miał polecenie, żeby natychmiast zameldować się u kapitana portu, który przygotował samochód, by zawieźć go na pierwsze przedstawienie dla żołnierzy. Gdy Trinder wysiadł ze statku, zaczepił go jeden z licznych w porcie stręczycieli. „Zabiorę cię do ładnej dziewczyny" – zaproponował naganiacz. Tommy szedł dalej. Ciągle idąc za nim, naganiacz ponowił swoją propozycję. Komik zatrzymał się i odparł: „Nie chcę ładnej dziewczyny. Chcę kapitana portu". Włoch spojrzał w niebo, a wyraz jego twarzy zdradzał zdumienie szczególnymi upodobaniami *Inglese*. „Kapitana portu – powtórzył. – To bardzo trudne, ale spróbuję".

Norman Lewis barwnie opisuje miasto w książce *Naples '44*. Wkrótce po zajęciu miasta na początku października 1943 roku zamieszkał we wspaniałym pałacu z widokiem na zatokę, a do jego niejasno określonych zadań należało sprawdzanie Włochów, których armie alianckie chciały wykorzystać w różnych rolach. Później będzie przeprowadzał rozmowy z młodymi kobietami, które chciały wyjść za brytyjskich żołnierzy. Bardzo obawiano się szpiegów i sabotażystów: Lewis opowiada o „pladze przecinania drutów telefonicznych" na początku stycznia. Wojsko było przekonane, że był to celowy sabotaż, „podczas gdy my doskonale wiedzieliśmy – napisał Lewis – że długie odcinki kabli są wycinane wyłącznie ze względu na wartość handlową miedzi i że jak każdy artykuł, którego właścicielem są alianci, miedź jest jawnie sprzedawana na Via Forcella".

Alan Moorehead odwiedził Neapol, bo chciał zobaczyć „pierwsze wielkie miasto niemieckiej Europy, które wpadło w ręce aliantów". Był wstrząśnięty ubóstwem, prostytucją i nieskrępowaną przestępczością: „Wojskowe papierosy i czekolada były masowo kradzione i odsprzedawane po zawrotnych cenach. Pojazdy kradziono w tempie jakichś sześćdziesięciu do siedemdziesięciu na noc (nie zawsze robili to Włosi). Grabież szczególnie cennych rzeczy, takich jak opony, stała się dochodowym biznesem. Myślę, że z całej listy wstrętnych ludzkich występków żadnego nie brakowało w Neapolu w ciągu tych pierwszych miesięcy".

Jean Murat spędził popołudnie w mieście i doszedł do wniosku, że jest to „gniazdo rozpusty, w którym wszystko jest na sprzedaż". Norman Lewis oburzał się w dzienniku na początku lutego: „Nic nie jest na tyle duże czy małe – od słupów telegraficznych po fiolki penicyliny – żeby mogło uniknąć neapolitańskiej kleptomanii. (...) Odkryto, że nawet pokrywy studzienek mają wartość rynkową, więc nagle wszystkie zniknęły, a na drogach wszędzie jest pełno dziur".

Nie można zaprzeczyć, że mieszkańcy Neapolu byli w krytycznym położeniu. Nawet po zakończeniu niemieckiego ostrzału artyleryjskiego dochodziło do sporadycznych nalotów. Niemcy zostawili bomby zegarowe nie tylko na obiektach ważnych dla gospodarki, takich jak mosty, ale też na pocztach, w centralach telefonicznych i innych miejscach, w których najprawdopodobniej ranni lub zabici zostaliby wyłącznie cywile. Zabrali całe skromne zapasy żywności, jakie miało miasto, i panował powszechny głód. Ponieważ zniszczono system zaopatrzenia w wodę, niektórzy musieli podjąć próby odsalania wody morskiej, żeby uzyskać wodę zdatną do picia, i w niehigienicznych warunkach wybuchła zaraza. W listopadzie zaczęła się epidemia tyfusu, w grudniu było czterdzieści przypadków dziennie, a w następnym miesiącu ich liczba zwiększyła się do sześćdziesięciu. Tylko dzięki spryskaniu miliona trzystu tysięcy ludzi nowym „cudownym" środkiem owadobójczym DDT udało się zapanować nad epidemią. Żołnierze alianccy, intensywnie szczepieni przed wyjazdem z kraju, byli bezpieczni, ale zginęły setki Włochów.

W miarę jak do portu w Neapolu nadchodziły ogromne dostawy jedzenia, leków, ubrań i dóbr luksusowych, takich jak papierosy i czekolada, szybko stało się oczywiste, że do jednej trzeciej z nich ginie. W jednym z alianckich raportów z wiosny oceniono, że 65 procent dochodu neapolitańczyków na głowę pochodzi ze skradzionych dostaw alianckich. Władze odpowiedziały aresztowaniami i surowymi wyrokami więzienia, ale – jak zwrócił uwagę Lewis – „ofiarami, które wpadają, są zawsze ci, którzy nie mają nikogo, kto by się za nimi wstawił, i którzy nie mogą wyratować się z opresji za pomocą łapówki". Uważał „wojnę z czarnym rynkiem" za trochę śmieszną: „Jeżeli zatrzymamy i przeszukamy na ulicy dowolnego neapolitańczyka, to na pewno stwierdzimy, że nosi płaszcz czy marynarkę uszyte z wojskowych koców albo wojskową bieliznę, wojskowe skarpety, albo przynajmniej ma w kieszeni amerykańskie papierosy".

Czasami żołnierze brali sprawy w swoje ręce. Młodociany gang zaczął wskakiwać na skrzynie ciężarówek, gdy przystawały w ruchu ulicznym, i chwytać, co mu wpadło w ręce. W odpowiedzi któryś z żołnierzy ukrywał się na pace z bagnetem i uderzał nim w ręce chłopaków chwytających klapę, co skończyło się wieloma uciętymi palcami. Ale sami żołnierze nie zachowywali się nienagannie. Wojskowa biurokracja w Neapolu miała spory udział w korupcji i kradzieży, a Jack Cocker ochoczo przyznaje, że on i jego kumple nie mieli nic przeciwko drobnym kombinacjom: „Ilekroć szło się na przepustkę, zwłaszcza do takich miejsc jak Neapol, brało się pełną torbę towaru – wszelkiego dobra, które można było przehandlować".

Podobnie jak wielu innych alianckich „najeźdźców", Norman Lewis pokochał Włochy i Włochów. Pod koniec spędzonego tam roku napisał, że gdyby mógł wybierać, gdzie się urodzi, byłyby to Włochy. Szybko zaczął spoglądać na czarny rynek niemal z rozbawieniem. „Zuchwalstwo czarnego rynku zapiera dech w piersiach – napisał na początku maja. – Skradzione dobra (...) są teraz jawnie wystawione, gustownie ozdobione kolorową wstążką, wazonem kwiatów, wywieszkami z wykaligrafowanymi napisami. (...) W TYCH PIĘKNYCH, IMPORTOWANYCH BUTACH DOJDZIESZ DO KRÓLESTWA NIEBIESKIEGO. (...) JEŚLI NIE WIDZISZ TU ZAGRANICZNEGO TOWARU, KTÓREGO SZUKASZ, POWIEDZ NAM, A MY GO SPROWADZIMY".

Zwycięzcom i ludziom z pieniędzmi Neapol nadal miał wiele do zaoferowania. W czarnorynkowych restauracjach na nabrzeżu poniżej hotelu Excelsior podawano znakomite jedzenie, a między gośćmi krążyli muzycy. Opera San Carlo cudownie przetrwała bombardowania i w grudniu wznowiła działalność, dobry włoski zespół wystawił *Cyrulika sewilskiego*, *Łucję z Lammermooru* i *Trubadura*. Oficerowie i tacy dziennikarze jak Alan Moorehead mogli wybrać się łodzią na piękną wyspę Capri, gdzie „temu samemu międzynarodowemu towarzystwu, w nieco skromniejszym gronie, nadal udawało się jakoś unikać kłopotów, chociaż sprawiali wrażenie wycieńczonych rozpustników". Przebywali tam nawet obywatele brytyjscy, którzy nadal wiedli leniwe życie w luksusowych rezydencjach. Według dziennikarza Christophera Buckleya, który odwiedził wyspę w październiku 1943 roku z listem polecającym od Gracie Field do najemcy, był to „raczej niewłaściwy sposób" reagowania na szalejącą wokół wojnę. Buckley wrócił do Neapolu w połowie grudnia i doniósł z linii frontu: „Powrót do Neapolu z Monte Camino przypominał przejście od atmosfery wypadku drogowego wprost do prostackiego i hałaśliwego kabaretu. Neapol zaczynał stawać się zbyt wesołym miejscem. (...) Był tam pozorny blask, który znajdzie się wszędzie tam, gdzie szybko obraca się pieniądzem. Panowała ogólna atmosfera wesołości. (...) Dość nieoczekiwanie uświadomiłem sobie, że nie wytrzymam tego ani dnia dłużej".

Tymczasem głodujący mieszkańcy Neapolu nadal robili wszystko, co było konieczne, żeby przetrwać. Większość z nich mogła jedynie ukraść coś aliantom lub coś im sprzedać. Gdy miasto zajmowali Niemcy, chcieli kupować jedzenie i ubrania, które wysyłali do kraju. Amerykanie i Brytyjczycy chcieli pończoch i biżuterii lub tanich pamiątek. Odkopywano skarby i wystawiano na sprzedaż albo pospiesznie robiono tanie podróbki. Jak każda armia, nowi okupanci miasta potrzebowali również alkoholu w ogromnych ilościach i gdy zapasy się wyczerpały, neapolitańczycy chętnie pędzili często niebezpieczny alkohol, żeby zaspokoić popyt. Poza tym były inne nieuniknione żądze. Moorehead pisze o około „sześcioletnich chłopcach, (...) zmuszonych do sprzedaży obscenicznych kartek pocztowych, sprzedaży swoich sióstr, siebie samych, wszystkiego". W raporcie aliantów z kwietnia szacuje się, że ze 150 tysięcy kobiet w wieku prokreacyjnym 42 tysiące zajmowały się prostytucją. Dla większości z nich jedynym innym wyjściem była śmierć z głodu. Jak pisze Norman Lewis, „dziewięć na dziesięć dziewcząt straciło swoich mężczyzn, którzy zginęli podczas walk, dostali się do obozów jenieckich lub zostali odcięci na północy kraju. Cała ludność jest pozbawiona pracy. Nikt niczego nie produkuje. Jak mają żyć?"

Żołnierze reagowali na tę sytuację bardzo różnie. Dla jednych wizyta w burdelu stała się najważniejszą sprawą w życiu. Amerykański oficer amunicyjny Tom Kindre opowiada o pewnym podwładnym, który „po prostu nie mógł wytrzymać bez prostytutek", bez względu na to, ile razy złapał trypra i został ukarany. Inni z zawstydzeniem wyznawali w dziennikach, że poprzedniego wieczoru odwiedzili prostytutkę, ale teraz tego żałują. „Nie wszyscy żołnierze z tego korzystali – wspomina pewien amerykański artylerzysta, który spędził trochę czasu w mieście. – Przypuszczam, że robiło to jakieś pięćdziesiąt procent". Wielu uważało, że „to nie dla nich", chociaż tylko nieliczni zdawali się potępiać tych, którzy ulegli pokusie. Długie miesiące życia w męskim towarzystwie wytworzyły swoistą „tolerancję wieczoru kawalerskiego" w wielu grupach, kiedy to takie zachowania jak picie na umór czy wycieczki na erotyczne pokazy akceptowano bez komentarza. Dochodził do tego fakt, że żołnierze znajdowali się bardzo daleko od domu. Jak zauważa Tom Kindre: „To dawało całkowite poczucie swobody. Większość żołnierzy, z którymi służyłem, pochodziła z małych miasteczek i była wychowana dość surowo. Tam wszyscy znali się nawzajem i nie można było popaść w zbyt poważne tarapaty. A teraz znaleźli się tutaj, w obcym kraju, gdzie mogli robić – jak sądzili – niemal wszystko, na co mieli ochotę, i obyczaje seksualne były bardzo swobodne". Bill Mauldin taktownie wyjaśnia: „Wszyscy odnoszą wrażenie, że po części uwolnili się od zwyczajów, których przestrzegaliby we własnych krajach".

Wielu podobał się pomysł skorzystania z tej sytuacji, ale potem przekonali się, że rzeczywistość jest daleka od erotyki. Gdy Norman Lewis pierwszy raz przyjechał do miasta, natknął się na kilka amerykańskich ciężarówek dostawczych zaparkowanych przed budynkiem municypalnym, otoczonych przez żołnierzy, którzy „chcieli wziąć wszystko, na czym mogli położyć łapę". Potem weszli oni tłumnie do budynku, a Lewis ruszył za nimi. „Ci z tyłu – pisze – bardzo się przepychali i świntuszyli dla dodania animuszu, ale na przedzie atmosfera była spokojniejsza i poważniejsza". W budynku „plecami do ściany siedziały rzędem panie, co mniej więcej jard". Lewisa uderzył ich pospolity wygląd, ich „dobrze umyte, przyzwoite twarze robiących zakupy i plotkujących gospodyń domowych z klasy robotniczej". Nie było „kuszenia, nawet najbardziej przypadkowego odsłonięcia ciała". Obok każdej z kobiet stał stosik metalowych pudełek. Było oczywiste, że jeśli ktoś dołożył następne pudełko do stosu, „mógł uprawiać seks z którąś z nich w tym bardzo publicznym miejscu". Żołnierze, którzy przepchnęli się do przodu z pudełkami w ręce, „w obliczu tych rzeczowych żywicielek rodziny, przywiedzionych tutaj przez puste spiżarnie, zdawali się tracić zapał, (...) nastrój siadł. Śmiali się z zażenowaniem, opowiadali drętwe dowcipy i najwyraźniej mieli ochotę się zmyć".

Według oficjalnego stanowiska, wyjaśnia Tom Kindre, „mogłeś robić, co chciałeś, (...) nie było osądu moralnego". Jedyne zastrzeżenie to: „Nie zaraź się, ponieważ musisz wykonać swoje zadanie w armii". Władze amerykańskie otworzyły w całym mieście „punkty profilaktyczne", gdzie oferowano skuteczne, choć nieprzyjemne kuracje „dzień po", ale tylko nieliczni byli skłonni z nich skorzystać i do Bożego Narodzenia w mieście wybuchła epidemia rzeżączki – kilkaset przypadków tygodniowo. Gdy Niemcy zajmowali miasto, bardzo dbali o utrzymanie najsurowszej kontroli lekarskiej nad miejskimi burdelami, docierały też raporty, że na okupowanej przez Niemców północy kraju praktycznie nie występują, w przeciwieństwie do Neapolu, streptokoki i gonokoki, które – pisze Norman Lewis – „na dobrą sprawę pojawiły się we Włoszech wraz z wojskami amerykańskimi". Snuto nawet szalone plany wysłania chorych prostytutek za linię frontu, żeby zaraziły niemiecką piechotę i zmniejszyły „różnicę zachorowalności na choroby weneryczne".

Władze alianckie zareagowały na to zamknięciem niektórych obszarów miasta – ograniczenie to łatwo omijali zdeterminowani żołnierze – i rozsyłaniem wszędzie informacji ostrzegających przed chorobą. Oddziałom wyświetlano drastyczne filmy ukazujące jej potworne skutki, a prezerwatywy stały się jeszcze szerzej dostępne. Inne działania były bardziej niezręczne. W połowie marca wydrukowano po włosku ulotkę, którą dawano żołnierzom, żeby przekazywali ją każdemu, kto proponuje usługi prostytutek: „Zaczyna się następująco – relacjonuje Lewis – «Nie jestem zainteresowany twoją syfilityczną siostrą»". Ktokolwiek to wymyślił, najwyraźniej nie miał pojęcia o pewnych implikacjach czy możliwych konsekwencjach. Uwagi na temat sióstr są u południowych Włochów surowo zakazane, a w użycie najcięższej obelgi *tu sora* (twa siostra) wkalkulowany jest natychmiastowy pojedynek lub wendeta. Wielu żołnierzy zdążyło już wręczyć te niebezpieczne ulotki ludziom, którzy zaczepiali ich z powodów innych niż prostytucja, i na pewno nie obejdzie się bez ofiar".

Doszło do gwałtownych reakcji neapolitańczyków. Na początku marca młodzi mężczyźni atakowali kobiety, które szły objęte przez alianckich żołnierzy. Nawet niezmiennie kiepsko opłacany żołnierz brytyjski miał się lepiej niż wykwalifikowany włoski robotnik, a amerykański szeregowiec zarabiał więcej niż którykolwiek mieszkaniec Neapolu. Dla młodych kobiet w mieście – pisze Lewis – „pokusa jest ogromna i nieliczne tylko potrafią się jej oprzeć. I tak długi, delikatny, skomplikowany zwyczaj neapolitańskich zalotów – równie zawiły jak gody tropikalnych ptaków – zastąpiło brutalne, nieme podejście i prymitywny akt zakupu. Można się zastanawiać, jak długo młodzi ludzie Neapolu, po naszym wyjeździe, będą dochodzić do siebie po tym doświadczeniu".

Nowozelandzki artylerzysta John Blythe odpoczywał za linią ognia przez trzy dni i dwie noce. Najpierw udał się na tyły, gdzie mógł się ogolić i dobrze wyspać, a następnego dnia rano pojechał do Neapolu. „Wyjechałem razem z innymi w dość wesołym nastroju – pisze. – Do tej pory na tej wojnie nie było kontaktów z kobietami, ale ostatnio tak często ledwo uchodziło się z życiem, że jeśli pojawiłaby się możliwość przespania się z kobietą, skorzystano by z niej. Była to kwestia raczej natury psychicznej niż fizycznej, stanu umysłu, odrzucenia ściśle przestrzeganych zasad. Kogo, do diabła, to obchodziło? Armia wyposażała każdego w różne rodzaje środków profilaktycznych zapobiegających zarażeniu, po co się więc wygłupiać? Rano przed wyjazdem do Neapolu zaaplikowałem sobie dawkę".

Po przybyciu do Neapolu Blythe i kilku jego towarzyszy stwierdzili, że miasto jest brudne i cuchnące. „Dzieci bawiły się na wąskich ulicach między gnijącymi odpadkami pod sznurami z praniem rozwieszonymi między budynkami – pisze. – Były niedożywione, niektóre pomarszczone jak starcy, ale niezłomne i twarde jak skała. Gdyby im pozwolić, wyciągnęłyby ci sznurowadła z butów, a gdy zorientowały się, że masz je na oku, ostrożność zamieniała się w uśmiech". Blythe chciał zobaczyć słynną Zatokę Neapolitańską, ale drogę nad morze zagradzały zwoje drutu kolczastego i ogromne hałdy wojskowych zapasów. Zamiast tego grupka usiadła w ogródku kawiarni, gdzie pili marsalę. To oszołomiło Blythe'a „i gdy słońce stawało się coraz gorętsze, wywoływało tępy ból głowy". Udali się do restauracji, gdzie mieli wybór między polentą a spaghetti. Gdy pili, jeden z żołnierzy oświadczył, że ma ochotę na kobietę. „Pierwszy raz dowiedziałem się, że wszyscy myślimy tak samo – pisze Blythe. – Być może dotarliśmy do punktu zwrotnego w naszym życiu? W przeszłości odrzucaliśmy dziesiątki okazji. Były takie osoby jak Ernie, który domagał się seksu, ale nigdy cała grupa. Może i inni czuli, że dla nich też bije dzwon?"

Żołnierzy odprowadzano jednego po drugim. Kiedy przyszła kolej na Blythe'a, zabrano go do domu za rogiem. Tam „atrakcyjna młoda kobieta" zaprowadziła go na piętro. „Gdy wspinaliśmy się po schodach, wbijałem wzrok w jej szczupłą sylwetkę, a gdy weszliśmy do sypialni, szybko zrzuciła buty i rozciągnęła się na narzucie podwójnego łóżka. Miała na sobie cienką letnią sukienkę i nic poza tym". Blythe zaczął ściągać buty, ale dziewczyna powiedziała mu, że nie jest to konieczne. Nalegał, czując się coraz bardziej niezręcznie. „Całe to zdarzenie było szalone – wspomina. – Żałowałem, że w ogóle wpakowałem się w tę sytuację. Czułem się głupio, lecz starałem się zachowywać nonszalancko, jakbym przechodził już przez to wiele razy". Dziewczyna najwyraźniej chciała mieć to jak najszybciej za sobą: „Z głową ciężką od wina i budzącym się gniewem na całą tę beznamiętną sprawę wszedłem w nią. W pewnej chwili zsunęła sukienkę z jednego ramienia, żeby odsłonić pierś, być może po to, żebym się pospieszył, ale widok brązowego, zwiotczałego sutka niemal mnie powstrzymał. Nie było to nic specjalnego i szybko się skończyło. Bez ciepła i uczucia".

Blythe wrócił do restauracji i stwierdził, że wszyscy jego towarzysze już wyszli, ale został tam, „rozmyślając i pijąc w najpodlejszym z nastrojów, a popołudnie powoli mijało". Gdy zaczął przyciągać spojrzenia innych gości, wyszedł, ponownie odwiedził prostytutkę, a potem złapał transport z Neapolu. Następnego dnia był z powrotem w Cassino.

CZĘŚĆ CZWARTA

Trzecia bitwa

Wiem tylko to, co widzę z naszej żabiej perspektywy, a na naszym odcinku są jedynie zmęczeni i brudni żołnierze, którzy żyją i nie chcą umierać; długie, zaciemnione konwoje w środku nocy; wstrząśnięci, milczący ludzie wędrujący w dół wzgórza po bitwie; nieporządne kolejki i tabletki atabryny i smród kordytu i okopy i płonące czołgi i myjące się Włoszki i świst wysoko lecących pocisków; dżipy i składy amunicji i suche racje żywnościowe i drzewa oliwne i wysadzone mosty i martwe muły i namioty szpitala i kołnierzyki koszul tłuste i czarne po tygodniach noszenia; i także śmiech i gniew i wino i piękne kwiaty i ciągłe przeklinanie. To wszystko składa się z mogił i mogił i mogił.

Ernie Pyle, Cassino, marzec 1944

To, co zobaczyłem, sprawiło, że cofnąłem się w czasie o dwadzieścia osiem lat, gdy odczuwałem taką samą samotność na polu bitwy nad Sommą.

Fridolin von Senger und Etterlin

ROZDZIAŁ 12

Bitwa o miasto Cassino

14 marca pogoda w końcu poprawiła się na wystarczająco długo, żeby następnego dnia przeprowadzić natarcie, i wreszcie żołnierzom przekazano hasło „Bradman dzisiaj odbija". Wcześnie rano wysunięte oddziały 25. batalionu nowozelandzkiego utrzymujące północne rogatki miasta wycofały się na drogę Caruso i o ósmej trzydzieści, w jasnym świetle słońca, w górze pojawiła się pierwsza fala ciężkich bombowców.

Nigdy wcześniej na froncie włoskim miasto nie zostało starte z powierzchni ziemi nalotem dywanowym. Przez trzy i pół godziny 575 średnich i ciężkich bombowców oraz 200 myśliwców bombardujących – największe siły powietrzne kiedykolwiek zgromadzone na śródziemnomorskim teatrze działań wojennych – zrzuciły niemal tysiąc ton burzącego materiału wybuchowego na z grubsza jedną milę kwadratową. W kategoriach ciężaru bomb było to ponad dwa razy więcej niż liczba zrzucona miesiąc wcześniej na klasztor.

Nowozelandzki sygnalista z 25. batalionu przyglądający się temu z oddalonych o około tysiąca jardów starych koszar wspomina, że „po tym, jak spadły pierwsze bomby, upłynęło kilka sekund, zanim nadeszła fala uderzeniowa, która odrzuciła mnie z dziesięć jardów do tyłu". „Ten imponujący spektakl był rozkosznym widokiem dla czekających w dole żołnierzy – napisał historyk 25. batalionu. – Ogromna i gęsta chmura dymu i pyłu uniosła się nad Cassino, gdy ciężkie bomby wybuchały ze straszliwym rykiem". Alexander, Clark i Freyburg obserwowali to z odgrodzonego miejsca dla VIP-ów na wysoko położonym terenie niedaleko Cervaro w atmosferze niemal pikniku. Freyburg zauważył: „Nikt, kto to widział, nie zapomni przerażającej jednostronności tego spektaklu".

Pluton strzelca karabinu maszynowego Jacka Cockera, zajmujący pozycję na bliższym brzegu Rapido, żeby osłonić ogniem natarcie, widział „mitchelle w długim rzędzie w grupach po trzy, (...) leciały na pułapie niewiele wyższym niż trzy tysiące stóp i w przejrzystym powietrzu widzieliśmy, jak od każdego samolotu odrywają się cztery bomby i gwałtownie spadają niczym grad. Łatwo było śledzić drogę tysiącfuntowych bomb do samej ziemi, z której wzbijały się w powietrze ogromne gejzery czarnego i pomarańczowego błota i gruzu, po czym opadały, podczas gdy tworzył się słup dymu".

Pierwsza fala bombowców osiągnęła imponującą celność, ale „słup dymu" przesłonił cel. I chociaż połowa bomb spadła w odległości do jednej mili od centrum miasta, druga połowa poważnie chybiła. Cztery fortece i trzydzieści dziewięć średnich bombowców Liberator nie trafiło w cel i zrzuciło bomby na obszary zajmowane przez aliantów. 27. batalion Jacka Cockera stracił oficera i kanoniera, a sześciu żołnierzy zostało rannych; trafiono marokański punkt pierwszej pomocy, co przyniosło sześćdziesiąt ofiar; kolejnych pięćdziesięciu żołnierzy zginęło lub zostało rannych w tylnym eszelonie 4. dywizji. David Cormack był z mułami i włoskimi poganiaczami, gdy zaczęły na nich spadać bomby. Następnego dnia zapisał w dzienniku: „Właśnie wróciłem do obozu, gdy Amerykanie łaskawi byli zrzucić z tuzin czy coś koło tego bomb, wysadzić w powietrze swoją żującą gumę ziemię, (...) zabić Razziego [włoskiego oficera], ranić pół tuzina, musiałem zastrzelić 15 mułów w dwie godziny. (...) Piekielny bałagan, (...) powszechna opinia o amerykańskim lotnictwie b. niska".

Najgorsze było to, że jedna grupa samolotów pomyliła Cassino z miastem Venafro oddalonym o osiemnaście mil. Została tam ewakuowana rodzina Notariannich. Jedna bomba zabiła dwadzieścioro dwoje ich przyjaciół z Valvori. W sumie zginęło lub zostało rannych 140 cywilów. Według końcowych obliczeń, zginęło więcej cywilów i żołnierzy alianckich niż Niemców.

Na masyw ponad miastem także spadły bomby, ale nikt nie odniósł obrażeń. Skala tego bombardowania wstrząsnęła wszystkimi. Oficer Gurkhów Birdie Smith znajdował się blisko alianckiej linii frontu na górskim klinie: „Gdy cztery czy pięć bomb spadło kilka jardów od pozycji kompanii A, nikt nie wystawił głowy z okopu. Po kilku chwilach miałem ochotę wrzasnąć: «Wystarczy!» Ale to trwało i trwało, aż pękały nam błony bębenkowe, a zmysły uległy przytępieniu. (...) Zauważyłem, że obrzucam samoloty przekleństwami. Później miałem napisać: «Cóż za piekło teraz w tym Cassino. Dobry Boże – zmiłuj się nad tymi ludźmi, jeśli ktoś w tym mieście przeżył, w co wątpię»".

W mieście-twierdzy stacjonowało około 300 żołnierzy z 3. pułku 1. dywizji spadochronowej. Tę elitarną jednostkę bojową ściągnął na front von Senger pod koniec lutego i teraz utrzymywała ona Wzgórze Klasztorne, a także miasto. Dowódcą 7. kompanii pułku w mieście był porucznik Schuster: „Z napięciem czekaliśmy w naszych okopach na zrzucenie bomb – relacjonował. – Wtem się pojawiły. Jękliwe wycie, gdy się zbliżały, łoskot, gdy wybuchały, i ryk samych samolotów mieszały się z echami odbijającymi się od wzgórz, tworząc niemożliwy do opisania, piekielny harmider. Cała ziemia się trzęsła i drżała pod wpływem uderzeń". Poniżej tego piekła znajdował się również sierżant Georg Schmitz, spadochroniarz przydzielony do pułku: „Pierwsza fala zrzuciła większość ładunku w pobliżu dworca, ale zanim powróciła nam zdolność jasnego myślenia, nadleciała druga fala i tym razem znaleźliśmy się w środku. Powietrze drgało i wyglądało to tak, jakby jakiś olbrzym potrząsał miastem". Ukrywszy się w głębokiej piwnicy pod jednym z solidnych kamiennych domów w mieście, jego grupa przeżyła. „No cóż, mieliśmy szczęście – mówi. – Błoto i pył dostały się do piwnicy, wciskały się do naszych oczu, uszu i ust, smakowały kośćmi". Pierwsze fale bombowców nadlatywały w odstępach zaledwie dziesięciominutowych. Gdy pojawiła się następna, żołnierze przywarli do siebie, „jakbyśmy byli jednym ciałem". Wejście do piwnicy, w której się znajdowali, zostało zawalone. „To było okropne – mówi Schmitz. – Byliśmy żywcem pogrzebani. Rozpaczliwie zaczęliśmy jak szaleni na oślep wydrapywać błoto i kamienie. A potem nadleciała kolejna fala".

Po pierwszej półgodzinie bombowce nadlatywały w odstępach piętnastominutowych przez następne trzy godziny. „Spadały kolejne serie bomb – donosił inny niemiecki żołnierz przebywający w mieście. – Zdaliśmy sobie sprawę, że chcą nas zetrzeć w proch, ale nie mogliśmy pojąć, że to okropne zdarzenie trwa tak długo. (...) Słońce straciło blask. Nastąpił niesamowity zmierzch. Przypominało to koniec świata. (...) Towarzysze byli ranni, pogrzebani żywcem, odkopani, w końcu pogrzebani po raz drugi. Całe plutony i drużyny były unicestwiane bezpośrednimi trafieniami. (...) Ci, którzy przeżyli, rozproszeni, na pół oszalali od wybuchów, zataczali się oszołomieni, bez jakiejkolwiek osłony, aż trafiła ich bomba i zniknęli".

Chodziło nie tyle o siłę bombardowania, ile o jego nieustępliwość. Dla porucznika Schustera „łoskot wybuchających bomb nasilał się. Przywieraliśmy do siebie, instynktownie trzymając otwarte usta. Ciągnęło się to bez końca. Czas przestał istnieć, wszystko było nierzeczywiste, (...) gruzy i pył wpadały do naszej nory. Oddychanie stało się czynnością rozpaczliwą i pilną. Za wszelką cenę musieliśmy uniknąć uduszenia, pogrzebania żywcem. Kucając w milczeniu, czekaliśmy, aż skończy się ten bezlitosny grad".

Gdy w południe ostatni bombowiec zawrócił do bazy, w kierunku ruin Cassino i niemieckich pozycji na Wzgórzu Klasztornym zmasowany ogień otworzyła aliancka artyleria. Do końca ostrzału wystrzelono ponad tysiąc ton pocisków, czyli 275 pełnych ciężarówek. Pewien wyższy oficer zauważył: „Odkadziliśmy Cassino". Nikt nie wierzył, że ktokolwiek mógł przeżyć, a nawet gdyby, z pewnością byłby kłębkiem nerwów.

Tego zdania z pewnością byli przyglądający się temu z pobliskich stanowisk Niemcy. Niewymieniony z nazwiska strzelec karabinu maszynowego ze 115. pułku grenadierów pancernych napisał 15 marca w dzienniku: „Dzisiaj w Cassino rozpętało się piekło. Miasto leży kilka kilometrów na lewo od nas. Wszystko dobrze widzimy. Niemal tysiąc bombowców bombarduje nasze pozycje w Cassino i na wzgórzach. Poza pyłem i dymem nie widać nic. Chłopcy, którzy leżą tam na górze, muszą dostawać obłędu".

Za zaporą ogniową szły dwie kompanie 25. batalionu nowozelandzkiego z czołgami 19. pułku pancernego. Zostali odkomenderowani do zajęcia Wzgórza Klasztornego i oczyszczenia miasta do wschodnio-zachodniego odcinka drogi numer sześć, zanim ta skręca ostro w lewo i zaczyna biec u podnóża Wzgórza Klasztornego. Planowano, że zostanie to osiągnięte do drugiej po południu, gdy bataliony 24. i 26. będą przedzierać się dalej do „Pałacu Barona", otwierając tym samym dolinę Liri dla czekających nowozelandzkich i amerykańskich czołgów oraz 78. dywizji brytyjskiej. Skutki bombardowania natychmiast rzuciły się w oczy nacierającej piechocie. Droga, którą podchodzili do Cassino, była w opłakanym stanie, a w samym mieście nie został ani jeden nienaruszony budynek. Nawet te nieliczne, które nie zostały bezpośrednio trafione, straciły dachy i były wstrząśnięte do fundamentów. „Wkraczając do Cassino, widzieliśmy obraz końca świata – wspomina pewien kapral z tego batalionu. – Było to jak jakieś upiorne ostrzeżenie. Czy taki los spotka później Rzym, czy, jeśli już o to chodzi, Paryż, Londyn czy Berlin, a może nawet Auckland? Cassino – mówi – wyglądało, jakby przesunął się po nim jakiś ogromny grzebień, a potem walił w nie gigantyczny młot".

Gdy szli naprzód, byli od czasu do czasu ostrzeliwani z pozycji wokół Wzgórza Zamkowego, ale Nowozelandczycy dotarli na swoje dawne pozycje bez większych przeszkód. Jednak gdy weszli w ruiny, zdali sobie sprawę –

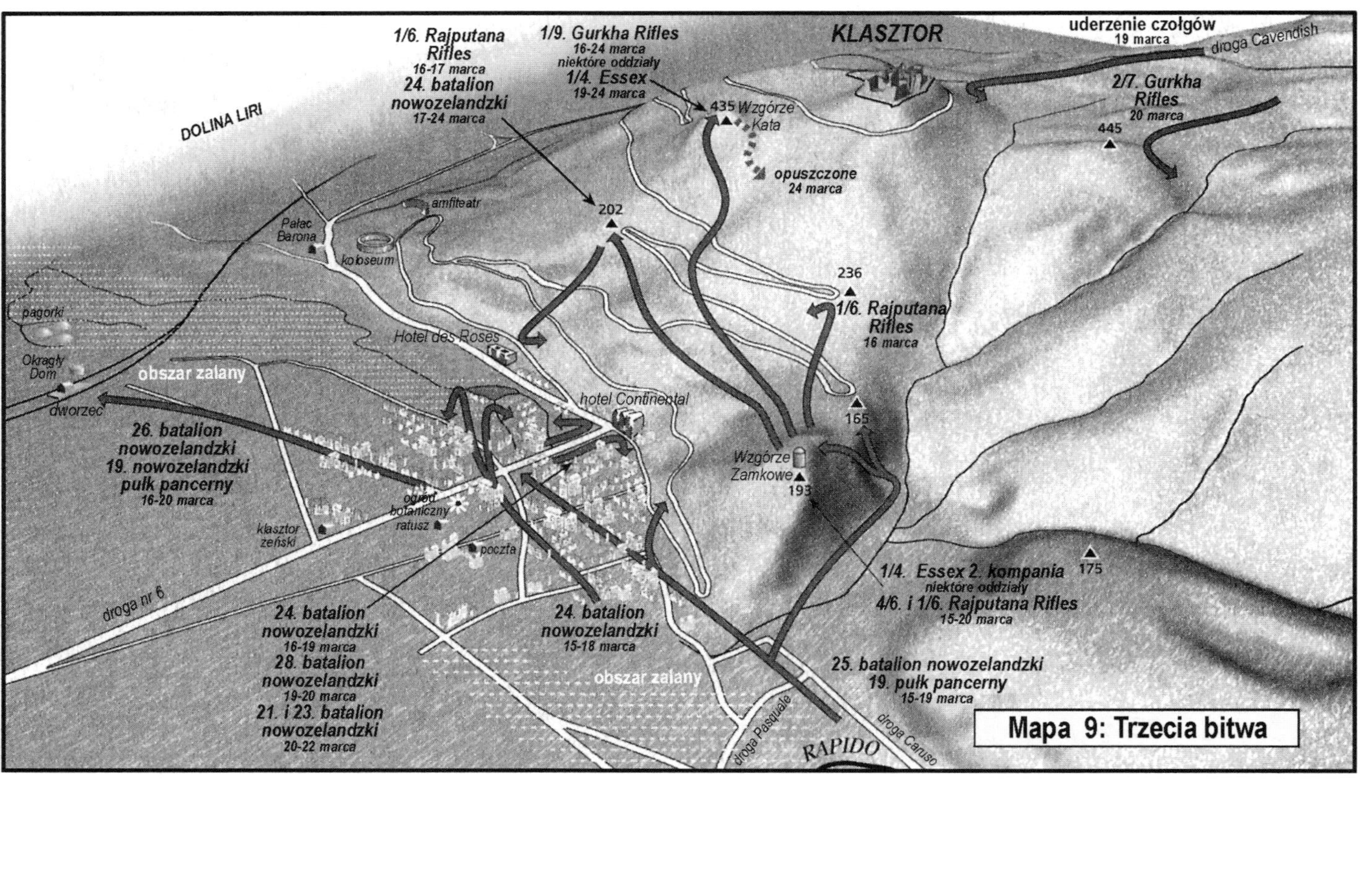
KLASZTOR
uderzenie czołgów
19 marca
droga Cavendish
1/6. Rajputana
Rifles
16-17 marca
24. batalion
nowozelandzki
17-24 marca
1/9. Gurkha Rifles
16-24 marca
niektóre oddziały
1/4. Essex
19-24 marca
DOLINA LIRI
435 Wzgórze
Kata
opuszczone
24 marca
2/7. Gurkha
Rifles
20 marca
445
202
amfiteatr
Pałac
Barona
koloseum
236
1/6. Rajputana
Rifles
16 marca
pagórki
Hotel des Roses
Okrągły
Dom
obszar zalany
dworzec
hotel Continental
165
26. batalion
nowozelandzki
19. nowozelandzki
pułk pancerny
16-20 marca
Wzgórze
Zamkowe
193
ogród
botaniczny
ratusz
klasztor
żeński
poczta
175
1/4. Essex 2. kompania
niektóre oddziały
4/6. i 1/6. Rajputana Rifles
15-20 marca
droga nr 6
24. batalion
nowozelandzki
16-19 marca
28. batalion
nowozelandzki
19-20 marca
21. i 23. batalion
nowozelandzki
20-22 marca
24. batalion
nowozelandzki
15-18 marca
obszar zalany
25. batalion nowozelandzki
19. pułk pancerny
15-19 marca
droga Pasquale
RAPIDO
droga Caruso
Mapa 9: Trzecia bitwa

ku swojemu zdumieniu i wściekłości – że nie będzie to tylko spacer przez zniszczone miasto, jak im sugerowano. Zamiast tego napotkali zacięty opór niemieckich spadochroniarzy.

Bombardowanie przeprowadzono na bezprecedensową skalę, ale część stacjonujących w mieście wojsk przeżyła. Nawet zrzucenie pięciu ton materiałów wybuchowych na każdego żołnierza w Cassino nie „odkadziło" całkowicie miasta. Podejmując szybką decyzję, jeden z dowódców niemieckiej kompanii wprowadził swoich ludzi do jaskini u podnóża Wzgórza Klasztornego. Innym, jak sierżantowi Georgowi Schmitzowi, udało się tam przemknąć między kolejnymi falami bombowców. Porucznik Schuster i jego ludzie zostali niemal pogrzebani żywcem, jednak ze swojej głębokiej piwnicy wyszli bez szwanku. Praktycznie cały sprzęt i amunicja Niemców zostały zniszczone lub pogrzebane pod gruzami, wraz z połową liczącego 300 żołnierzy garnizonu, ale przeżyło wystarczająco wielu, żeby wygramolić się na górę, zająć pozycje obronne i razić Nowozelandczyków ogniem snajperskim i karabinów maszynowych.

Nacierające wojska napotkały też inną nieoczekiwaną trudność: miasto zostało zniszczone tak bardzo, że znalezienie drogi naprzód często okazywało się niemożliwe. Ogromne leje i olbrzymie sterty gruzu blokowały każde przejście. Tam, gdzie była jakaś wąska luka, żołnierze mogli się poruszać tylko grupkami po dwóch lub trzech, a te z łatwością były zmuszane do odwrotu przez snajperów i strzelców karabinów maszynowych.

Powodzenie planu Freyburga zależało od sprawnego i skutecznego przeprowadzenia pierwszych uderzeń, gdy obrońcy ciągle jeszcze nie pozbierali się po bombardowaniu. Ale czołgi 19. pułku pancernego miały trudności nawet z dotarciem do miasta ze swojej rubieży wyjściowej znajdującej się o milę w górę drogi Caruso. Pośrodku samej drogi ział olbrzymi krater i – ponieważ z jednej strony teren był zalany i znajdowały się pola minowe, a z drugiej były strome urwiska – nie było żadnej innej trasy. Dotarcie do północnych rogatek miasta zajęło czołowemu szwadronowi godzinę.

Pomiędzy zniszczonymi budynkami posuwanie się naprzód okazało się jeszcze trudniejsze. Ulice po prostu zniknęły. Brick Lorimer wspomina, jak wjeżdżali do miasta: „Nie było żadnej drogi, którą czołgi mogłyby się przedostać między stosami gruzów, które miały ponad dwadzieścia stóp wysokości. Była tam poskręcana stal i kamieniarka, i oczywiście wielkie leje po bombach, niektóre szerokie na sześćdziesiąt i głębokie na dziesięć stóp. Wszystkie łączyły się jeden z drugim. Tysiącfuntowe bomby wszędzie porobiły potworne dziury. Całe miasto było kompletną ruiną".

W jednych z najbardziej zaciętych walk podczas bitew pod Monte Cassino Nowozelandczycy parli naprzód, kryjąc się za zasłoną dymną, podczas gdy za nimi saperzy pracowali jak szaleni, żeby naprawić drogę podejścia, polepszyć dostęp z drugiej strony Rapido i oczyścić z gruzów drogi dla czołgów. Saperzy i kierowcy spychaczy stanowili łatwy cel dla snajperów, więc szło to strasznie opornie. Z przodu piechota postępowała dużo wolniej, niż się spodziewano – przebycie każdych stu jardów zajmowało raczej godzinę niż planowane dziesięć minut. Kompania B z 25. batalionu została odkomenderowana do oczyszczenia domów u podnóża Wzgórza Zamkowego, a następnie zajęcia hotelu Continental – dużego budynku znajdującego się na nieco wyżej położonym terenie, gdzie droga numer sześć skręcała w lewo przez miasto. Nie osiągnęli jednak żadnego z tych celów, gdyż zostali przygwożdżeni silnym ogniem.

Po południu Niemcy rozpoczęli ciężki ostrzał północnego skraju miasta. Ponieważ wszystko – uzupełnienia, czołgi i zaopatrzenie – trzeba było kierować wąskim kanałem drogi Caruso, mieli mnóstwo celów, a trudności Nowozelandczyków się mnożyły. Gdy kompania A przedarła się do ruin urzędu pocztowego tuż przed drogą numer sześć i w końcu część czołgów również przedostała się naprzód, Freyburg miał trudności z pchnięciem do miasta rezerw. Podobnie jak na Głowie Węża i na nasypie kolejowym, alianci byli zmuszeni atakować bardzo ograniczonym korytarzem i siłami niewystarczającymi do zmiażdżenia zdeterminowanych obrońców.

O piątej po południu wysłano kompanię z 24. batalionu, żeby pomogła oczyścić podnóże Wzgórza Zamkowego. Był w niej szeregowiec Roger Smith, który później opublikował swoje wspomnienia z tamtego okresu. Gdy posuwali się drogą, stracili wskutek ognia karabinów maszynowych pięciu ludzi, niemniej jednak Smith był „rad, że w końcu ruszyliśmy do boju. Ten przytłaczający lęk, który zdawał się osłabiać mój moralny kręgosłup i zawsze wróżył walkę, zniknął wraz z wezwaniem do konstruktywnego działania. Strach pozostał, ale był to normalny strach, raczej nieufność żołnierza niż paraliżujący lęk". Przygwożdżony ogniem tuż po wejściu do miasta, zdał sobie sprawę, że słyszy głos Niemca dobiegający spod gruzów, „płaczący i płaczący, szalony i rozpaczliwy". Pluton nie mógł posuwać się naprzód i wołania trwały, dopóki Smith nie poczuł się zmuszony do odrzucania gołymi rękami gruzów i prób dotarcia do uwięzionych ludzi. Ale było to niemożliwe, „więc musieliśmy pozostawić ich szaleństwu i śmierci, przyczajonych w czarnej piwnicy". Następnego dnia ciągle jeszcze było słychać ten głos, ale wieczorem panowała już cisza. W końcu pluton ruszył naprzód, jednak grupie Smitha dotarcie do wysuniętych pozycji 25. batalionu w mieście wokół urzędu pocztowego zajęło pięć godzin.

Pół godziny po 24. batalionie ruszył batalion 26., który miał rozkaz zajęcia dworca kolejowego. W tym momencie, wbrew przewidywaniom meteorologów, które mówiły o trzech dniach ładnej pogody, zaczął padać ulewny deszcz, przez co zrobiło się ślisko i przemokły baterie radiowe, tak że stały się bezużyteczne. Gdy zapadły ciemności i żołnierze z trudem posuwali się naprzód gęsiego, trzymając się kurczowo munduru poprzedzającego towarzysza, kilku wpadło w głębokie leje, które zaczynały napełniać się wodą. Gruzy startych na proch budynków szybko nabrały „konsystencji ciasta", a pył ciężkich bomb mieszał się z deszczem i pokrywał wszystko „grubą warstwą szarej mazi".

Był to rozczarowujący początek ataku w mieście, a trudności z uzupełnieniami trwały przez całą ciemną, bezksiężycową noc. Jednak w rękach aliantów była już połowa Cassino, także w walkach ponad miastem odniesiono znaczący sukces. Kompanii D 25. batalionu przydzielono zadanie zajęcia wstępnym natarciem Wzgórza Zamkowego, a gdy stwierdzili, że podejście od strony miasta jest zablokowane, oficer dowodzący wysłał pluton w głęboki wąwóz, który biegł poniżej zamku ku klasztorowi. Stamtąd wspięli się niemal pionowym urwiskiem bezpośrednio pod punkt 165, biorąc do niewoli dwóch obserwatorów, którzy skryli się głęboko w ziemiance.

Do osłony prawej flanki plutonu wysłano zespół lekkich pistoletów maszynowych Bren, składający się z szeregowca T. McNiece'a i młodszego kaprala Billa Stockwella. „Gdy podeszliśmy z Billem na skraj skały – mówi McNiece – zauważyłem na szczycie wzgórza betonowy bunkier – miał około dwunastu stóp kwadratowych i małe okienko, cztery stopy nad ziemią, wielkości dwóch stóp kwadratowych. (...) Uniosłem brena do biodra i rzuciłem się do bocznej ściany bunkra". Ogień, jakim osłaniał go towarzysz, przykuł uwagę znajdującego się w środku niemieckiego strzelca karabinu maszynowego, a w tym czasie McNiece wrzucił granat. „Wybuch był ładny, pył i odłamki kamienia i drewna wyleciały przez okienko; kilka chwil później usłyszałem jakiś stukot – u moich stóp leżał, dymiąc i sypiąc iskrami, niemiecki granat z rączką. Nie namyślając się ani chwili, złapałem go i rzuciłem z urwiska, (...) natychmiast wrzuciłem przez okienko następny granat, który wybuchł z hukiem". Potem przez okno wyleciał jeszcze jeden granat z rączką i spadł tuż poza zasięgiem McNiece'a. „Rzuciłem się na ziemię i byłem dobrej myśli; sekundy wydawały się wiecznością; potem doszło do potężnej eksplozji". Ale poza pęknięciem błon bębenkowych McNiece'owi nic się nie stało. „Gdy opadł pył, stałem przy ścianie z brenem w wyciągniętej ręce, [strzelając] przez okno". Wrzucił trzeci granat, potem zawołał towarzysza. Razem wzięli do niewoli żołnierzy zajmujących bunkier, który okazał się kwaterą główną kompanii. Pojmano ponad dwudziestu żołnierzy. „W głębi bunkra – mówi McNiece – była drabina prowadząca w dół do wielkiej ziemianki, mającej około dwunastu stóp kwadratowych i piętnastu stóp głębokości. Szkopy stały w rządku na drabinie z rękami w górze".

Teraz pluton był ostrzeliwany przez Niemców z zamku. Jednak po drugiej stronie budowli dwa inne plutony kompanii D przedzierały się stromym grzbietem z dna wąwozu. Niemcy wycofali się do wewnętrznej, najsilniej umocnionej części i zostali wykurzeni stamtąd granatami. O piątej po południu Nowozelandczycy przejęli kontrolę nad zamkiem. Okopali się, wraz z jeńcami, żeby oczekiwać na 4. dywizję indyjską w postaci batalionu Essex, który miał się przedrzeć przez Wzgórze Klasztorne do Wzgórza Kata, a następnie przypuścić szturm na klasztor.

Trzeba było zadbać o to, żeby nie doszło do opóźnień, które umożliwiłyby Niemcom otrząśnięcie się po początkowym natarciu. Ale z powodu zerwania łączności minęły dwie godziny, zanim wiadomość dotarła do czekającego niżej w Wadi Villi batalionu Essex. Pierwsza miała ruszyć kompania A pod dowództwem majora Franka Ketteleya. Od razu stało się oczywiste, że nie będzie to łatwe zadanie. „Z nastaniem ciemności zaczął padać deszcz, którego potrzebowali Niemcy – napisał w pamiętniku następnego dnia sygnalista batalionu Essex. – Droga Caruso to była jatka: ciemność, ulewny deszcz i ciężki ostrzał artyleryjski zrobiły z niej koszmar dla przemoczonej piechoty brnącej z trudem przez noc w kierunku Wzgórza Zamkowego". Niektórzy żołnierze kompanii A wdali się w walkę wręcz, która trwała u stóp wzgórza, podczas gdy inni rozpoczęli wspinaczkę. Dwudziestoczteroletni Bill Hawkins, który stracił w walkach swojego dowódcę plutonu, wspomina: „Padał deszcz i zaczęliśmy się wspinać, trzymając się białych taśm, które położyli Nowozelandczycy. Nie zdawaliśmy sobie sprawy, że wzgórze jest takie strome. Światło było widać tylko wtedy, gdy strzelały działa, cały czas strzelali też snajperzy. Wybuchały pociski artyleryjskie, które zrywały białe taśmy, a ich wolne końce łopotały w powietrzu, więc bardziej niż na cokolwiek innego zdawaliśmy się na swoje wyczucie kierunku".

Kompania C, pod dowództwem dwudziestosześcioletniego majora Denisa Becketta, szła za nimi. „Zniszczenia spowodowane bombardowaniem i walkami wręcz toczącymi się u stóp Wzgórza Zamkowego bardzo utrudniały kontrolę – mówi. – Próbowaliśmy piąć się w górę jednym rzędem wzdłuż taśmy, a potem, gdy się skończyła, ścieżką do zamku. (...) Od czasu do czasu natykaliśmy się na grupy Niemców i dochodziło do walki wręcz". Żołnierze rozciągnęli się i Beckett praktycznie stracił kontrolę nad swoją kompanią.

Dotarcie do zamku zajęło Billowi Hawkinsowi trzy czy cztery godziny: „Wydawało się, że to się nigdy nie skończy – mówi. – Wysuwałeś nogę i okazywało się, że na drodze jest kamień, więc odrzucałeś go na bok, ale wtedy tak naprawdę już nie wiedziałeś, czy zmieniłeś kierunek czy też idziesz tą samą drogą. Miałeś po prostu nadzieję, że nadal kierujesz się na szczyt, ale był tam taki gąszcz i tyle głazów, które trzeba było obejść, poza tym padał deszcz, było ślisko i bardzo ciężko".

Wybiła północ, zanim część dwóch kompanii batalionu Essex dotarła do zamku i zluzowała Nowozelandczyków. Hawkins przejął ziemiankę na skraju budowli od strony miasta: „Ustalony plan, że kompania B podejdzie i nas zmieni, a my opuścimy zamek i udamy się w górę do klasztoru, niemal od początku zaczął się walić" – mówi. Opóźnienie zluzowania Nowozelandczyków zniweczyło starannie rozpisany w czasie plan i pogorszyło sytuację w ciasnym korytarzu na północnym skraju Cassino. Za znajdującymi się na czele kompaniami batalionu Essex szedł 1/6. Rajputana Rifles, którego dwie tylne kompanie około północy dostały się pod ostrzał artyleryjski, gdy posuwały się wolno zatłoczoną drogą, i zostały, praktycznie rzecz biorąc, wyłączone z walki. Tymczasem kompania C batalionu Essex odbiła punkt 165, który został opuszczony przez Nowozelandczyków, gdy ruszyli do zamku, i ponownie zajęty przez Niemców późnym wieczorem. Dwie kompanie Rajputana Rifles, którym udało się dotrzeć do zamku, minęły ją, żeby zaatakować następny zakręt o 180 stopni powyżej punktu 165, znany jako punkt 236. Było to nie tylko istotne miejsce na drodze do Wzgórza Kata i klasztoru, ale też ostatni umocniony punkt Niemców, umożliwiający obserwację dróg prowadzących na północ, którymi musiały się przemieszczać nacierające wojska. Silnie broniona pozycja dominowała nad zboczami Wzgórza Klasztornego po obu stronach i mogła skierować ogień z flanki na oddziały, które próbowały przejść dołem.

O 4.30 rano 16 marca żołnierze indyjscy wspinali się najciszej jak potrafili ku punktowi 236. Zbliżyli się do celu na 150 jardów, gdy zostali dostrzeżeni. Natychmiast zalała ich fala ognia ciężkich karabinów maszynowych i artylerii i zostali zmuszeni do wycofania się do zamku. Postawiło to trzeci batalion pułku, 1/9. Gurkhów, który miał przejść przez punkt 236, gdy zostanie zdobyty, i ruszyć na Wzgórze Kata, w obliczu dylematu. W końcu dowódca batalionu postanowił pchnąć dwie kompanie, C i D, na górę, licząc, że się uda. Ponieważ główny szlak prowadzący do zamku znajdował się teraz pod ciężkim ogniem nieprzyjaciela, znaleziono inną drogę, która zdawała się prowadzić we właściwym kierunku. W pewnym momencie szlak się rozgałęział i dwie kompanie również się rozdzieliły. Kompania D wpadła później w zasadzkę, w której zginęło piętnastu żołnierzy, natomiast kompania C po prostu rozpłynęła się w ciemnościach.

O 8.30 rano Rajputana Rifles ponownie wysłano na punkt 236 za zasłoną dymną, starając się poszerzyć wąskie gardło wokół Wzgórza Zamkowego. Ale natarcie znowu odparto, a w jego trakcie niemiecki moździerz zaliczył bezpośrednie trafienie w kwaterę główną batalionu. Jednak o drugiej po południu brygada dostała skrzydeł na wiadomość, że kompania C z 1/9. Gurkhów, która zaginęła w nocy, znajduje się na Wzgórzu Kata w odległości niespełna 300 jardów od muru klasztoru. Kompanii wspinającej się na ukos w ciemnościach po zboczu wzgórza udało się uniknąć pozycji niemieckich i zaskoczyła oraz pokonała niewielki garnizon na wzgórzu. Gurkhowie szybko dostali się pod odwetowy ogień moździerzowy, a oficer dowodzący, dwudziestoletni kapitan M. R. Drinkhall, został ranny. Odkryli też, że ich radio nie działa, a kilku gońców wysłanych do zamku zostało przechwyconych. W końcu, po długim majstrowaniu przy radiu, naprawiono je i przywrócono łączność z resztą batalionu.

Natychmiast sporządzono plany dla reszty Gurkhów, którzy mieli dołączyć do swoich towarzyszy po zapadnięciu ciemności. Wkrótce po zmroku nieszczęśnicy z 1/6. Rajputana przypuścili trzeci szturm na punkt 236 i tym razem zdołali utrzymać ten zakręt przez mniej więcej siedem godzin, zanim znowu zostali odparci. Udało się im jednak zabezpieczyć punkt 202, zakręt znajdujący się bezpośrednio nad miastem. Te dwa ataki wystarczyły, żeby zająć Niemców, podczas gdy reszta 1/9. Gurkhów przenikała, pluton po plutonie, na Wzgórze Kata. Cała operacja zajęła siedem godzin, a posiłki przybyły w samą porę, żeby odeprzeć gwałtowne kontruderzenie spadochroniarzy z klasztoru. Teraz Niemcy wiedzieli, że tuż za murami klasztoru znajdują się znaczne siły Gurkhów.

Cenę za ten sukces zapłacił głównie 1/6. Rajputana Rifles. Z dwiema kompaniami zdziesiątkowanymi ogniem artyleryjskim jeszcze przed dotarciem do zamku, a resztą przetrzebioną i wyczerpaną trzema szturmami na punkt 236, „nie był to już – jak ujął to 17 marca w dzienniku sygnalista Charlie Fraser – skuteczny batalion". Miary dopełniło bezpośrednie trafienie w jego kwaterę główną. John David był w wysuniętym punkcie opatrunkowym, gdy zaczęli napływać ranni. „W porze obiadowej zaczęli nadchodzić oficerowie Rajputana Rifles – napisał w pamiętniku tego samego dnia. – Najpierw major Samuels: «Straciłem zimną krew». Nic innego. Żadnych ran. Nie podobało mi się to. Nie było kogo zapytać, co robić. Co się robi z oficerem, który oświadcza po prostu, że stracił zimną krew? Na szczęście w tej właśnie chwili zjawił się jego pułkownik, blady i drżący, odkopany spod gruzów budynku, który się zawalił, i powiedział, że major Samuels powinien pójść na urlop zdrowotny. Biedny pułkownik West (...) wszystkich nas zmartwił, podskakując przy każdym odgłosie".

Niemniej jednak, przy wojskach usadowionych na Wzgórzu Kata, natarcie na klasztor nadal trwało. Najważniejszą sprawą było ponowne zaopatrzenie Gurkhów i próba zabezpieczenia niższych partii wzgórza. Wieczorem 17 marca dwie kompanie z 4/6. Rajputana Rifles z 11. brygady wyruszyły z mułami i tragarzami, żeby dostarczyć na górę amunicję. Kompanią D dowodził Tom Simpson. Tak jak wcześniej, samo dotarcie do podnóży Wzgórza Zamkowego wcale nie było łatwe. „Właśnie gdy przygotowywaliśmy się do wyruszenia w drogę, dostaliśmy się pod ciężki ogień artyleryjski i ponieśliśmy duże straty zarówno w ludziach, jak i w mułach – wspomina Simpson. – Gdy ostrzał ustał, próbowałem zreorganizować kolumnę i wyprawić ją w drogę". Nadleciała następna fala pocisków, zabijając dwa muły i opryskując Simpsona krwią i skrawkami skóry – był on po tym „oszołomiony, ale cały". Następnie popędził to, co zostało z kolumny, szlakiem do Cassino. „Tutaj droga stała się bardzo trudna, ponieważ trzeba było przedzierać się przez gruzy zniszczonych budynków i leje po bombach. Gdy omijałem trafiony czołg nowozelandzki z lufą pod jakimś pijanym kątem, zsunąłem się ze skraju wielkiego leja, upadając do przodu na koniec zaklinowanego, poskręcanego metalowego stelaża. Próbowałem się wyswobodzić, podczas gdy moi ludzie otoczyli lej, i wczepiając się rękami, wygramoliłem się na górę. Szliśmy dalej, aż udało mi się znaleźć taśmę oznaczającą drogę do zamku".

Simpson dotarł do zamku i stwierdził, że druga kompania batalionu już poszła dalej. Na zewnątrz murów Niemcy nadal nękali żołnierzy z batalionu Essex na punkcie 165. „Gdy organizowałem swoją grupę przed dalszą drogą – mówi Simpson – Niemcy otworzyli ogień z ciężkich karabinów maszynowych, zalewając wielokolorowymi pociskami smugowymi dziedziniec, od ścian i od ziemi odbijały się czerwone, zielone i pomarańczowe pociski. Okazało się, że to zbyt wiele dla nieuzbrojonych tragarzy, którzy odmówili pójścia dalej, mimo że najlepiej jak umiałem starałem się ich przekonać, że moi ludzie są najlepszymi żołnierzami w armii indyjskiej i że bezpiecznie ich przeprowadzą. Nie pozostawało nam nic innego, jak wszystko wyładować i opasując się tyloma pasami z nabojami, ile byliśmy w stanie unieść, wraz z innymi zapasami, ruszyć w drogę. Gdy zbliżyliśmy się do Wzgórza Kata, Gurkhowie przeprowadzili nas przez swoje pozycje, na których byliśmy witani cichymi syknięciami".

Na zamku zaś kompanie A i C z batalionu Essex ponosiły duże straty z powodu snajperów, a kilku żołnierzy i duże ilości wyposażenia zostały pogrzebane pod gruzami, gdy zawalił się mur. Postanowiono jednak, że cały batalion powinien zostać zluzowany przez 4/6. Rajputana i wyruszyć w górę Wzgórza Kata, żeby dołączyć do Gurkhów. Tak więc tym razem przyszła kolej na kompanie B i D, które musiały odbyć koszmarną wspinaczkę do zamku. Noszowy Ted Hazle pamięta lejący deszcz i to, że chlebak spadł mu w przepaść, gdy przystanął, żeby odpocząć: „Zostałem bez jedzenia, bez niczego". Ken Bond przypomina sobie ciemność, niezwykły stopień trudności wspinaczki i żołnierzy spadających „w dół zbocza. Nigdy więcej już ich nie widziano". Szlak prowadzący w górę był pod ostrzałem artyleryjskim: „Żołnierze próbowali wdrapywać się po litej skale. Trzeba było coś zrobić, gdy wszędzie wokół wybuchały pociski. Miałem szczęście, że żaden nie spadł na tyle blisko, by wyrządzić mi krzywdę".

19 marca bardzo wcześnie rano te dwie kompanie dotarły do zamku. Niemal natychmiast wyruszyły na Wzgórze Kata. W zamku luzowanie kompanii A i C przez 4/6. Rajputana Rifles prawie dobiegło końca. Następnie reszta batalionu Essex przeszła na pozycję Gurkhów. Stamtąd, za kilka godzin, rozpocznie się szturm na klasztor.

Niemal bezpośrednio poniżej Wzgórza Zamkowego Nowozelandczycy przedzierali się przez ruiny miasta. Rankiem 16 marca kilka czołgów dotarło do pozycji batalionów 25. i 26. tuż przed drogą numer sześć. „Przedzieranie się było trudne – mówi Brick Lorimer. – Kierowcy przeszli prawdziwą próbę, prowadząc czołgi przez bagno, błoto i wodę. Wielkie leje po bombach były teraz w połowie zalane, (...) [były tam] fragmenty murów i kawałki drewna wystające z morza wody i błota". Ale dzięki ogromnej pracy, jaką wykonali nowozelandzcy i amerykańscy saperzy, powstał szlak przez gruzy i piechota mogła teraz posuwać się naprzód, aczkolwiek powoli. Łączność z czołgami była niekiedy utrudniona, jak wyjaśnia Lorimer: „Gdy żołnierze piechoty zlokalizowali [punkt obrony], mówili o tym – bardzo często wskazując – załogom czołgów i podawali nam cele, do których strzelaliśmy. Strzelaliśmy wszystkim – pociskami przeciwpancernymi, burzącymi, a nawet z karabinów maszynowych – i w ten sposób ich wykurzaliśmy".

Do końca dnia żołnierze nowozelandzcy znajdowali się za drogą numer sześć i w ruinach żeńskiego klasztoru, a w rękach aliantów było około dwóch trzecich miasta. Następnego dnia 25. batalion oczyścił ogród botaniczny, teraz „grzęzawisko płynnego błota", a wspierany przez czołgi batalion 26. ponownie zajął dworzec kolejowy.

Stało się oczywiste, że niemiecki opór w mieście skupia się w dwóch hotelach: Continental i położonym jakieś pięćset jardów na południe Hotel des Roses. Póki będą utrzymane, póty droga numer sześć będzie zablokowana, a dostęp Indusów do masywu zagrożony. Wielokrotne natarcia 25. batalionu przyniosły niewielki postęp i 18 marca kompania 24. batalionu przejęła od Rajputana Rifles punkt 202 i próbowała zaatakować od tyłu. Oni również zostali odparci i stało się jasne, że Niemcom udaje się przerzucać posiłki do miasta ze Wzgórza Klasztornego i podziemnymi przejściami. Trwały walki o każdy dom, nacierający i broniący często praktycznie znajdowali się tuż obok siebie. Jeden z plutonów 25. batalionu „przebywał w tym samym domu z nieprzyjacielem przez trzy dni i przez 36 godzin żył na żelaznych racjach i papierosach (...). Chociaż było słychać Niemców poruszających się na dachu, nie można było nic zrobić, ponieważ wszystkie wyjścia były osłaniane od frontu przez niemiecki punkt obronny po drugiej stronie ulicy, a snajperzy na dachu rzucali granaty". W meldunku kompanii do jej kwatery głównej z 18 marca czytamy: „Miasto dosłownie pełne jest snajperów nieprzyjaciela. Kryją się w gruzach i zrujnowanych domach. Jesteśmy tak zaczepni jak tylko to możliwe. (...) Dopóki Wzgórze Klasztorne nie znajdzie się w naszych rękach, kłopoty ze snajperami będą trwały". Później tego dnia, gdy dla Gurkhów i żołnierzy z batalionu Essex przygotowywano plany szturmu na klasztor, który miał nastąpić nazajutrz, Freyburg zwrócił się do swojego batalionu maoryskiego, żeby wkroczył do miasta i dokończył robotę.

Miał jeszcze jednego asa w rękawie. W czasie trwającego trzy tygodnie „przejściowego spokoju" po drugiej bitwie indyjscy i nowozelandzcy saperzy zajmowali się budową drogi ze wsi Caira na masyw. Tam, gdzie byli obserwowani, ukończoną drogę zamaskowano siatkami. Zgromadzono około trzydziestu siedmiu czołgów i dział samobieżnych i przed świtem 19 marca znalazły się one w głębokiej misie „Madras Circus", położonej za Głową Węża. Z tej pozycji miały, zmiatając wszystko po drodze, dostać się na tyły klasztoru. Liczono na to, że czołgi nadjeżdżające z tego kierunku spowodują, jak napisał jeden z historyków bitew, „konsternację, z jaką przywitano słonie Hannibala, gdy przebył z nimi Alpy".

Niemcy o tym nie wiedzieli, ale było mnóstwo innych spraw, które wywoływały ich niepokój. Większa część miasta Cassino była w rękach aliantów, a umocnione punkty obronne w hotelach – ostatnie linie obrony drogi numer sześć – były, praktycznie rzecz biorąc, okrążone. Wiedzieli, że jeśli nie podejmą natychmiastowych i zdecydowanych działań, linia Gustawa zostanie przełamana.

ROZDZIAŁ 13

Wzgórze Zamkowe

Około godziny po tym, jak Ken Bond, Ted Hazle i reszta kompanii B i D z batalionu Essex opuściła zamek, żeby dołączyć do natarcia przeprowadzanego ze Wzgórza Kata, pół tuzina żołnierzy z kompanii B ponownie zjawiło się w bramie zamku. Ze stanowiska położonego wyżej na zboczu widzieli wielką liczbę Niemców zbliżających się do zamku od strony klasztoru. W tym momencie kończono już luzowanie i kompanie A i C przygotowywały się do wyruszenia na Wzgórze Kata. „Panował u nas niezły bałagan – mówi Denis Beckett, dowodzący kompanią C. – Staraliśmy się wydać racje i amunicję oraz posortować broń, która została pogrzebana pod gruzami poprzedniego dnia". Major Frank Ketteley, starszy oficer w zamku, postawił podwładnych w stan gotowości i żołnierze z batalionu Essex pobiegli na swoje pozycje. Wtedy rozpoczął się ostrzał z ciężkich karabinów maszynowych ze szczytu Wzgórza Klasztornego, punktu 236 i położonego poniżej miasta. „Nigdy się z czymś takim nie spotkałem – mówi Beckett. – Strzelali pod każdym kątem. Trwało to około dziesięciu minut, a potem ruszyli na nas".

Niemcy zdali sobie sprawę z fundamentalnego znaczenia Wzgórza Zamkowego. Nie tylko wznosiło się nad północną częścią miasta, ale było też bardzo ważne dla działań aliantów w wyżej położonych partiach góry. Gdyby udało się odbić zamek, Niemcy obserwowaliby Nowozelandczyków w mieście i ostrzeliwaliby ich przy każdym ruchu, a atak na Wzgórze Kata byłby odizolowany. Dzień wcześniej szereg niemieckich oddziałów zaczął ustanawiać kordon wokół zamku. Ze zniszczonych domów na wyżej położonych obrzeżach miasta grupy te prażyły ogniem każdego żołnierza, który próbował opuścić zamek czy przejść zboczem wzgórza. Brama zamkowa była pod ostrzałem. To, co nastąpiło wczesnym rankiem 19 marca, nazwano

„po prostu ostatnią fazą średniowiecznego oblężenia, a jedyna różnica polegała na tym, że łuki zostały zastąpione karabinami maszynowymi, a kadzie z wrzątkiem – granatami".

Gdy ustał ogień karabinów maszynowych, około 200 żołnierzy z 1. batalionu 4. pułku spadochronowego wyskoczyło z punktu 236, atakując obrońców punktu 165 i rzucając się w stronę zamku. „Nie mogliśmy użyć artyleryjskiego ognia obronnego – mówi Denis Beckett – ponieważ nie wiedzieliśmy, jak na froncie radzą sobie Rajputana Rifles czy nasi ludzie. Nasze moździerze nie zdążyły się jeszcze wstrzelić. Trzeba było walczyć jeden na jednego z użyciem broni piechoty". Gdy Frank Ketteley kontaktował się z kwaterą główną batalionu, żeby poinformować ich o tym, co się dzieje, Beckett próbował zorganizować obronę. „Pierwszej fali o mały włos się udało – mówi. – Jeden czy dwóch próbowało przeniknąć na dziedziniec, a wielu zatrzymaliśmy ledwie kilka jardów od murów. Rozbiliśmy ich granatami Millsa, pistoletami maszynowymi i brenami". Sam Beckett został tuż pod murem raniony w szyję i ramię przez niemieckiego strzelca. Ketteley podczołgał się do przodu, aby go odciągnąć, ale dostał kulą w głowę. „Porozmawialiśmy trochę i zmarł" – wspomina Beckett. Wkrótce potem obrońcy ujrzeli lecącą w górę białą rakietę oświetlającą i ogień broni ręcznej ustąpił artylerii i moździerzom, więc Beckett, teraz oficer dowodzący w zamku, założył, że atak został odparty. „Oceniłem sytuację – mówi. – Nie było dobrze, (...) straciliśmy paru dobrych ludzi w pierwszym ataku karabinów maszynowych, (...) a wielu odniosło rany, próbując zająć stanowiska ogniowe".

Odpoczynek był krótki. O siódmej rano spadochroniarze podeszli znowu pod zasłoną dymną. Tym razem do zamku wrzucono mnóstwo granatów, a Niemcy próbowali wspiąć się po murach. Ale teraz żołnierze z batalionu Essex byli lepiej przygotowani, a Beckett ustalił, że karabiny maszynowe jego batalionu, usytuowane po drugiej stronie wąwozu, ostrzelają ogniem flankowym zachodnią stronę zamku. Trzycalowe moździerze też już określiły linie ognia i wkroczyły do akcji z dobrym skutkiem. Trudno było znaleźć punkt obserwacyjny. „W końcu wspiąłem się na szczyt muru, odsłaniając głowę i ramiona. Było to zupełne kretyństwo – mówi Beckett – ale nie widziałem innego wyjścia. W każdym razie jakiś chuderlawy szkop cisnął we mnie granatem i miałem szczęście, że nie dostałem nim w głowę. Na szczęście zanim do tego doszło, skorygowaliśmy pozycję".

Najbardziej zacięte walki toczyły się na dziedzińcu. Niemcy trzy razy się tam wdzierali, ale odrzucał ich ogień z ręcznych karabinów maszynowych i granaty. W wieży zamkowej strzelców ręcznych karabinów maszynowych, obsadzających otwory strzelnicze, raz po raz trafiali snajperzy. Gdy atak odparto, z pierwotnego stanu ponad 150 żołnierzy pozostało tylko 60 szeregowców i 3 oficerów. Strzelcy karabinów maszynowych wystrzelili osiem tysięcy magazynków, a moździerze zużyły 1500 pocisków. „Jedna lufa wygięła się z przeciążenia, a inna rozgrzała do czerwoności" – wspomina Beckett.

Godzinę później przypuszczono następny atak. Znowu silny ogień artylerii i karabinów maszynowych rozbił nacierających spadochroniarzy, ale kilku dotarło do pozycji batalionu Essex tuż pod murami. „Czasami toczyliśmy walkę w bardzo małej odległości – mówi Bill Hawkins. – Leciały na nas niemieckie granaty z rączką, my odpowiadaliśmy granatami Millsa, które z mojej pozycji mogliśmy po prostu spuszczać w dół zbocza góry. Na stanowisko jednego z moich żołnierzy, obsługującego ręczny karabin maszynowy szeregowca George'a De Courta, który położył wielu nieprzyjaciół, spadły trzy granaty z rączką. Dwa szybko odrzucił, ale zabrakło mu czasu, żeby pozbyć się trzeciego. Niestety, zginął".

Atak jednak znowu odparto i wkrótce potem noszowy zbliżył się do zamku z białą flagą, żeby poprosić o zawieszenie broni w celu zabrania rannych. „Nigdy nie zawierałem rozejmu – mówi Beckett – i zwróciłem się do batalionu z pytaniem, czy jest to dopuszczalne". Dzień wcześniej Beckett i jeszcze jeden żołnierz zaryzykowali i wyszli z zamku, żeby zabrać rannego, i wielkie wrażenie zrobiło na nich to, że żaden Niemiec do nich nie strzelił. Gdy Beckett wrócił do zamku, stanął w bramie, całkowicie odsłonięty, i zasalutował wzgórzu. Tym razem prośbę o rozejm przekazano dowództwu i dowódca dywizji wyraził zgodę. Przez pół godziny Niemcy, Brytyjczycy i Indusi pracowali ramię w ramię, odnosząc na noszach rannych. Gdy Niemcom zabrakło noszowych, Brytyjczycy pożyczyli im trochę koców, żeby mogli odnieść swoich rannych.

Po około dwudziestu minutach rozejm zerwali niemieccy snajperzy usadowieni wyżej na wzgórzu i obie strony się wycofały. Obu brakowało sił, żeby odnieść zwycięstwo. Jednak dla 4. dywizji indyjskiej atak ze Wzgórza Kata, przełożony na czwartą po południu, był ciągle aktualny, pomimo narażenia ich linii zaopatrzenia i groźnej sytuacji w zamku, i kolejnym oddziałom rozkazano wejść na Wzgórze Zamkowe i iść dalej w górę zbocza. Wśród żołnierzy był Birdie Smith, zastępca dowódcy kompanii A 2/7. batalionu Gurkhów: „Rozbiliśmy bank – powiedział mu dowódca kompanii Denis

Dougall z zatroskaną miną. – Idziemy na klasztor". Dwie i pół godziny zajęło sprowadzenie żołnierzy w dół z zajmowanych przez nich pozycji na lewo od Głowy Węża, po czym – pisze Smith – „wkroczyliśmy do miasta. Nie było żadnego miasta. Był to nieopisany chaos ruin. (...) Wszystko przenikał zapach śmierci". Z lewej usłyszeli strzelaninę, gdy starły się patrole nowozelandzki z niemieckim. U podnóża wzgórza znajdował się skrawek odsłoniętego terenu, krytego teraz przez niemieckich snajperów, i plutony Gurkhów musiały tamtędy po kolei przemykać. Główny szlak prowadzący do zamku również był teraz pod ciągłym ostrzałem, więc Dougall zostawił swoich ludzi i poszedł w górę samotnie, licząc na to, że jeden człowiek się przedostanie.

Jakiś czas później powiadomiono Smitha, że ma się wspiąć na górę po instrukcje. On również ruszył w pojedynkę i z wielką trudnością pokonał szlak na samym skraju stromego wąwozu. „W zamku panował ciągły ruch, chaos, zamęt, (...) ludzie leżeli skuleni za stosami gruzu, niektórzy ranni, inni umęczeni i kilku, którzy całkiem się poddali". Powitał go major Denis Beckett: „Dowódcą oblężonego zamku był młody major – pisze Smith – z ręką na temblaku, nie ogolony, wyczerpany, ale promieniujący spokojem i odwagą, które udzielały się żołnierzom, tym ciągle chętnym do walki i obrony pozycji. Za jego spokojnym sposobem bycia kryła się żarliwa determinacja".

Beckett nie wyraził zgody na to, by kompania poszła naprzód, i odbył przez radio rozmowę ze swoim dowódcą. „Byłem przekonany – mówi – że zamek jest w tym czasie najważniejszym miejscem całej bitwy". Dowodził, że zamiast iść pod górę tylko po to, by wrócić, podobnie jak inne oddziały, w strzępach, kompania powinna zostać w pobliżu, żeby pomóc w obronie zamku. Podczas gdy Dougall czekał w zamku na zgodę brygadiera na tę zmianę planu, posłano Smitha z powrotem na dół wzgórza, żeby przekazał nowe wieści znajdującym się tam żołnierzom. Aby ominąć wąwóz, Smith wybrał ścieżkę po prawej i po kilku jardach spotkał grupę przestraszonych i zmęczonych żołnierzy indyjskich kryjących się za skałami. Zapytał ich o najlepszą drogę do jego kompanii. Jeden z żołnierzy poinformował go, że może wybierać spośród dwóch szlaków: krótszy jest kryty przez snajperów, drugi jest bezpieczniejszy, ale przerażająco stromy.

– Na pierwszym szlaku zostanie sahib zastrzelony, na drugim poślizgnie się i zginie. Ale – zaśmiał się niewesoło – jeśli pójdzie sahib tą drogą (wskazał krótszą), będzie mógł liczyć tylko na siebie, nie ruszymy na pomoc, nawet jeśli trafią sahiba.

– Dlaczego? – zapytałem.

– Dlaczego? Dlaczego? Sahib pyta dlaczego? Ponieważ straciliśmy już ludzi, którzy robili szalone rzeczy dla brytyjskich sahibów. Teraz róbcie je sobie sami.

Pozostali skinęli głowami na znak zgody.

Smith, który ciągle jeszcze nie pozbierał się po tym, jak niemal wpadł do wąwozu w drodze na górę, wybrał krótszy szlak. Długo czekał, obserwując pięćdziesiąt czy więcej jardów ścieżki, która bez wątpienia była w polu widzenia snajperów w zachodniej części miasta. „Zmówiłem modlitwę, jedyną modlitwę, jaka przychodziła mi do głowy – Modlitwę Pańską. Potem szybko się podniosłem i popędziłem w dół szlaku. Już mi się wydawało, że będę miał szczęście, ale nagle coś trzepnęło w bok mojego czarnego hełmu, gdy rzuciłem się na ziemię. Podniosłem głowę i zobaczyłem ślad po kuli. Gdy rzucałem się na ziemię, kula minęła – dosłownie o włos – moją głowę. Coś skłoniło mnie do rzucenia się i ukrycia. W jednej chwili oblał mnie pot. Zimny pot. Miałem wrażenie, że wszystko się zatrzymało – odgłosy walki, działa". Minęła minuta, która wydawała się wiecznością. Smith słyszał Indusów po drugiej stronie wzgórza. „Śmiali się z młodego «sahiba chłopca», który nie przyjął ich rady – mówi Smith. – Chciałem krzyknąć do nich, ale z góry znałem ich odpowiedź. Czołgałem się naprzód i zmusiłem się do następnego sprintu. Modliłem się żarliwie, modliłem się o szybkość, o to, żeby snajper pomyślał, że już mnie trafił. Wbiegłem zygzakiem na otwartą przestrzeń z największą szybkością, na jaką kiedykolwiek się zdobyłem. Znowu trzask, trzask, uderzenie w chlebak, a potem bezpieczna kryjówka za następną skałą. Zdyszany, we łzach i upokorzony odkryciem, że ze strachu narobiłem w spodnie, leżałem jak trup, dopóki rzut oka na zegarek nie pogonił mnie dalej". Następnie Smith popędził w dół niżej położoną częścią szlaku i dotarł do pozycji swojej kompanii, ku uldze swoich żołnierzy, którzy widzieli, jak się pojawia na górze i pada. „Zacząłem wydawać rozkazy – mówi Smith – próbując nie zważać na trzęsące się ręce i wymowną, wilgotną plamę wzdłuż nogawki".

W górze na zamku zdeterminowani niemieccy spadochroniarze zaatakowali jeszcze raz. Tym razem grupka z oficerem posuwała się powolutku naprzód i umieściła ładunek wybuchowy pod przyporą północnego parapetu muru obronnego. Duża jego część się zawaliła, grzebiąc dwudziestu obrońców, i Niemcy wdarli się tłumnie przez lukę. Ale natknęli się na skoncentrowany ogień karabinów maszynowych i zostali zabici. Wzięty w tym czasie jeniec poinformował, że z 200 niemieckich żołnierzy atakujących rano tylko 40 było teraz jeszcze zdolnych do walki. Zrobili jednak dość, żeby wymusić kolejne przesunięcie ataku na klasztor ze Wzgórza Kata.

Podczas gdy ludzie Becketta odpierali pierwsze kontruderzenie na zamek, dwie kompanie maoryskiego batalionu Freyburga ruszyły ze swoich odległych o 200 jardów pozycji do ataku na upartych obrońców ruin hotelu Continental. Dzięki męstwu i determinacji zdobyli kilka domów w pobliżu hotelu i wzięli do niewoli niemal stu jeńców, ale – jak w przypadku poprzednich szturmów – przekonali się, że sam hotel jest nie do zdobycia. Nie dość, że w budynku i otaczających go ruinach roiło się od snajperów i gniazd karabinów maszynowych, to jeszcze Maorysi stwierdzili, że nie da się tam uformować wystarczających sił do natarcia. Niewiele było miejsca w „wariackim labiryncie" zrujnowanych budynków i gdy jakiś oddział zdołał się sformować, na żołnierzy spadał grad pocisków moździerzowych kierowanych z wyżej położonego, nadal kontrolowanego przez Niemców terenu. Wkrótce poszczególne grupy rozproszyły się i często zaczęły tracić orientację. Kompania C zdołała dotrzeć do podnóża Wzgórza Klasztornego, ale potem została odcięta. Czołgi wspierające natarcie starały się dotrzeć do celu, a te, którym się udało, zniszczył potężny czołg niemiecki okopany po wieżyczkę w holu hotelu. Jak wcześniej, Niemcy niestrudzenie przenikali do rozproszonych Nowozelandczyków, tak że ci co chwilę odkrywali, że domy, które oczyścili, zostały ponownie zajęte, snajperzy zaś i drużyny granatników ostrzeliwali flanki i tyły nacierających.

Nie istniała jakaś określona „pierwsza linia" i w wielu przypadkach nie było jasne, czy budynek jest zajęty przez swoich czy przez wroga. Sierżant Mataira, pochodzący z tej samej wsi co George Pomana, dał nura do pewnego domu, żeby zerknąć na mapę, i przekonał się, że jest tam mnóstwo Niemców. Zatrzasnęli za nim drzwi i odebrali broń. Pomana relacjonuje historię, którą opowiedział mu Mataira: „[Niemcy] ubliżali mu, a potem paru z nich skierowało na niego karabiny maszynowe, po czym jeden czy drugi podchodził, żeby go dla zabawy kopnąć, on zaś zaczął kląć na nich, co ich bardzo rozbawiło, ponieważ myśleli, że naprawdę go zdenerwowali, nie wiedzieli jednak, że gdy tak na nich patrzył i na pozór ciągle obrzucał ich wyzwiskami, mówił po maorysku do swoich towarzyszy za ścianą, powiedział, żeby wrzucili do środka granat. Nie chcieli tego zrobić, bo obawiali się, że mogą zabić i jego, ale on zagroził: «Jeśli się stąd wydostanę, to się z wami wszystkimi policzę». Zachował nie tylko jasność myślenia, ale i odwagę. Wrzucili parę granatów i to wystarczyło, żeby odwrócić uwagę Niemców, więc zdołał wyrwać im jeden z karabinów maszynowych i wyrzucić ich z domu. Kilku musiał zastrzelić. Nie zdawał sobie sprawy, że było ich aż tak wielu: większość znajdowała się w pomieszczeniach z tyłu. Wszyscy wyszli i poddali się. Trzydziestu dwóch".

Relacja szeregowca R. Smitha z podjętej przez maoryskich żołnierzy próby usunięcia nieprzyjaciela z budynku oddaje przerażające ryzyko związane z walką o każdy dom. Dwaj pewni siebie Maorysi rozwalili kopniakami drzwi, ale potem, „gdy drzwi wypadły z hukiem, byli przez chwilę widoczni na tle znajdującego się dalej przejścia – widoczni przez jedną sekundę, zanim upadli, jakby coś chwyciło ich za nogi, pod wściekłym terkotem schmeisserów. Strumień pocisków leciał za zwiotczałymi ciałami, gdy staczały się po schodach, ciałami wlewającymi się w ziemię z koszmarną płynnością, która za życia jest niemożliwa". W takich warunkach obrońca, o czym Niemcy przekonali się pod Stalingradem, ma ogromną przewagę. Po południu stało się oczywiste, że natarcie się nie powiodło.

Freyburg miał 19 marca jeszcze jednego asa w rękawie. Oddział czołgów za klasztorem miał według planu ruszyć do ataku po rozpoczęciu szturmu przez oddziały na Wzgórzu Kata. Gdy szturm opóźniono, nikt w sztabie korpusu nie pomyślał, żeby powiedzieć o tym czołgistom, którzy ruszyli o wyznaczonej godzinie. Początkowo szybko posuwali się naprzód, docierając na zachód od Colle Maiola oraz okrążając i ostrzeliwując stanowiska obronne punktu 593. Stamtąd, mając po lewej otwartą dolinę Liri, przeciskali się wąskim jarem, który prowadził na tyły klasztoru.

Młody niemiecki spadochroniarz Werner Eggert znajdował się z 4. pułkiem spadochronowym z tyłu klasztoru: „Nagle usłyszeliśmy łoskot czołgów podjeżdżających pod górę. Bardzo to nas zaniepokoiło. Kazano mi zmobilizować każdego, kto mógł chodzić. Pamiętam, jak blisko mnie przebiegł ktoś z granatnikami przeciwpancernymi. Za sobą słyszałem jeszcze większy harmider. Ostrożnie, szukając osłony jak szczur, dotarłem do trzeciej grupy i przycupnąłem z nią. Wszyscy byli już na swoich stanowiskach i podenerwowani czekali na atak". Wtedy rozległ się zdumiewający okrzyk niemieckich obrońców: „Brak piechoty w zasięgu wzroku!" „Właśnie gdy chciałem wrócić do punktu dowodzenia, rozpoczęła się kanonada – mówi Eggert. – Schroniłem się za murem punktu wydawania wody. Czołgi zbliżały się w «wysuniętym szyku» i bez piechoty. Pierwszy przedarł się i niemal dotarł do mojej kryjówki. Nagle tam stanął, a my strzelaliśmy do niego z panzerschrecka [podobnego do amerykańskiej bazooki], gdy próbował zawrócić. Znieruchomiał. Wyszli z niego żołnierze, którzy zostali wzięci do niewoli. Następny czołg wpadł trochę wyżej na zakopaną minę. Pociski wystrzelone z karabinów maszynowych zagrzechotały o metal. Pozostał tam bez ruchu i zablokował wąską drogę wszystkim czołgom, które jechały za nim. Z tego nikt nie wyszedł. Z następnego czołgu dwóm żołnierzom udało się wydostać i uciec pod osłoną ognia następnych czołgów, które wkrótce zawróciły".

Gdy unieszkodliwionych zostało tuzin czołgów, pozostałe otrzymały rozkaz odwrotu. Gdyby atak ten skoordynowano z natarciem ze Wzgórza Kata lub gdyby oddział czołgów miał wsparcie piechoty i saperów, mogłoby dojść do przełamania linii obronnych Cassino. Ostatecznie, jak pisze historyk 4. dywizji indyjskiej, „jeszcze raz zadano cios jedną pięścią, podczas gdy druga ręka zwisała bezczynnie".

Po południu 19 marca Ken Bond i Ted Hazle z połączonych kompanii B i D batalionu Essex w końcu zakończyli wędrówkę z zamku na Wzgórze Kata. Zbocze było usiane – wspomina Bond – „połamanymi drzewami, wszystkimi w drzazgach, i skałami, skałami, skałami". Chodziło „tylko o to, żeby podążać za żołnierzem z przodu. Ktoś musiał znać drogę". Wspinaczka po terasach na zboczu wzgórza, czy też po tym, co z nich zostało, zajęła pół dnia.

Wielu nie dotarło do celu: tylko siedemdziesięciu, z których trzydziestu było rannych, udało się spotkać z Gurkhami. Niektórzy zgubili się i dotarli w końcu do Nowozelandczyków na punkcie 202. Inni polegli, gdy dostali się na odsłoniętym zboczu pod ostrzał artyleryjski i moździerzowy. „Straciliśmy chłopaków – mówi Ken Bond. – Znałem wielu z tych, którzy w drodze w górę zostali zabici lub zmarli wskutek odniesionych ran, ale musieliśmy iść dalej. Wspinaliśmy się mozolnie coraz wyżej i wyżej tym przepustem, rurą pod drogą mającą około czterech czy pięciu stóp średnicy. Nikt nie wiedział, co będzie dalej. Niektórzy z chłopaków byli z przodu, na następnym zakręcie drogi, gdzie kryli się w kolejnym przepuście. Na szczęście te przepusty były suche. Z tuzin czy dwudziestu z nas znalazło tam schronienie. To był prawdziwy chaos, nikt nie wiedział, co jest co".

Drużyna Teda Hazle'a w drodze na górę dostała się pod ogień broni maszynowej. „Szkopy strzelały do nas – mówi – więc trzeba było puścić się pędem i dobiec na miejsce. Kawałek żwiru poharatał mi szyję, ale dobiegłem". Gdy Hazle dotarł na wzgórze, stwierdził, że jest tam jedynym sanitariuszem. „Urządziłem punkt opatrunkowy batalionu na skraju tego wzniesienia. Ułożyłem się wprost na zboczu wzgórza. Większość żołnierzy była za rogiem i pod skarpą wzgórza, ale my nie. Dla pułkownika Gurkhów wszystko było w porządku, był pod małą skarpą, ale my leżeliśmy po prostu na zboczu i zbudowaliśmy sangary. Byliśmy ostrzeliwani z własnych dział, zrzucano pociski dymne, żeby nas osłonić. Problem polegał na tym, że spadały za blisko. Dusiliśmy się w dymie, ciągle go czuję. Kaszlaliśmy od niego. Mieliśmy tam sygnalistów, więc powiedziałem do jednego: «Nie możecie przekazać tym z tyłu, żeby podnieśli działa?» «Nie mam baterii» – odparł. Więc musieliśmy po prostu się uśmiechać i dać spokój. Mało kto tam się uśmiechał".

Później tego samego popołudnia jeszcze raz przesunięto natarcie na klasztor. Było oczywiste, że nacierające siły były teraz odcięte na Wzgórzu Kata, a posiłków nie można było wysłać, dopóki podejście do zamku i dalej nie zostanie oczyszczone. Żołnierze z kompanii A i C batalionu Essex w zamku zostali tej nocy zluzowani przez batalion z 78. dywizji brytyjskiej i ruszyli do Wadi Villi, gdzie mieli czekać na powrót żołnierzy z batalionu Essex, znajdujących się na Wzgórzu Kata. Wędrówka w dół była – według Billa Hawkinsa – „równie trudna jak droga w górę. Ślizgaliśmy się i zjeżdżaliśmy, trzeba było jakby opierać się o zbocze". Gdy znaleźli się w Wadi, nadal pod ogniem moździerzowym, zrobili bilans strat. Z kompanii A wróciło tylko dwudziestu jeden żołnierzy, a z kompanii C zaledwie trzynastu. Dla działań bojowych batalion przestał istnieć.

Był to decydujący dzień trzeciej bitwy. Żaden z trzech zaplanowanych na 19 marca ataków aliantów – natarcie na hotel Continental, pozorowane natarcie czołgów i szturm na klasztor ze Wzgórza Kata – się nie powiódł. Teraz trzeba było przede wszystkim poszerzyć wąskie gardło wokół zamku i oczyścić niemieckie pozycje w mieście, zagrażające lewej flance tych, którzy byli na zboczu wzgórza. Następnej nocy żołnierze z 78. dywizji zaatakowali z zamku punkt 165, ale natknęli się na nowo założone pole minowe i zostali odparci. Do miasta wysłano świeże oddziały nowozelandzkie, żeby spróbowały się przedrzeć do niemieckich punktów obronnych u podnóża Wzgórza Klasztornego.

Nowozelandczyk Clem Hollies był w 21. batalionie, gdy 19 marca poszli na linię: „Pojechaliśmy drogą numer sześć – mówi – wysiedliśmy z ciężarówki około mili przed miastem, a potem pieszo udaliśmy się dalej drogą, przejęci dziwnym uczuciem całkowitej nagości, pozbawieni ochrony, z nerwami napiętymi w oczekiwaniu na gwałtowny ogień z broni maszynowej lub ostrzał artyleryjski. Mieliśmy szczęście i bezpiecznie dotarliśmy do naszego punktu zgrupowania w budynku, który okazał się żeńskim klasztorem. (...) Serie pocisków smugowych i moździerzowych rozświetlały nocne niebo i pozwalały nam od czasu do czasu zobaczyć otaczające nas zniszczone budynki". Z klasztoru batalion przeszedł przez ogród botaniczny, gdzie zaatakował go oddział spadochroniarzy. Odparto go skoncentrowanym ogniem brenów. „Gdy nieprzyjaciel się wycofał – mówi dalej Hollies – zobaczyliśmy grupy niemieckich noszowych, którzy nosili swoich rannych i przypadkowo mogli zabrać dwóch leżących tam Nowozelandczyków. Nie było pod ręką opasek Czerwonego Krzyża, ale „Pom" Pomeroy i ja zdjęliśmy stalowe hełmy i pokazując, że jesteśmy nieuzbrojeni, zaryzykowaliśmy, że zostaniemy zastrzeleni na miejscu z odległego o około stu pięćdziesięciu jardów hotelu Continental, i pomogliśmy im obu wrócić na nasze linie. To trwało kilka chwil, które wydawały się wiecznością, i miałem wrażenie, że obserwują nas setki wrogich oczu. Po powrocie do domu padliśmy i jeszcze przez kilka godzin nie mogliśmy opanować drżenia. Gdy nadszedł świt, ostrzał artyleryjski się wzmógł i poruszanie się po otwartym terenie bez osłony pocisków dymnych stało się niemożliwe. Nasze radio zostało zniszczone, a dom, w którym się znajdowaliśmy, był w rozsypce. Odczuliśmy wielką ulgę, gdy goniec przyniósł wiadomość z dowództwa batalionu z rozkazem powrotu do względnie bezpiecznego klasztoru".

Podporucznik Alf Voss, oficer wywiadu, był z tym samym batalionem. Cassino wydało mu się „niesamowitym miejscem. Zawsze wyczuwało się w powietrzu zapach kordytu, a od czasu do czasu słyszało się huk moździerzy czy świst nebelwerferów". Przejmując obowiązki od oddziału maoryskiego, poprosił oficera, żeby wskazał mu jakieś dobre miejsce na kwaterę dowództwa batalionu. Skierowano go do pobliskiego budynku, ale stwierdził, że został on już ponownie zajęty przez Niemców i trzeba go odbić. Po zainstalowaniu się w środku „szybko zaczęliśmy wieść podziemne życie – mówi Voss. – W kwaterze było około 18 ludzi, w dwóch pomieszczeniach o wymiarach 20 na 17 stóp. (...) Próbowałem się dowiedzieć, gdzie są nasze różne oddziały, ale nikt nie miał co do tego pewności, (...) sytuacja była bardzo trudna". Tuż przed świtem Voss usłyszał warkot silnika czołgu w sąsiednim budynku: „Niemiecki czołg wśliznął się za drzwi garażu i je zamknął. Pożyczyłem trzy nowozelandzkie shermany, które wystrzeliły kilka pocisków, zwalając budynek na ten niemiecki czołg. Bez wątpienia Niemcy w czołgu pozostawali w kontakcie ze swoimi towarzyszami, ponieważ spadał teraz w naszym kierunku grad pocisków moździerzowych i artyleryjskich nieprzyjaciela. Potem zobaczyliśmy, jak ucieka trzech czy czterech członków załogi czołgu, kierując się w stronę Hotel des Roses. Niektórzy nasi strzelali do nich, ale tamci umknęli".

Pozostałe oddziały dotąd jeszcze nawet nie widziały Niemców, ale ciągle były przygwożdżone ogniem. Historyk 23. batalionu narzeka, że żołnierze „nie widzieli karabinu czy jakiegokolwiek błysku, ujawniających położenie nieprzyjaciela, który łączył doskonałą osłonę z doskonałą obserwacją, dzięki czemu całkowicie panował nad sytuacją. W tych okolicznościach natarcia za dnia terenem tak zrytym lejami i pokrytym gruzami dawały jedynie wrogowi dobre cele".

Przechwycone meldunki niemieckie, które wskazywały na pesymistyczne nastawienie co do możliwości utrzymania pozycji, skłoniły Freyburga do wydawania rozkazów dalszych ataków na hotel Continental i wąski pas wzdłuż podnóża Wzgórza Klasztornego, ciągle znajdującego się w rękach Niemców, ale żaden z nich nie doprowadził do przełamania linii frontu. Według Clema Holliesa „w naszej miejscowej wojnie skończyło się na sytuacji patowej, jeśli chodzi o nasze ataki".

Pewien oficer z batalionu Jacka Cockera podsumował nastrój panujący w tym czasie wśród żołnierzy: „Powietrze w mieście [było] ciężkie od dymu, wilgoci i odoru śmierci, które zdawały się cię otaczać, niemal dusić; przerażające miejsce spowite gęstą, lepką mgłą, wywołujące uczucie przygnębienia". Sam Cocker opisuje, co czuje żołnierz pod ciągłym ostrzałem artyleryjskim: „Leżysz w okopie gniazdowym i ni z tego, ni z owego zaczynają ostrzał. Pociski spadają coraz bliżej i bliżej i myślisz sobie: Co ja tu, do diabła, robię?

Nie muszę tu być – nie powinno mnie tu być, i zaczynasz się naprawdę martwić. Gdy ostrzał się skończył, a tobie nic się nie stało, przyzwyczajałeś się do tego. Czasami gdy pocisk spadał trochę za blisko, robiłeś się odrobinkę drażliwy i myślałeś: No tak, nadleci następny i mnie załatwi. Cały czas byłeś przerażony, nic nie mogłeś na to poradzić".

Oddział Clema Holliesa wycofał się do klasztoru żeńskiego 21 marca, ale był zmuszony pozostać tam do 25. „Te cztery dni i noce to było absolutne piekło – pisze Hollies. – Cały czas spadał grad pocisków moździerzowych; przez dach przelatywały pociski z nebelwerferów, a przez wszechobecne pociski dymne żyliśmy w świecie, w którym nie było dnia. Nerwy mieliśmy napięte do granic wytrzymałości, ręce trzęsły się nam tak, że trudno było zapalić papierosa. Przygotowanie gorących posiłków było niemożliwe, podobnie jak mycie i golenie".

Freyburg zdawał sobie sprawę, że jego korpus jest teraz wyczerpany i zniechęcony. W kronice wojennej 23. batalionu doniesiono: „Nie ulega wątpliwości, że warunki, w jakich żołnierze obecnie walczą, są najgorszymi z dotychczasowych, (...) miasto jest w ruinie, (...) każdy stos gruzu [to] prawdopodobne stanowisko snajperów nieprzyjaciela, który niekiedy przenika za wysunięte oddziały. Przez cały dzień niemieckie pociski artyleryjskie walą w ruiny, (...) ruch za dnia jest uniemożliwiony. Walka niekiedy toczy się na tak bliską odległość, że swojego od wroga dzielić może jedynie ściana".

Rankiem 23 marca Freyburg przyznał, że dywizja nowozelandzka „doszła do kresu wytrzymałości". Żołnierze z 4. dywizji indyjskiej dwoili się i troili, żeby tylko utrzymać zamek pod ciągłymi uderzeniami niemieckimi, i Freyburg nie miał innego wyjścia, jak zakończyć trzecią bitwę. Niektórzy ze sztabu zwracali uwagę na potworne straty, jakie musieli ponieść Niemcy, i nakłaniali do jeszcze jednego natarcia. Na to Freyburg odpowiedział podobno jednym słowem: „Ypres".

Rzeczywiście, nie sposób patrzeć na zdjęcia pola walki w Cassino w tym czasie, z wymarłym, księżycowym krajobrazem lejów wypełnionych słonawą wodą, martwych mułów i żołnierzy, żeby nie przypomnieć sobie haniebnych scen z pierwszej wojny światowej. Dla korespondenta Christophera Buckleya, zazwyczaj szczerze uprawiającego propagandę na rzecz alianckich, antynazistowskich celów wojennych, trzecia bitwa była „ostateczną kwintesencją wojny, (...) żołnierze obrzucali się bryłami poszarpanego metalu, wszystkim, co mogło rozerwać i rozedrzeć żywe ciało, roztrzaskać i zmiażdżyć kość. (...) Ogarnęła mnie fala kompletnej i przytłaczającej rozpaczy. To wszystko miało się zdarzyć jeszcze raz, jeszcze wiele razy. Trzeba mocno wierzyć w cel i znaczenie tego wszystkiego".

W mieście, w brudzie i odorze nie pogrzebanych ciał, występowało coraz więcej przypadków „wyczerpania bojowego". Oficjalne nowozelandzkie dane medyczne taktownie stwierdzają, że pod koniec marca „piechota z Cassino wykazywała oznaki przedłużonego napięcia nerwowego i braku snu i pojawiły się przypadki prawdziwego wyczerpania fizycznego".

Postanowiono wycofać odizolowane oddziały na Wzgórzu Kata i na punkcie 202, rozformować stworzony ad hoc Korpus Nowozelandzki i ustanowić nową obronę okrężną wokół dworca i Wzgórza Zamkowego. Nowozelandczycy w mieście byli w stanie dostrzec żołnierzy na Wzgórzu Kata. Pomimo trudnego położenia, w jakim sami się znajdowali, nie mogli nie współczuć tym, którzy przebywali na odizolowanym pagórku. „Chociaż w sumie nie byliśmy zadowoleni z własnej pozycji – napisał jeden z nowozelandzkich podoficerów – przynajmniej zdaliśmy sobie sprawę, że była ona o niebo lepsza (...) od tego nieokreślonego obszaru pośród surowych skał wzgórza, gdzie nasi indyjscy przyjaciele ponuro trzymali się pod gradem pocisków moździerzowych i artyleryjskich. Nasze dwudziestopięciofuntówki zdawały się razić większą część zbocza. Człowiek się zastanawiał, jak można żyć w takim miejscu".

Od dotarcia do przepustu pod drogą 19 marc po południua Ken Bond, a wraz z nim około dwudziestu innych żołnierzy, nie ruszył się z miejsca. „Nie było nikogo, kto by wydał nam polecenie czy doradził, co mamy zrobić, czy iść naprzód, czy się wycofać – mówi Bond. – Nie wiedzieliśmy nic, to było takie chaotyczne". Ponieważ nie zdołano utrzymać różnych kluczowych pozycji na zboczu, żołnierze na Wzgórzu Kata, którzy wyruszyli tylko z awaryjnymi, dwudziestoczterogodzinnymi racjami żywnościowymi, musieli być zaopatrywani zrzutami z powietrza. Brytyjski film z tego okresu przedstawia tę kłopotliwą operację w żartobliwym tonie: „Ćapati na spadochronie dla indyjskich żołnierzy we Włoszech – głosi nagłówek. – Godzinę temu ci żołnierze byli niemal u kresu sił. Teraz, z jedzeniem i zaopatrzeniem, mogą się utrzymać i utrzymają się. (...) Dla naszych żołnierzy jest to dosłownie manna z nieba". Jednakże „trzeba było się po paczki przedzierać i uważać, żeby nie trafić pod ogień artyleryjski i moździerzowy – mówi Bond. – A w połowie przypadków zwiewało je daleko od nas, więc jedzenia było bardzo, ale to bardzo mało". Bardzo brakowało również wody. Historyk batalionu Essex przytacza opowieść o sierżancie, który co noc zabierał tyle manierek, ile zdołał unieść, i napełniał je w leju po pocisku. Czwartej nocy wrócił z tej wyprawy później niż zwykle i bez wody. Miał właśnie napełnić manierki, gdy w blasku rakiety oświetlającej zauważył, że w leju leży martwy muł, który tkwił tam – w ocenie sierżanta – od około trzech tygodni.

Być może najgorsze ze wszystkiego były straty ponoszone wskutek „własnego ognia". Aby osłonić zarówno wojska na Wzgórzu Kata, jak i Nowozelandczyków w mieście przed „wszechwidzącym okiem" klasztoru, niemal nieustannie ostrzeliwano pociskami dymnymi podstawę opactwa i zbocze wzgórza. Artyleryjski pocisk dymny miał mały ładunek wybuchowy, który w czasie lotu wyrzucał pokrywkę, pozwalając spaść w wyznaczonym miejscu pojemnikom wytwarzającym dym. Ale pusty pocisk, śmiercionośny kawałek metalu, leciał potem dalej. Trzech sierżantów w sangarze tuż powyżej Kena Bonda zginęło, gdy między nimi spadł taki pocisk. W punkcie opatrunkowym Teda Hazle'a „nasz własny dym wyrządzał równie wiele szkód jak wszystko inne". Nawet pokrywka mogła zabić. Dowódca Gurkhów, podpułkownik Nangle, zameldował: „Pojemniki, obudowy pocisków i pokrywki ciągle spadają między nas i powodują straty. Jeden z żołnierzy z batalionu Essex został trafiony pokrywką i przebiegł około czterdziestu jardów w dół wzgórza, zanim padł martwy".

W czasie gdy Ted Hazle w dalszym ciągu opatrywał rannych, mając do dyspozycji jedynie trochę bandaży, odrobinę morfiny i parę nożyczek, odizolowani żołnierze, zmęczeni, głodni i zziębnięci na odsłoniętym zboczu, czekali bezradnie na rozkaz ataku lub odwrotu. „Najgorsze było zmęczenie – mówi Hazle. – Miałeś dość i nie byłeś tak silny, jak powinieneś być". Jack Miles, oficer z 1/9. batalionu Gurkhów, wspominał: „Z roślinności pozostały jedynie osmalone pniaki drzew. Nie było ani jednego źdźbła trawy, liścia, drzewa, jedynie zryta skała. Wydaje się niewiarygodne, że żołnierze chodzili w górę i w dół tych zboczy, żyli na nich, w takich warunkach, znosili w nocy marcowe zimno, przemoczeni deszczem, potwornie głodni, przy nieustannej kakofonii wojny".

Obecność nieprzyjaciela w pobliżu zmuszała do ciągłej czujności, a każdy ruch za dnia ściągał ogień moździerzowy lub karabinowy z klasztoru. Do 23 marca pierwotne siły uderzeniowe 1/9. batalionu Gurkhów, które znajdowały się na wzgórzu przez osiem dni, zostały zdziesiątkowane. Pewien strzelec z 1/9. batalionu, który został ranny w rękę, udo i brzuch, powiedział osobom przeprowadzającym wywiad: „Ostrzał był tak silny, że nie mogliśmy podnieść głowy. Czołgaliśmy się, a jako osłony używaliśmy stosów ciał. W ekwipunku poległych szukaliśmy też jedzenia. Straciliśmy mnóstwo ludzi".

Strzelec Gurkhów Balbahadur Katuwal, z tego samego batalionu, również przebywał na zboczu osiem dni. „Przez tydzień nie byliśmy zaopatrywani – mówi – a potem były dwa zrzuty na spadochronach, ale nie mogliśmy pójść po paczki, bo ogień nieprzyjaciela był zbyt silny. W końcu przy trzeciej próbie na naszą pozycję zrzucono dwie paczki, zawierające już ugotowane jedzenie, i zjedliśmy wspaniały posiłek złożony z ryżu i roślin strączkowych. To był trudny okres i meldowaliśmy o źle wycelowanym ogniu. Największy strach wzbudzały we mnie miny, bomby lotnicze i artyleria średniego kalibru". Inny Gurkha mówi: „Praktycznie w ogóle nie mieliśmy nic do jedzenia czy picia przez cały ten czas i zwilżaliśmy sobie usta błotem. Wypróżnialiśmy się tam, gdzie akurat byliśmy. Nie miałem nadziei na przeżycie, wiedziałem tylko, że zostanę zabity i że będę zabijał wroga". Aby podnieść się na duchu, niektórzy Nepalczycy śpiewali pieśń: „Mój batalion to jeden dziewięć GR/Mój dom jest w Dhaireni/Po dziesięciodniowym oblężeniu mój umysł łkał".

Gdy postanowiono wycofać żołnierzy ze Wzgórza Kata po zmroku 24 marca, trzech oficerów ochotników wspięło się na górę, żeby skontaktować się z odizolowanym oddziałem. „Jakiś młody oficer zbliżył się do nas i powiedział: «Wyprowadzę was stąd» – wspomina Ted Hazle. – Poprowadził nas na dół od frontowej strony zamku, co uważano za niemożliwe. Wydaje mi się, że ześlizgnąłem się ze szczytu tego wzgórza do jego podnóża na tyłku". Gdy żołnierze odbywali trzygodzinną wędrówkę powrotną, solidny ostrzał artyleryjski, a także ataki pozorowane dały zajęcie Niemcom i odwrót zakończono bez zamieszania. „Gdy dotarliśmy do podnóża, odebrali nas Gurkhowie i tej nocy zabrali na swoją pozycję – mówi Hazle, który miał otrzymać galon na wstążce orderowej Medalu Wybitnej Służby [oznaczający ponowne nadanie – przyp. tłum.] za nadzwyczaj dobrze wykonywaną pracę medyczną na wzgórzu. – Pokazali nam miejsce do spania i – po niezwykle skromnym posiłku – zasnęliśmy". Później Niemcy naliczyli 165 poległych Gurkhów na wzgórzu i wokół niego, a także 20 karabinów maszynowych, 103 karabiny, 36 pistoletów maszynowych i 4 radiostacje. Tryumfalnie zatknęli na szczycie wzgórza flagę ze swastyką.

Z punktu 202, serpentyny za miastem, też wycofano się tej samej nocy.

Rannych zostawiono z flagą Czerwonego Krzyża, zrobioną z jedwabnego spadochronu, którą wywieszono na zewnątrz jaskini, co natychmiast wstrzymało niemiecki ostrzał moździerzowy tego miejsca. Zdolni do marszu ranni odeszli następnego ranka, z następną flagą Czerwonego Krzyża, obiecawszy przysłać noszowych po resztę. Pozostawiono czterech Nowozelandczyków i kaprala z batalionu Essex, A. J. Smitha, którego pluton wpadł na pozycję Nowozelandczyków pięć dni wcześniej, gdy próbował znaleźć Gurkhów na Wzgórzu Kata. Smith, ranny 19 marca od wybuchu moździerza, miał – jak powiedział – „czternaście różnych dziur w ciele".

Następnego popołudnia na Wzgórze Klasztorne wysłano grupę noszowych, żeby przynieśli pozostawionych tam żołnierzy. Dowodził nią Nowozelandczyk, kapitan A. W. H. Borrie. „Po drodze zauważyliśmy, że w pobliżu dawnej kwatery głównej kompanii C kilka osób powiewa flagą – mówi. – Gdy do nich dotarliśmy, stwierdziliśmy, że było to czterech kiwi i jeden żołnierz z pułku Essex. Porzucili już nadzieję, że ktoś po nich przyjdzie, więc godzinę wcześniej najsprawniejszy z tej grupki puścił w obieg dużą butelkę rumu, zrzuconą na spadochronie dzień wcześniej. Podniesiona na duchu piątka obłożnie chorych dowlokła się do drogi, co było ciężką wyprawą na odległość dwudziestu jardów, i zdołała przejść nią kilka jardów, pomagając sobie nawzajem". Borrie wyznaczył noszowych dla tych żołnierzy, ale gdy ruszali w drogę, z ruin na punkcie 165 wyłonił się niemiecki żołnierz, powiewający flagą Czerwonego Krzyża, i ruszył drogą w ich kierunku. Posługując się szkolną francuszczyzną, wyjaśnił Borriemu, że nie wolno mu przejść. „No cóż, po prostu usiedliśmy na otwartym terenie. Oficerowie zaczęli rozmawiać z tym sanitariuszem, a my siedzieliśmy, przybici takim obrotem sprawy, bo przecież wydawało się już, że nasza długa udręka się skończyła" – mówi A. J. Smith. Borrie dalej dyskutował z Niemcem, „a potem Thompsona i Wortha zabrano do ruin na punkcie 165 na spotkanie z komendantem. Ten poprosił o papierosa – Worth natychmiast dał mu całą paczkę. Sanitariusz wyjaśnił, że ponieważ Anglicy zastrzelili noszowego w Cassino, komendant wydał rozkaz, że nie będzie już dalszej ewakuacji Brytyjczyków ze Wzgórza Klasztornego. Udzielił jednak zgody na naszą ewakuację i zszedł z Thompsonem i Worthem na dół, żeby przeprowadzić u nas inspekcję. Słyszeliśmy, jak nadchodzą, ale nie śmieliśmy się rozglądać, dopóki nie znaleźli się obok nas. Kiwnięcie głową sierżanta Thompsona było sygnałem do wymarszu, więc podnieśliśmy naszych rannych i ruszyliśmy w stronę zamku, piorunem, zanim Niemcy zmienią zdanie".

„Byłem tak uszczęśliwiony – mówi Smith – że całkowicie zapomniałem o dziurach w nodze i zacząłem bardzo szybko iść, ale tylko ponownie otworzyły się przez to moje rany, wskutek czego znowu musieli mnie nieść".

Szpitale za liniami aliantów były teraz przepełnione. W lutym, po natarciu Maorysów na dworzec, liczba przyjęć Nowozelandczyków do szpitali ogólnych była najwyższa od czerwca 1941 roku i walk na Krecie. Rekord ten długo się nie utrzymał. W marcu ich liczba niemal się podwoiła.

Bez satysfakcji, jaką daje zwycięstwo, ciężkie walki pod Cassino doprowadziły elitarną dywizję nowozelandzką na skraj rozpadu, jedyny raz w ciągu wojny. Istotna więź między żołnierzami a ich dowódcami uległa zerwaniu. Pod koniec trzeciej bitwy żołnierze po prostu nie wierzyli, że zdołają zrobić to, czego się od nich wymaga. Kryzys w dywizji podkreśla gwałtowny wzrost liczby chorych i podjętych kroków dyscyplinarnych tuż po Cassino. Clem Hollies tak komentuje tę zmianę u Nowozelandczyków: „Zauważyłem, że w batalionie pojawiło się inne podejście do walki. «Starzy wyjadacze» byli coraz bardziej wyczerpani (i ostrożni), a zmiennicy nie spełniali wymogów".

Na początku kwietnia Nowozelandczycy w mieście ciągle jeszcze mieli do wypełnienia zadania na linii frontu, ale pod koniec tego miesiąca dywizję przeniesiono w góry na północ do „spokojniejszego" sektora, gdzie walczyli Francuzi. Na tym obszarze mieszkał Tony Pittaccio. Szybko zaprzyjaźnił się z żołnierzami z 23. batalionu i w końcu przyjęto go w ich szeregi, dano mu mundur i polecono robić małe drewniane krzyże, których używano do oznaczania mogił. W pobliżu był też batalion maoryski i Pittaccio wspomina tych żołnierzy jako „wspaniałych facetów, życzliwych, [ale] przebywających z dala od domu, zaczynających się zastanawiać, co oni tu robią". Wszyscy, z którymi się zetknął, byli „złamani zniszczeniami i cierpieniem. Nie rozmawiali o ofiarach. Panowało podejście w rodzaju: «To był dobry, stary sukinsyn, to był stary bydlak, wypijmy za niego». Nie było sentymentalności". Maorysi jednak uznali natarcie na dworzec za „cholernie niepotrzebne" i zaczęli twierdzić, że wszystko, co robią, jest równie bezcelowe. „Skarżyli się na całą strategię pod Cassino – mówi Pittaccio – obarczając winą oficerów wysokiej rangi".

W końcu zluzowano też 4. dywizję indyjską. Niewielu ludzi pozostało. Jedna kompania 4/16. batalionu pendżabskiego poszła na linię frontu w sile 180 żołnierzy, a po sześciu tygodniach wróciło 37 ludzi. To były typowe straty w dywizji. 26 marca Birdie Smith otrzymał rozkaz opuszczenia pozycji na masywie i zabrał swoich ludzi na pięciomilowy marsz drogą Pasquale do Wadi Portelli. „Żołnierze na linii frontu prawie nie chodzili przez sześć tygodni – pisze. – Byli pokurczeni, słabi, psychicznie wyczerpani, brakowało im siły woli. (...) Nigdy nie zapomnę tego koszmarnego marszu. Oficerowie, Brytyjczycy i Gurkhowie, krzyczeli na żołnierzy, schlebiali im i pomagali, gdy ci padali. Czasami nie mieliśmy wyjścia i musieliśmy bić żołnierzy, którzy się po prostu poddali; stracili zainteresowanie wszystkim, włącznie z chęcią życia".

Nędzne resztki tej niegdyś dumnej dywizji miały zostać przesunięte na spokojniejszy front adriatycki. „Czwarta dywizja przegrała coś więcej niż tylko bitwę – zauważył generał brygady Tuker. – Stracili coś ze swej istoty w charakterze żołnierzy, którzy ją ukształtowali". 27 marca po długim oczekiwaniu w Wadi Villi resztki batalionu Essex połączono z żołnierzami kompanii D i B, którzy byli na Wzgórzu Kata, i przeniesiono do Venafro, gdzie dostali pierwszy solidny posiłek, na który składał się „stek, frytki i pomidory z kubkiem parującej herbaty". Pięć dni później, pisze historyk batalionu, „1/4. Essex bez specjalnego żalu opuścił 5. armię i rejon Cassino". Pod tym miastem batalion poniósł dwukrotnie większe straty niż pod El-Alamejn. „Po Cassino w dużej mierze straciliśmy ducha bojowego – mówi Denis Beckett. – Ta iskra zgasła". Bill Hawkins to potwierdza: „Przed Cassino mieliśmy ludzi, którzy znali się z życia w cywilu i byli od samego początku. Znaliśmy rodziny naszych kolegów i tak dalej. Ale gdy ich zabrakło, przychodzili ludzie zupełnie innego pokroju, (...) nie było już tego poczucia jedności". Dni w zatłoczonej twierdzy były przede wszystkim wstrząsającym przeżyciem osobistym. Reg Fittock, żołnierz z batalionu Essex, wspominał: „Przez tych pięć dni w tamtym zamku okropnie się baliśmy. To było zdecydowanie pięć najgorszych dni w moim życiu. Nigdy nie poczułem takiej ulgi jak wtedy, gdy nas stamtąd wycofano".

Gdy lekarz John David opuścił Cassino z dywizją, uczucie ulgi zastąpił smutek. „Ogarnęła mnie fala dotkliwego żalu – napisał. – Tak wielu przyjaciół straconych lub załamanych, tak wielu pozbawionych odwagi".

ROZDZIAŁ 14

Zielone diabły Cassino

W mieście wojska obu stron kontynuowały swoją śmiertelną zabawę w kotka i myszkę. Teraz żołnierze 1. dywizji spadochronowej wiedzieli, że dokonali nie lada sztuki. Wyróżnili się już wcześniej, w Norwegii, krajach Beneluksu i na Krecie. Podczas walk na Sycylii wkroczyli do bitwy w porze obiadowej i dzięki temu uniknęli RAF-u. Ale to była inna liga. Żaden z ich najwyższych dowódców nie śmiał wierzyć, że Cassino da się utrzymać, ale wydawało się, że ci nieliczni, którzy przeżyli bombardowanie, dokonali czegoś niemożliwego. Zwierzchnicy docenili nadludzki wysiłek elitarnych oddziałów. Każdy spadochroniarz, który walczył w mieście dwa tygodnie, automatycznie otrzymywał Krzyż Żelazny.

Berlińczyk Joseph Klein zgłosił się do spadochroniarzy w 1941 roku. Wcześniej był pilotem w jednostce ratownictwa morskiego stacjonującej w Belgii i odpowiadał za wyławianie z morza zestrzelonych pilotów brytyjskich. „Musiałem pojechać do Brukseli na spotkanie z głównym psychiatrą niemieckich sił powietrznych, żeby wybadał, dlaczego pilot chce zostać spadochroniarzem" – wspomina. Psychiatra zapytał go:

– Dlaczego chce mieć pan coś wspólnego z tym oddziałem bandytów?

– To nie jest oddział bandytów – odparł Klein. – To najdzielniejsza jednostka, jaką mają Niemcy.

Kleinowi powiedziano, że będzie instruktorem, ale jemu nie o to chodziło.

– Niech mnie pan posłucha! – zwrócił się do zwierzchnika. – Nie przyszedłem do spadochroniarzy, żeby zostać instruktorem! Chcę brać udział w wojnie. Chcę być w oddziale bojowym.

– Mój drogi młody człowieku, ile masz lat? – zapytał zwierzchnik.

– Osiemnaście.

– Więc posłuchaj. Uważaj, żebyś nie narobił w spodnie na wojnie ze swoimi osiemnastoma latami.

Wszyscy niemieccy spadochroniarze wspominają szkolenie jako niezwykle ciężkie. Robert Frettlöhr, który zgłosił się na ochotnika po obejrzeniu filmu o bohaterskich spadochroniarzach, opisuje codzienny rygor: „Zaczynasz o szóstej rano i trwa to do piątej. Nie chcesz dalej tego robić, bo po kilku dniach takiego szkolenia jesteś kompletnie wykończony".

„Niektórych tak to wycieńczyło i zmęczyło, że nie byli w stanie doczołgać się do swoich łóżek – mówi Klein. – Byli tak wyczerpani, że spali na podłodze. Mieliśmy trzypoziomowe łóżka i nie potrafili dostać się na górę". Było wiele obrażeń, a „nieudaczników" bezlitośnie odsiewano.

Ciężkie straty na Krecie przekonały Hitlera, że dni skaczących spadochroniarzy minęły, więc siły te podzielono na małe oddziały i przerzucano do Rosji, by zapełniały luki na linii frontu. Wiosną 1942 roku istniał plan wykorzystania spadochroniarzy do zajęcia Malty, ale operacji tej nie przeprowadzono. Jesienią wrócili do Smoleńska, gdzie generał dywizji Richard Heidrich przejął dowództwo nad oddziałami pod nową nazwą: 1. dywizja spadochronowa. „1. dywizja była dywizją matką – mówi Klein – elitą elit!" Po pewnym czasie spędzonym we Francji dywizja uczestniczyła w walkach na Sycylii, w ostatnim ataku z powietrza. Począwszy od Salerno, cały czas znajdowali się na linii frontu i byli już wycieńczeni, wielu cierpiało na malarię.

Przybywszy do Cassino, Klein odpowiadał za wyburzenie części niebezpiecznych ruin zbombardowanego opactwa i był ze swoim 3. pułkiem w mieście w czasie natarcia Nowozelandczyków. „W trakcie bombardowania przebywaliśmy w piwnicach Hotel des Roses – mówi. – Bomby rozwaliły budynek. Gruz i ruiny nad sklepieniem, na które zawaliły się mury, to była idealna ochrona! Byliśmy w twierdzy".

Klein opisuje walki w mieście i znaczenie ich stanowisk na nieco wyżej położonym terenie wzdłuż drogi numer sześć: „Byliśmy na dogodnej pozycji. Znajdowaliśmy się wyżej. Zawsze tak jest lepiej. Mogli wejść do zburzonego domu, ale my byliśmy nad nim i mogliśmy zrzucać im na głowy granaty".

Klein walczył na froncie wschodnim, ale walki w ruinach Cassino uważa za szczególnie bezwzględne: „Wszystkie chwyty były dozwolone. (...) W istocie panowała zasada: «Ty albo ja». Paru żołnierzy zaminowało leje po bombach. Weszli alianci i skakali z dziury do dziury. Gdy biegli, strzelano do nich z karabinów maszynowych, więc wskakiwali do lejów. Gdy byli w dole, odpalano przygotowane miny i materiały wybuchowe. Oczywiście wylatywali w powietrze. To było przerażające".

Niemieccy obrońcy ponieśli ogromne straty w czasie początkowego bombardowania, w większości oddziałów wynosiły ponad 60 procent, kolejni żołnierze zginęli w toczących się potem walkach, ale uratowali miasto i drogę do Rzymu. Nawet alianccy komentatorzy w kraju, porażeni wydarzeniami pod Monte Cassino, z podziwem wypowiadali się o zdolnościach bojowych i determinacji spadochroniarzy. Generał Alexander zmuszony był przyznać, że jego oddziały nie stanowią godnego przeciwnika dla tych elitarnych żołnierzy niemieckich: „Niestety, walczymy z najlepszymi żołnierzami na świecie. Co za ludzie! (...) Nie wydaje mi się, żeby jakikolwiek inny oddział mógł stawić im czoło, może z wyjątkiem ich samych".

Nowozelandczyk Alf Voss również był zdumiony hartem ducha nieprzyjaciela: „Nawet po takich stratach ciągle zaciekle walczyli – mówi. – Zastanawiałem się, ilu kiwi będzie dalej walczyć z takimi przeciwnikami. Niewielu, podejrzewałem, ciekawiło mnie też, czym, do diabła, się ci Niemcy kierują". Londyński „The Times" podzielał zdanie Alexandra, że są oni po prostu bardzo dobrymi żołnierzami, i nazwał spadochroniarzy „śmiałymi i zdeterminowanymi", jednak inni alianccy komentatorzy przypisywali to motywacji ideologicznej. 21 marca radio w Neapolu informowało: „Dzisiaj niemiecki spadochroniarz ma jeden tylko cel – zginąć za Adolfa Hitlera. Jest fanatykiem, rzadko ma więcej niż dwadzieścia lat. Pod Cassino składa życie w ofierze za Führera i jego sprawę". Z pewnością wielu spadochroniarzy było – jak Klein – „zagorzałymi nazistami". Dywizja stanowiła część Luftwaffe, najmłodszej i tym samym najbardziej nazistowskiej z trzech służb. Ale w grę wchodziło coś więcej. Jak tłumaczy Klein, był to świadomy swojej elitarności oddział, skuteczny i zżyty. „Trzymaliśmy ze sobą – mówi. – Więź powstała w Rosji i na Krecie. To jest jak łańcuch. Każdy żołnierz jest jego ogniwem. I gdy jednego zabraknie, łańcuch się rozrywa. Inaczej rzecz ujmując, gdybym ja się poddał, wszystko by się rozsypało. W naszym oddziale bojowym zawsze byliśmy razem. I zawsze się wiedziało, gdzie są pozostali – mogłem na nich polegać. Nie poddadzą się".

Spadochroniarz Werner Eggert mówi, że widział wiele „tak zwanych bohaterskich czynów, czynów nierozważnych i takich, które wydawały się wręcz niesamowite". Niewiele, jak utrzymuje, było motywowanych „poświęceniem dla narodu i ojczyzny". Natomiast niektóre wynikały ze „świadomego działania w zgodzie z poczuciem obowiązku wobec towarzyszy broni, polegających na sobie w dobrych i złych czasach", podczas gdy do jeszcze innych dochodziło w „sytuacjach, w których kierowano się czystą rozpaczą lub w których jedyne, co można było zrobić, to walczyć dalej, by ocalić życie. (...) Jakże często takie podejście oznaczało powodzenie naszych operacji! Jakże często pozwalało przetrwać!"

Wszystkie te motywacje wzmacniała jednak groźba surowych kar dyscyplinarnych dla tych, którzy nie dochowaliby wierności wysokim standardom spadochroniarzy. Klein opowiada historię z okresu, który spędził na froncie adriatyckim, gdy pewnego żołnierza oskarżono o kradzież. Po „solidnej chłoście" Klein kazał mu się rozebrać do naga i zamknął go w nieogrzewanym pomieszczeniu, w którym temperatura spadała do minus dwudziestu stopni. Zadbano o to, by usunąć wszystko, co mogłoby umożliwić mu targnięcie się na własne życie. „Gdy zaczął wrzeszczeć, powiedziałem: «To już za wiele»" – wspomina Klein.

Poza *esprit de corps*, spadochroniarzy przeszkolono, by działali z własnej inicjatywy. Chociaż odnosiło się to w pewnym stopniu do wszystkich żołnierzy niemieckich, szczególnie widoczne było u spadochroniarzy, do czego zachęcał ich oficer dowodzący Heidrich.

W Niemczech wytrzymałość spadochroniarzy w Cassino zrobiła ogromne wrażenie. Tajny raport SS stwierdzał, że: „Przebieg walk we Włoszech jest w tej chwili jedyną rzeczą, która uzasadnia nadzieję, że «ciągle jeszcze możemy sobie poradzić». Dowodzi on, że jesteśmy równi dużo silniejszemu przeciwnikowi". Klasztor na Monte Cassino stał się symbolem niemieckiej determinacji i zdolności obronnych.

Sąd historyków o trzeciej bitwie pod Cassino i na temat zaplanowania i przeprowadzenia przez Freyburga natarcia nie był łaskawy. Znowu przeceniono znaczenie sił powietrznych i – podobnie jak w przypadku zniszczenia klasztoru – przyczyniły się one jedynie do powstania ruin, w których obrońca miał przewagę. Czołgi nie były w stanie wesprzeć piechoty, która sama miała za mało miejsca wśród ruin, żeby zastosować taktykę ognia i manewru w celu oczyszczenia miasta. Wyższy dowódca alianckich sił powietrznych przyznał, że przyczyną porażki była niemożność „zniszczenia wszelkiego oporu nieprzyjaciela na dobrze przygotowanych pozycjach. – Dodał też: – Innym prostym wytłumaczeniem [przegranej] (...) jest to, że liczba zabitych

(...) piętnastego, w dniu ataku, wyniosła czterech oficerów i trzynastu żołnierzy innych stopni wojskowych. Mam nadzieję, że do czasu następnego ataku nauczymy się, iż pięćset ofiar dzisiaj uratuje pięć tysięcy w przyszłym tygodniu".

Oczywiście dowodzono, że Freyburg powinien był zaatakować większymi siłami natychmiast po zbombardowaniu miasta i że nawet w czasie bitwy zbyt ostrożnie podchodził do rzucenia rezerw. Może być w tym ziarno prawdy, chociaż – jak widzieliśmy – wąska oś ataku ograniczała liczbę żołnierzy, których można było pchnąć naprzód, a zerwanie łączności z wysuniętymi oddziałami oznaczało, że Freyburg nie wiedział, gdzie rozmieścić rezerwy. Działanie utrudniały mu również czynniki pozostające poza jego kontrolą, zwłaszcza ulewny deszcz drugiego dnia ataku oraz gwałtowne przeciwuderzenia Niemców na Wzgórzu Zamkowym, które położyły kres wszelkim realistycznym ambicjom zdobycia klasztoru ze Wzgórza Kata.

Ironią losu jest też to, że być może główny cel ataku – osłabienie presji na Anzio – w chwili rozpoczęcia opóźnionego natarcia nie był już aktualny. Sytuacja na przyczółku ustabilizowała się na początku marca. Ciężkie straty niemieckie powstrzymały ich drugie kontruderzenie 29 lutego, a następnego dnia niebo się przejaśniło i alianci mogli ze świetnymi rezultatami wykorzystać swoje siły powietrzne oraz artylerię okrętową. W tym świetle trudno jest zrozumieć, dlaczego w ogóle rozpoczynano trzecią bitwę. Niemcy byli z pewnością zdumieni. Von Senger nazwał później ten atak „jedną z wywołujących największe zakłopotanie operacji tej wojny".

Od końca marca sytuacja pod Cassino była patowa. Linia frontu rozciągała się od przyczółka nad Garigliano na południu wzdłuż rzeki Rapido i przez zniszczone miasto. Powyżej miasta w rękach aliantów pozostał zamek, a nad nim znajdował się niewygodny klin ciągnący się od Głowy Węża po Monte Castellone i Colle Abate w Apeniny. W wielu punktach tej linii obie strony dzieliły zaledwie jardy.

Tuż za linią frontu miejscowi Włosi dalej cierpieli. Artylerzysta Ivar Awes, którego 34. dywizja amerykańska przygotowywała się do opuszczenia tego rejonu, żeby wzmocnić przyczółek pod Anzio, 24 marca pisał do domu: „Ci Włosi to zabawni ludzie. Niektórzy zdecydowanie odmawiają opuszczenia terenów, na których toczą się walki. Szczególnie rolnicy – oni po prostu nie zostawią gospodarstw i żywego inwentarza. Zajmują się swoimi sprawami jak gdyby nigdy nic. Składają nawet sąsiadom wizyty towarzyskie i porównują zniszczenia domów itp. Widziałem młode dziewczyny przejeżdżające rowerami przez teren, na którym żołnierz nie ośmieliłby się wystawić głowy z okopu. Wielu z nich także zginęło i wszyscy noszą czarne wstążki oznaczające żałobę, ale mają taką głęboką wiarę w matkę Chrystusa, że nic nie jest w stanie nimi wstrząsnąć. Przyjmują po prostu to, co niesie los, i żyją dalej. Nienawidzą Mussoliniego, Niemców i, jak sądzę, nienawidzą nas, ponieważ ściągnęliśmy wojnę na progi ich domów. Nie wydaje mi się, żeby jakoś szczególnie podobał im się ten pomysł z «wyzwoleniem». Chcą tylko pokoju, tak jak my wszyscy, i mam nadzieję, że oni – i cała reszta świata – wkrótce go dostaną".

Wielu ciągle próbowało przekraczać linię frontu. Obie strony uważały ze strzelaniem w takich sytuacjach, ale ofiary były nieuniknione. „Zobaczyłem, jak na mule jedzie kobieta z małą dziewczynką i stosem prania – wspomina Awes. – Po chwili usłyszałem wybuch, odwróciłem się i całe pranie było na drzewach. Ta biedna kobieta, dziecko i muł zginęli. (...) To było okropne. «Boże!» – krzyczałem raz po raz".

Tony Pittaccio przypomina sobie, że największe żniwo zbierała malaria: „Niemcy zalali część doliny, w której – wraz z martwymi ciałami, zwierząt i ludzi – pojawiły się moskity. Żołnierze byli chronieni, mieli lekarstwa i odpowiednie ubranie, ale my, cywile, nie, i większość z nas zachorowała na malarię, a wielu zmarło. Niebezpieczeństwo zagrażało nam przez wiele miesięcy po zakończeniu walk".

Znalazłszy się za liniami amerykańskimi, rodzina Pittaccia ponownie nawiązała kontakt z ojcem w Southampton i gdy Tony zaprzyjaźniał się z Nowozelandczykami noszącymi ręczne karabiny maszynowe, jego matka i siostry, jak wiele innych kobiet, z trudem wiązały koniec z końcem, piorąc alianckim żołnierzom. Miejscowi szybko „sklasyfikowali" różne narodowości w siłach alianckich. „Najbardziej lubiani – mówi Pittaccio – byli Amerykanie, ponieważ byli niezwykle hojni. Na drugim miejscu znaleźli się Nowozelandczycy, na trzecim Indusi. Brytyjczyków podziwiano za dyscyplinę i wojskową akuratność, ale materialnie niewiele dawali, być może dlatego, że niewiele mieli". Gemma Notarianni jest mniej wielkoduszna dla Brytyjczyków: „Nie dawali nam jedzenia: czasami je wyrzucali, ale nigdy nie dali. Wszyscy inni dawali nam resztki".

„Tymi, bez których można by się obyć, byli żołnierze z Afryki Północnej – mówi Pittaccio. – Włosi, którzy mieli w rodzinie wymagające ochrony młode kobiety, znajdowali się w niebezpieczeństwie, ponieważ pozbywano się ich za pomocą kuli czy bagnetu, jeśli nie pozwalali na coś, co w rzeczywistości było gwałtem. Nie mówię, że działo się to na wielką skalę, ale się zdarzało. Kobiety poświęcały się, proponując siebie w zamian za swoje córki".

Wiele razy twierdzono, że francuscy żołnierze z Afryki Północnej, zwłaszcza nieregularne górskie oddziały marokańskie, które w coraz większej liczbie przyłączały się do Francuskiego Korpusu Ekspedycyjnego Juina, dopuszczali się gwałtów i grabieży na wielką skalę. Norman Lewis donosił w maju 1944 roku z Neapolu: „Francuskie wojska kolonialne znowu pustoszą wszystko. Ilekroć zajmą jakieś miasteczko czy wioskę, dochodzi do masowych gwałtów na ludności, (...) nie oszczędzają dzieci, a nawet starców. (...) Co zmienia zwykłego, przyzwoitego marokańskiego chłopaka ze wsi w najbardziej odrażającego z seksualnych psychopatów, gdy tylko stanie się żołnierzem?" Skargi na zachowanie żołnierzy kierowano do Juina. O interwencję poproszono nawet papieża. Później podejmie on nadzwyczajną decyzję, zakazując „kolorowym" wojskom alianckim wstępu do Rzymu.

Podobnie jak wszystkie pogłoski, szczególnie w czasie wojny, zarzuty te zaczęły żyć własnym życiem i należy je traktować z wielką rozwagą. Jak zauważył pewien brytyjski dziennikarz: „Tubylczy żołnierze z Afryki Północnej stali się legendą, kiepskim żartem. (...) Żaden opis ich gwałtów czy innych czynów nie jest zbyt dziwaczny, żeby nie mógł zostać uznany za zgodny z prawdą". W każdej armii znajduje się pewien odsetek socjopatów i przestępców, a poniżające warunki na wojnie zawsze sprzyjają tego rodzaju zachowaniom, więc zrzucanie na „Marokańczyków" całej winy za potworności wobec cywilów może być niesprawiedliwe. W czasie przygotowywania tej książki znamienne było, że niemal każdy włoski cywil wymieniał w tym kontekście francuskich żołnierzy z Afryki Północnej, ale dużo trudniej było, aczkolwiek nie okazało się to niemożliwe, znaleźć relacje naocznych świadków, które można by wiarygodnie zweryfikować. „Osobiście byłem świadkiem pewnego niezwykle groźnego zdarzenia – mówi Tony Pittaccio. – Mieliśmy tylko wujka do ochrony jego żony i moich dwóch sióstr. Marokański albo algierski żołnierz, nie jestem pewien, wszedł do pokoju, w którym się schroniliśmy, i zażądał, żeby żona wujka i moje siostry poszły z nim. Wtedy dowiedziałem się, że mój wuj potrafi płynnie mówić po francusku. Z ogromnym trudem usiłował zachować spokój, podczas gdy żołnierz stawał się coraz bardziej wzburzony, ale wuj powiedział mu coś cichym, lecz stanowczym głosem, co przywodziło na myśl rozkaz wojskowy. To zdumiało żołnierza, ale jestem pewien, że wkrótce otrząsnąłby się i wrócił do realizacji swych złych zamiarów, gdyby nie dwaj mężczyźni, którzy przechodzili obok, i widząc, co się dzieje, przyszli nam z pomocą. Więc gdy mieliśmy Niemców, ukrywać się musieli mężczyźni, gdy mieliśmy żołnierzy z Afryki Północnej, ukrywać musiały się kobiety i młode dziewczyny".

Grabież, podobnie jak gwałty, jest równie stara jak sama wojna, i alianccy weterani wszystkich narodowości niefrasobliwie przyznają, że kradli z domów włoskich cywilów jedzenie, wino i kosztowności. Zwyczaj ten był tak powszechny, że Niemcy zaczęli zakładać miny pułapki przy obiecująco wyglądających domach, żeby zaskoczyć nieostrożnych żołnierzy alianckich. Nowozelandczyk Jack Cocker opowiada, że w pewnym mieście „straciliśmy paru facetów szukających łupów". Jeńców wojennych również uważano za zdobycz i niewielu docierało do obozu jenieckiego z zegarkami na ręku. Młody oficer z lekkiej piechoty Durham przytoczył opowieść o tym, jak wzięli do niewoli jeńców na Monte Camino: „Krzyknęliśmy, żeby wyszli z uniesionymi rękami. Pokazali się, jakichś szesnastu, może osiemnastu. Obawiam się, że gdy ustawiliśmy ich w szeregu, a któryś miał aparat fotograficzny czy coś podobnego, to nie chcieliśmy, żeby wpadło to w ręce ludzi strzegących obozów jenieckich na tyłach, więc zabieraliśmy to sami – czuliśmy, że mamy do tych rzeczy większe prawo niż oni. Może to trochę naganne. Wśród łupów był aparat fotograficzny i od czasu do czasu robiłem parę zdjęć".

Niemieckie pistolety, emblematy, klamry pasów i lornetki polowe były szczególnie wysoko cenione i żołnierze ryzykowali życie, żeby je zdobyć. Słowo *souvenir* (pamiątka) stało się czasownikiem, jak w zdaniu: *We souvenired his plane's compass* („Wzięliśmy na pamiątkę kompas z jego samolotu). Personel na tyłach i ludzie z sił powietrznych płacili ogromne sumy za niemiecki pistolet.

Inne opowieści są bardziej mroczne i weterani przytaczają je ze smutkiem. Kilku mówiło o odczuwanej odrazie, gdy towarzysz okradał zwłoki, w niektórych przypadkach odcinając palec martwemu Niemcowi, żeby ukraść złotą ślubną obrączkę. Być może to właśnie bardziej niż wszystko inne ukazuje destrukcyjny wpływ, jaki wojna wywiera na postępowanie i moralność tych, którzy są zmuszeni w niej walczyć.

Aż do końca marca było zimno i mokro, a w górach występowały obfite opady śniegu. Niewymieniony z nazwiska niemiecki strzelec karabinu maszynowego ze 115. pułku grenadierów pancernych pod koniec miesiąca zapisał w dzienniku: „Znowu jesteśmy na wzgórzach za Cassino. To, przez co tutaj przechodzimy, jest nie do opisania. Nigdy nie przeżyłem czegoś takiego w Rosji, nie ma ani sekundy spokoju, tylko nieustanny grzmot dział i moździerzy, a w górze samoloty. Wszystko w rękach losu, a los wielu chłopaków już się dopełnił. Nasza «umocniona pozycja obronna» jest obłożona kamieniami. Jeśli jeden z nich się obsunie, wszyscy dostaniemy za swoje". Kilka dni później pisze: „Padał gęsty śnieg. Nawiewa go na nasze stanowisko. Można by pomyśleć, że jesteśmy w Rosji. Gdy już myślisz, że będziesz miał parę godzin odpoczynku, żeby się przespać, dokuczają ci pchły i robactwo. Szczury i myszy też tu z nami mieszkają". Przede wszystkim marzy o powrocie do rodziny. 27 marca, w ostatnim wpisie, notuje: „Mimo wszystko nadal się trzymamy. (...) Cierpię tu najgorszą biedę i bardzo pragnę wrócić do domu, do żony i syna. Chcę znowu móc się cieszyć urokami życia. Tutaj są tylko przerażenie i okropieństwa, śmierć i potępienie. Kiedy nadejdzie dzień, gdy będę mógł się poświęcić żonie i dziecku i z radością przyglądać ptakom i kwiatom? To wystarcza, żeby doprowadzić człowieka do obłędu".

Takie uczucia towarzyszyły wszystkim żołnierzom pod Cassino, szczególnie tym, którzy mieli żony i małe dzieci. Znaczenia listów, które pewien amerykański weteran nazwał „liną asekuracyjną zdrowia psychicznego", nie da się przecenić. Władze wojskowe z pewnością je doceniały i podejmowano ogromny wysiłek, żeby dostarczyć żołnierzom pocztę bez względu na okoliczności. Słowo pisane było jedynym kontaktem żołnierzy z domem, a brak wiadomości powodował beznadziejny smutek. We wszystkich listach żołnierze proszą o częstsze odpowiedzi. 16 kwietnia Walter Robson, kapral w 1. West Kent, który ożenił się zaledwie dwa miesiące przed wyjazdem z Wielkiej Brytanii, skarży się: „Nie dostałem żadnego listu – no dobrze, jeden – jeden na dwa tygodnie. A to za mało. Co to niby ma znaczyć!" Ale zanim skończył pisać, jego życzenie się spełniło, co natychmiast ogromnie go uradowało. „Przyszedł – pisze pod koniec listu. – Wiedziałem! Najpiękniejszy list, jaki kiedykolwiek napisałaś, jest sprzed ponad dwóch tygodni. Jutro napiszę specjalny list. Ja i słowik, który też cię kocha i obwieszcza to światu w tej właśnie chwili".

Żołnierze we Włoszech pisali ogromnie dużo listów. Pewien amerykański weteran napisał ponad pięćset w ciągu dwóch lat tylko do swoich rodziców. Podczas gdy otrzymywanie listów pozwalało żołnierzom wrócić do dawnego życia, to ich pisanie postrzegano zarówno jako czynność pozwalającą zachować zdrowe zmysły, jak również jako akceptowane i pożądane wycofanie się w prywatność, pewien sposób radzenia sobie z przeciągającymi się okresami nudy i nieustannego stłoczenia.

Listy z Cassino zwykle zawierają także prośby o przesłanie czegoś do czytania. Książki należały do artykułów pierwszej potrzeby, ponieważ podobnie jak listy, przeciwdziałały nudzie i zapewniały akceptowane odosobnienie oraz więź z poprzednim życiem. „Kilka czasopism i książek – zauważył pewien żołnierz – dostarczało «cywilizacji», co umożliwiało oderwanie się od bólu, powszechnego harmidru i okropnej, chociaż teraz niezwykle podziwianej serdeczności, dzięki której jakoś udawało się nam przetrwać". Wśród Brytyjczyków było ogromne zapotrzebowanie na książki w miękkiej oprawie wydawane przez Penguina i Pelicana, a wydawcy amerykańscy podczas wojny szybko stworzyli własne serie książek w miękkiej oprawie. Lepiej było czytać cokolwiek, niż nie czytać nic, jak podkreśla Bill Mauldin: „Żołnierze na froncie czytają etykiety na racjach żywnościowych, na których wyszczególniono składniki, tylko po to, by w ogóle coś czytać". Najbardziej pożądane były gazety, raczej lokalne niż ogólnokrajowe, w których żołnierze mogli poczytać o swoim rodzinnym mieście oraz ludziach i miejscach, które znali. Dziewiętnastoletni Colin O'Shaughnessy, szeregowiec z Derby w 5. batalionie Northants, prosił o „«Evening Telegraph» lub «Derbyshire Times», (...) może moglibyście dorzucić «Farmer and Stockbreeder» lub «The Poultry World»". Colin miał nadzieję wyemigrować po wojnie do Nowej Zelandii i zajmować się rolnictwem. Zginął 18 maja od ognia artyleryjskiego.

Oczywiście listy nie były w stanie rozproszyć całej tęsknoty za domem i bliskimi oraz samotności. „Nie chcę pisać, chcę wrócić do domu i porozmawiać" – napisał Walter Robson do żony pod koniec marca. Ponadto listy były cenzurowane i czasami żołnierze musieli się bardzo starać, żeby pisać o czymś innym niż wojna. „Trudno jest napisać list, który przepuszczą cenzorzy, gdy jest się zmęczonym, przestraszonym i zniesmaczonym wszystkim, co się dzieje" – napisał Bill Mauldin. Ale bardzo wiele było też autocenzury. Żołnierze martwili się o swoje rodziny, o to, jak niepokój o nich na nie wpływa, i w listach często próbowali podtrzymywać na duchu domowników. Gdy Colin O'Shaughnessy opowiada matce o przyjacielu, który zginął, natychmiast spieszy z zapewnieniem: „Ogromna szkoda, miał tylko osiemnaście lat. Ale nie martw się, ja wrócę. Tak łatwo się mnie nie pozbędziesz". Gdy Robson wspomina o okropnościach, które przeżywa, przeprasza za to: „Powinienem pisać o wesołych *triviata*, ale nie potrafię. Czasami wydaje mi się, że raczej nie powinienem pisać w ogóle niż coś takiego. Przepraszam (...)". Listy Robsona ukazują niezwykle interesujący konflikt między pragnieniem „powiedzenia wszystkiego bez ogródek" a chęcią uchronienia Margaret przed realiami tego, co się dzieje pod Cassino, a co niemal nie daje się opisać: „Pewnego dnia wyślę ci list wypełniony od początku do końca wszystkimi przekleństwami, jakie znam, i innymi, dużo gorszymi, które wymyślę – pisze. – Wtedy będziesz wiedziała, że nie skrywam swojego stosunku do tej przeklętej wojny".

Listy Robsona ukazują również jego osobistą walkę ze strachem: „Uczucie, że nie dasz rady dłużej wchodzić na te góry i znowu z nich schodzić. (...) Tratujesz te myśli, ale równie dobrze mogłabyś tratować gaz – znowu się wyłaniają". Największym zmartwieniem Robsona, podobnie jak wielu żołnierzy, którzy zostawili w kraju bliskich, były konsekwencje jego śmierci. Schodząc z góry po okresie spędzonym z oddziałem na przyczółku nad Garigliano, pod koniec marca, Robson minął mały, świeży grób przy szlaku. Żołnierze zareagowali słowami: „Biedaczysko, wydostał się z tego na dobre. (...) Ale to nie o nim myślisz, a o jego bliskich – kontynuuje Robson. – Szkopy mierzyły w coś więcej niż zbocze włoskiej góry, gdy go trafiły. Mierzyły również w angielski dom. Wystrzeliły pocisk i list. Pocisk przyniósł spokój jednemu, list nieszczęście wielu osobom... żonie, dziecku, matce? Wczoraj mijałem grób szkopa. Pojawiły się takie same myśli. Dom w Wilhelmshaven. Nie tryumfuje się. Nie mówi się nawet, że jeden mniej. Nie nienawidzimy szkopów. Pytasz tylko, dlaczego nie możemy pójść wszyscy po rozum do głowy i tego zakończyć?"

Pod koniec trzeciej bitwy na masywie Cassino 4. dywizja indyjska została zastąpiona przez żołnierzy z brytyjskiej 78. dywizji „Battleaxe". Fred Majdalany, oficer w 2. batalionie fizylierów Lancashire, opisuje napięcie wywołane spodziewanym lękiem, który pojawiał się przed pójściem „na linię": „Zawsze miało się to uczucie jak tuż przed wyścigiem, gdy docierał rozkaz wykonania pierwszego ruchu. Podejmowało się typowe kroki, żeby go nie okazać. Żartowałeś bez przekonania. Inni robili to samo. Wiedziałeś, że inni myślą i czują dokładnie to samo co ty. Wiedziałeś, że wszyscy myślą sobie: «O Jezu!»" Gdy Majdalany zbliża się do strefy walki, krajobraz ulega zmianie, ruch drogowy słabnie, a na poboczu stoją spalone pojazdy, „zardzewiałe i złowieszcze. (...) Pęki kabli telefonicznych krzyżujących się w rowach i na żywopłotach jak szalona robótka ręczna jakiegoś olbrzyma". Mijają pojawiających się nieuchronnie rannych: „Myślałeś o czystym szpitalnym łóżku. Wydawało się, że zostać rannym to najcudowniejsza i najbardziej pożądana rzecz na świecie".

Oficer dowodzący batalionu, John MacKenzie, był wstrząśnięty tym, co zastał na masywie: „W końcu dotarliśmy do kwatery głównej Gurkhów założonej w małym, ostrzelanym wiejskim domu, którego górna część zawaliła się na dwa pomieszczenia na parterze. Ledwie nadawały się do zamieszkania i pełno w nich było pełzającego robactwa, (...) następnej nocy przewodnicy Gurkhów zaprowadzili kompanie na pozycje. Trzy wysunięte kompanie znajdowały się tuż pod nosem Niemców oddalonych o pięćdziesiąt jardów. (...) W ruderze, która była naszą kwaterą główną, oficer dowodzący Gurkhów uścisnął nam dłonie i życzył szczęścia". Chorąży sztabowy batalionu Gurkhów był pijany czy też, jak ujmuje to MacKenzie, „chwiejny z powodu przedawkowania rumu". „Uścisnął mi dłoń i bełkotliwie wygłosił krótką przemowę – kontynuuje MacKenzie. – Oficer dowodzący tłumaczył: «Życzy wam wszystkim bezpiecznego powrotu do rodzin lub ciepłego powitania ze strony przodków». Pospiesznie ruszyli w dół zbocza, a my – nowi właściciele – musieliśmy przyzwyczaić się do naszej zrytej pociskami artyleryjskimi, usianej minami i zasłanej zwłokami posiadłości".

„Gdy zbliżaliśmy się do Głowy Węża – pisze Majdalany – natknęliśmy się na ślady poważnej bitwy. Wszędzie walało się amerykańskie wyposażenie – hełmy, ładownice, fragmenty karabinów, broni maszynowej, kawałki butów i strzępy mundurów. W jednym hełmie była głowa. W jednym z butów znajdowała się większa część nogi (...)". Pomijając makabryczne szczątki, fizylierzy Lancashire byli wstrząśnięci odosobnieniem i odsłonięciem pozycji, które mieli zająć. „Ustawienie wysuniętej linii obronnej było z taktycznego punktu widzenia niewłaściwe, niemal nie do utrzymania – mówi MacKenzie. – Niemcy zajmowali wysoko położone punkty na skalistym grzbiecie górującym nad naszymi żołnierzami, którzy kryli się za osłonami z kamieni i byli wystawieni na pociski lekkich moździerzy, a nawet rzucane granaty. Co więcej, widzieli nas obserwatorzy nieprzyjaciela rozmieszczeni wokół górującego nad okolicą klasztoru oraz na Monte Cairo. Poruszanie się za dnia było niebezpieczne; potrzeby fizjologiczne trzeba było załatwiać w sangarach. Moje prośby o zmianę rozplanowania obrony odrzucono; jako powód podano, że z pozycji zdobytej tak wielkim kosztem w poprzedniej bitwie nie wolno rezygnować. Obrona tak niepewnych stanowisk wydawała się nielogiczna". Niemniej jednak fizylierzy obsadzili wysunięte pozycje, zmieniając plutony co czterdzieści osiem godzin. Żołnierze w maleńkich sangarach spali jeden przy drugim, żeby zachować ciepło, i robili wszystko, co w ich mocy, aby wzmocnić swoje stanowiska, dokładając kolejne kamienie i obsypując je ziemią. Z zegarową punktualnością Niemcy przeprowadzali swoje wczesnoporanne i wieczorne „seanse nienawiści", gdy próbowali zmieść ostrzałem artyleryjskim brytyjskie pozycje z powierzchni ziemi. O zmierzchu żołnierze wyczołgiwali się zza swoich osłon i – pisze Majdalany – „widać było małe grupki nagich tyłków bielejących w półmroku, jak groteskowe fryzy: ich właściciele żarliwie się modlili, żeby mogli zakończyć czynność, zanim w okolicę uderzy pocisk artyleryjski. Ostrzał artyleryjski bowiem – zawsze wzbudzający strach – najgorszy jest wtedy, gdy dopadnie człowieka z opuszczonymi spodniami".

Wkrótce żołnierze byli brudni. Pewien żołnierz brytyjski wspomina: „Brud wżerał się w linie papilarne, ręce śmierdziały, wszystko śmierdziało". Wraz z poprawą pogody w połowie kwietnia nasilił się problem z dostarczaniem wody żołnierzom na górze, ledwo wystarczało jej do picia, a co dopiero do mycia. Górski zbiornik wodny tuż poniżej klasztoru otaczały zwłoki żołnierzy niemieckich i alianckich, u których pragnienie wzięło górę nad zdrowym rozsądkiem. Pod osłoną snajperzy obu stron czekali na następnego, który podejmie ryzyko, by się napić.

Najgorszy był panujący odór śmierci, wszędzie leżały ciała mułów i ludzi „w zaawansowanym stadium rozkładu, czarne od ucztujących much". W nocy słychać było, jak wokół szczury wgryzają się w ciała. Wielu żołnierzy zapadło na dyzenterię, co sprawiło, że załatwianie potrzeb fizjologicznych stało się jeszcze trudniejsze i bardziej nieprzyjemne. „Nastąpił stan bezczasowości – pisze Majdalany. – Jedyną wojną dla nas była ta, jaka toczyła się między nami i Niemcami z klasztoru".

Sytuacja zaopatrzeniowa Niemców była jeszcze gorsza niż aliantów, którzy mieli mnóstwo amunicji artyleryjskiej, by zasypywać wąski szlak znany jako „Dolina Śmierci", prowadzący z niemieckich tyłów do klasztoru. Za dnia aliancki samolot rozpoznawczy niemal nieustannie krążył nad drogą zaopatrzenia, kierując ogień na każdego, kto podjął ryzyko wyprawy w świetle dziennym. „Nasze dostawy wody pitnej były skromne" – wspomina spadochroniarz Werner Eggert, na którego przypadła kolej dostarczenia w nocy prowiantu i amunicji. Nawet wtedy, mówi, „nieprzewidywalne potoki ognia artyleryjskiego zalewały dolinę. Wielu naszych żołnierzy zginęło w czasie godzinnej wspinaczki i półgodzinnego zejścia. Niektóre muły szły dalej, mimo że były naszpikowane odłamkami. Poza normalną amunicją artyleryjską było też parę trafień pociskami fosforowymi".

Wkrótce ścieżka „nabrała biało-żółtego zabarwienia" od wyrzucanych skórek pomarańczy, które tragarze jedli, żeby zaspokoić pragnienie. Pomarańcze wnoszono na górę w wielkich torbach, a także „termosy z ledwie letnimi posiłkami, chleb, torebki herbaty ekspresowej, cukier, świece, paliwo turystyczne do podgrzewania posiłków i bandaże. Czasami parę małych butelek rumu i czekoladę. Przede wszystkim jednak skrzynki z granatami ręcznymi i amunicją. I śmiertelnie groźne miny talerzowe, które niekiedy zwisały luzem z mułów lub które niosło się w plecaku. Ataki artylerii były zwielokrotniane przez ich skutki: miny talerzowe oznaczały okropne trafienia bezpośrednie – mówi Eggert. – Jako że byłem małym trybikiem w tej wielkiej wojennej machinie, w końcu, w nocy, na drodze w dolinie ochlapał mi spodnie płonący fosfor. Natychmiast rzuciłem się do najbliższego wypełnionego wodą leja i czekałem, aż ktoś będzie przechodził. Z tyłu dwa muły i żołnierz piechoty uginający się pod ciężarem plecaka szybko szli pod górę. Przystanął na chwilę i dał jeden ze swoich pakietów pierwszej pomocy". Zanim Eggert dotarł do punktu opatrunkowego na początku ścieżki, fosfor płonął na jego skórze „jak diabli". „Ktoś rozciął spodnie, obmył mnie, przetarł i przemył. Zacząłem się pocić i zrobiło mi się niedobrze". Ale po dziesięciu dniach, w nowej bieliźnie, spodniach i butach, Eggert znalazł się z powrotem w swoim oddziale w klasztorze.

Niemiecki spadochroniarz Robert Frettlöhr brał udział w jednym z krwawych szturmów na zamek, a na początku kwietnia odesłano go na Wzgórze Zamkowe do niemieckiego pierścienia obrony wokół tej pozycji. „Ostrzeliwali nas przez cały czas, gdy się wspinaliśmy – mówi. – Będąc młodym, dwudziestoletnim mężczyzną, nie mogłeś wiedzieć, co czujesz. Ciągle mówili, że musisz walczyć za ojczyznę. Bzdura. Walczyło się o przeżycie". W ciągu dnia Frettlöhr spał za prowizoryczną, kamienną osłoną, a o zmroku doczołgiwał się na jedno z wysuniętych stanowisk karabinów maszynowych. „Tam, na górze, nie było przyjemnie, bo byłeś brudny, cuchnący. Dostawałeś pół litra wody i wierz mi, to było nic. Ale było dużo alkoholu i wszyscy piliśmy, ponieważ zawsze się mówiło, że gdy się zostanie rannym, nie odczuwa się wtedy takiego silnego bólu".

W górach na północ od Cassino wojska francuskie również zostały zluzowane przez brytyjskich żołnierzy z 4. dywizji, a następnie przez Nowozelandczyków, którzy wypoczęli po walkach w mieście. Oficer piechoty przygotowujący technicznie pole walki, F. G. Sutton z 2. batalionu Beds and Herts, wspomina: „Było oczywiste, że Francuzi są bardzo dobrymi żołnierzami. Ich stanowiska były dobrze usytuowane i wszystko zdawało się iść gładko". Marokańczycy patrolowali teren przed pozycją i Sutton słyszał, że mają zwyczaj obcinania uszu Niemcom, których zabili, żeby odebrać za każdego nagrodę. Trzy dni po przybyciu Suttona trzej żołnierze z Południowej Afryki, którzy dostali się do niewoli pod Tobrukiem, przeszli przez linię frontu. Od sześciu miesięcy uciekali i przez cały ten czas ubierali ich i karmili miejscowi Włosi. Następnego dnia batalion Beds and Herts został zasypany – co dowodziło, że Niemcy nie zorientowali się, że doszło do przekazania służby – propagandowymi ulotkami po arabsku. Jedną z nich wysłano wywiadowi i przetłumaczono:

> Czy wiedzieliście, że wojska brytyjskie nigdy nie pozostają na linii frontu dłużej niż cztery do siedmiu dni, a potem udają się do strefy odpoczynku? (...) Czy wiedzieliście, że tysiące waszych algierskich i tunezyjskich braci zostało wymordowanych z rozkazu generała Eisenhowera, ponieważ nie chcieli się bić za swoich ciemięzców? Bracia Arabowie, czy wiecie też, że tylko zwycięstwo Niemiec może położyć kres temu uciskowi? Dlatego właśnie radzimy wam, żebyście przeszli na naszą stronę, abyście po wojnie mogli wrócić do wolnego kraju arabskiego, kraju, w którym wasze żony i rodziny w tej chwili na was czekają. Przekroczcie niemiecką linię, w pojedynkę albo tłumnie.

I Niemcy, i alianci postrzegali „obcość" wojsk drugiej strony jako słabość, którą można wykorzystać. Również walczący dla aliantów Nowozelandczycy, podobnie jak francuskie wojska kolonialne, byli adresatami ulotek, w których chwalono ich, uznając za „najdzielniejszych żołnierzy imperium brytyjskiego", ale dalej podsuwano myśl, że alianci wszystkie ciężkie bitwy zostawiają „chłopakom z Nowozelandzkich Sił Ekspedycyjnych". „DO ŻOŁNIERZY INDYJSKICH – czytamy w innej ulotce. – Bez celu czy powodu pomagacie obcemu narodowi, który od 200 lat was ciemięży".

Alianci bardzo liczyli, że uda się przekonywać do dezercji coraz większą liczbę stojących naprzeciwko nich po drugiej stronie linii volksdeutschów. Armia niemiecka, składająca się z Austriaków i innych w większości dobrowolnych rekrutów z Wielkich Niemiec, miała też wcielonych pod przymusem Francuzów, Polaków i Czechów, a także włoskich faszystów o wątpliwej lojalności. Kierowano do nich „ulotki o bezpiecznym postępowaniu", które gwarantowały godziwe traktowanie temu, kto z nią przejdzie na drugą stronę frontu. Fakt, że z tej grupy nieliczni tylko zdezerterowali, zaskoczył i Niemców, i aliantów.

Niemieckie podejście do amerykańskich i brytyjskich wrogów miało wykorzystywać obawy i troski powszechnie trapiące wszystkich żołnierzy frontowych przebywających z dala od domu. Na jednej z ulotek przeznaczonej dla Brytyjczyków umieszczono rysunek kobiety wciągającej pończochy, a w tle uśmiechający się Amerykanin zawiązywał krawat. Tekst mówił: „Gdy was nie ma, (...) jankesi «dzierżawią» wasze kobiety. (...). Mając pełne kieszenie pieniędzy i nic do roboty, chłopcy zza oceanu bawią się jak nigdy w życiu w starej dobrej Anglii". Z pewnością wierność żon i dziewczyn w kraju była jedną z głównych trosk żołnierzy we Włoszech, a niektórzy byli poza domem od ponad trzech lat. Nic nie mogło pogorszyć nastroju oddziału bardziej niż otrzymanie przez jednego z żołnierzy listu od dziewczyny, oznajmiającego o zerwaniu związku. Wykorzystywano też inne możliwe urazy, na przykład dużo wyższy żołd żołnierzy amerykańskich.

Amerykanom zaś przypominano obietnicę Roosevelta z października 1940 roku, że „żaden amerykański chłopiec nie zostanie poświęcony na obcych polach bitwy", oraz często wspominano o najbliższych, którzy zostali w kraju. „Żołnierze amerykańscy! – czytamy w jednej z ulotek. – Chciała spędzić życie w spokoju i szczęściu u boku swego męża. (...) ON JUŻ NIGDY NIE WRÓCI! Z dala od ojczyzny i bliskich został złożony w ofierze za obce interesy na polu bitwy. (...) A co z dziewczyną, którą kochasz? Czy ona też będzie CZEKAĆ NA PRÓŻNO?"

Niemieckie ulotki starały się także podsycać niepokoje natury politycznej, związane głównie z sowiecką Rosją. „Gdzie zatrzyma się Rosja?" – pytano w jednej z nich. W innej zamieszczono szereg karykatur przedstawiających Churchilla i Stalina jako tygrysiątka. W miarę rozwoju fabuły Józef rośnie i terroryzuje Winstona. „Mimo wszystko Winston darzy swego wielkiego brata wielką sympatią i – ilekroć nadarza się okazja – czule liże jego sierść". Na ostatnim obrazku Józefowi wystaje z siedzenia ogon. Towarzyszy mu tekst: „Winston zniknął. Widać tylko koniec ogona. Nie wiadomo, czy tak głęboko wlazł w dupę Józefowi, że w końcu znalazł się w jego brzuchu, czy też ten go połknął".

Większość ulotek wystrzeliwano z dział. Wyjmowano z pocisku dymnego pojemnik i upychano w nim około 750 kartek, po czym składano pocisk na nowo. Po wystrzeleniu ładunek wyrzucający rozsiewał ulotki nad pozycjami nieprzyjaciela. Ludzie z zespołu propagandy wojennej 5. armii potrafili opracować ulotkę w bardzo krótkim czasie, co było niezwykle istotne, ponieważ niektóre zawierały nie tyle zwykłą propagandę, ile treści podkopujące morale. Gdy treść ulotki została zaakceptowana przez szefa sztabu, tłumaczono ją i drukowano na maszynie drukarskiej Crowell, którą wożono po terenie 5. armii olbrzymim, zdobycznym niemieckim transporterem czołgów. Ta przewoźna maszyna drukarska mogła wypuścić 8 tysięcy sztuk ulotek formatu cztery na sześć cali w ciągu godziny. Jedna z takich ulotek pojawiła się wkrótce po desancie pod Anzio: wymieniono początkowe sukcesy aliantów i dostarczono ją Niemcom wokół Cassino. Niemcy mieli podobny, dobrze zorganizowany tok postępowania.

Były nawet ulotki o ulotkach. Strona niemiecka wypuściła następującą: „Ci z was, którzy będą mieli dość szczęścia, żeby wydostać się z piekła pod Cassino, nigdy nie zapomną niemieckich spadochroniarzy, najbardziej ze wszystkich walecznych. Mimo to wyobraźcie sobie, że jakiś tłusty facet o przylizanych włosach, siedząc sobie daleko na tyłach, próbuje zmiękczyć nas ulotkami, domagając się, żebyśmy pomachali białą chustką. Niech ten facet przyjdzie na front i przekona się, że papier z jego wypocinami nadaje się tylko do podtarcia dupy. Po zastanowieniu – niech dalej wysyła swoje ulotki: papier toaletowy jest coraz trudniej dostępny w Cassino i nawet niemieccy spadochroniarze, choć tak twardzi, nie lubią używać trawy". Bez wątpienia taki los spotykał większość ulotek, które trafiały do rąk żołnierzy. Ale głód słowa drukowanego oraz pieprzna czy zabawna treść niektórych z nich oznaczały, że większość zostanie najpierw przeczytana.

Z czasem propagandziści obu stron stawali się coraz bardziej pomysłowi, wykorzystując materiały, które mogły przetrwać dłużej ze względu na swą użyteczność. Pod koniec stycznia pozycje 56. dywizji zasypał grad pudełek od zapałek. Gdy się je otwierało, ukazywał się długi pasek papieru. Szczegółowo przedstawiał sposoby symulowania różnych chorób, między innymi infekcji skóry, problemów gastrycznych, dyzenterii, zapalenia spojówek, bólu gardła, zapalenia nerwu, uderzeń gorąca, zapalenia wątroby, a także gruźlicy. Metodę tę stosowano również w zwykłych ulotkach: „Weź środek przeczyszczający – radziła jedna z nich – potem powiedz lekarzowi, że cierpisz na dokuczliwy ból brzucha. (...) Gdy lekarz będzie cię badał, okazuj ból przy nacisku po prawej stronie tuż pod żebrami. (...) Trzymaj się swojej bajeczki w szpitalu, (...) jeśli jesteś bystry, możesz prowadzić tę grę tygodniami i miesiącami. Choroba nazywa się «czerwonka pełzakowa», ale na miłość boską, nie mów tego lekarzowi, niech sam do tego dojdzie. Pamiętaj: Najważniejsza rzecz na wojnie to wrócić do domu!"

Znając zapotrzebowanie na lekturę, alianci wydawali specjalny tygodnik dla niemieckich żołnierzy frontowych zatytułowany „Frontpost", który wystrzeliwano na niemieckie linie. Przesłuchujący jeńców wojennych był zdumiony, gdy jeden z nich poprosił o egzemplarz, „jakby było to stale ukazujące się pismo, które zaprenumerował".

Morale było obsesją obu stron w czasie wojny. Niemcy mieli nadzieję, że „wola" ich żołnierzy zrekompensuje niedobór ludzi i środków. Alianci uważali morale za decydujący czynnik, który skłania ich „obywatelskich żołnierzy" do walki. W okresie międzywojennym dokonał się ogromny postęp w reklamie i środkach masowego przekazu, szczególnie jeśli chodzi o radio, i zaprzęgnięto je do podnoszenia morale własnych żołnierzy lub osłabiania morale nieprzyjaciela. Niemcy uruchomili w pobliżu Cassino specjalną radiostację, która codziennie wieczorem nadawała przez pół godziny indyjską muzykę i przekazywała „prawdę z całego świata". Obie strony nadawały programy propagandowe przez cały czas, ale żołnierze liniowi, którzy mogli ich słuchać, byli dużo bardziej skłonni uważać je za to, czym w istocie były. „Zawsze słuchaliśmy niemieckiej propagandy – wspomina Nowozelandczyk, który walczył pod Cassino. – Mieliśmy wiadomości BBC i wiadomości niemieckie i z porównania jednych i drugich można było się dowiedzieć, co się dzieje".

Gdy wiosną 1944 roku ogólna sytuacja Niemiec uległa pogorszeniu, ponieważ Rosjanie zbliżali się do granic Polski i nasilały się naloty bombowe aliantów, strażnicy niemieckiego morale zaczęli coraz bardziej się starać, by zapobiec rozprzestrzenianiu się defetyzmu w kraju. Wydrukowano ulotkę dla żołnierzy z Włoch, którzy w najbliższym czasie mieli pojechać na przepustkę do domu: „Gdy zjawisz się teraz w domu, usłyszysz wiele pytań. Pamiętaj, że odpowiadając na nie, bierzesz na swoje barki wielką odpowiedzialność. Wielu z was widziało w ostatnich kilku tygodniach rzeczy nieprzyjemne i zdumiewające, (...) liczy się główny bieg wydarzeń, a nie to, co mogło się zdarzyć w pojedynczych przypadkach. Bądź więc dyskretny, (...) zadbaj o to, żeby twoje opowieści nie wywołały niepokoju czy nawet nie zachwiały polityką rządu Rzeszy".

Alianccy oficerowie wywiadu regularnie przeprowadzali oceny niemieckiego morale. W jednym z raportów skupiono się na wrażeniach uciekiniera z obozu jenieckiego. Pozwala to wniknąć w sposób myślenia niemieckich żołnierzy przebywających na tyłach, którzy z założenia mieli być gorszego kalibru i mieć słabsze morale od tych z linii frontu. Wszyscy strażnicy obozowi mieli albo mniej niż dwadzieścia, albo więcej niż czterdzieści lat. „Mniej więcej dwie trzecie mówiło: *Deutschland kaput*, a praktycznie wszyscy zdawali sobie sprawę, że Niemcy przegrały wojnę – donosił uciekinier. – Mieli nadzieję, że uda się wynegocjować pokój bez wojskowej okupacji Niemiec. (...) Pierwsze pytanie, jakie strażnicy zadawali jeńcowi wojennemu, brzmiało: «Czy jesteś z RAF-u?» Mówili, że nienawiść do Anglii narodziła się w chwili rozpoczęcia bombardowań niemieckich miast, i pytali: «Dlaczego zrzucacie bomby na nasze kobiety i dzieci?» (...) Odnosiło się wrażenie, że sądzą, że Niemcy i Anglicy są poruszanymi przez jakąś maszynę pionkami i nie rozumieją przyczyn wydarzeń lub uważają, że nad nimi panują".

Z pewnością wiele raportów ukazuje tego rodzaju pobożne życzenia, będące odzwierciedleniem powszechnego wśród aliantów przekonania, że Niemcy, rozumiejąc, iż mają nikłe szanse, doprowadzą do szybkiego zakończenia wojny. Ale większość oficerów wywiadu, usilnie poszukując jakichkolwiek dowodów na poparcie tego poglądu, musiała przyznać, że „pomimo ogromnych strat nadal jest wielu niemieckich żołnierzy, którzy służą w wojsku od pięciu do ośmiu lat, niektórzy nawet dłużej. Ustalone procedury, dyscyplina i chlubna tradycja skuteczności przeważają nad osobistymi żalami, brakiem wsparcia z powietrza i nieufnością do Hitlera". Nie doszło do masowych dezercji volksdeutschów, których spodziewali się alianci, a opór niemiecki pod Cassino nadal był silny.

Pod koniec kwietnia oddział oficera zwiadu F. G. Suttona został zluzowany przez Nowozelandczyków. Wśród przybyłych żołnierzy był strzelec karabinu maszynowego Jack Cocker. Pamięta, że ten górski sektor był „bardzo niebezpiecznym miejscem. Gdy spadał pocisk moździerzowy lub artyleryjski, szczególnie paskudne były odłamki i kawałki skał". Ale po okropnościach walk w mieście był to względnie spokojny przydział. „Swego rodzaju niepisanym prawem było, że jeśli my siedzieliśmy cicho, tak samo postępowały szkopy, co bardzo nam odpowiadało" – mówi Cocker. Niemniej jednak dochodziło do strat w czasie wędrówek w tę i z powrotem po zaopatrzenie do miejsca, do którego docierały dżipy. W nocy trudno było się poruszać, „nie wywołując piekielnego hałasu z powodu pustych puszek, które walały się na ziemi". Cocker wspomina, że na szlaku „znajdował się niestarannie pogrzebany francuski żołnierz, którego ramię wystawało spomiędzy kamieni. Za każdym razem, gdy go mijaliśmy, ściskaliśmy mu dłoń na szczęście. Gdy teraz o tym myślę, nie czuję się z tym dobrze, ale na wojnie zasady i pojęcia dobra i zła w dużym stopniu się zacierają".

Przed ich pozycjami leżały ciała wielu Marokańczyków, którzy zostali skoszeni przez Niemców ogniem z położonego wyżej terenu, nad którym nadal panowali. Krążyły plotki, że Marokańczycy mają przy sobie sporo gotówki, ponieważ nie mieli żadnego sposobu, żeby przekazywać swój żołd i łupy rodzinom w Afryce Północnej. „Jeśli chciałeś ryzykować życie i tam iść, było tam mnóstwo pieniędzy" – mówi Cocker. Jednak niewielu ryzykowało, niemożliwe było też zabranie ciał, żeby je pochować. „Odór był straszny, podobnie jak szczury. Jeden zagnieździł się u mnie i gdy tylko rzuciłem kawałek herbatnika, natychmiast pojawiał się u moich stóp. Potem codziennie rano przychodził po swoją porcję ciastka, dopóki pewnej nocy nie przebiegł mi po twarzy. Następnego dnia poległ na polu chwały: zastrzeliłem go ze służbowego pistoletu".

Przyczyną znacznej części nieszczęść żołnierzy alianckich utrzymujących linię frontu w marcu i kwietniu było to, że Niemcy nadal kontrolowali wysoko położony teren przed ich pozycjami. Było tak szczególnie w zniszczonym mieście, zajmowanym przez oddziały 4. dywizji brytyjskiej i brygadę gwardii ze świeżo przybyłej brytyjskiej 6. dywizji pancernej. Zaopatrzenie trzeba było dostarczać w nocy, a każdy odgłos ściągał ogień niemieckich karabinów maszynowych na ustalone cele wyznaczone w znanych punktach wejścia do Cassino. Żołnierze, wchodząc do miasta, wkładali gumowe buty lub owijali je jutowymi workami. Cyril Harte, noszowy w 3. batalionie Grenadier Guards, wspomina wejście do miasta w czarną jak smoła noc i ukrycie się w piwnicy zbombardowanego budynku. Gdy się rozwidniło, wyjrzał przez okienko. „To, co zobaczyłem, napełniło mnie przerażeniem. Miasto było zrównane z ziemią, nie ocalał nawet jeden budynek. Drzewa były powalone, wszędzie panowała cisza. Na ziemi nie było widać ani słychać (...) żadnej żywej istoty. Podniósłszy wzrok, zobaczyłem wielką górę zwieńczoną opactwem i zrozumiałem, że hitlerowska linia Gustawa jest tak trudna do pokonania, ponieważ zapewnia kontrolę nad doliną na wiele mil wokół. Noce były upiorne. Nieustanny rechot żab w wypełnionych wodą lejach po bombach, chmary robaczków świętojańskich jaśniejące w ciemności i odrażający smród leżących wokół nie pogrzebanych zwłok tworzyły niesamowity nastrój".

1. batalion Royal West Kent Waltera Robsona wkroczył do miasta 23 kwietnia, żeby utrzymać bardziej otwarte południowe rogatki przylegające do dworca kolejowego, gdzie 26. batalion 2. dywizji nowozelandzkiej toczył przed miesiącem zacięte walki. Stacjonował w piwnicy domu położonego zaledwie 150 jardów od najbliższych pozycji niemieckich. W nocy część trzymała wartę, podczas gdy inni spali, chociaż budzono ich, gdy zbyt głośno chrapali. Piwnica miała dziesięć stóp kwadratowych powierzchni i czternaście stóp wysokości i jedno wejście przez podłogę znajdującego się nad nią domu. Jak wszędzie w mieście, warunki były fatalne i panował brud. „Nie mogę się umyć, woda jest racjonowana, a resztki z posiłków rzuca się na gruz na górze – pisał Robson do żony Margaret. – Piekielnie dużo gruzu, piekielnie dużo resztek. Latryną jest beczka po oleju, którą trzeba opróżniać do dziury w innym zrujnowanym pomieszczeniu. Muchy. Pierwsze moskity. Pchły. A pod gruzami zniszczonych schodów leży ciało Nowozelandczyka. (...) Gotujemy obok grobu, na którym leżą listki herbaty i puste puszki. (...) Ale nic tu nie jest zbyt higieniczne i w miarę upływu dni smród staje się coraz silniejszy".

Stanowisko dowodzenia batalionu znajdowało się w krypcie dawnego zakonu żeńskiego. „Na zewnątrz leżał wielki Niemiec – wspomina jeden z gwardzistów. – Musiał leżeć tam wieki. Tułów tak spuchł, że pękł pas. I ten smród, to właśnie mnie uderzyło, ten smród". Charlie Framp z Black Watch był tam w kwietniu i przypomina sobie, że „w ciągu dnia patrzyliśmy na martwy świat. W ruinach nie było żadnego ruchu. Ale nawet wtedy niewidoczne oczy obserwowały wszystko". Z powodu bliskości nieprzyjaciela żołnierze mieli nerwy w strzępach. Pewnej nocy Walter Robson zobaczył Niemca stojącego w wejściu do ich piwnicy. „Nasz wartownik, w ciemnościach wnętrza, tylko na niego popatrzył i pozwolił mu odejść! Szkop kiwnął na pięciu innych i zniknął. Widział to inny wartownik i to, że nie strzelali, mogę przypisać jedynie temu, że po prostu skamienieli ze strachu". Pewnego razu Framp, goniec kompanii, przyłożył oko do dziury w ścianie i zobaczył, że ktoś mu się przygląda z drugiej strony. „A nad wejściem do naszej piwnicy – mówi – wznosiło się, jak ogromny but nad chrząszczem, Monte Cassino".

Oczywiście równie złe warunki mieli niemieccy obrońcy miasta, ciągle ulokowani w Hotel des Roses, w Continentalu i w jaskiniach po zachodniej stronie Cassino. „Pamiętam, że wysłano mnie po ciała żołnierzy, żeby je pogrzebać – mówi szeregowiec z niemieckiego oddziału zwiadowczego. – Były wrzucane do wielkiego leja przez obie strony od tygodni. Prawdopodobnie był to dla mnie najbardziej przerażający widok w życiu. Zielone, spuchnięte twarze i te wszystkie oczy – wpatrujące się w pustkę, odrażające. I szczury. Smród był potworny. Nawet maski przeciwgazowe nic nie dawały. Musieliśmy do ust i nosa przykładać gazę nasączoną wodą kolońską".

Przerwa w działaniach dała aliantom czas na ocenę błędów i niepowodzeń ostatnich czterech miesięcy. Jedną z trudności było najwyraźniej to, że ich ogromnej przewadze liczebnej w samolotach, działach i czołgach nie odpowiadała równie wielka przewaga w piechocie. Odnosiło się to szczególnie do dywizji nowozelandzkiej, którą rzucono do wykorzystania przewagi po natarciu. Nie była przeznaczona do działań nękających, które musiała wykonywać. Ale doszło też do błędów taktycznych. Generał dywizji Tuker, którego 4. dywizja indyjska została tak mocno poturbowana pod Cassino, miał później krytykować „nadzwyczajną obsesję, jaką owładnięci byli brytyjscy dowódcy, że należy raczej rzucać wyzwanie silnym punktom nieprzyjaciela, zamiast wykorzystywać jego słabości, (...) marnotrawstwo związane z waleniem w najsilniejszy punkt wroga w najjaskrawszej postaci jest widoczne na przykładzie bitwy o Cassino, (...) kiedy to żołnierzy raz za razem rzucano do natarcia na górskie pozycje, które od stuleci opierały się atakom od południa i które w 1944 roku były nie tylko najsilniejszą pozycją we Włoszech, ale były bronione przez najlepsze wojska niemieckie na tym obszarze działań wojennych". Jego ocena pierwszych trzech bitew, aczkolwiek dokonana z perspektywy czasu, była negatywna: „Bitwy te były w rzeczywistości ni mniej, ni więcej tylko wojskowymi grzechami".

O ile udana obrona Cassino zwiększyła nadzieje i podniosła morale Niemców, o tyle wydarzenia na froncie wschodnim nie toczyły się po ich myśli. Na początku maja Rosjanie dotarli do granic Węgier i przyjęli kapitulację odciętej 17. armii niemieckiej na Krymie. Spadochroniarz Joseph Klein wspomina, jak jego oficer dowodzący, Heidrich, zwołał paru ludzi, żeby opowiedzieć im o swojej niedawnej wizycie w kwaterze głównej Hitlera pod Kętrzynem w Prusach Wschodnich: „Usiedliśmy pod drzewami oliwnymi i powiedział nam, że Hitler wyglądał na ludzki wrak. «Ten człowiek wywołuje u mnie smutek. Nikomu nie ufa. Wie, że spadochroniarze są odważni.

Ale nie ma już nadziei – powiedział Heidrich. – Jednak nie pozwolimy nadziei umrzeć do końca». To był maj 1944 roku – mówi Klein. – I nagle alianci zaatakowali".

Gdy wojska „Narodów Zjednoczonych" cierpiały na całej długości linii, pogoda się poprawiła i alianci stwierdzili, że mogą w końcu pchnąć naprzód czołgi dnem doliny Rapido. Ich zdobycze, choć niewielkie, w trzeciej bitwie zostały utrwalone i wkroczyły świeże wojska. Niebo również się przejaśniło i wkrótce pełno było na nim alianckich myśliwców bombardujących, ustawionych jak taksówki na postoju i czekających, aż zostaną wezwane nad niemieckie cele. A w kwaterze głównej Alexandra dowództwo alianckie chyba w końcu wyciągnęło – jak się wydaje – bolesną nauczkę z minionych czterech miesięcy.

CZĘŚĆ PIĄTA

Czwarta bitwa

Wiedział, że istotą wojny jest przemoc i że umiarkowanie w wojnie to kretynizm.

Thomas Babington Macaulay,
Essay on Lord Nugent's Memorials of Hampden, 1831

Byłem pod Stalingradem i nigdy nie przypuszczałem, że będę musiał przecierpieć więcej.

Żołnierz niemiecki, wzięty do niewoli
w czasie czwartej bitwy o Monte Cassino

ROZDZIAŁ 15

Podstęp

Przez sześć tygodni po trzeciej bitwie o Monte Cassino Alexander stale powiększał i wzmacniał siły naprzeciwko klasztoru. Tym razem nie dał się zmusić do kolejnego pospiesznego natarcia, zażądał natomiast odpowiednich środków do przełamania linii Gustawa. W rzeczywistości planując czwartą bitwę o Monte Cassino pod kryptonimem „operacja Diadem", zakładano nie tylko zdobycie, w końcu, klasztoru, lecz również szybkie przedostanie się na północ od Rzymu. Z przyczółka pod Anzio, zabezpieczonego od końca marca przed poważniejszym atakiem niemieckim, sześć dywizji miało wkrótce potem wspólnie wyjść z okrążenia i przeciąć drogę Cassino–Rzym, odcinając wycofujące się wojska niemieckiej 10. armii. Alexander zmierzał po prostu do całkowitego unicestwienia sił niemieckich w południowych i środkowych Włoszech. To właśnie stanowiło priorytet, nie zaś mające głównie wymiar symboliczny zajęcie Rzymu.

Przekonał innych, że w tym celu potrzebuje: czasu na przeszkolenie i odpoczynek dywizji wyczerpanych po zimowych walkach; dobrej pogody, żeby można było wykorzystać ogromną przewagę aliantów w czołgach i samolotach; i mnóstwa dodatkowych żołnierzy, żeby osiągnąć przewagę liczebną w stosunku co najmniej trzy do jednego. Zamiast oddzielnych szturmów alianci zwiążą teraz walką nieprzyjaciela *en masse* na froncie o długości dwudziestu mil od Cassino do morza. Do tego potrzebnych było siedem i pół dodatkowych dywizji. Pierwszym posunięciem Alexandra było przeniesienie linii oddzielającej 5. i 8. armię na rzekę Liri. Tym samym 5. armia Marka Clarka odpowiadała teraz za front pod Anzio i Cassino od Liri do morza, natomiast brytyjska 8. armia, pod dowództwem generała broni sir Olivera Leese'a, który zastąpił Montgomery'ego, przejęła samą dolinę Liri i masyw Cassino i przesunęła większość swoich sił z frontu adriatyckiego.

Podjęto szczególne wysiłki, by ukryć to znaczne wzmocnienie przed wrogiem, i wprowadzono w życie wyszukany plan oszukania Niemców co do czasu i miejsca zbliżającego się ataku, żeby skłonić ich do trzymania rezerw na północ od Rzymu, najdalej jak się da od frontu południowego. Po niemieckiej stronie frontu robiono wrażenie, że alianci zrezygnowali z prób przełamania linii Gustawa. Rozpoczęto kampanię dezinformacyjną, która miała przekonać Kesselringa, że następnym krokiem będzie desant w Civitavecchii na północ od Rzymu. Przeprowadzano na szeroką skalę loty rozpoznawcze nad tym obszarem, a żołnierze kanadyjscy i amerykańscy ostentacyjnie ćwiczyli w pobliżu Neapolu desant morski. Wymyślono fikcyjne dywizje, a ruchy rzeczywistych wojsk maskowano, na ile to było możliwe.

Podstęp się udał. Gdy 11 maja nastąpił atak, Kesselring miał dwie silne dywizje na północ od Rzymu, zbyt daleko, żeby mogły wywrzeć wpływ na kluczowe pierwsze dni bitwy. Również wybrany termin ataku całkowicie zaskoczył Niemców. Rankiem 11 maja von Vietinghoff, dowódca 10. armii, powiedział Kesselringowi: „Nic szczególnego się nie dzieje". Generał von Senger, którego zdolności obronne okazały się tak istotne dla Niemców we wcześniejszych bitwach, był na przepustce w Niemczech. Co więcej, gdy rozpoczęła się ofensywa, Niemcy stwierdzili, że stoją naprzeciwko siedmiu dywizji więcej, niż się spodziewali.

Gdy po ustaniu opadów dolina Rapido zaczęła przysychać, Niemcy z niepokojem obserwowali, jak znika ich „fosa" przed linią Gustawa. Zwiększona aktywność aliantów w powietrzu jeszcze bardziej ich martwiła. Według relacji Kesselringa, „cztery nieznane czynniki trzymały niemieckie dowództwo we Włoszech w niepewności: Kiedy alianci rozpoczną operacje z przyczółka? Czy ofensywa zostanie wsparta desantem powietrzno-morskim w dolinie Liri? Czy dojdzie do nowej inwazji w okolicach Rzymu lub dalej na północ?" I co było najbardziej niepokojące: „Gdzie i jaką siłą zaatakuje Francuski Korpus Ekspedycyjny?" Kiepska kondycja Luftwaffe oznaczała, że Kesselring miał mało użyteczne rozpoznanie z powietrza i w zasadzie dał się zwieść i uwierzył, że nie będzie kolejnego natarcia w Cassino i że alianci wykorzystają swoją przewagę na morzu do przeprowadzenia kolejnego desantu morskiego. Trudności Kesselringa potęgowało wyczerpanie jego żołnierzy i bombardowanie przez aliantów jego długich linii zaopatrzenia.

Od grudnia Niemcy, z ogromną liczbą wcielonych do armii włoskich robotników, budowali pozycję do odwrotu około siedmiu mil za linią Gustawa. Początkowo nosząca nazwę linii Adolfa Hitlera, a potem linii Sengera, biegła na zachód od Rapido, przecinając dolinę Liri z Pontecorvo do Aquino, a następnie wspinając się na masyw Cassino przez wieś Piedimonte i łącząc się na Monte Cairo z linią Gustawa. W rzeczywistości te dwie linie tworzyły jeden system obronny, ponieważ leżące między nimi tereny usiane były umocnionymi pozycjami obronnymi. Jednak w porównaniu z linią Gustawa linia Hitlera/Sengera miała charakter zdecydowanie prowizoryczny.

Wojska Alexandra były teraz bardziej międzynarodowe niż kiedykolwiek wcześniej i utrzymywanie kontaktu z różnymi dowódcami musiało się odbić nawet na jego wielkich zdolnościach dyplomatycznych. Ale wprowadzono pewne zmiany organizacyjne, które uprościły logistykę grupy armii. Sektory adriatycki i apeniński zajmował teraz korpus brytyjski, składający się z dwóch dywizji indyjskich, Nowozelandczycy zaś i niewielkie siły włoskie trzymały górzysty teren po ich lewej stronie po masyw Cassino. Wokół klasztoru, na z takim trudem wywalczonym przez 34. dywizję amerykańską w styczniu i lutym klinie, znajdował się 2. Korpus Polski, składający się z dwóch dywizji i brygady pancernej. Na liczącym siedem mil długości fron-

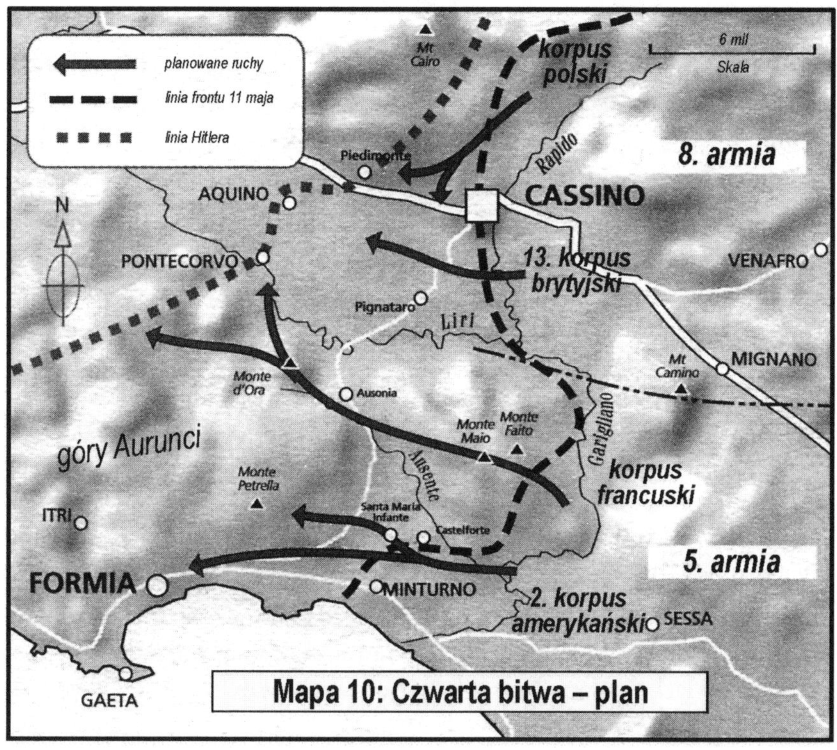

Mapa 10: Czwarta bitwa – plan

cie przed miastem Cassino i doliną Liri stał 13. korpus brytyjski. Na linii znajdowały się 4. dywizja brytyjska, która trzymała część miasta od końca marca, i 8. dywizja indyjska, która niedawno przybyła z sektora adriatyckiego. Towarzyszyły im – w celu wykorzystania jakiegokolwiek przełamania linii frontu – brytyjska 78. dywizja „Battleaxe", brytyjska 6. dywizja pancerna oraz korpus kanadyjski, składający się z jednej dywizji piechoty i jednej dywizji pancernej.

Na lewo od nich Francuski Korpus Ekspedycyjny, wzmocniony dwiema dodatkowymi dywizjami, a także nieregularnymi oddziałami górskimi z Afryki Północnej, został upchnięty na zdobytym w styczniu przez 10. korpus brytyjski przyczółku nad Garigliano. Obok nich, trzymając front do morza, znajdowały się dwie amerykańskie dywizje piechoty, 88. i 85., które przybyły do sektora Cassino w marcu.

Zapewniało to znaczną przewagę nad broniącymi się Niemcami, którzy mieli 57 batalionów przeciwko 108 batalionom aliantów. Ale liczebność batalionów niemieckich była o około połowę mniejsza od liczebności batalionów alianckich, więc w piechocie alianci mieli przewagę co najmniej trzy do jednego, której żądał Alexander. Poza tym mieli przytłaczającą przewagę w działach, czołgach i samolotach. Kesselring szacował, że ma tylko jedną dziesiątą samolotów, którymi dysponowali alianci.

I tak do 11 maja wzdłuż dwudziestomilowego frontu zgromadzono w sumie 1600 dział, 2000 czołgów i 3000 samolotów, co dawało 45 dział, 57 czołgów i 85 samolotów na każdy tysiąc jardów, nie licząc piechoty z jej bronią. Jak zauważył Alexander, cytując Nelsona, „samą liczbą można unicestwić".

Postanowiono, że dokładnie o jedenastej wieczorem 11 maja, wraz z ostatnim sygnałem czasu w BBC, skoncentrowana artyleria, stojąca piasta w piastę na tyłach aliantów, otworzy ogień. Przygotowano dokładne plany dla wszystkich sił na rubieży wyjściowej. Po lewej dwie dywizje amerykańskie miały nacierać w kierunku zachodnim, 351. pułk 88. dywizji został odkomenderowany do zajęcia wsi Santa Maria Infante. 88. dywizja była pierwszym ugrupowaniem z poboru, które wchodziło do walki, i towarzyszyło jej wielu dziennikarzy, którzy mieli relacjonować, jak sobie radzi. Rekruci pochodzili z całych Stanów Zjednoczonych, ale większość była mieszkańcami Nowej Anglii i stanów położonych na środkowym wybrzeżu atlantyckim.

W listopadzie 1943 roku przybyli do Casablanki po ciężkim rejsie ze Stanów Zjednoczonych, wielu żołnierzy, którzy zapadli na chorobę morską, przeprawiło się przez Atlantyk „na relingu". Wspomina Klaus Heubner, oficer służb medycznych w dywizji: „Bardzo współczułem szeregowcom. Ciemne ładownie, ze słabą cyrkulacją powietrza, cuchnęły potem i wymiocinami. Ludzie stracili swoją tożsamość i zdawali się być tylko numerami. Nic dziwnego, że niektórzy zaczęli odczuwać rozgoryczenie". Heubner urodził się w Niemczech, ale jego rodzina wyemigrowała do Stanów Zjednoczonych w 1926 roku, gdy miał jedenaście lat. Dywizja przeszła szkolenie w Afryce Północnej, które w oczach Heubnera niekiedy przypominało farsę. „Nie całkiem dokładnie rozumiem, co się dzieje – napisał. – Nie wydaje mi się, żebym musiał rozumieć. (...) Muszę nauczyć się nigdy nie myśleć samodzielnie, bo to jest armia".

Niedoświadczona dywizja zaczęła przybywać do Neapolu 12 lutego. Chociaż większość żołnierzy pozostała tymczasowo w dolinie Volturno, część jednego pułku, 351., posmakowała po raz pierwszy linii frontu, gdy mieli tygodniową zmianę na Monte Castellone od 25 lutego. Jak wszyscy żołnierze idący po raz pierwszy do boju, martwili się przede wszystkim tym, że nie wykonają swojego zadania. Jeden z weteranów z 351. pułku wspomina: „Gdy zaczęliśmy brać udział w walce, miałem dziwne uczucie. Przez całe życie czułem się bezpieczny, wiedząc, że Stany Zjednoczone mnie obronią, a teraz doszło do odwrócenia ról. Teraz kraj liczył na mnie, że go obronię; to było niesamowite uczucie, ponieważ nie byłem pewny, czy podołam takiemu zadaniu".

Główna część dywizji poszła na linię frontu 4 marca, luzując niektóre oddziały 5. dywizji brytyjskiej w pobliżu Minturno. „Tej pierwszej nocy nikt dokładnie nie wie, jak się zachowywać – napisał Heubner. – Odgłosy wojny ciągle są czymś nowym". Często skarżono się, że w amerykańskich gazetach nie relacjonuje się działań we Włoszech. Dotkliwie odczuwali to wszyscy żołnierze we Włoszech, a już najbardziej „pies na rozgłos" generał Mark Clark. Zawsze zazdrościł doskonałych kontaktów z prasą korpusowi amerykańskiej piechoty morskiej, który już na samym początku wojny umieścił public relations w swojej „tabeli organizacyjnej", zapewniając sobie profesjonalne doradztwo dzięki wynajęciu nowojorskiej agencji reklamowej. Clark chciał teraz, żeby wszystkie części 5. armii miały oddziały prasowe.

Gdy 88. dywizja przybyła do Włoch, odwiedził ją oficer z kwatery głównej 5. armii, żeby sprawdzić dane osobowe. Odkrył, że sierżant Jack Delaney był w cywilu dziennikarzem prasowym, i postawił go na czele nowego działu PR. Potrzebny był zespół, więc oficer z 5. armii dalej przedzierał się przez dane. Milton Dolinger był artylerzystą, który dołączył do dywizji w Afryce, ale zanim został powołany do wojska, skończył dziennikarstwo na Penn State University. „Pewnego dnia, gdy pomagałem kopać rów latryny – wspomina Dolinger – pojawił się ten oficer z 5. armii i powiedział mojemu kapitanowi, Johnowi Evansowi, że chce, abym został korespondentem artylerii dywizyjnej ze specjalnym przydziałem i żeby zwolniono mnie ze wszystkich innych obowiązków. Evans, który mnie nie znał, ponieważ byłem nowy w jego oddziale, sprzeciwił się temu, mówiąc, że jestem «zbyt cenny». (Najwyraźniej wykopałem lepszą latrynę, niż myślałem.)" Jednak oficer z 5. armii uparł się i Dolingera przeniesiono: „Nasze zadanie polegało na tym, że rozchodziliśmy się i odwiedzaliśmy szeregowców w ich oddziałach na liniach frontu i na terenach, gdzie odpoczywali, rozmawialiśmy z nimi, robiliśmy notatki, a potem wracaliśmy do naszego ruchomego biura, żeby te rozmowy spisać". Po sprawdzeniu przez Delaneya i cenzorów 5. armii „opowieści wysyłano do gazet w rodzinnych miastach żołnierzy, z którymi przeprowadzano rozmowy. Jednej zasady musieliśmy absolutnie przestrzegać: Każda opowieść, którą pisaliśmy, musiała na samym początku zawierać zdanie: NA FRONCIE 5. ARMII GENERAŁA MARKA CLARKA WE WŁOSZECH. Opowieści te bardzo podbudowywały morale, uspokajając ludzi w kraju wiadomościami o członkach ich rodzin, i stanowiły powód do dumy wśród szeregowców, gdy przyszedł pocztą wycinek z gazety".

Z braku jakiejkolwiek rzeczywistej motywacji ideologicznej żołnierzy trzeba było przekonać, że ich działania spotkają się z tego typu „uznaniem", dzięki pomocy ogromnej machiny public relations, przy której upierał się Clark. Większość ludzi do spraw kontaktów z prasą była kierownikami do spraw reklamy lub public relations lub – jak Milton Dolinger – wykwalifikowanymi dziennikarzami. Jak mówi Dolinger, „staraliśmy się również wpływać na tych cywilnych korespondentów, którzy zajmowali się naszymi oddziałami, i przekonać ich, żeby pisali o nas". Wierzono, że ilekroć o armii lub dywizji wspominano w kraju, żołnierze walczący we Włoszech otrzymywali dodatkową zachętę. Clark uważał to za tak ważne, że wywarło to wpływ nawet na sposób, w jaki dowodził swoimi siłami w polu, co wkrótce zobaczymy.

Za szczególnie istotne uznawano poczucie dumy żołnierzy ze swojego konkretnego oddziału. Dolinger za największy sukces swojego działu PR uważa wymyślenie dla 88. dywizji nazwy „Blue Devil". Żołnierze tej dywizji nosili na ramieniu niebieskie naszywki, skrzyżowane jak listki koniczyny ósemki. „Jack [Delaney] wpadł na pomysł, który wszyscy podchwyciliśmy – mówi Dolinger. – Jeden z tłumaczy w dywizji wspomniał, że niektórzy pojmani niemieccy jeńcy mówili, że nasi żołnierze walczą jak niebieskie diabły. Jack to podchwycił i przekonał dowództwo – media również – że od tej pory będziemy 88. dywizją «Blue Devil»".

Życie żołnierzy na linii frontu bardzo różniło się od życia, które przedstawiano w bohaterskich i romantycznych opowieściach drukowanych na potrzeby krajowe. Gdy 88. dywizja przejęła obowiązki od Brytyjczyków, wszędzie leżały martwe ciała. Jedna grupa leżała tam, dokąd doprowadził ją szturm na oślep, ciągle zwrócona twarzami do nieprzyjaciela, jak wspomina jeden z weteranów. Druga „ponura grupa poległych, w sangarze na samej linii frontu, gdzie niektórzy z naszych żołnierzy każdego dnia się przyczajali, była upiornym uzupełnieniem naszych szeregów, (...) jeden ciągle trzymał słuchawkę telefonu w ręce, która uległa częściowemu rozkładowi, a jego głowa spoczywała groteskowo na skale, która przebiła gnijącą tkankę policzka". Wszystkie ciała były pokryte muchami i innymi owadami.

Chociaż sektor ten oficjalnie uchodził za „spokojny", cały czas były ofiary – 99 poległych, 252 rannych i 36 zaginionych do końca marca. Doktor Klaus Heubner ujrzał pierwszą ofiarę w batalionie drugiego dnia: „Opuszczony budynek niedaleko punktu dowodzenia batalionu jest naszą kostnicą. Wchodzę do niego ostrożnie, żeby sprawdzić, czy są jakieś ofiary ostrzału z moździerzy. Powoli otwieram skrzypiące drzwi wejściowe; na betonowej podłodze leży amerykański szeregowiec, nogi ma zdeformowane złamaniami wieloodłamowymi, pęknięta czaszka odsłania mózg. Brązowy szczur pożywia się tym mózgiem i ani drgnie. Jedno szybkie spojrzenie i mam dość, zamykam drzwi i odchodzę". Heubner opowiada również o ciągłej obecności włoskich cywilów na tym obszarze. Gdy wchodzili między linie, było bardzo prawdopodobne, że wpadną na minę. Gdy zapuszczali się w pobliże pozycji niemieckich czy amerykańskich, otwierała do nich ogień strona przeciwna, obawiająca się, że mogą powiedzieć nieprzyjacielowi o zajmowanych pozycjach. Ale Heubner, podobnie jak wcześniej inni „zieloni" żołnierze, szybko przyzwyczaił się do hałasu z pola walki: „Całą noc strzela nasza ciężka artyleria – dwadzieścia pocisków na jeden pocisk szkopów – i jest to muzyka dla naszych uszu. Pociski nie przeszkadzają mi już spać – tylko świerzb, pchły i karaluchy".

W miarę zbliżania się terminu rozpoczęcia wielkiej ofensywy na przyczółek nad Garigliano ściągano coraz więcej czołgów i dział. Jak wszędzie na całej długości frontu, najważniejsze było zachowanie tego w tajemnicy. Krótko przed 11 maja Heubner „wędrował po wąskich ścieżkach i zapomnianych pieczarach" i właśnie wtedy dokonał zaskakującego odkrycia: „Natknąłem się na czołgi, działa i pojazdy półgąsienicowe. Wszystkie tak dobrze ukryto i zamaskowano, że nie zauważyłem ich, dopóki na nie praktycznie nie wszedłem. Koncentracja uzbrojenia w minionym miesiącu naprawdę była ogromna. Cała dolina jest pełna śmiercionośnej broni, ukrytej i milczącej, gotowej na rozkaz plunąć ogniem i śmiercią, teraz jednak tylko czekającej, czekającej na wielki dzień, dzień, w którym każdy będzie mógł udowodnić, co jest wart. (...) Już niedługo".

Gdy ofensywa była już bliska, zaczęto powtarzać: „Rzym i do domu". Trzydziestoośmioletni nowojorczyk, sierżant Arthur Schick z obsługi kantyny, tak jak wszyscy, odczuwał napięcie. „Kucharze są roztrzęsieni – pisał do żony Liz i ośmioletniej córki Barbary 26 kwietnia. – Inaczej niż ja – ja jestem przerażony". Przebywał w opuszczonej wiejskiej chacie, którą sporadycznie ostrzeliwała artyleria. Włoscy właściciele gospodarstwa najwyraźniej zakopali wszystko, czego nie mogli zabrać ze sobą: „Chłopaki wydobywają przeróżne rzeczy ze stogów siana i z ziemi. Niezła zabawa, zwłaszcza gdy natrafimy na butelki wina. (...) Jeden oddział wykopał parę butelek sosu i przecieru pomidorowego, a także trochę włoskiej kiełbasy". Ale w listach Schicka między wesołymi opowieściami o poprawiającej się pogodzie i żołnierzach jedzących karczochy pojawia się też typowa tęsknota i niepokój o bliskich: „Od kilku już tygodni nie dostałem od ciebie listu i zaczynam się martwić. Czy coś złego stało się w domu? (...) Wkurzyłaś się na coś, co napisałem?"

3 maja dywizję odwiedził generał Mark Clark, który zakończył swoje przemówienie słowami: „Obiecuję wam, że to już niedługo". Następnego dnia Schick napisał do domu: „Znowu zawracali nam głowę generałowie, przeprowadzając inspekcję i wręczając medale. (...) Wszyscy są podekscytowani i zaczynają porządkować teren, w kuchni jest tłoczno i gorąco i zaczynam się trochę wściekać". Ważniejsze dla niego było jednak to, że właśnie dostał cztery listy od żony: „Cudownie spędziłem czas, przez całą noc i dzień czytając i czytając na nowo listy od ciebie. Jesteś cudowna, jesteś słodka, jesteś boska". Następnie Schick sugeruje, żeby po jego powrocie do domu wybrali się na drugi miesiąc miodowy. „Będę z tobą codziennie. Nic nie mogę poradzić. Tak bardzo cię kocham. Zawsze będę cię kochał. (...) Po tym wszystkim niech jakiś Hitler czy Mussolini ciskają gromy, ja będę się z nich śmiał w moim miłym, przytulnym domu z tobą i Bab u boku".

Tuż przed planowanym rozpoczęciem ataku jeden z pułków dywizji – 350. – dostał nowego dowódcę, pułkownika J. C. Frya. W szczerej relacji z czasów wojny Fry opisuje dni poprzedzające 11 maja: „Skutki tego trudnego okresu oczekiwania na atak widziało się i czuło wszędzie. Ludzie byli podenerwowani i łatwiej dochodziło do wypowiadania ostrych i zjadliwych uwag, a byli też tacy, którzy nie mogli znieść zagrożenia i nieustannego czekania. Od czasu do czasu ktoś podejmował gwałtowną próbę ucieczki przed zbliżającym się niebezpieczeństwem. Typową metodą było postrzelenie się w stopę. Przypadków tej natury było więcej, niż chciałbym pamiętać".

Francuzów rozlokowano między Castelforte i rzeką Liri przed ponurymi górami Aurunci, na terenie tak trudnym, że Niemcy niemal nie starali się go utrzymać. Juin miał cztery dywizje – 3. algierską, 2. i 4. marokańską i 1. dywizję de Marche – żeby przeprowadzić swój śmiały plan natarcia z północnego skraju przyczółka nad Garigliano przez poszarpane, pozbawione traktów góry do Ausonii i stamtąd przez dolinę Ausente do Liri na Pontecorvo, jeden z umocnionych punktów na linii Hitlera.

Francuska dywizja de Marche po prawej miała zaatakować wzdłuż zachodniego brzegu rzeki Garigliano w kierunku doliny Liri; po ich lewej stronie 2. dywizja marokańska miała zdobyć wysoko położony teren na prawo od doliny Ausente. Oczyszczenie z nieprzyjaciela niższej części doliny Ausente było zadaniem 4. marokańskiej dywizji górskiej i 4. tunezyjskiego pułku piechoty, które dostały takie cięgi na Belvedere, a teraz miały ostatecznie zająć Monte Damiano i silnie umocnioną wieś Castelforte, uparcie, lecz bezskutecznie atakowaną w połowie stycznia przez 56. dywizję brytyjską.

„Czekanie było udręką – mówi Jean Murat, który przetrwał miesiąc na Monte Castellone i po krótkiej przerwie 6 maja wrócił na front ze swoim 1. batalionem 4. tunezyjskiego pułku piechoty. – Czterdzieści osiem godzin czekania na atak, bezustannej obserwacji pozycji, które będziemy atakować, było wyczerpujące, aż do nadejścia tej chwili". Jego batalion został tymczasowo przydzielony do 4. dywizji marokańskiej. Murat uznał rozkazy za zniechęcające: „Moja kompania połączy się z prawej z 2. marokańską, a z lewej z 2. kompanią batalionu [1/4. tunezyjskiego pułku piechoty]. Trzecia kompania będzie w rezerwie za tymi dwoma wysuniętymi oddziałami. Kapitan zdecydował, że powinienem dowodzić trzema wysuniętymi plutonami. On zostanie w drugim rzucie z plutonem wsparcia i plutonem ciężkich karabinów maszynowych, żeby zapewnić posiłki".

Dla Murata sześć dni czekania upłynęło w dziwnym spokoju, ale przepełniał je także lęk. „Z wysuniętego stanowiska obserwacyjnego miałem okazję przyjrzeć się panoramie – pisze. – Teren wznosi się łagodnie przez kilkaset metrów. Następnie opada w kierunku wsi Castelforte, niewidocznej z tego stanowiska, bo przesłoniętej długą, zaokrągloną, biegnącą równolegle granią i oddzielonej wcinającym się głęboko w zbocze wzgórza wąwozem. Teren porastają nieliczne drzewa owocowe. Grunt jest tak skalisty, że wykopanie nawet najpłytszej osłony, gdyby pojawiła się taka potrzeba, będzie niemożliwe. Niebo ma odcień głębokiego błękitu. Zrobiło się już gorąco. Koszule zdjęte. Jakie to wszystko ciche, rozkoszujemy się ostatnimi dniami spokoju".

Naprzeciwko doliny Liri, gdzie miał atakować 13. korpus brytyjski 8. armii, rzeczą absolutnie najważniejszą było uniknięcie nieszczęścia, które spadło w styczniu na 36. dywizję amerykańską. Za trzy główne czynniki, które przyczyniły się do klęski Teksańczyków, uznano nie oczyszczone pola minowe, kiepskie drogi dojazdowe do rzeki, brak mostów na Rapido, po których mogłyby przejechać czołgi. To wszystko leżało teraz w gestii korpusu saperów, który odgrywał kluczową rolę w przygotowaniach do ofensywy.

7. polowa kompania saperów z 4. dywizji brytyjskiej znajdowała się na przyczółku nad Garigliano od 18 marca, usuwając miny i wzmacniając drogi dla dżipów. Do dywizji przydzielono też kompanie 59. i 225. Każda kompania składała się – w pełnej sile – z około 245 żołnierzy, podzielonych na cztery plutony. Wszystkie te trzy oddziały wyróżnią się w jednej z kluczowych akcji czwartej bitwy.

Jednym z saperów w 59. kompanii był Frank Sellwood, dwudziestoczteroletni czeladnik stolarstwa, który brał udział w działaniach bojowych w Afryce Północnej i zanim dotarł do Włoch, usunął „tysiące min". Ośmiu żołnierzy tworzących jego pododdział było razem od pobytu w Afryce. Wraz z pozostałymi kompaniami saperów 4. dywizji od początku kwietnia mieli usuwać miny z dróg dojazdowych do rzeki Rapido, a nocami zajmowali się wzmacnianiem dróg prowadzących do wyznaczonych miejsc przeprawy. Jednym z zadań było rozebranie linii kolejowej i ułożenie podkładów na torach, żeby z klasztoru wyglądało to tak, jakby linia kolejowa ciągle istniała. Na terenie powyżej grząskiej doliny miała to być jedna z najważniejszych dróg dojazdowych do rzeki. Na koniec nocnej pracy wszystkie nowo przygotowane trasy trzeba było przed pierwszym brzaskiem przykryć chrustem.

Przybycie na pozycję naprzeciwko ruin klasztoru pod Cassino było – wspomina Sellwood – „trochę wstrząsające. Ciągle leżały tam ciała Amerykanów, na ziemi, w pobliżu miejsca, gdzie rozłożyliśmy nasz mały obóz, gdzie czekaliśmy na rozpoczęcie tej wielkiej hecy". Wielokrotnie Sellwood dostawał rozkaz pójścia do miasta, dokąd dostać się było można jedną tylko drogą. „Podczas mozolnego marszu widziało się te leżące na ziemi ciała, w mieście i przed miastem". Jedne z tych zwłok wywierały szczególnie mocne wrażenie: „Była wśród nich reporterka z amerykańskich służb pomocniczych. Leżała na noszach. Najwyraźniej właśnie wynosili ją stamtąd, lecz musieli ją zostawić i ratować się ucieczką. Ciągle tam leżała. Miała niebieski mundur z białymi pasami na rogach".

Najbardziej skrupulatnie przygotowywano rozpoznanie i zbadanie potencjalnych miejsc przeprawy. W sektorze 4. dywizji miało być ich trzy, za każde odpowiadała jedna z kompanii saperskich dywizji. W kolejności z północy na południe otrzymały kryptonimy Amazon, Blackwater i Congo. W każdym miejscu przeprawy saperzy mieli zbudować most Baileya i dwa promy.

Już 17 kwietnia krążyły szczegółowe raporty na temat miejsc przeprawy, a do 5 maja opracowano gruntowny plan. Uwzględniono w nim najdrobniejsze szczegóły, między innymi czas wykonania poszczególnych operacji przez buldożery. Ogromnie różniło się to od pośpiesznie napisanych i pesymistycznych raportów saperów, które w styczniu przygotowano dla 36. dywizji. Ale zdobywanie informacji na brzegu rzeki było zajęciem trudnym i ryzykownym. Major Tony Daniell, dowódca 59. kompanii, musiał przeprowadzić rekonesans miejsca dla mostu Blackwater. Z porucznikami Bostonem (którego pluton miał ten most zbudować) i Chubbem (którego pluton miał wzmocnić drogę dojazdową i wyjazdową) oraz sierżantem Coksem Daniell udał się na miejsce przeprawy 27 kwietnia. Tam spotkał majora Michaela Lowa, dowódcę 7. kompanii. „Umówiliśmy się na spotkanie w kwaterze głównej batalionu indyjskiego, który wtedy utrzymywał pozycję nad rzeką. (...) Dostaliśmy hasło («Ryż», potem «Pudding») i powiedzieliśmy Indusom, dokąd idziemy i że zamierzamy wrócić za mniej więcej godzinę – napisał Daniell. – Rzeka była terenem niczyim, ale swobodnie patrolowali ją zarówno Brytyjczycy, jak i szkopy. Stamtąd ruszyliśmy gęsiego szlakiem podejścia do rzeki. Było dość jasno, bo świecił półksiężyc, bardzo cicho i niezwykle upiornie. Rzeka miała wał przeciwpowodziowy, zbudowany z kamieni, które kiedyś z niej wyłowiono. Nadal leżało tam mnóstwo amerykańskiego wyposażenia i unosił się jakiś bardzo nieprzyjemny zapach".

Chubb stał na straży, a oni przyjrzeli się rzece. Planowali ją przepłynąć, żeby dokonać pomiarów, ale Daniell uznał to za zbyt lekkomyślne. Nagle podkradł się do nich Chubb, żeby im powiedzieć, że po drugiej stronie, w odległości zaledwie osiemdziesięciu stóp, jest czterech Niemców ze szpadlami. Daniell miał ochotę ich ostrzelać, ale nie mógł zdradzić swojego zainteresowania miejscem przeprawy. Sprawdziwszy drogi dojazdowe, ruszyli z powrotem na swoje pozycje za linią.

Kilka nocy później zgłosiło się wielu ochotników do zmierzenia szerokości rzeki i wybrano McTighe'a, kierowcę porucznika Bostona. Gdy skradali się wzdłuż brzegu rzeki, było pochmurno. Cox i Daniell stanęli na straży z pistoletami maszynowymi, a Boston i McTighe przygotowywali się do zmierzenia rzeki. Ten ostatni, który miał płócienne buty, ciemne kąpielówki i brązowy pulower Daniella dla zasłonięcia jasnej skóry, wszedł do wody, a potem popłynął na drugi brzeg z białą taśmą. Gdy przemieszczał się na drugim brzegu, by stanąć naprzeciwko Bostona, nad jego głową rozległy się dwa głośne wybuchy. Albo zerwał rozciągnięty nisko nad ziemią drut, albo ktoś go usłyszał i rzucił granaty. McTighe'owi nic się jednak nie stało, więc przepłynął z powrotem te ponad sześćdziesiąt stóp „najszybciej w całym życiu".

Potem nastąpiło dziesięć dni intensywnych prób na rzece Volturno, dzięki którym żołnierzom udało się skrócić czas przeprawy z czterech godzin do niespełna dwóch. „Morale było bardzo, bardzo wysokie – mówi sierżant Jack Stamper z 7. kompanii. – Bardzo dużo ćwiczyliśmy, a major Low dał nam niezły wycisk. Oczywiście warunki nie były takie same".

11 maja po południu wymuszona bezczynność wszystkim działała na nerwy. Dwudziestotrzyletni sierżant Tommy Riordan z 7. kompanii wspominał: „Mieliśmy czas, żeby napisać listy do domu, lecz nie mogliśmy wspomnieć w nich o tym, o czym wszyscy myśleli". Potem wydano ostatni posiłek z kuchni polowej, usunięto z pojazdów i mundurów wszelkie oznaczenia dywizyjne i taktyczne, odłączono od prądu światła i klaksony i ruszono do Trocchio. Wszędzie wokół żołnierze widzieli, jak kanonierzy zaczynają wycinać drzewa przed swoimi starannie zamaskowanymi działami. Riordan pamięta, że śpiewały słowiki, a „chmary robaczków świętojańskich pokrywały łęgi prowadzące do linii rzeki".

Plan dla 4. dywizji brytyjskiej przewidywał atak dwiema brygadami – 28. i 10. – które miały się przeprawić przez Rapido na wąskim froncie między

Cassino i Sant' Angelo. Na lewo od nich, z obu stron Sant' Angelo, znajdowała się 8. dywizja indyjska, którą niedawno wycofano znad Adriatyku. Podobnie jak w 4. dywizji indyjskiej, każda z jej trzech brygad składała się z jednego brytyjskiego i dwóch indyjskich batalionów. 1. batalion fizylierów królewskich był w 17. brygadzie, a jednym z jego żołnierzy był dziewiętnastoletni Frederick Beacham. Urodzony w Bristolu Beacham imał się różnych zajęć – pracował w fabryce herbatników i na dworcu Temple Meads – zanim został w 1942 roku w wieku osiemnastu lat powołany do wojska. Już przed wstąpieniem do armii wojna wywarła na niego wielki wpływ: wydawało się, że wszystko w jego życiu – fabryka, w której pracował, jego kościół, dawna szkoła, nawet frytkarnia koło domu – uległo zniszczeniu podczas nalotów, które między 1940 i 1942 rokiem obróciły w ruinę ważny port w Bristolu. Pierwsza wojna światowa odcisnęła piętno na jego rodzinie. Jego wuj i ojciec walczyli nad Sommą – wuja „rozszarpało na kawałki". „Mój ojciec został zaatakowany gazem i miał bliznę na górnej wardze – mówi Beacham. – Widziałem, jak cierpi psychicznie. Gdy wypił kilka głębszych, trzeba było go uspokajać. Gdy wypił jeszcze kilka, uderzał w płacz".

Beacham dokładnie pamięta podróż przez Włochy. „Była długa, męcząca i czasami bardzo przerażająca. Kierowcami ciężarówek byli Indusi, którzy tak pokonywali zakręty, bardzo ostre, niekiedy o 180 stopni, że włosy stawały nam dęba na głowie. Wiele razy w czasie tej podróży waliliśmy w tył szoferki i jednym głosem krzyczeliśmy: «Wolniej, Johnny, nie chcemy zginąć, zanim tam dojedziemy». Faktycznie minęliśmy jedną czy dwie ciężarówki, które zjechały z drogi, ale w końcu osunęliśmy się na pakę i staraliśmy się być dobrej myśli".

Fizylierzy przybyli do sektora Cassino około południa 5 maja i tego samego popołudnia przemówił do nich generał broni Leese, „podczas spotkania w stylu Montgomery'ego. (...) Stojąc na dżipie, oznajmił nam, że weźmiemy udział w bitwie, której celem jest zajęcie Monte Cassino – mówi Beacham. – Przemówienie uspokoiło nas, bo podkreślał, że ponad 1600 dział będzie prowadzić intensywny ostrzał artyleryjski pozycji nieprzyjaciela w formie ruchomej zapory ogniowej i że wszystko, co mamy zrobić, to przeprawić się pontonami przez rzekę i pod tą ruchomą zaporą ogniową stłumić wszelki opór (o ile go jeszcze napotkamy). Czołgi szybko sforsują rzekę i zapewnią nam wsparcie, będzie też mnóstwo samolotów. (...) Muszę wyznać, że tak to przedstawił, że poczułem, że nic nie może pójść źle i że wszystko będzie, mówiąc współczesnym językiem, bułką z masłem. Jak bardzo człowiek może się mylić?"

Być może najcięższe zadanie ze wszystkich spoczywało na korpusie polskim pod dowództwem generała dywizji Władysława Andersa. 3. Dywizja Strzelców Karpackich i 5. Kresowa Dywizja Piechoty ze wsparciem 2. brygady pancernej miały odciąć klasztor, zajmując sąsiednie szczyty, a następnie ruszyć w dół, w dolinę Liri, żeby nawiązać kontakt z nacierającym 13. korpusem brytyjskim. Potem Polacy mieli przedrzeć się przez góry z tyłu klasztoru do Piedimonte, położonego na szczycie wzgórza miasteczka na linii Hitlera – Niemcy liczyli na to, że stanie się ono „małym Cassino".

Polacy zajmują szczególne miejsce w historii Cassino. Korpus liczył około 50 tysięcy ludzi, którzy mieli za sobą długą i niebezpieczną wędrówkę. Po zajęciu przez Stalina w 1939 roku wschodniej Polski Rosjanie zaczęli „ucinać głowę" miejscowemu społeczeństwu, żeby wyeliminować wszelki potencjalny opór. Każdemu, kto miał majątek lub wykształcenie, groziło aresztowanie, wraz z rodziną, i wsadzenie do pociągu jadącego do Związku Radzieckiego. Józef Pankiewicz, który walczył pod Cassino w dywizji karpackiej, miał czternaście lat w chwili wybuchu wojny i mieszkał we Lwowie, wówczas należącym do Polski i trzecim co do wielkości jej mieście. Lwów poddał się Niemcom 19 września, ale trzy dni później Niemcy się wycofali, a pojawili się Rosjanie. Pankiewicz wspomina: „Przedstawiali żałosny widok: kiepsko ubrani, źle wyposażeni i zawszeni, (...) ogromnie różnili się od Niemców". W lutym 1940 roku trzej milicjanci obudzili jego rodzinę, kazali się spakować i zgłosić do wiejskiej szkoły. Mężczyźni z rodziny ukryli się, ponieważ krążyły plotki, że wszyscy mężczyźni powyżej szesnastego roku życia mieli zostać zgarnięci do pracy niewolniczej. Inni, włącznie z młodym Józefem, zgłosili się zgodnie z poleceniem i zostali zabrani na dworzec kolejowy. „Czekał tam na nas długi pociąg – mówi Pankiewicz. – Wagony były przerobionymi wagonami towarowymi – bez siedzeń – tylko piętrowe łóżka zbite z nieheblowanych desek, mały piecyk i dziura w podłodze, która zastępowała toaletę. Do każdego wagonu zapędzono czterdzieści osób i dano wiadra z wodą, (...) a potem rozpoczęła się ta koszmarna podróż". Nikt nie wiedział, dokąd ani dlaczego ich wywożą, a jedzenie, które zabrali ze sobą, szybko się skończyło. Przez tydzień, gdy pociąg toczył się na wschód, nie dano im nic; potem uraczono ich wodą i ciężkostrawnym, lepkim chlebem, po dwie kromki na osobę. „Staraliśmy się zachować jakąś godność i gdy ktoś chciał skorzystać z toalety, zasłanialiśmy go kocem – mówi Pankiewicz. – Matka zajęta była pisaniem kartek, które wypychała przez małe okno – chciała, żeby ludzie dowiedzieli się o naszym losie".

Najpierw zaczęli umierać najmłodsi i najstarsi spośród nich. „Po drugiej stronie wagonu była młoda kobieta z niemowlęciem i małym chłopcem. Straciła pokarm i nie mogła karmić niemowlęcia, więc próbowała dawać mu rozmoczone w wodzie okruchy chleba. Oczywiście było to niemożliwe. Bardzo płakało przez dzień czy coś koło tego i pamiętam, że – przyznaję to ze wstydem – chciałem, żeby przestało, i odczułem ulgę, gdy ucichło. Jako czternastolatek, nie miałem pojęcia, co to zapowiada. Przez jakiś dzień spało spokojnie, a potem po cichu niepostrzeżenie zgasło. Strażnicy zabrali niemowlę i wszyscy stali się bardzo cisi i przygnębieni. Nikt nie chciał rozmawiać i stanowiliśmy małą pociechę dla biednej matki. Jej drugie dziecko wspięło się jej na kolana, nic z tego nie rozumiejąc. Ciągle ich pamiętam".

W miarę jak wjeżdżali coraz dalej w Związek Radziecki, temperatura spadała, a Polacy z braku jedzenia byli coraz bardziej słabi i drżący. Po czterech tygodniach podróży wysadzono ich na Uralu, gdzie dano im piły i kazano zbudować sobie chaty. Przez następny rok Pankiewicz pracował w różnych kopalniach złota i przeżył jedynie dzięki łaskawemu losowi, dobroci miejscowych Rosjan i kradzieżom jedzenia. Wielu nie przeżyło głodu, mrozu i nieustannej ciężkiej pracy. „Codziennie ludzie zapadali na pewnego rodzaju ślepotę – mówi Pankiewicz. – Rosjanie nazywali to kurzą ślepotą. Jej przyczyną był brak witamin. Ci, którzy widzieli, musieli prowadzić ich do pracy. Potem pojawiły się napuchnięte brzuchy, a jeszcze później wyglądali jak szkielety. Gdy posunęło się to za daleko, nie mogli już jeść – najpierw zapadali na to starcy i młodzi". W pewnym momencie w obozie wybuchła epidemia tyfusu i odeszło jeszcze więcej ludzi.

Opowieść Pankiewicza wcale nie jest wyjątkowa. W sumie około półtora miliona Polaków deportowano na Syberię, wraz z dwustoma tysiącami byłych żołnierzy. Cztery tysiące polskich oficerów zostało zastrzelonych przez Sowietów w lesie katyńskim; dla pozostałych była ciężka praca, a to, czy przeżyją, nie miało znaczenia. Ale los tych, którzy przetrwali syberyjską zimę, zmienił się 22 czerwca 1941 roku, gdy Hitler zaatakował Związek Radziecki.

14 sierpnia 1941 roku polski rząd na uchodźstwie w Londynie podpisał z ZSRR umowę, na mocy której miały powstać niezależne polskie siły zbrojne, sformowane z tych jeńców wojennych i deportowanych. Dowodzić nimi miał generał dywizji Władysław Anders. Anders urodził się w 1892 roku w Błoniu i służył w wojsku rosyjskim podczas pierwszej wojny światowej.

Walczył z Armią Czerwoną w czasie wojny polsko-bolszewickiej w latach 1919–1920, gdy przywódcy Polski chcieli, korzystając z rosyjskiej wojny domowej, odzyskać „historyczne ziemie". W 1939 roku był dowódcą brygady kawalerii. W obliczu niemieckich ataków lotniczych i pancernych Anders gorączkowo manewrował swoimi siłami przez pierwszych kilka dni wojny, odnosząc pewne lokalne sukcesy, po to tylko, żeby 17 września usłyszeć o radzieckim ataku ze wschodu. Próbował ewakuować swoje wojska przez Węgry, ale uniemożliwili to Rosjanie. Został ranny, oddzielony od swoich wojsk i w końcu wzięty do niewoli i wysłany do Lwowa. Przebywając w tamtejszym szpitalu, Anders pozostawał w kontakcie z tworzącym się polskim podziemiem i zdołał przekazać wiadomość generałowi Sikorskiemu, głównodowodzącemu polskich sił zbrojnych, potem jednak wpadł w ręce NKWD, tajnej policji Stalina. Pomimo ran został uwięziony we Lwowie w strasznych warunkach, nabawił się odmrożeń, a enkawudziści przesłuchiwali go i traktowali z brutalnością. Był bliski śmierci, gdy w marcu 1940 roku przeniesiono go na Łubiankę w Moskwie, więzienie zarezerwowane dla ludzi, którzy szczególnie interesowali centralę NKWD. Z początku przesłuchiwano go bez przerwy, a później trzymano w izolatce przez sześć miesięcy, jednak po wrześniu to się skończyło. W połowie lipca 1941 roku zaczęto go lepiej traktować i powiedziano mu o ataku Niemiec na Rosję oraz o traktacie angielsko-radzieckim, który gwarantował amnestię dla Polaków w Rosji oraz sformowanie tam armii polskiej pod jego dowództwem. Następnie zwolniono go, przydzielono mieszkanie, dwóch służących i ogromny zapas wódki. Nadal chodził o kulach.

Doszło już do masakry w Katyniu i Anders był początkowo podejrzliwy, gdyż niewielu oficerów stawiło się, by dołączyć do jego armii. W końcu jednak liczba chętnych wzrosła na tyle, że Anders „z dużym trudem" uzyskał zgodę na zorganizowanie dwóch dywizji i pułku zapasowego (a także pomocniczej służby kobiet i służby duszpasterskiej). Do niektórych obozów jenieckich wysłano komisję uzupełnień, żeby zwerbować następnych.

Nowa armia, składająca się z osłabionych i pozbawionych środków do życia ludzi, spędziła zimę 1941/42 w obozach namiotów na stepach Azji Środkowej przy temperaturach spadających do minus pięćdziesięciu stopni Celsjusza. Wielu ludzi zamarzło na śmierć. W końcu, w lipcu 1942 roku, Stalin zgodził się na ewakuację do Iranu 40 tysięcy żołnierzy wraz z 26 tysiącami kobiet i dzieci. Dla polskich żołnierzy i cywilów opuszczenie ich sowieckich „gospodarzy" było wspaniałą chwilą: „Nie wierzyłem w to, myślałem, że umarłem w Rosji, a teraz jestem w niebie" – wspomina jeden z weteranów spod Cassino. Brytyjczycy w Iranie natychmiast zniszczyli zawszone mundury żołnierzy i zapewnili im utrzymanie i opiekę lekarską. Wielu zmarło, tak byli nieprzyzwyczajeni do normalnego jedzenia, a jeszcze większa liczba wymagała leczenia z powodu malarii. Przeniesiono ich do Iraku i utworzono dwie dywizje – 5. kresową i 3. karpacką. W tej ostatniej znaleźli się również żołnierze z Brygady Strzelców Karpackich, przeniesionej z Palestyny. Jej żołnierze dotarli tam z Polski przez Węgry i Rumunię i wyróżnili się podczas walk o Tobruk.

W kwietniu 1943 roku Niemcy odkryli ciała polskich oficerów w lesie koło Katynia i natychmiast to ogłosili. Polski rząd na uchodźstwie poprosił Czerwony Krzyż o przeprowadzenie śledztwa, po czym Sowieci zerwali z nim stosunki. Było teraz oczywiste, że Polacy muszą całkowicie polegać na dobrej woli aliantów zachodnich, jeśli chodzi o odzyskanie niepodległości po wojnie. Kwestię tę gruntownie omawiano w ciągu lata, przy gwarancjach ze strony Churchilla i Roosevelta, ale Sikorski zginął w lipcu w katastrofie lotniczej. Anders był przekonany, że Polska straciła najważniejszego obrońcę jej późniejszych interesów. „Jasne było dla mnie – napisał po wojnie – (...) że [sojusznicy] żyli ciągle w obawie, że Rosja może zawrzeć z Niemcami osobny pokój".

W miesiącu, w którym zginął Sikorski, przeniesiono wojsko do Gazy w Palestynie na dalsze szkolenie, a w połowie grudnia 3. Dywizja Strzelców Karpackich przybyła do Tarentu i poszła na front na wybrzeżu adriatyckim jako część 8. armii brytyjskiej. Reszta żołnierzy dołączyła pod koniec lutego. Dla Polaków cudem było to, że po swoich heroicznych podróżach są z powrotem w Europie.

Dla Brytyjczyków Polacy stanowili ciekawostkę. Saper Richard Eke spisał swoje opinie co do ostatniej z narodowości, jaka przybyła do Włoch: „Pierwszy raz spotkaliśmy się z żołnierzami polskiej dywizji, gdy zatrzymali się na naszym zaśnieżonym stanowisku. (...) Byli dziwnymi żołnierzami, czystymi, bystrymi, pachnącymi perfumami. Palili papierosy w długich cygarnicach i zadali sobie trud perfekcyjnego opanowania włoskiego. Byli bardzo szarmanccy w stosunku do miejscowych kobiet i panny były wprost oczarowane tak uprzejmym traktowaniem. Mimo wyraźnej łagodności Polacy byli zuchwali i odważni, co mieli udowodnić w ciągu kilku następnych tygodni".

22 lutego Churchill wygłosił przed Izbą Gmin przemówienie, w którym skrótowo przedstawił ustalenia, jakie poczyniono na listopadowej konfe-

rencji w Teheranie: Sowieci przejmą przedwojenne terytorium Polski na wschodzie, a Polska otrzyma w zamian niemieckie terytorium na zachodzie. „Przemówienie Churchilla – pisał Anders – wywołało przygnębienie wśród żołnierzy, tym silniejsze, że większa część miała swoje rodziny i domy na wschód od tej linii". Ale na tym etapie Anders ciągle miał nadzieję, że był to manewr polityczny, i wydał swoim wojskom rozkaz kontynuowania walki z Niemcami. 3 marca (kiedy to oddziały polskie po raz pierwszy dostały się pod ogień nieprzyjaciela) wygłosił w radiu przemówienie, w którym powiedział: „Będziemy się bili nieustępliwie z Niemcami, bo wiemy wszyscy, że bez pobicia Niemców nie będzie Polski. Nie dopuszczamy myśli, ażeby jakikolwiek wróg mógł nam zabrać choćby drobną część ziemi polskiej. Wierzymy, że nasi wielcy sprzymierzeńcy i przyjaciele – Wielka Brytania i Stany Zjednoczone – (...) pomogą nam do powstania Polski naprawdę wolnej i niepodległej (...). «Jeszcze Polska nie zginęła»".

Front po adriatyckiej stronie Włoch był stosunkowo spokojny, ale w połowie marca 1944 roku dowódca 8. armii generał broni Leese poinformował Andersa o potencjalnej roli korpusu polskiego w następnej ofensywie. „Dla 2. Korpusu Polskiego przewidziano najtrudniejsze zadanie zdobycia w pierwszej fazie wzgórz Monte Cassino, a następnie Piedimonte – napisał Anders. – Była to dla mnie chwila doniosła. Rozumiałem całą trudność przyszłego zadania Korpusu. Rozumiał ją także i nie ukrywał gen. Leese. (...) Zdawałem sobie jednak sprawę, że Korpus i na innym odcinku miałby duże straty. Natomiast wykonanie tego zadania ze względu na rozgłos, jaki Monte Cassino zyskało wówczas w świecie, mogło mieć duże znaczenie dla sprawy polskiej. Byłoby najlepszą odpowiedzią na propagandę sowiecką, która twierdziła, że Polacy nie chcą się bić z Niemcami. Podtrzymywałoby na duchu opór walczącego Kraju. Przyniosłoby dużą chwałę orężowi polskiemu. (...) Po krótkim namyśle oświadczyłem, że podejmuję się tego trudnego zadania".

Polski sztab przeniesiono w zamaskowane miejsce, z którego było widać klasztor, i 6 maja Leese urządził odprawę dla wszystkich oficerów Andersa, aż do szczebla dowódców batalionów, po której wręczył obecnym fajki. Zdarzenie jeszcze z lutego ilustruje różnicę między Leese'em i Andersem. Ten ostatni skarżył się, że „8th Army News" opierają się na źródłach radzieckich, a tym samym zniesławiają jego żołnierzy. W odpowiedzi Leese oświadczył Andersowi, „że niepożądane jest, aby dowódca Korpusu wypowiadał publicznie, zwłaszcza dzisiaj, jakiekolwiek poglądy na rozgrywające się wy-

IWM; NA 13274

odczas jednych z najbardziej zaciętych walk w bitwach żołnierze nowozelandzcy próbują się przedrzeć rzez zniszczone miasto

Elitarne oddziały niemieckich spadochroniarzy wychodzą z ruin, żeby odeprzeć ataki Nowozelandczyków

Indyjscy noszowi znoszą rannego żołnierza z masywu Cassino

Nieregularne oddziały tubylczych żołnierzy z Afryki Północnej, których obawiały się obie strony, walnie przyczynili się do przebicia przez góry na południe od doliny Liri

Solange Cuvillier, francuska pielęgniarka przydzielona do 2. dywizji marokańskiej

Werner Eggert, jeden z nielicznych niemieckich spadochroniarzy, którym udało się ujść z życiem z Cassino

Ken Bond, jeden z żołnierzy z 1/4. batalionu Essex, który walczył o Wzgórze Kata

Niemiecka ulotka propagandowa

lscy żołnierze wciągają na górę zaopatrzenie przed ostateczną ofensywą

Polscy żołnierze z dywizji kresowej atakują granatami pozycje niemieckie na grzbiecie Widmo

Żołnierze brytyjscy zbliżający się za zasłoną dymną do mostu Amazon

ALEXANDER TURNBULL LIBRARY, WELLINGTON, NZ; DA-12430

·oby żołnierzy z 26. batalionu Nowozelandzkich
ł Ekspedycyjnych w pobliżu Cassino

IWM; NA 15008

Polegli w Cassino

IWM; NA 15007

Zniszczony czołg Sherman w pobliżu Rapido

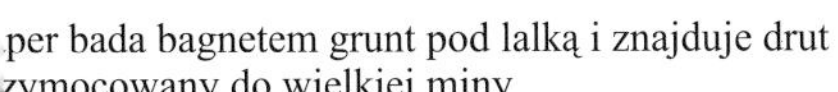

per bada bagnetem grunt pod lalką i znajduje drut
zymocowany do wielkiej miny

IWM; NA 18009

Gdziekolwiek żołnierze chcieliby pójść, były miny.
Luty 1944 r., okolice Garigliano

IWM; NA 11852

Nalot dywanowy aliantów na miasto Cassino, 15 marca 1944 r.

Żołnierze amerykańscy w Castelforte, 18 maja 1944 r.

IWM: NYP 25212

l góry zgodnie z ruchem wskazówek zegara:

iny Cassino

asto, z zamkiem w tle, przed i po walkach

iszczony klasztor widziany z Głowy Węża,
ıj 1944 r.

IWM; NA 15808

4 czerwca 1944 r.: wojska amerykańskie wkraczają na przedmieścia Rzymu, czemu przygląda się Mark Clark. Później kazał zdjąć tę tablicę z napisem „Roma" i wysłać do Stanów Zjednoczonych

Amerykańscy szerego maszerują koło Kolose

IWM; NA 15913

Wiwatujące tłumy w Rzymie, 5 czerwca 1944 r.

Polegli pod Pignataro w dolinie Liri

darzenia polityczne". W przypadku nie kierujących się ideologią Brytyjczyków, którzy uważali, że po prostu „robią swoje", mogło to być prawdą, ale był to nonsens dla Andersa, którego korpus miał znaczenie polityczne daleko wykraczające poza przydatność wojskową. Do podobnych zderzeń kulturowych między Polakami i Brytyjczykami dochodziło na każdym szczeblu. Polacy przejęli pozycję na masywie od żołnierzy brytyjskich z 78. dywizji w połowie kwietnia. Fred Majdalany z batalionu fizylierów Lancashire zauważa, że „czasami ich powaga ostro kontrastowała z wyraźną swobodą bycia ich brytyjskich towarzyszy w 8. armii". Polacy – mówi – „uważali, że zbyt mało się wszystkim przejmujemy, bo nie dyszymy przez cały czas ślepą nienawiścią". Brytyjczycy z kolei niepokoili się, że zapał Polaków, który przejawiał się w niecierpliwym oczekiwaniu na atak i lekceważeniu osobistego bezpieczeństwa, może zmniejszyć szanse powodzenia misji. Majdalany zastanawiał się, „czy żarliwość Polaków nie może niekiedy stać się przyczyną ich zguby i kosztować życie wielu żołnierzy. Współczesna bowiem wojna jest i umiejętnością, i próbą odwagi, a samo męstwo nie wystarczy. Szturm musi być zarówno fanatyczny, jak i przebiegły". Inny oficer przedstawił swoje wrażenia z podobną nutą podziwu i ostrożności: „Ich motywy były równie oczywiste, co proste. Chcieli tylko zabijać Niemców i w ogóle nie zawracali sobie głowy typowymi udoskonaleniami, gdy przejmowali nasze stanowiska. Po prostu weszli z bronią i to wszystko".

Chociaż miało to być utrzymane w tajemnicy, po wkroczeniu Polaków na linię Niemcy zaczęli nadawać z przekaźnika w Rzymie audycje radiowe po polsku cztery razy dziennie. „Mówiono w nich: «Dajcie spokój, Polacy, Rosjanie nadchodzą» – wspomina jeden z weteranów – ale muzyka była dobra i wszyscy śpiewali *Lili Marlene*". Niemniej jednak Rosjanie faktycznie nadchodzili. Na początku maja przekroczyli przedwojenną granicę Polski. Osiemdziesiąt procent polskich żołnierzy pod Cassino było w radzieckich obozach pracy i mieli oni uzasadnione powody, by martwić się o bliskich w kraju. Dowiedzieli się też, że Sowieci chcą powołać Polski Komitet Wyzwolenia Narodowego, złożony z uległych wobec nich komunistów. Żołnierze Andersa odnosili teraz wrażenie, że to oni są Wolną Polską, jej jedyną nadzieją. Tylko przez wyróżnienie się w zbliżających się walkach, jak sądzili, mogli zapewnić dalsze istnienie swojego kraju. Rozkaz dzienny Andersa, wydany tuż przed bitwą, jest dobrym przykładem mieszanki pobożności, nacjonalizmu i mściwości, które cechowały postawę Polaków: „Nadeszła chwila bitwy. Długo czekaliśmy na odwet i zemstę nad odwiecznym naszym wrogiem. (...) Z wiarą w sprawiedliwość Opatrzności Boskiej idziemy naprzód ze świętym hasłem w sercach naszych: Bóg, Honor i Ojczyzna".

W ostatnich chwilach przed rozpoczęciem ofensywy na całej długości frontu żołnierze słuchali słów zachęty swoich generałów. „Przez całą minioną zimę walczyliście ciężko i mężnie i zabiliście wielu Niemców – informował ich rozkaz dzienny Alexandra. – Być może jesteście rozczarowani, że nie zdołaliśmy posunąć się naprzód szybciej i dalej, ale ja i ci, którzy się na tym znają, całkowicie i w pełni zdajemy sobie sprawę, jak wspaniale walczyliście pośród tych niemal niemożliwych do pokonania przeszkód w postaci skalistych, pozbawionych traktów gór, głębokiego śniegu i dolin, w których rzeki i błoto stały na drodze do upartego nieprzyjaciela". Po pochwaleniu żołnierzy za przybycie do Włoch i „rozniesienie" wielu najlepszych niemieckich dywizji Alexander ciągnął: „Dzisiaj najgorsze jest za nami, a jutro ujrzymy przed sobą zwycięstwo. (...) Ze wschodu i z zachodu, z północy i południa spadną ciosy, które ostatecznie zniszczą nazistów, przyniosą wolność Europie i przyspieszą pokój dla nas wszystkich. Nam we Włoszech przypadł zaszczyt wykonania pierwszego uderzenia. Zniszczymy wojska niemieckie we Włoszech. (...) Dostaniecie wsparcie przytłaczających sił powietrznych, a w działach i czołgach dalece przewyższamy Niemców. Nigdy wcześniej żadna armia nie przystępowała do walki dla bardziej sprawiedliwej i uczciwszej sprawy. Zatem z Bożą pomocą i błogosławieństwem wychodzimy w pole – pewni zwycięstwa".

Fred Majdalany, który słuchał tego razem z innymi fizylierami, wspomina, że „gdy odczytywano rozkaz, żołnierze stali z menażkami w rękach pod drzewami, a po ich twarzach widać było, że to do nich trafia. Chociaż gdy rozeszli się małymi grupami po herbatę, mówili tylko: «No dobra, to już nie potrwa długo»". „To był wspaniały rozkaz – mówi oficer zwiadu F. G. Sutton, którego batalion 4. dywizji znalazł się w pierwszej fali nacierających przez Rapido. „Ale natychmiast uderzyły nas słowa: «Nam przypadł zaszczyt wykonania pierwszego uderzenia». Alex miał na myśli swoje wojska we Włoszech i to, że lądowanie we Francji nastąpi później. Ale my przejęliśmy się tylko tym, że osobiście przeprowadzimy pierwsze uderzenie w ataku na Cassino, i nie zgłosilibyśmy zastrzeżeń, gdyby ten «zaszczyt» przypadł innemu oddziałowi". W drodze do punktu ześrodkowania wojsk niedaleko Monte Trocchio Sutton rozmawiał z dwoma najbliższymi przyjaciółmi w batalionie. „Przyszła mi do głowy myśl, że jeden z nas najprawdopodobniej nie przeżyje tej bitwy. Nie niepokoiło mnie to, że tą osobą mogę być ja; człowiek bardziej boi się ran niż śmierci. Ani przez chwilę nie myślałem, że tylko ja ocaleję z naszej trójki, a tak się w rzeczywistości stało". Przed atakiem kapelan chodził od jednej kompanii do drugiej, odprawiając krótkie nabożeństwa. „Było to najbardziej poruszające nabożeństwo, w jakim kiedykolwiek uczestniczyłem – mówi Sutton. – Wszyscy myśleliśmy, że może być dla nas ostatnie, ale nikt nie dawał tego po sobie poznać. (...) Kucharze przygotowali smaczny posiłek: pieczeń wołową i «drogę birmańską» [pudding ryżowy]. Potem powoli założyliśmy ekwipunek i przygotowaliśmy się do natarcia".

„Strach przed atakiem jest czymś powszechnym – powiedział o czekaniu na rozpoczęcie walki brytyjski młodszy oficer. – Popularne przekonanie, że w walce biorą udział dwa rodzaje ludzi – wrażliwi, którzy przeżywają męczarnie, i nieliczni pozbawieni wyobraźni, którzy nie znają strachu i beztrosko idą naprzód – jest błędne. Każdy jest tak samo przerażony, bo nie trzeba mieć jakiejś wybujałej wyobraźni, żeby przewidywać możliwość śmierci lub okaleczenia. Po prostu jedni lepiej ukrywają swój strach niż inni. Oficerowie nie mogą sobie pozwolić na okazywanie uczuć tak otwarcie jak szeregowcy; muszą być bardziej skryci. W wielkiej bitwie młodszy oficer miał niewielki wpływ na los swego plutonu lub nie miał go wcale – to była igraszka bogów. Jego rola była w zasadzie komediowa. Musiał udawać swobodny i pogodny optymizm, żeby stworzyć iluzję normalności i sprawić wrażenie, że nie ma absolutnie nic dziwnego w szokujących rzeczach, których się żąda. Tylko w ten sposób mógł zmniejszyć napięcie, stłumić panikę i przekonać żołnierzy, że wszystko dobrze się skończy".

Jack Meek, dwudziestoletni strzelec w czołgu Sherman z 17/21. Lancers, był w oddziale, który miał pierwszy przeprawić się mostem Amazon. Pamięta, że gdy czekał na rozpoczęcie walk, był „kłębkiem nerwów". „Jak zwykle przed każdą walką byłem spięty i przerażony. Inni żołnierze różnie radzą sobie z przygotowaniem do walki, jedni nieustannie gadają i próbują żartować, ale śmiech jest płytki, nijaki i wymuszony. Inni próbują czytać, ale nie rozumieją słów, bo głowy mają pełne bardziej złowieszczych myśli. Jeśli chodzi o mnie, to po prostu leżałem i myślałem, cały czas starając się nie myśleć, próbując opróżnić umysł, ale to było absolutnie niemożliwe, bo każdy widok przypominał mi o wojnie i śmierci. Śmierć, jak ja nienawidziłem tego słowa, ale jakże często pojawiało się w moich myślach. Można było odnieść wrażenie, że w mojej głowie toczy się walka, podświadomość nieustannie wbija mi do głowy myśl o śmierci, a świadomość stara się ją odrzucić, zająć się przyjemniejszymi sprawami, istotami żywymi, oddychającymi i cieszącymi się w pełni życiem. Przez cały czas te dwie skrajności przebiegały mi przez głowę, życie i umieranie, śmiech szczęścia i płacz żałoby. Boże, ależ ja się wtedy dręczyłem. Każdy dźwięk, każdy zapach, wszystko, na co spojrzałem, wszystko to miało inne znaczenie – bo to był koniec, tego byłem pewny".

Inny pancerniak z tego samego oddziału, H. Buckle, opisuje, jak po zapadnięciu zmroku pojawili się w parku maszynowym amerykańscy saperzy i zaczęli budować makiety czołgów i innych pojazdów z drewna i płótna lub z lekkiego metalu i nadmuchiwanej gumy. Był równie zdenerwowany jak Jack Meek. „To miała być moja pierwsza akcja w czołgu i trochę się jej obawiałem. Podobnie jak Bob [Nutland, kierowca], ale żaden z nas nie mówił wiele tej nocy, gdy jechaliśmy w ciemnościach". Słowa z ostatniej odprawy, którą dopiero co przeprowadził ich dowódca, ciągle jeszcze dźwięczały im w uszach. „Z mojego punktu widzenia było to równie dobre jak środek przeczyszczający – mówi Buckle – i pamiętam, że nie raz biegałem w krzaki z saperką".

Napięcie rosło także na liniach artyleryjskich. Dla kanoniera Lee Harveya ostatnia godzina, od dziesiątej do jedenastej, była „najdłuższą w życiu. (...) Załogi dział sprawdzały mechanizmy broni i amunicję z dziesięć razy albo więcej, głównie po to, żeby się czymś zająć, ale tak czy inaczej czas nie płynął wcale szybciej".

ROZDZIAŁ 16

Przełamanie obrony

W nocy przed atakiem Frederick Beacham i jego koledzy – fizylierzy królewscy z 8. dywizji indyjskiej – wąską ścieżką znieśli pontony na punkt wyjściowy nad rzeką Rapido, około trzy czwarte mili na wschód od Sant' Angelo. Tam zamaskowali je krzakami i gałęziami, zanim wrócili na swoje stanowisko dzienne w winnicy około mili od rzeki. Dodatkowe siatki maskujące zawieszono nad krzewami winorośli, żeby ukryć żołnierzy przed wszystkowidzącymi obserwatorami z klasztoru. „Wszelki ruch był ściśle zabroniony przez cały tamten dzień, a było gorąco – mówi Beacham. – Ale my tylko się cieszyliśmy, że możemy złapać trochę snu, pograć w karty w małych grupach i szukać teraz pożądanego cienia winorośli".

Beacham odniósł wrażenie, że zmierzch przyszedł szybko, i gdy się ściemniało, żołnierzom dano do jedzenia trochę sucharów, puszkę żylastej wołowiny i małą puszkę racji żywnościowej. Sprawdzono manierki i byli gotowi wyruszyć. Beacham był w swoim plutonie strzelcem karabinu maszynowego, więc po otrzymaniu racji rumu ruszył ze swoim numerem dwa, Billem Balsdonem, na miejsce przeprawy i zajął pozycję, żeby osłaniać rzekę. „Wybrałem punkt położony około dwudziestu pięciu jardów na prawo od faktycznego miejsca przeprawy – pisze Beacham. – Leżeliśmy na brzegu płynącej wartkim nurtem rzeki, ustawiłem celownik na ogień na odległość około sześciuset jardów. Bill przygotował magazynki z amunicją, a jako że do rozpoczęcia zostało około dziesięciu minut, wyjąłem tabliczkę czekolady, którą się z nim podzieliłem, i w niemal całkowitej ciszy, przerywanej tylko bzyczeniem owadów i cykaniem świerszczy, czekaliśmy, aż się zacznie".

Przez cały wieczór 11 maja aliancka artyleria nadal prowadziła zwykły ostrzał pozycji niemieckich – było to konieczne, żeby Niemcy niczego nie podejrzewali. Około dziesiątej wieczorem strzały ucichły i w tym samym momencie przestała też strzelać artyleria niemiecka. Obawiano się, że Niemcy mogą zdawać sobie sprawę, że zanosi się na wielkie natarcie, ale oni jedynie przeprowadzali tej nocy luzowanie oddziałów i nie chcieli prowokować alianckich dział. Niesamowita cisza zapadła nad polem walki, nad którym, jak zawsze, górował klasztor, zniszczony, ale ciągle wyglądający złowieszczo na szczycie wzgórza. Na liniach aliantów wielokrotnie sprawdzano plany, a nerwy czekających żołnierzy były coraz bardziej napięte. Wtem, gdy sygnały czasu BBC oznajmiły jedenastą wieczorem, ciemność i ciszę rozdarł ogłuszający ryk: 1600 dział na liczącym dwadzieścia mil długości froncie jednocześnie otworzyło ogień na każdą znaną niemiecką baterię i stanowisko obronne.

Ten ogromny ostrzał artyleryjski żywo zapisał się w pamięci tych, którzy byli tego świadkami. Pewien oficer obserwacyjny artylerii nazywa to „najbardziej ekscytującym i porywającym doznaniem w życiu". „Ryk dział jest tak ogłuszający, że można krzyczeć do żołnierza stojącego obok, a mimo to nie być słyszanym – napisał lekarz w 88. dywizji amerykańskiej Klaus Heubner. – Ryzykuję wyjście na zewnątrz domu i widzę strumienie ognia tryskające zza każdego krzaka". W oczach niemieckiego spadochroniarza Roberta Frettlöhra, z perspektywy jego ziemianki naprzeciwko Wzgórza Zamkowego, „wyglądało to tak, jakby ktoś włączył światła". Nawet dla tak doświadczonego żołnierza jak Frederick Beacham, czekającego na brzegu rzeki z pistoletem maszynowym, ostrzał „budził podziw. (...) Gdy wystrzeliły działa, całe niebo jak okiem sięgnąć wybuchło światłem i dźwiękiem. Pociski zbliżały się do nas od tyłu jak sto ekspresowych pociągów mijających nas z szybkością stu lub więcej mil na godzinę, a drugi brzeg, gdy w niego trafiły, wyleciał w powietrze z hukiem, płonąc pomarańczowym ogniem". Mówi się, że błyski dział tak się zlewały, że można było czytać gazetę w odległości pięciu mil. Przez czterdzieści minut działa biły w niemieckie baterie za linią frontu, po czym zaczęły razić pierwsze cele nacierającej piechoty. Rzecznik prasowy 88. dywizji amerykańskiej Milton Dolinger wspomina: „Artylerzyści pracowali jak maszyny. Gromadzona od tygodni amunicja znikała błyskawicznie i natychmiast przynoszono coraz większe stosy skrzynek z pociskami".

Pierwsze ruszyły dwie dywizje amerykańskie, 88. i 85., na lewej flance linii aliantów; czterdzieści minut później cztery dywizje francuskie skoczyły naprzód, próbując się wedrzeć w serce gór Aurunci. Pięć minut po tym pierwsze łodzie desantowe 8. dywizji indyjskiej i 4. dywizji brytyjskiej na prawo od Francuzów zaczęły rozbryzgiwać wartko płynące wody Rapido. Krótko po pierwszej rano korpus polski przypuścił szturm na wysoko położony teren wokół klasztoru. Dwie godziny po rozpoczęciu ostrzału na całym froncie o długości dwudziestu mil rozpoczęły się zmagania.

O 23.30 towarzysze broni strzelca Fredericka Beachama opuścili swoją pozycję przegrupowania natarcia i zaczęli zmierzać w kierunku rzeki, orientując się dzięki białym taśmom i pociskom smugowym. Dziewiętnastoletni Harry Courcha, fizylier z kompanii A batalionu, pierwszy raz w boju, wspomina, że gdy chwycili łodzie, Niemcy otworzyli ogień: „Kule zaczęły świstać nam koło głów, a my po prostu mozolnie posuwaliśmy się naprzód, kierując się odgłosami rzeki. Niektórzy już zginęli. Daleko w dole słyszeliśmy w ciemnościach szum wartko płynącej wody. (...) Wielu naszych kumpli przewróciło się na brzegu, wpadło do wody i w pełnym rynsztunku bojowym utonęło. Słyszałem dobiegający z dołu głos, ale nie mogłem dostrzec łodzi. Przytrzymywałem się brzegu, wierzgając nogami, ktoś wciągnął mnie do łodzi i popłynęliśmy na drugi brzeg. Wiele łodzi porwał nurt, bo był

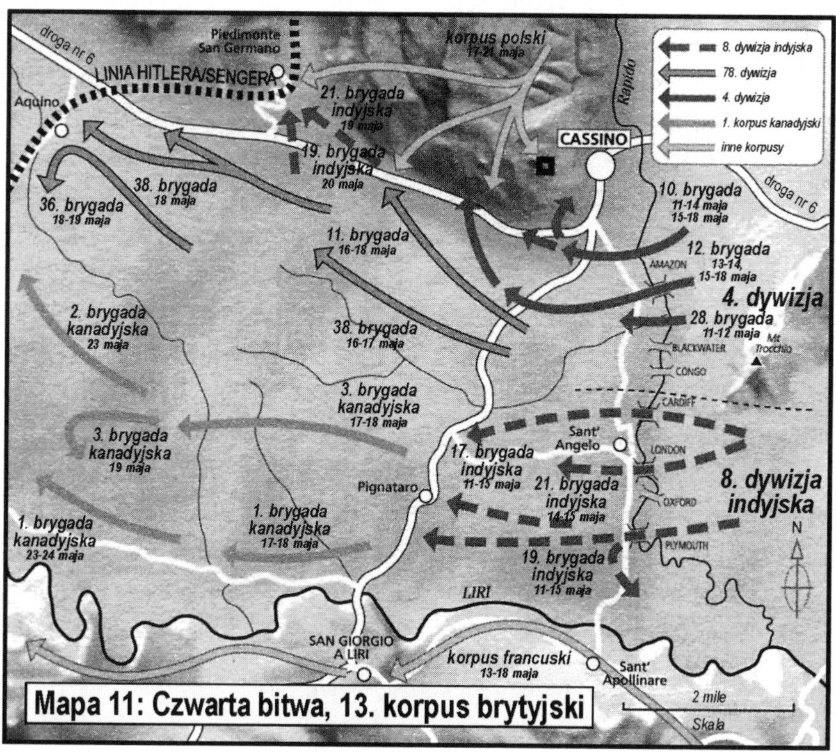

Mapa 11: Czwarta bitwa, 13. korpus brytyjski

bardzo wartki. W końcu dopłynęliśmy i stwierdziliśmy, że ogień był jeszcze silniejszy niż wcześniej".

„Liczba wystrzeliwanych pocisków przez artylerię obu stron była teraz ogromna – mówi Frederick Beacham – i stopniowo pole walki zaczęły spowijać mgła i dym". Beacham, który nie mógł już strzelać ze swojej pozycji, bo trafiłby swoich, i obawiając się, że w każdej chwili może spaść im z hukiem na głowy pocisk moździerzowy, wraz z towarzyszem ukrył się w niedużej odległości od rzeki. „Gdy siedzieliśmy w leju po pocisku – mówi Beacham – usłyszeliśmy dochodzące gdzieś z naszej prawej strony wołanie o pomoc. Był to zawodzący głos, który powtarzał raz po raz: «Pomóżcie mi, zostałem trafiony». Mieliśmy rozkazy, żeby się nie zatrzymywać, gdyby ktoś został ranny, ponieważ nimi mieli się zająć noszowi. Nie pospieszyliśmy z pomocą temu człowiekowi i prawdopodobnie zginął pod trwającym nadal nieprzyjacielskim ostrzałem, bo po kilku kolejnych minutach wołania ustały".

Wkrótce potem Beacham i jego towarzysz skierowali się na miejsce przeprawy, z trudem unikając lejów po pociskach, ponieważ dym wystrzałów zmieszał się z mgłą, tworząc gęstą zasłonę. Ześlizgnęli się w dół na brzeg rzeki, dołączyli do innych w łodzi i zaraz potem wspinali się na drugi brzeg. Teraz widoczność wynosiła zaledwie około dwóch jardów. Beacham cieszył się, że nie mogą go zobaczyć niemieccy strzelcy karabinów maszynowych, ale przeprowadzanie operacji praktycznie na oślep wymagało wszystkich ich umiejętności. „Po krótkiej chwili dostaliśmy szeptem rozkaz, żeby chwycić za pochwę bagnetu idącego przed nami żołnierza, i zaczęliśmy wolno maszerować, jak mi się wydawało, a czasami miałem wrażenie, że chodzimy w kółko. Po krótkim odcinku, co najwyżej trzydziestojardowym, wpadliśmy – jak się później okazało – do rowu melioracyjnego. Miał około dwóch stóp szerokości i około stopy głębokości i nie szliśmy już dalej. Znowu otrzymaliśmy rozkazy, przekazywane sobie szeptem przez żołnierzy, żebyśmy weszli do rowów, i to właśnie zrobiliśmy, wyciągając się w nich na całą długość".

Cały batalion znalazł się po drugiej stronie po dwóch i pół godzinie, ale stracono już tyle czasu, że żołnierzom nie udało się dotrzymać kroku artyleryjskiej zaporze ogniowej, która przesuwała się o sto jardów co sześć minut. Gęsta mgła uniemożliwiała Niemcom bezpośrednią obserwację żołnierzy, ale też powodowała znaczny zamęt i dezorganizację. O czwartej rano dowódca batalionu rozkazał czołowym kompaniom zatrzymać się i zostać tam, gdzie się znajdują, a od brzegu rzeki dzieliły ich tylko jardy.

Drugim batalionem czołowym brygady był 1/12. Frontier Force Rifles, batalion indyjski, który nacierał w dół biegu rzeki od Sant' Angelo, mając nadzieję okrążyć wraz z fizylierami królewskimi tę wieś. Ich kłopoty zaczęły się już nad rzeką, gdzie wszystkie ich łodzie, poza dwiema, zostały zniszczone lub porwane przez nurt. Gdy w końcu znaleźli się na drugim brzegu, natknęli się na liczne wyzwalacze drutowe, które powodowały wybuchy pojemników z dymem i uruchamiały ostrzał karabinów maszynowych na ustalone linie. Kompanią czołową, złożoną z sikhów, dowodził major David Wilson. „Gdy kompanii udało się przedostać na drugą stronę, uformowała się do ataku na pozycje niemieckie – mówi. – Wtem zdarzyło się coś niezaplanowanego i nieoczekiwanego. Noc rozpoczęła się od dość dobrej pogody z lekką tylko mgiełką ścielącą się przy ziemi. Nagle opadła gęsta jak mleko mgła i widoczność została ograniczona do dwóch stóp". Ci, którzy szli za nimi, stracili rzekę z pola widzenia i wielu się zgubiło. Pewien oficer z kwatery głównej kompanii pisze: „Białe taśmy orientacyjne zniknęły w błocie i zaczęto wystrzeliwać kolorowe pociski smugowe, które miały nas nakierować, ale były one niewidoczne, chociaż było słychać, jak trzaskają i wyją, lądując niebezpiecznie blisko z przodu". Kompania Wilsona parła naprzód „jednym szeregiem w stronę Niemców, opierając się na wskazaniach kompasu, a każdy żołnierz trzymał się kolby karabinu idącego przed nim. Posuwaliśmy się wolno, co było nieuniknione, a dodatkowym utrudnieniem były rowy irygacyjne mające około dwóch stóp głębokości, do których w ciemnościach i mgle żołnierze wpadali". W końcu sikhowie dotarli do niemieckich zasieków obronnych u podnóża skarpy, która była celem kompanii. W zasiekach znaleziono dziurę i żołnierze poszli naprzód, zostawiając za sobą wysuniętą linię obronną Niemców, po czym się okopali. „Trzech bardzo przestraszonych niemieckich młodzików wpadło między nas i zostało wziętych do niewoli – mówi Wilson. – Widać było, że na widok sikhów skamienieli z przerażenia, bo wyglądali oni bardzo dziko z nieco potarganymi brodami i w turbanach".

Początkowa ofensywa reszty batalionu i 19. brygady dywizji nacierającej na lewo od brygady 17. podobnie została zaskoczona przez mgłę i przygwożdżona ogniem nieprzyjaciela. „Trwała noc pełna zamętu – napisał oficer z kwatery głównej sikhów – czasami tylko przez parę chwil wilgotna, ciemna i niesamowicie cicha, ale przez większość czasu raczej paskudna i zgiełkliwa. Każdy nieznaczny ruch naprzód powodował opór i wydawało się, że nikt dokładnie nie wie, gdzie jest czy też – jeśli już o to chodzi – gdzie powinien być. (...) Koncentracja naszej artylerii przesuwała się teraz od rzeki szybciej niż my i gniazda nieprzyjaciela, które przetrwały zmasowany ostrzał artyleryjski, ciągle funkcjonowały".

Gdy zaczęło świtać, Frederick Beacham i fizylierzy znajdowali się dokładnie na tej samej pozycji. Wraz z poprawą widoczności wzmógł się ogień nieprzyjaciela. Nie mogąc atakować wcześniej właśnie z powodu kiepskiej widoczności, batalion był teraz w świetle dziennym przygwożdżony między Sant' Angelo a wysoko położonym terenem po ich prawej stronie. „Wstało słońce w całej swojej wspaniałości, a my leżeliśmy wyciągnięci na całą długość jak w masowym otwartym grobie, nie mogąc się w ogóle poruszyć, nie narażając się przy tym na zastrzelenie – mówi Beacham. – Co, do diabła, poszło źle w nocy, że znaleźliśmy się na tej pozycji, zaledwie jardy od rzeki, i nie możemy ruszyć naprzód? Odczuwałem złość i strach, zwłaszcza gdy kilka pocisków artyleryjskich spadło na naszą pozycję. Słońce robiło się coraz gorętsze i lało się na nasze plecy. Napiliśmy się trochę z manierek i od czasu do czasu popadałem w stan półświadomości. Nie czułem głodu, a nawet gdybym czuł, myślę, że bałbym się sięgnąć po jedzenie do plecaka na plecach, bo miałem wrażenie, że najprawdopodobniej odstrzeliliby mi rękę".

Około jedenastej zostali ostrzelani ciągłymi seriami broni maszynowej nieprzyjaciela i kilka minut później podczołgał się sierżant, któremu z rany na głowie lała się krew. „To zdarzenie skłoniło żołnierza, którego nabijane ćwiekami buty znajdowały się koło mojej głowy, do zadania mi pytania, czy jestem żonaty, więc odpowiedziałem mu, że nie – mówi Beacham. – Potem zapytał mnie, czy mógłbym wziąć fotografię jego przyjaciółki, bo może polec i nie chciałby, żeby jego żona się o niej dowiedziała, a tak by się stało po odesłaniu jego rzeczy do domu. Odparłem, że mógłbym, i wręczył mi małe zdjęcie dziewczyny w pełnym umundurowaniu służby kontroli lotów. Nie pamiętam, kim był ten żołnierz, i nigdy go już od tej bitwy nie widziałem. Ciągle mam tę fotografię i wiele razy przez te lata zastanawiałem się, kim była ta dziewczyna, gdzie mieszkała i co się stało z tamtym żołnierzem".

Przez cały dzień 12 maja żołnierze z kompanii fizylierów Beachama leżeli w płytkim rowie twarzami do ziemi, głowami dotykając stóp towarzysza, podczas gdy na całej długości frontu szalała walka. „Dzień coraz bardziej się dłużył – mówi Beacham. – Wydawało się, że wieczór i zmrok nigdy nie nadejdą, a gdy to nastąpiło, nie przyniosło żadnej ulgi. Nieprzyjaciel regularnie otwierał do nas ogień z karabinów maszynowych i trzymał nas twardo na naszych pozycjach. Noc jakoś minęła i następny dzień zastał nas dokładnie w tym samym miejscu, całkowicie przygwożdżonych ogniem karabinów maszynowych". Ale w nocy fizylierzy otrzymali rozkaz przeprowadzenia natarcia frontalnego na pozycje nieprzyjaciela o jedenastej rano. „Wyjaśniono, że kompanijne dwucalowe moździerze mają strzelać w stanowiska nieprzyjaciela z flanek, my zaś mieliśmy niezwłocznie opuścić pozycje – mówi Beacham. – Mogłem się tylko zastanawiać, co mogą poradzić dwucalowe moździerze przeciwko dobrze okopanemu i praktycznie niewidocznemu nieprzyjacielowi, gdy zaporowemu ogniowi artyleryjskiemu tysiąca dział nie udało się wiele osiągnąć. Na taką perspektywę zrobiło mi się niedobrze".

Mgła zwiększyła trudności ze zbudowaniem trzech mostów, które planowano w sektorze 8. dywizji indyjskiej, ale dała też pewną osłonę saperom. Chociaż z mostu, który miał umożliwić wsparcie czołgów z kanadyjskich szwadronów dla batalionu Beachama, trzeba było zrezygnować, a drugi został trafiony przez niemiecki pocisk artyleryjski zaledwie godzinę po ukończeniu, most po lewej stronie dywizji był gotowy do użycia przed świtem. Rano przeprawiły się cztery szwadrony czołgów i chociaż wiele natychmiast ugrzęzło, inne dotarły do wysuniętych wojsk sił indyjskich na południowy zachód od Sant' Angelo. „Około ósmej rano mgła podniosła się niemal równie niespodziewanie, jak się pojawiła, i zrobiło się bardzo jasno – wspomina David Wilson. – Odczuliśmy ogromną ulgę, gdy spojrzeliśmy w stronę rzeki i zobaczyliśmy ukończony most oraz przeprawiające się i zmierzające w naszym kierunku kanadyjskie czołgi. Skontaktowałem się z dowódcą czołgu jadącego na przedzie i zaproponowałem, jakie pozycje mógłby zająć, żeby dać nam wsparcie i osłonę".

W sektorze amerykańskim najbliższym wybrzeża 85. dywizji udało się zdobyć tylko jeden z jej celów, podczas gdy reszta nacierających kompanii była albo przygwożdżona ogniem, albo została otoczona i wzięta do niewoli. Na froncie 88. dywizji dwa bataliony z 350. pułku, dowodzonego przez pułkownika J. C. Frya, pierwszej nocy posunęły się znacznie naprzód, zdobywając południową część Monte Damiano, ale natarcie 351. pułku na wieś Santa Maria Infante od samego początku napotkało trudności, gdy 2. batalion próbował nacierać po jednej i po drugiej stronie drogi z Minturno, której strzegły dwa pagórki. Ponieważ żołnierzom 85. dywizji nie udało się usunąć nieprzyjaciela z wysoko położonego terenu na ich lewej flance, dostali się pod ogień ciężkich karabinów maszynowych i moździerzy, we mgle i ciemnościach zawiodła kontrola, ponieważ dowódcy kompanii polegli albo byli ranni. Wtedy oficer dowodzący batalionu podpułkownik Raymond Kendall postanowił pójść do przodu i spróbować zreorganizować swoich żołnierzy. W jego sztabie znajdował się dwudziestotrzyletni Joseph Menditto, Amerykanin pochodzenia włoskiego z New Britain w stanie Connecticut. Dla niego był to „dzień, którego nigdy nie zapomnę. (...) Grupa dowódcza pułkownika parła naprzód, unikając karabinów maszynowych i ognia moździerzowego. Niemcy nadal wystrzeliwali w niebo spadochronowe bomby oświetlające (...) i nawałnica ognia artyleryjskiego i moździerzowego ogłuszała nas, a śmiertelnie groźni strzelcy karabinów maszynowych razili ogniem. (...) Pułkownik ciągle spoglądał za siebie, żeby sprawdzić, czy grupa dotrzymuje mu kroku. Poruszał się szybko i stale widzieliśmy ofiary i brak dowództwa w wysuniętych oddziałach. Dowódca kompanii E musiał zostać trafiony". Kompania E znajdowała się z prawej strony drogi, ale teraz została powstrzymana za ochronnymi murami.

Kendall postanowił zażądać wsparcia czołgów dla tej pozycji i kazał przekazać operatorowi radia tę wiadomość. „Szybko, może z dwadzieścia minut po rozpoczęciu bitwy, otrzymaliśmy wezwanie od naszego drugiego batalionu – mówi sygnalista Richard Barrows, również pochodzący z New Britain, który przyjął meldunek. – Nasz 2. batalion powiedział: «Przyślijcie bizony»". Tak się nieszczęśliwie złożyło, że ani Barrows, ani będący z nim oficer, pewien major, nie wiedzieli, co to znaczy. „Wahaliśmy się, nie wiedzieliśmy, co robić, więc wywołałem radio o tym samym numerze i poprosiłem ich o identyfikację – mówi dalej Barrows. – W tym momencie usłyszałem, jak ktoś wrzeszczy: «Dajcie mi telefon!»" Był to, nie znany Barrowsowi, Kendall. „Potem ktoś zaczął wrzeszczeć na mnie: «Prosiliśmy o bizony, przyślijcie je, nie przepytujcie nas». Po czym znowu zakończył połączenie. Major nadal był zdenerwowany. Nie wiedział, kim jest ten człowiek. Powiedział więc: «Wywołaj ich, żądaj identyfikacji». Tak zrobiłem. Człowiek po drugiej stronie był wściekły. Powiedział: «Jeśli nie wiesz, jak się obsługuje to przeklęte radio, odejdź od niego, do cholery, i posadź kogoś, kto wie, jak się to robi. Bez odbioru». Wiele się nauczyliśmy tej nocy – mówi Barrows. – Nauczyliśmy się przede wszystkim odrzucać reguły, które stworzono, gdy szkoliliśmy się w Stanach Zjednoczonych, zwłaszcza w języku łączności radiowej".

Rozwścieczony i sfrustrowany pułkownik Kendall poszedł na czoło kryjących się żołnierzy i – według Menditta – „krzyczał i wydzierał się na nich, każąc im używać broni i strzelać do nieprzyjaciela". Ustaliwszy, że pobliski budynek gospodarczy skrywa gniazdo karabinu maszynowego, Kendall osobiście poprowadził natarcie, „strzelając ze swojej czterdziestki piątki, dopóki nie skończyły mu się naboje, a potem wyrwał jakiemuś szeregowcowi karabinek automatyczny i wystrzelał cały magazynek – mówi Menditto. – Potem chwycił pistolet żołnierza z granatnikiem przeciwpancernym, kazał mu go naładować i strzelił w budynek. Gazy wylotowe granatnika poparzyły tragarza amunicji". Menditto i Frankie, kierowca dżipa pułkownika, szli za nim, strzelając bez przerwy. „Gdy nacieraliśmy, pułkownik padł przede mną. Wiedziałem, że dostał, i krzyknąłem do Frankiego, że pułkownik leży. Zdjęliśmy mu z głowy przestrzelony kulą hełm, a potem wyjęliśmy zza jego pasa zestaw pierwszej pomocy i próbowałem zabandażować mu krwawiącą głowę. Ale krwawił obficie i po chwili przez lewą skroń zaczął wypływać mózg. Wiedzieliśmy, że jest martwy. Przekazaliśmy dalej, że pułkownik nie żyje, i kazaliśmy wszystkim utrzymać to, co mamy, dopóki nie będziemy mieli oficera dowodzącego. Kazano nam wszystkim być w gotowości na możliwy kontratak".

Rzucono naprzód więcej żołnierzy i kompania F z lewej strony drogi sporo się posunęła, ale potem została odcięta. Kompania E z prawej strony zajęła pagórek, który był jej celem, jednak nie zdołała zrobić dalszego postępu, pomimo że ją wzmocniono. O zmierzchu postanowiono wstrzymać wszystkie ataki do następnego dnia. „W nocy po zabiciu pułkownika obie strony prowadziły wymianę ognia artyleryjskiego – mówi Menditto. – Całą noc spędziliśmy w strachu". Następnego dnia rano jego oddział został zauważony przez rezerwową kompanię batalionu. „Znajdowali się u stóp wzgórza i niełatwo było im nas rozpoznać, więc – sądząc, że jesteśmy żołnierzami niemieckimi – zaczęli do nas strzelać z broni ręcznej. Teraz musieliśmy szybko zareagować. Zdjęliśmy hełmy i zawiesiliśmy na karabinach, po czym wystawiliśmy je wysoko w górę i zaczęliśmy wrzeszczeć: «Jesteśmy Amerykanami, jesteśmy Amerykanami». Zobaczywszy to, kompania G zdała sobie sprawę, że stanowimy oddział wysunięty, krzyknęła do nas, żebyśmy się wycofali w dół wzgórza, a oni dadzą nam osłonę. Gdy wycofywaliśmy się ze zbocza, wypatrzyli nas na odsłoniętym terenie Niemcy i rzucili na nas wszystko, co mieli: ogień artyleryjski, moździerzowy i karabinów maszynowych. Nieważne, w którą stronę biegliśmy, i tak zawsze wpadaliśmy na wybuchające pociski. Ale Bóg miał nas w swojej opiece i udało nam się dotrzeć do stóp wzgórza. Tam zrobiliśmy rozpoznanie terenu i odkryliśmy opuszczony niemiecki bunkier karabinu maszynowego. Sprawdziliśmy, czy nie ma w nim min pułapek, i zatrzymaliśmy się tam".

Pomimo ogromnego wsparcia z powietrza za dnia było to kiepskie pierwsze trzydzieści sześć godzin walk ofensywnych dla „Blue Devil" z 88. dywizji. Gdy padli oficerowie, niedoświadczeni żołnierze zamarli. Były też liczne straty na linii frontu i wśród żołnierzy wsparcia. Wśród poległych był sierżant Arthur Schick z obsługi kantyny, który zginął, gdy prosto w jego ziemiankę trafił pocisk artyleryjski.

Dwudziestojednoletnia Solange Cuvillier, kierowca sanitarki, była w 2. dywizji marokańskiej na północ od Castelforte, gdy rozpoczął się zaporowy ostrzał artyleryjski: „Pięć... cztery... trzy... dwa... JEDEN i rozpętało się piekło – pisze. – Grad pocisków to początek ataku armii. W punkcie dowodzenia batalionu medycznego przegrzewają się linie telefoniczne. «Potrzebujemy sanitarek!» Już? Bitwa toczy się zaledwie od trzech minut. Z klekotem silnika jedziemy wzdłuż brzegu rzeki w dymie, między czołgami i innymi pojazdami opancerzonymi, rozbłyski światła z dział plujących ogniem, który rozświetla górę apokaliptyczną poświatą. Nasze ciała, samochody drżą od wybuchających pocisków".

Francuzi, bezpośrednio na prawo od Amerykanów, odnieśli na początku więcej sukcesów. Ich ataki otrzymały wsparcie wyjątkowo ciężkiego ostrzału artyleryjskiego, a w górach sam jego dźwiękowy efekt działał przytłaczająco na Niemców, którzy ponieśli też ciężkie straty, jakie zadano ich rezerwom i działom za linią frontu, przerwano także ich łączność i linie zaopatrzeniowe. Tuż po północy batalion marokański zdobył wzniesienie Monte Faito, kluczowy cel w początkowej fazie natarcia, który dawał ważne pole obserwacji artyleryjskiej. Bardzo pomógł im pewien dezerter, Francuz z Alzacji, który przeprowadził ich przez pole minowe przed szczytem.

Jednak w innych miejscach pola minowe i ciężki ostrzał z solidnie zbudowanych i dobrze usytuowanych bunkrów udaremniły wiele ataków albo też zdobyty teren stracono w nocy. Jak dowiedzieli się Brytyjczycy podczas walk w tych samych górach w styczniu i lutym, nieudane zajęcie jednej góry oznaczało załamanie się całej linii frontu, ponieważ nietknięte stanowiska obronne ostrzeliwały ruch na jego flankach. Pola minowe i awarie łączności radiowej powstrzymały natarcie pancerne Juina wzdłuż zachodniego brzegu Garigliano. „Wysunięte punkty chirurgiczne szybko się zapełniają – pisze Solange Cuvillier. – Całą noc jeździmy w tę i z powrotem długimi, wijącymi się jak węże traktami, których trzydziestostopniowe nachylenie powoduje mdłości. Żyjemy w innym wymiarze, który pozwala nam zwalczyć senność, głód, pragnienie. Tylko kawa trzyma nas na nogach, 30 kubków dziennie, gdy jesteśmy atakowani".

Kompania tunezyjska Jeana Murata miała nie atakować aż do wschodu słońca 12 maja, co przedłużyło „męczące" oczekiwanie. „Od pierwszej w nocy 12 maja batalion zajmował pozycję w bazie wypadowej – pisze. – A czekanie rozpoczyna się w powodzi ognia, który przelatuje nam nad głowami. Nieustannie spoglądam na zegarek. W tym momencie czas nie może płynąć wystarczająco szybko. O czwartej batalion ma pierwsze straty – w patrolu, który wchodził w skład szpicy. To czekanie staje się coraz bardziej okrutne. Na twarzach widać napięcie. Żołnierze są już w stanie całkowitej gotowości, chociaż atak nie rozpocznie się przed upływem godziny. Wstępny ostrzał nadal przelatuje nad nami z wielkim natężeniem. Minus pięć minut. Wstaje blady świt. Dowódcy wydają ostatnie rozkazy. Och, żeby ten dzień już się skończył!"

Jak wielu innych Murat stwierdził, że gdy już ruszył naprzód, opadły z niego napięcie i lęk związane z oczekiwaniem na rozpoczęcie ataku. Potem – mówi – „nie było już czasu, żeby się bać, miałem pełne ręce roboty! Nabrałem przekonania, że dowódcy – narażonemu na takie samo niebezpieczeństwo – łatwiej jest być mężnym niż komuś, kto wykonuje jego rozkazy". Jego trzy drużyny opuściły bazę, idąc bardzo szybko tyralierą. „Teraz kompania formuje szyk bojowy. Dwie drużyny na przedzie, trzecia za nimi. Żołnierze formują szereg, przygotowując się do otwarcia ognia. Ja zajmuję pozycję tuż za pierwszymi zwiadowcami, żeby jak najlepiej poprowadzić oddział. Lekko pochyleni, trzymając broń obiema rękami na wysokości brzucha, nacieramy, nie biegnąc, ale w szybkim tempie". Po kilku chwilach żołnierze słyszą trzask strzałów. Murat najpierw pomyślał, że strzelają im w plecy żołnierze znajdujący się z tyłu. Potem doszedł do wniosku, że nad głowami przelatuje im ogień osłaniający ciężkich karabinów maszynowych. Po „chwilowym zamieszaniu" żołnierze ponownie ruszyli naprzód. „Kompania posunęła się teraz dobry kilometr i jest gotowa do zejścia w kierunku Castelforte. Brak jakiejkolwiek reakcji nieprzyjaciela. Czyżby Niemcy się wycofali?! Już się widzę na uliczkach wsi – zdobywca, który w ogóle nie walczył. Ciągle jeszcze śnię na jawie, gdy seria z karabinu maszynowego z małej odległości zabija żołnierzy z naszej przedniej linii. Zaledwie w parę sekund kompania ma kilku zabitych i rannych".

Murat wycofał swoich żołnierzy z pola ostrzału stanowiska nieprzyjaciela i postanowił oskrzydlić niemieckie bunkry. „Drużyna zaczyna nacierać z prawej, gdzie teren, nieco bardziej zadrzewiony, stwarza możliwość przeniknięcia. Żołnierze piechoty poruszają się ostrożnie, ale gdy tylko docierają do przeciwległego zbocza, natykają się na niezwykle ciężki ogień broni automatycznej. Żołnierze padają. Drużyna wycofuje się, wlokąc za sobą, gdy tylko może, rannych". Druga drużyna próbowała wykonać podobny manewr po drugiej stronie, ale skończyło się tak samo. „Muszę spojrzeć prawdzie w oczy, kompania wyczerpała wszelkie możliwości natarcia. Została powstrzymana przed szeregiem zagrzebanych w ziemi bunkrów, które wybudowano jeden przy drugim. Te betonowe schrony, wzniesione na przeciwległym zboczu, nie dają szerokiego pola ostrzału (mniej niż pięćdziesiąt metrów), ale ta odległość zdaje się nie do pokonania, póki bunkry nie zostaną zniszczone".

W czasie walki po lewej stronie Murata kilku czołgom udało się przebić do centrum Castelforte, ale główna zdobycz tego dnia, Monte Faito, dostała się po południu pod gwałtowny ogień zaporowy i przeprowadzono na nią kontrnatarcie. Sytuacja stała się krytyczna i Juin osobiście udał się naprzód, żeby kierować operacjami i mobilizować żołnierzy. Faito utrzymano, ale inne zdobycze były niewielkie lub nie było ich wcale. W południe dowódca kompanii podszedł do Murata i kazał mu zająć stanowiska obronne i wysłać patrole. Rannych i poległych zabrano, dostarczono nowe zapasy amunicji. „Żołnierze zbudowali sobie niskie kamienne murki – mówi Murat. – Chwilowo dowódca nie miał możliwości zajęcia się zwłokami. Chociaż nie wydałem żadnego rozkazu, drużyna zgromadziła wszystkich poległych w pobliżu mojej osłony. Z powodu wielkiego upału polegli nabrali woskowatego wyglądu. Są wszędzie. Jednym rzutem oka mogę zorientować się w rozmiarach naszej klęski. I jednocześnie wiem, że inne [ciała] znajdujące się ciągle pod ostrzałem nie zostały zabrane zza linii nieprzyjaciela. Popołudnie nie przynosi poprawy. Dowódca, zaskoczony obrotem spraw, stale żąda meldunków o oporze nieprzyjaciela, co wymaga wysyłania patroli. Być może ma podstawy, by mieć nadzieję na wycofanie się Niemców, jednak nam, wtulonym w bunkry lub zwłoki, nic nie wiedzącym o ogólnej sytuacji, ewentualność ta wydawała się zupełnie nieprawdopodobna".

Murat dowiedział się później, że straty batalionu tego pierwszego dnia wyniosły 158 żołnierzy, kompanie pierwsza i druga straciły ponad 40 procent stanu. „Zapada noc – pisze. – Sytuacja się nie zmieniła. Pierwszy dzień jest klęską, bolesną klęską. Po euforii walki przychodzi głębokie przygnębienie. Twarze są smutne i poważne. Wiadomości są tylko złe i nie rozmawiamy o rannych i poległych".

„Noc przechodzi w dzień – pisze Solange Cuvillier. – Około 400 rannych przeszło już przez ręce naszej kompanii. Roztaczający się przed nami widok sprawia, że łzy napływają do oczu: zniszczone domy, poskręcany metal, okaleczone muły i nieznośny smród palonego ciała, którym przesiąknięty jest cały front. To przerażające".

Kapral Zbigniew Fleszar z 1. batalionu polskiej Dywizji Strzelców Karpackich szedł wzdłuż Głowy Węża, gdy rozpoczął się aliancki artyleryjski ogień zaporowy. „Pocisk, świszcząc, przeleciał nisko nad moją głową – i jeszcze jeden, i jeszcze jeden – wspomina. – Czułem się tak, jakby w górze budowano stalowy most, i zastanawiałem się, jak to się dzieje, że pociski się ze sobą nie zderzają. (...) Huk niósł się po górach. Słychać było gwizdy, zawodzenie, szloch i ryk pocisków". O 23.40 ogień przeniesiono z niemieckich baterii na ich wysunięte stanowiska – cel Polaków. „Wtem sytuacja zmieniła się diametralnie. Znajdujące się przed nami Widmo nagle stanęło w ogniu. Wybuchy następowały co ułamek sekundy. Góra drżała".

Natarcie główne miało się rozpocząć o pierwszej w nocy, batalion Fleszara posuwał się naprzód wąwozem biegnącym między grzbietami Głowa Węża i Widmo, co było częścią opracowanego przez Andersa planu zajęcia wszystkich kluczowych pozycji niemieckich jednocześnie. Wcześniejsze ataki na punkt 593 nie powiodły się, twierdził Anders, ponieważ Niemcy mogli korzystać z ognia z flanki z grzbietu Widmo i z Colle Sant' Angelo. Dywizję karpacką wysłano więc przeciwko punktowi 593, a także wąwozowi, podczas gdy dywizja kresowa miała zaatakować umocnione pozycje obronne na końcu grzbietu Widmo. Po ich oczyszczeniu z nieprzyjaciela droga do leżącej za klasztorem doliny Liri byłaby otwarta, a samo opactwo odcięte.

Edward Rynkiewicz, dowódca plutonu rozpoznania w 2. batalionie dywizji karpackiej, podczas ostrzału artyleryjskiego czekał blisko linii frontu. Jego grupa miała pójść naprzód, żeby usunąć miny, co stanowiło jeden z elementów ataku batalionu na budzący przerażenie punkt 593. „Pociski naszej artylerii przelatywały z rykiem nad naszymi głowami sporadycznymi seriami – mówi. – Niemcy też prażyli. (...) Czuliśmy, jak trzęsie się ziemia, i byliśmy świadomi drżenia powietrza. Ja osobiście bardzo mocno odczuwałem, jak wali mi serce. (...) Napięcie, jak można było się spodziewać, nieubłaganie narastało. Godzina zero szybko się zbliżała, ale moi żołnierze, z jednym godnym uwagi wyjątkiem, się nie bali. Jedynym człowiekiem, któremu puściły nerwy, był młody kapral, który błagał mnie, żebym go zostawił z tyłu. Doskonale rozumiałem, co czuje, więc spełniłem jego prośbę".

Gdy oddział kaprala Zbigniewa Fleszara wspinał się z mozołem po stromym zboczu na swoją pozycję wyjściową do natarcia przez wąwóz – „pot zalewał oczy, mundury polowe były mokre, dyszeliśmy jak miechy kowalskie" – zareagowała niemiecka artyleria: „Rozpętało się piekło. (...) Między nami zaczęły się rozrywać pociski ciężkiego kalibru. (...) Wybuchy brzmiały jak odchrząkiwanie jakiegoś olbrzyma. Miałem niezwykłe pragnienie – stać się jednym z najmniejszych kamyków pod jedną z największych skał".

O 1.30 12 maja idące na przedzie oddziały podeszły najbliżej jak się dało do artyleryjskiego ognia zaporowego w nadziei, że Niemcy nie zdążą ponownie zająć swoich wysuniętych stanowisk, schroniwszy się na zboczach po przeciwnej stronie wzgórza. Polacy pierwsi dotarli na szczyt wzgórza 593 i parli naprzód wzdłuż skalistego siodła, które prowadziło do klasztoru. Przed nimi znajdował się silnie umocniony punkt 569. To wzgórze Niemcy ponownie zajęli i nacierający zostali przygwożdżeni ogniem.

Oddział Edwarda Rynkiewicza podążał tuż za prowadzącymi grupami. „Runęliśmy naprzód. (...) Wielu zgubiło swoje rzeczy i było dużo zamętu. Żaden z nas nie miał pewności, gdzie się znajduje, ale wszyscy czuliśmy, że wzniesienie na wprost nas musi być początkiem wzgórza 593. Huk i natężenie ognia nieprzyjaciela zwiększały się z każdym metrem, który zdobywaliśmy, i spadały na nas miriady odłamków skalnych".

Żołnierze dotarli na szczyt wzgórza 593 około drugiej trzydzieści w nocy, pokonując ogromne zwoje drutu kolczastego, które zostały przerzucone przez ostrzał artyleryjski. Łączność z dowódcami z tyłu była teraz poważnie utrudniona. Linie telefoniczne zostały zerwane przez wybuchy niemal w tym samym momencie, w którym je przeciągnięto, a radio zostało zniszczone albo jego obsługa zabita. „Gdybyśmy tylko więcej wiedzieli o tym, co się dzieje, czulibyśmy się lepiej" – mówi Rynkiewicz. Zamiast tego żołnierze z przodu musieli opierać się na przekazach ustnych i szybko zaczęły krążyć

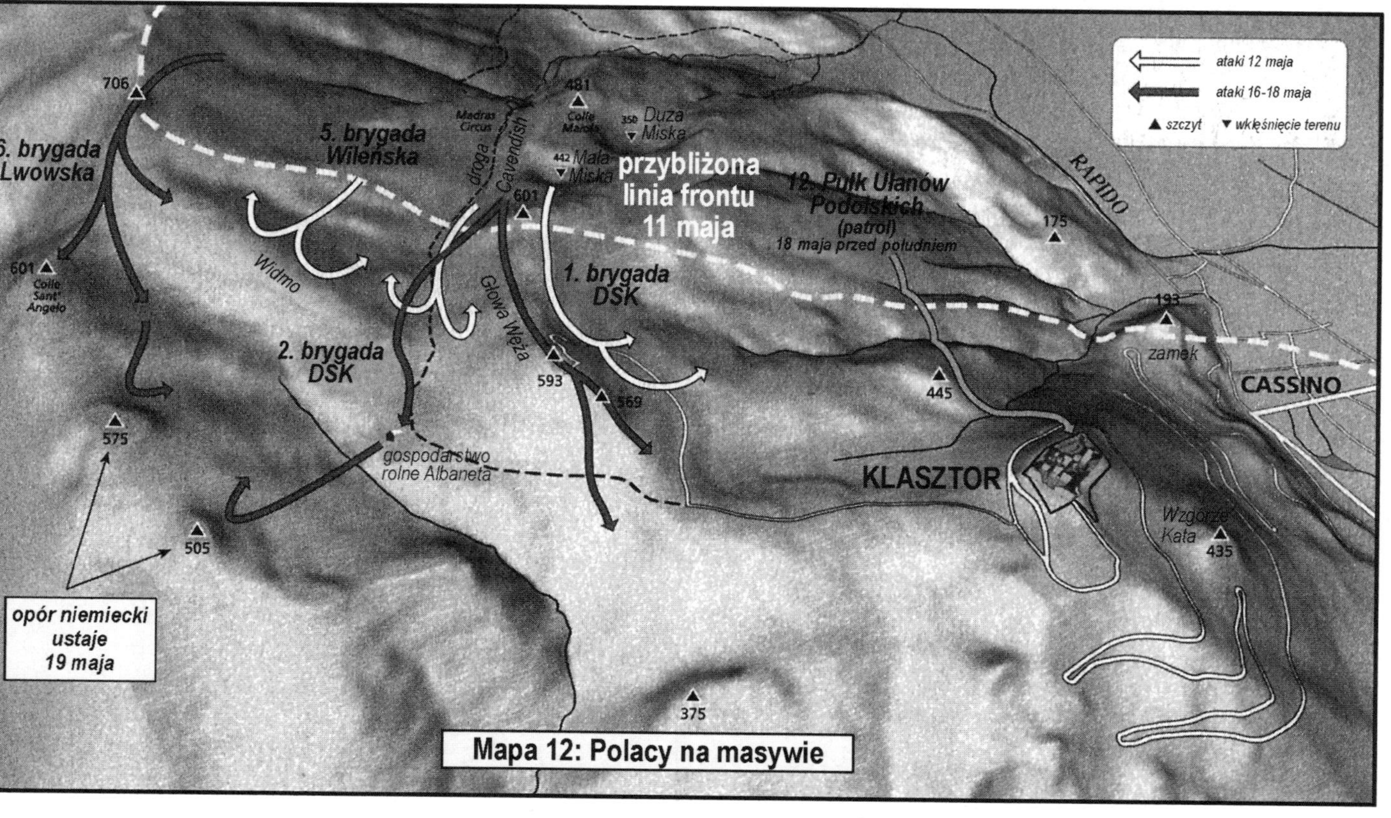

Mapa 12: Polacy na masywie

pogłoski o tym, kto zginął, a kto jeszcze żyje. „Tymczasem niemieckie działa waliły w nas tak skutecznie, że musieliśmy rzucić się płasko na ziemię i czołgając się, szukać jakiejś osłony, która, praktycznie rzecz biorąc, nie istniała, ponieważ wszystkie większe kamienie zostały rozwalone w drobny mak przez naszą artylerię". W końcu Rynkiewicz znalazł schronienie w leju po pocisku, w którym pełno było żołnierzy „rozciągniętych jeden na drugim". Zagrzebując się między w większości martwymi ciałami, obserwował nieudane natarcia, jakie przeprowadzano na wzgórze 569, ale teraz był „psychicznie pusty, otępiały, wyczerpany. (...) Nie wiedzieliśmy już, w którą stronę strzelać czy do kogo celować". Resztę nocy Rynkiewicz spędził przycupnięty w małej jamie, którą znalazł, zdając sobie sprawę, że szeregi atakujących się przerzedzają. Uznał, że powrót na własne linie za dnia byłby samobójstwem, i z niewielką grupką maruderów znalazł schronienie w jaskini, razem z trzema czy czterema rannymi niemieckimi jeńcami.

W wąwozie między grzbietami Głowa Węża i Widmo nacierająca piechota dostała się pod morderczy ogień karabinów maszynowych i moździerzy, a wypalone kadłuby czołgów, które zostały po katastrofalnym szturmie „drogą Cavendish" podczas trzeciej bitwy, teraz stanowiły doskonałą osłonę dla snajperów. Wielkie nadzieje pokładano w przydzielonych do tego batalionu czołgach, ale świeżo założone miny przeciwczołgowe, jak również artyleria, zniszczyły większość z nich, zanim w ogóle zdołały się zbliżyć do wąwozu. Osiemnastu z dwudziestu saperów usuwających miny przed czołgami zginęło lub zostało rannych w czasie tego nieudanego szturmu.

Na prawo od wąwozu atak dywizji kresowej również został powstrzymany przez niemiecki ogień artyleryjski i pola minowe. Polacy dotarli na szczyt wzgórza i związali Niemców zażartą walką wręcz, ale nie zdołali się posunąć dalej niż do połowy drogi do celu na końcu grzbietu. O świcie przeprowadzono przeciwko nim kontrnatarcie, musieli też zmagać się z Niemcami, którzy nieustraszenie wyłaniali się z nietkniętych bunkrów i jaskiń na ich tyłach. Tak jak gdzie indziej, łączność została zerwana i wyżsi dowódcy nie mogli przekazać, gdzie są potrzebne rezerwy lub ogień wspierający. Dzień zastał żołnierzy z obu dywizji odsłoniętych, a waleczni spadochroniarze czterokrotnie przeprowadzali kontrnatarcia na wzgórze 593 i w końcu, za piątym razem, udało im się wyprzeć resztę nadal utrzymujących się tam Polaków, oficera i siedmiu szeregowców. Obie dywizje poniosły już do tej pory ciężkie straty i Anders nie miał wyboru, jak wydać żołnierzom rozkaz powrotu na pozycje wyjściowe.

Wkrótce jaskinią, w której ukrywał się Edward Rynkiewicz, zainteresowali się Niemcy, i jeden z żołnierzy, który wychylił się, żeby się rozejrzeć, zginął natychmiast trafiony pociskiem moździerzowym. Nie zdając sobie sprawy z tego, co się dzieje na zewnątrz, Rynkiewicz ciągle miał nadzieję, że Polacy kontrolują wzgórze nad nimi. Za dnia sytuacja w jaskini stała się rozpaczliwa, ponieważ skończyła się amunicja i coraz więcej kul snajperów odbijało się rykoszetem w pobliżu wejścia. Każdy, kto próbował wymknąć się na zewnątrz, padał ścięty ogniem niemieckiego karabinu maszynowego, wstrzelanego już w wejście.

„Gdy zapadły ciemności, Niemcy ruszyli na nas z karabinami – mówi Rynkiewicz. – Sześciu czy siedmiu weszło do jaskini i oficjalnie oświadczyło, że jesteśmy ich jeńcami. Pocieszające było to, że wyglądali na równie wyczerpanych jak my". Niemcy usadowili się obok jeńców i „wspólnie spędziliśmy bezsenną noc, wsłuchując się w grzmienie artylerii". Następnego dnia rano popędzono ich około stu metrów w dół stromego zbocza i zatrzymano koło dziury na stoku. „Umiejętnie zamaskowana, miała nie więcej niż metr średnicy i tylko dzięki niezwykłemu szczęściu jakiś pocisk mógłby trafić w taki cel. W każdym razie przeczołgaliśmy się przejściem, które prowadziło do rozległej pieczary podzielonej płóciennymi przepierzeniami na trzy duże pomieszczenia, wszystkie doskonale oświetlone". Wewnątrz znajdowali się ranni Niemcy i lekarz, który podszedł do Polaków i przepraszającym tonem poprosił ich o zestawy opatrunkowe. „Gdy zobaczyliśmy, że rannych Niemców obandażowano tylko papierem, chętnie mu je daliśmy" – mówi Rynkiewicz.

Anders był zrozpaczony niepowodzeniem natarcia. Zbocza i żleby, już wcześniej usłane zabitymi z kilku krajów, teraz pokryły nowe polskie ofiary. Żołnierze, którzy wytrzymali i przeżyli najcięższe rosyjskie obozy pracy, teraz ginęli, i nic to nie dało. Zaledwie 800 Niemców zdołało odeprzeć ataki dwóch dywizji. Monte Cassino wydawało się równie nie do zdobycia jak zawsze. Anders nie miał też rezerw, żeby zastąpić poległych. Przeprowadzona przez niego analiza przyczyn porażki, niestety, przypominała te dotyczące ataków 34. dywizji amerykańskiej i 4. dywizji indyjskiej, które nacierały na tym samym obszarze. „Wychodzi szereg ostrych przeciwuderzeń odwodów nieprzyjaciela z ukrytych w pieczarach stanowisk, przy doskonałym wsparciu jego broni wstrzelanych w poprzednich walkach – pisze Anders. – Wsparcie zaś artyleryjskie własnej piechoty na bliskie odległości było niemożliwe ze względu na straty w obserwatorach artylerii, towarzyszących piechocie, i niszczenie sprzętu łączności oraz wskutek zawiłych nierówności terenu. (...) Okazało się, że łatwiej było zdobyć te przedmioty natarcia niż je utrzymać".

Pod koniec dnia 12 maja dowódca 8. armii, generał broni Leese, odwiedził Andersa i – widząc, że potrzebują pocieszenia po ciężkich stratach – pochwalił polski korpus za związanie walką sił nieprzyjaciela, szczególnie artylerii, co uniemożliwiło wykorzystanie ich przeciwko brytyjskim i indyjskim wojskom w dolinie. 8. dywizja indyjska, jak widzieliśmy, zdobyła tylko niebezpieczne przyczółki po obu stronach Sant' Angelo. Ale 4. dywizja brytyjska męczyła się jeszcze bardziej.

Pomimo starań Polaków sektor 4. dywizji między miastem a 8. dywizją z ich lewej strony był szczególnie ciężko ostrzeliwany ogniem artyleryjskim niemieckich baterii znajdujących się za Cassino. Dywizja nacierała dwiema brygadami – 28. i 10. Po lewej bataliony szturmowe 28. brygady przybyły na miejsce przeprawy z półgodzinnym opóźnieniem i stwierdziły, że jest już tam skierowany ogień niemiecki. Gęsta mgła spowodowała wielkie zamieszanie, łodzie były zniszczone, a gdy w końcu część żołnierzy zdołała się przeprawić na drugą stronę, było wiele ofiar z powodu min. Dowódcy batalionów zginęli, stracono łączność z tyłami. Niektórzy żołnierze przeprawili się z powrotem przez rzekę na „domniemany rozkaz" i rankiem brygada miała po niemieckiej stronie zaledwie 250 żołnierzy. Z 40 łodzi 35 zostało zniszczonych do ósmej rano, a pozostałe pięć stracono do południa 12 maja. Żołnierze, którzy byli pod gwałtownym ogniem, od kiedy uniosły się poranne mgły, byli zdani sami na siebie. Po prawej 10. brygada radziła sobie nieco lepiej. Do rana po drugiej stronie mieli część każdego ze wszystkich trzech batalionów i zdobyli niektóre z początkowych celów. Jednak jak wszędzie indziej, straty były znaczne i w ciągu nocy stracono wiele łodzi.

2. batalion Beds and Herts oficera rozpoznania F. G. Suttona posunął się naprzód zaledwie o pół mili, po czym się okopał. „Nieprzyjaciel kontratakował w ciemnościach siedem razy – mówi – ale za każdym razem był odpierany z pomocą artyleryjskiego ognia zaporowego". Działania niewzruszonego wysuniętego oficera obserwacyjnego, „spuszczającego wodę", żeby ściągnąć w dany rejon czy konkretne miejsce zmasowany ostrzał artyleryjski, chroniły żołnierzy brytyjskich. Teraz najistotniejsze było to, żeby saperom udało się zbudować mosty dla czołgów i dział przeciwpancernych. Bez nich

nacierające oddziały nie byłyby w stanie wytrzymać poważniejszego niemieckiego kontruderzenia.

7. kompania polowa Tommy'ego Riordana dotarła do mostu Congo wkrótce po tym, jak pierwsi żołnierze 28. brygady w końcu przedostali się na drugą stronę. Już po drodze nad rzekę poniesiono straty. „Dym gęstniał, coraz gorzej widzieliśmy, co jest przed nami – napisał Riordan. – Opary znad rzeki, pył wzniecony ostrzałem artyleryjskim, wszystko to utworzyło gęstą mgłę, a niespodziewanie włączył się nieprzyjaciel – na brzegach rzeki rozmieszczono bańki dymne z wyzwalaczami drutowymi; gdy je zerwano, z baniek wydobywał się gęsty, czarny dym, wskazujący miejsce przeprawy i pokazujący obserwatorom wypatrywane przez nich cele dla ostrzału, który prowadzili z ogromną zaciekłością". „Gdy dotarliśmy na miejsce przeprawy, dym zgęstniał, nad rzeką unosiły się opary – mówi saper Jack Stamper z tej samej kompanii. – Wszyscy byliśmy połączeni taśmą, żebyśmy mogli dotrzeć do rzeki w jednej grupie. Myślę, że wyładowaliśmy jedną ciężarówkę przeprawową, i wtedy nieprzyjaciel rozpoczął ostrzał artyleryjski. Był to najcięższy ostrzał, jaki przeżyłem w ciągu wojny". W tym momencie ogień karabinów maszynowych z mgły po drugiej stronie rzeki zaczął omiatać miejsce przeprawy. Najwyraźniej niemieccy strzelcy karabinów maszynowych podeszli do brzegu, a ruchoma zapora ogniowa ich minęła. Saperzy mieli ze sobą mały oddział piechoty, ale nie mogli odpowiedzieć ogniem, ponieważ nie widzieli celów. „Było oczywiste, że dopóki piechota nie oczyści z nieprzyjaciela kilkuset jardów drugiego brzegu i nie utrzyma go, praca na miejscu przeprawy będzie trudna, o ile w ogóle możliwa" – mówi Riordan. Ale wśród żołnierzy z 28. brygady panował ogromny zamęt i mieli oni trudności z utrzymaniem się w tak małej liczbie po drugiej stronie rzeki. Ofiar wśród saperów było coraz więcej i przed świtem dowódca kompanii Michael Low rozkazał żołnierzom odwrót na pozycję wyjściową. Po powrocie „nikt nic nie mówił, wszyscy byliśmy trochę wstrząśnięci – mówi saper Robert Lister. – Nie masz pojęcia, jak to jest, gdy znajdujesz się po stronie przyjmującej pociski artyleryjskie i moździerzowe. Byliśmy młodymi chłopakami, ja miałem dwadzieścia jeden lat i osiem miesięcy. Wszyscy byliśmy bardzo wstrząśnięci i zagubieni".

Pomimo większych sukcesów 10. brygady 4. dywizji po prawej stronie frontu 225. kompania doświadczała takich samych trudności w miejscu przeprawy Amazon i prace tam nigdy nie posunęły się poza rozpoczęcie przygotowań na bliższym brzegu. Na miejscu przeprawy Blackwater dla

59. kompanii hałas buldożera na bliższym brzegu natychmiast ściągnął ogień i za każdym razem, gdy ponownie go uruchamiano, nadlatywał grad pocisków. Oficer dowodzący Tony Daniell rozglądał się za młodszym oficerem, żeby zaatakować karabiny maszynowe, ale udało mu się zobaczyć jedynie „przybite grupki piechoty, które kłębiły się bezładnie". „Natykałeś się na ludzi, którzy wpadali na ciebie i pytali: «W którą stronę idziesz, którędy do rzeki?»" – wspomina saper Frank Sellwood. – Było to czterech czy pięciu ludzi, nie drużyny czy duże grupy. Sfrustrowani, przeklinali i mówili: «Co mamy robić? Nic nie widzimy. Nikt nic nie widzi»".

Tuż przed świtem porucznik Peter Boston przepłynął rzekę, umocował linę i znalazł też oficera piechoty. Ale jego grupa szybko wróciła, beznadziejnie zabłądziwszy we mgle. W tym momencie, chociaż nie zaczęto jeszcze prac przy samym moście, 20 z 32 ciężarówek wiozących sprzęt przyjechało i zaczęło wyładowywać go na końcu traktu. „Szkopy musiały wyczuć tam naszą koncentrację pojazdów, bo nagle zaczęły ostrzał artyleryjski" – mówi Tony Daniell. Kilku żołnierzy zostało rannych w tym „zatorze miotających się pojazdów", gdy Niemcy zaczęli strzelać z nebelwerferów, i Daniell niechętnie nakazał porzucenie mostu. „Nie mogliśmy mieć bardziej podkulonych ogonów" – mówi.

ROZDZIAŁ 17

Most Amazon

Bez choćby jednego mostu, którym mogłoby przejechać do wysuniętych oddziałów wsparcie czołgów czy broni przeciwpancernej, sytuacja 4. dywizji brytyjskiej nad Rapido rankiem 12 maja była rozpaczliwa. Oficer rozpoznania F. G. Sutton wspomina, że gdy nadszedł świt, mgła się rozproszyła i żołnierze na płytkim przyczółku byli doskonale widoczni z klasztoru. Aliancka artyleria natychmiast zaczęła ostrzeliwać pociskami dymnymi Wzgórze Klasztorne i wkrótce „wyglądało to tak, jakby cała ta wielka góra parowała" – mówi Sutton. W sektorze 10. brygady do 12.30 została jedna łódź i – podobnie jak 28. brygada z ich lewej strony – żołnierze, praktycznie rzecz biorąc, utknęli na brzegu. „Nie mieliśmy czołgów ani broni przeciwpancernej po naszej stronie rzeki – mówi Sutton. – Tego dnia nie odparlibyśmy dobrze zorganizowanego kontruderzenia".

Chwilowo jednak szczęście było po stronie Brytyjczyków. Kontruderzenie, którego tak bardzo się obawiano, nie nastąpiło. Dym i mgła oznaczały, że Niemcy nie wiedzieli, gdzie skoncentrować główne wysiłki, ale – co miało większe znaczenie – sami nie otrząsnęli się po masakrze pierwszej nocy i przerażającym zaporowym ogniu artyleryjskim. Jak pisze Kesselring: „Jak sam widziałem rankiem 12 maja, sztaby zarówno 10. armii, jak i 14. korpusu niemal przestały funkcjonować; obydwa straciły dowódców, a ich zastępcy robili co w ich mocy, żeby dalej działać".

Sytuacja na całym dwudziestomilowym froncie nie była korzystna dla aliantów – komplikacje i niepowodzenia nastąpiły we wszystkich sektorach natarcia – ale udało się uzyskać element zaskoczenia. Niemieckie odwody znajdowały się daleko, przygotowane na desant morski, który w ich mniemaniu miał rychło nastąpić, a to, że alianci zaatakowali tak szerokim frontem, oznaczało, że tym razem Niemcy nie będą mogli przemieszczać miejscowych odwodów do zagrożonych sektorów, co z powodzeniem robili w poprzednich bitwach o Monte Cassino. Chwilowo mogli jedynie przypuszczać chaotyczne ataki i zalewać płytkie przyczółki nad Rapido jak najsilniejszym ogniem artyleryjskim i moździerzowym.

Niemniej jednak było oczywiste, że zaskoczenie początkowym atakiem i jego gwałtowność pozwoliły jedynie zyskać trochę czasu. Jeżeli miano uniknąć katastrofy, która dotknęła 36. dywizję amerykańską, konieczne było zbudowanie przynajmniej jednego mostu w celu przerzucenia na przyczółek nad Rapido posiłków i czołgów. „Wysłano rozkaz – czytamy w kronice wojennej 4. dywizji – w którym podano szczegóły przegrupowania w nocy, opierając cały plan na zbudowaniu mostu Amazon i przetransportowaniu nim 12. brygady i wspierających ją czołgów [z 17/21. Lancers] w celu dalszego natarcia". Most miano zbudować „za wszelką cenę". Wszystkie trzy kompanie saperskie 4. dywizji miały teraz wspólnie pracować na zmianę przy jednym tylko moście, który miał dostać wsparcie specjalnego programu artyleryjskiego, a także gęstej zasłony dymnej w miejscu przeprawy. Nie planowano budowy tratw czy promów. Miał być most Amazon albo nic.

O 14.30 Michael Low, dowódca 7. kompanii, zwołał odprawę dla oficerów i podoficerów i przedstawił plan. Prace miała rozpocząć 225. kompania, potem miała ją zmienić 7., a po niej 59. „Jak sądzicie, to dobry plan?" – zapytał Low zebranych żołnierzy. Nastąpiła krótka chwila milczenia, po czym odpowiedziano: „Nie, nie uważamy, żeby to był dobry plan, ale zamierzamy zbudować ten most". Postanowiono, że pracować będą tylko ochotnicy, ale ostatecznie wszyscy, którzy przetrwali nieudane prace nad mostem Congo poprzedniej nocy, znowu mieli zabrać się do roboty.

O 17.00 prace na bliższym brzegu rozpoczęła 225. kompania. Obserwował je F. G. Sutton. „Wydawało się, że saper w buldożerze albo całkowicie lekceważy zagrożenie, albo ma amulet gwarantujący bezpieczeństwo – mówi. – Szkopy bez przerwy strzelały do niego ze stanowiska karabinu maszynowego, które znajdowało się w naszym zasięgu, ale którego nie byliśmy w stanie do tej pory zmieść z powierzchni ziemi. Raz saper wysiadł i zaczął grzebać przy silniku; właśnie w tej chwili zobaczyłem, jak kule robią wzorek na jego siedzeniu". Żołnierze brytyjscy po niemieckiej stronie rzeki robili co w ich mocy, żeby załatwić tego strzelca karabinu maszynowego, ale sami znajdowali się pod ciężkim ostrzałem z nebelwerferów i od czasu do czasu kryli się w jednoosobowych okopach, choć zawsze potem próbowali dalej.

Tymczasem wyżsi oficerowie 7. kompanii prowadzili grupę zwiadowczą w tronę mostu. „Był jasny, bezchmurny wieczór – wspomina Tommy Riordan – i klasztor był doskonale widoczny, zbyt widoczny, żeby czuć się dobrze. Podczas truchtu można było się rozejrzeć i pokazać klasztorowi obraźliwy gest, (...) niewiele było oznak [obiecywanego] dymu". Wydano rozkaz, że oficer zwiadu, porucznik John Barnes, powinien doprowadzić resztę 7. kompanii w rejon budowy.

O 18.30 oficerowie i podoficerowie 7. kompanii zebrali się w tymczasowym sztabie, który był sporadycznie ostrzeliwany ogniem moździerzowym. Według dwudziestotrzyletniego dowódcy drużyny, porucznika Berta Hobsona, atmosfera była napięta. Poinformowano, że major Low został paskudnie ranny w nogę w czasie zwiadu, poza tym pod koniec spotkania okazało się, że pełniący obowiązki oficera dowodzącego porucznik Michael Sharland również odniósł poważne rany. Został trafiony, gdy był na miejscu budowy mostu, przyjmując meldunek od 225. kompanii. Porucznik Bert Hobson, który został mianowany na oficera zaledwie sześć miesięcy wcześniej, był teraz najstarszym oficerem kompanii.

O 19.00 kompania schroniła się na obszarze za wykopem kolejowym. Według Hobsona wszyscy myśleli sobie: „Cholera jasna! Wchodzimy następni!" Trzy kwadranse później część kompanii zeszła na dół na miejsce przeprawy, żeby pomóc żołnierzom z 225. rozładować sprzęt do budowy mostu. Teraz, gdy brzeg rzeki był już mniej więcej gotowy, najpilniejszym zadaniem było umieścić na nim rolki, po których mostześliznąłby się przez rzekę na drugi brzeg. „Musiały stać równo, a przynajmniej najrówniej, jak się je dało ustawić – mówi Hobson. – Gdy ganiasz tam i z powrotem po nierównym gruncie i ktoś strzela do ciebie z dział i karabinów, to jest trochę trudno, delikatnie mówiąc".

O 21.00 większość 225. kompanii opuściła miejsce przeprawy, a Hobson był teraz jego dowódcą. Wszystkie ciężarówki, poza dwiema, były nie rozładowane, a większy z dwóch buldożerów był niesprawny, ponieważ jego dźwig został trafiony ogniem karabinu maszynowego. Do tego czasu podeszła kompania 59. i czekała na wezwanie na miejsce przeprawy, mając nadzieję, według Franka Sellwooda, „że nie będą potrzebni i że pozostałe dwie kompanie skończą robotę". Ale o 21.45 kazano im się udać na miejsce przeprawy i pomóc zakończyć rozładunek ostatnich ciężarówek.

Teraz docierał tam silny ogień snajperów i moździerzy, a próby przedostania się przez rzekę, żeby przygotować drugi brzeg, się nie powiodły. Wśród trafionych był sierżant Jack Stamper. „Po mojej prawej stronie, całkiem blisko, pojawił się jaskrawy, niebieski błysk – mówi. – Nic nie słyszałem, ale oczywiście panował straszny hałas. W pierwszej chwili miałem wrażenie, jakbym stanął na minie, której nie usunięto. Poczułem wielką ulgę, gdy stwierdziłem, że mam całą stopę, więc nie była to mina, ale nagle poczułem ból w ramieniu i pośladkach, po czym zesztywniałem. Wydawało się, że jestem sparaliżowany (...) i kilku kumpli zabrało mnie na punkt opatrunkowy". Im więcej było ofiar, tym bardziej malała liczba żołnierzy zdatnych do pracy przy moście. „Problem polegał na tym, że do każdego rannego potrzeba było co najmniej dwóch ludzi, żeby zanieść go do punktu opatrunkowego – mówi Hobson. – Więcej było ochotników do transportowania rannych niż pracowania przy moście".

O północy porucznik Peter Boston z 59. kompanii zmienił na miejscu przeprawy Hobsona. Ten drugi jednak został, mimo że był wyczerpany. Wówczas miano nadzieję, że most zostanie ukończony do drugiej w nocy, ale tak się nie stało. Wzmógł się i nabrał celności ostrzał artyleryjski i moździerzowy. Niemcy zaczęli też wystrzeliwać za miejsce przeprawy flary, żeby oświetlić żołnierzy i ułatwić zadanie snajperom. Gdy wystrzelono flarę, wszyscy zamierali w bezruchu, dopóki światło nie zgasło.

O pierwszej w nocy usłyszano nadjeżdżające drogą czołgi Sherman z 17/21. Lancers. Tony Daniell, który przebywał w znajdującym się w pobliżu tymczasowym sztabie budowy mostu, wybiegł im naprzeciw i zatrzymał pierwszy czołg w odległości około 200 jardów, ale stało się. Hałas ściągnął na nowo ogień i o drugiej w nocy na drodze koło sztabu trafiona została trzytonowa ciężarówka wioząca bańki dymne. Zapaliła się i płonęła gwałtownie przez dwie godziny, przyciągając kolejne pociski. Było zbyt gorąco, żeby ugasić pożar, stogi siana na szczycie pola też zostały trafione i zaczęły płonąć, „zwiększając pożogę".

W okopie oddalonym zaledwie o kilka stóp od czekających czołgów krył się dwudziestotrzyletni Stan Goold, Walijczyk z 18. polowej kompanii parków materiałowych. Wraz z dwoma kolegami otrzymali zadanie nie do pozazdroszczenia – mieli na zmianę obsługiwać jedyny działający buldożer. Zajmował się wyrównywaniem ziemi na dojeździe do miejsca przeprawy. Hałas buldożera ściągał ogień i uniemożliwiał kierowcy usłyszenie nadlatujących pocisków, co sprawiało, że praca ta była szczególnie niebezpieczna. Odsłonięty kierowca narażony był też na ogień snajperów i żołnierze nosili kamizelki kuloodporne, chociaż trochę krępowały ruchy. Goold doskonale pamięta budowę mostu Amazon: „Przypominało to piekło Dantego, żaden z nas wcześniej czegoś takiego nie przeżył – mówi. – Taka była powódź nieprzyjacielskiego ognia i ogromny huk". Widział też, jak „trzech czy czterech saperów z zaburzeniami psychicznymi jest ewakuowanych. Jedni się śmiali, inni płakali, jeszcze inni wygadywali brednie".

Zaczęły krążyć plotki, że Niemcy przeprawili się przez rzekę na północ od miejsca budowy mostu. Według pewnego sapera z 7. kompanii „wszyscy rzucili narzędzia i uciekli. Dostali reprymendę od porucznika Barnesa i zaciągnięto ich z powrotem na most".

Doszło do kolejnych opóźnień. Około 2.30 w nocy, gdy żołnierze zajmowali się montowaniem mostu, w sam środek poszedł ogień z karabinu maszynowego. „Było to bardzo denerwujące, gdy kule zaczęły trafiać w płaty Baileya" – wspomina Hobson. Tylko oficerowie i podoficerowie byli uzbrojeni i zajęli teraz pozycje obronne na brzegu. Bez dowódców praca przebiegała jeszcze wolniej. Według Tony'ego Daniella czas ukończenia mostu przesunięto na trzecią w nocy, „a później, już w czystej desperacji, na piątą zero zero".

O czwartej nad ranem rozpoczęto fazę przesuwania mostu na rolkach za pomocą małego buldożera i fizycznej siły saperów. Inni używali łomów, kierując most trochę w jedną, trochę w drugą stronę, żeby utrzymał się na rolkach. Tuż obok mostu spadł pocisk moździerzowy, opryskując wszystkich wodą, ale ofiar nie było.

W tym czasie małą grupkę przerzucano za rzekę. Tworzył ją ośmioosobowy pododdział Franka Sellwooda z 59. kompanii: „Nieśliśmy złożoną brezentową łódź, mieliśmy usunąć z przeciwległego brzegu miny przeciwczołgowe i przeciwpiechotne. Każdy z nas niósł oskard, szpadel lub sprzęt do wykrywania min. W jednej ręce mieliśmy narzędzia, a drugą trzymaliśmy łódź. Doszliśmy właśnie do brzegu i mieliśmy zsunąć łódź na wodę, gdy rozległ się huk. Pocisk moździerzowy spadł tuż obok nas i całą naszą ósemkę rzucił na ziemię. Być może spadł pomiędzy nas, ale jestem całkiem pewny, że widziałem obok siebie jaskrawy błysk. Gdy odzyskałem świadomość, wokół było pełno dymu, więc nie mogłem być zbyt długo nieprzytomny. Pozostali nie dawali znaku życia, ktoś tylko jęknął. To był John: «Gdzie dostałeś?» «W nogę – odpowiedziałem. – A ty?» «W brzuch» – powiedział. Potem ktoś krzyknął: «Noszowy!»" Czterech z ośmiu ludzi zginęło na miejscu, a reszta odniosła straszne rany. Sellwooda szybko ewakuowano.

Na moście wszystko szło dobrze do czasu, gdy – a brakowało jeszcze dwudziestu stóp – buldożer się zatarł. Trochę wcześniej chłodnica i miska olejowa zostały podziurawione kulami. „To była prawdziwa katastrofa, ponieważ mostu nie dało się pchać wyłącznie siłą mięśni – mówi Tony Daniell. – W tem przypomnieliśmy sobie o czołgach". Peter Boston pobiegł do stojącego na przedzie shermana, który czekał kawałek dalej. Stukał przez chwilę w kadłub, po czym otworzyła się wieża i ukazał się dowódca 2. plutonu czołgów szwadronu C 17/21. Lancers, porucznik M. H. M. Wayne. Boston przekonał go, żeby ruszył do przodu i popchnął most. „Nieprzyjaciel poczuł się tym niezwykle dotknięty – mówi Daniell – i wystrzelił sporo dobrze wycelowanych serii pocisków moździerzowych, powodując kilka ofiar. Postanowiono nie zawracać sobie głowy opuszczaniem za pomocą lewarów, a zepchnąć most z rolek na ziemię. Faktycznie, ładnie osiadł na płytach (...) i szybko zbudowano rampy". Porucznik Barnes i jeszcze dwóch żołnierzy pobiegli na koniec, żeby ułożyć most. Nagle Barnes zauważył, że podnosi płytę, którą normalnie niesie czterech ludzi. „Mogę tylko dojść do wniosku, że zdarzenie to dało nam potężny zastrzyk adrenaliny" – powiedział.

Rzeczywiście był to nadludzki wysiłek. Za piętnaście piąta Wayne poprowadził pluton czołgów prowizorycznym mostem, który wytrzymał. Porucznik Barnes opowiada, jak wrócił do pobliskiego wysuniętego punktu opatrunkowego, żeby oddział mógł odpocząć. Podobnie jak Hobson, Barnes był na miejscu przeprawy, pod ogniem, przez dziesięć godzin. „Ktoś podał mi kubek herbaty – mówi. – Na chwilę opadło mnie znużenie, taki jest skutek uwolnienia od napięcia dzięki drobnej uprzejmości". Po krótkim odpoczynku udał się do sztabu, gdzie kontrolowano ruch żołnierzy i czołgów przez most. „Zastałem tam bardzo oficjalnie zachowującego się majora – wspomina Barnes. – Salutując, powiedziałem: «Most Amazon jest już otwarty». «Czy udźwignie czołgi?» – usłyszałem. Nie była to odpowiednia chwila na wyjaśnianie wszelkich okoliczności: «Tak» – odpowiedziałem i to było wszystko".

Wcześnie rano tego dnia F. G. Sutton prowadził grupę rannych w stronę rzeki. „Usłyszałem czołgi – mówi. – Teraz jeden z nich majaczył w ciemnościach na wprost nas. Pospiesznie wycelowaliśmy pancerzownicę, gdy otworzyła się wieża i usłyszeliśmy, jak ktoś pyta: «Jesteście Bedfords?» Most Amazon właśnie został ukończony i był to pierwszy czołg, który dotarł na drugi brzeg, sherman z 17/21. Lancers".

Otwarcie mostu było punktem zwrotnym bitwy naprzeciwko doliny Liri i zapewne całej ofensywy na Monte Cassino. Odbyło się to kosztem 83 ofiar spośród 200 budujących go saperów, ale gdy most otwarto, Brytyjczycy mogli wysyłać nim czołgi i posiłki piechoty. „Nagle zobaczyliśmy na moście maszerującą szybkim krokiem piechotę – mówi Sutton. – Usłyszeliśmy dudy i twarze się nam rozjaśniły. W 4. dywizji mieliśmy tylko jeden batalion szkocki – 6. batalion Black Watch. Byli w 12. brygadzie, która stanowiła rezerwę dywizji".

Charlie Framp był jednym z żołnierzy batalionu przekraczającego most. „Pędem minęliśmy transporter, stał w płomieniach, a jego ładunek składający się z amunicji do broni strzeleckiej wybuchał we wszystkich kierunkach – pisze. – Minęliśmy wiele ciał, twarze, gdy były widoczne, już nabierały woskowatego wyglądu. Most był przesłonięty dymem, ale Niemcy znali z grubsza jego położenie, więc zalewali ten teren potokami ognia. Przebiegliśmy między wybuchającymi pociskami i znaleźliśmy się na moście. Gdy zwolniliśmy, na drugim brzegu, minęliśmy wiele ciał rozrzuconych na ziemi. (...) Czułem, jak pierś ściska mi żelazna obręcz strachu". Batalion Black Watch natychmiast zaatakował grupę zniszczonych budynków niedaleko mostu Amazon. Framp, z kompanią sztabu, obserwował to z rowu: „Zobaczyłem jasny błysk polerowanej stali, wyjmowanej z pochew ku wylotom luf, na całej długości rowu, gdy plutony po obu stronach nakładały bagnety. (...) Brytyjski ogień zaporowy artylerii na znajdujące się przed nami pozycje niemieckie gwałtownie się nasilił. Zobaczyłem, jak żołnierze się gramolą – jak w 1916 roku – z rowów i ruszają naprzód rozciągniętą tyralierą z karabinami wysoko przy piersi. (...) Pomimo brytyjskiego ostrzału artyleryjskiego z niemieckich pozycji wystrzeliła burza ognia z broni strzeleckiej. Wodziłem wzrokiem po naszych chłopakach, których sylwetki rozmywały się we mgle i dymie walki, nie potrafiłem rozróżnić, kto jest kim, ale wszyscy wyglądali równie wspaniale, gdy pewnym krokiem szli naprzód w niemieckim ogniu. (...) Nikt, kto choć raz ujrzał taki widok, nie może nie pozostawać pod jego ogromnym wrażeniem; był to naprawdę wielki pokaz odwagi i dyscypliny. Byłem dumny, że jestem jednym z nich".

Gdy 12. brygada parła naprzód, osłaniana gęstą poranną mgłą, 10. brygada Suttona wykonała zwrot w kierunku północnym, ku drodze numer sześć. Teraz Niemcy zaczynali się poddawać. „Było więcej jeńców, sami spadochroniarze – mówi Sutton. – Nasi chłopcy byli napaleni na ich pistolety, za które amerykańscy kanonierzy na Monte Trocchio obiecali zapłacić dwadzieścia funtów. Zabierali im też zegarki, lornetki, aparaty fotograficzne i wieczne pióra".

Celem czołgów była droga Cassino–Pignataro, ale wiele ugrzęzło na rozmiękłym gruncie w pobliżu rzeki. Czołg H. Buckle'a znalazł się po drugiej stronie jako szósty. Ujechał kilka jardów, po czym utknął i stał w tym samym miejscu przez następne cztery dni. Czołg Jacka Meeka miał więcej szczęścia, ale Meek pamięta przerażający przejazd mostem pod ostrzałem, by po drugiej stronie stwierdzić, że dalsza jazda jest niemal niemożliwa, jeśli nie chce się przejechać ciał wielu poległych Brytyjczyków, którymi usłany był niemiecki brzeg rzeki. „Wszędzie było pełno ciał – wspomina. – Oni zostali po prostu skoszeni. To było naprawdę okropne". Przez pięć następnych dni miał bardzo mgliste pojęcie, co się dzieje. „Panował wielki bałagan, łatwo było się zagubić, (...) zdarzało się wszystko, można było oberwać pociskiem artyleryjskim, ktoś mógł dostać z karabinu maszynowego, strzelaliśmy twarzą w twarz. To był po prostu zamęt, chaos, (...) staraliśmy się jedynie jak najmocniej naciskać".

Poranna mgła 13 maja jeszcze zwiększyła zamieszanie, ale też uniemożliwiła niemieckim działom przeciwpancernym dostrzeżenie celów. Do końca następnego dnia 12. brygada założyła przyczółek liczący 3 tysiące jardów i znalazła się na drodze Pignataro. W tym samym czasie Leese przygotowywał wysłanie swojej 78. dywizji „Battleaxe", aby przedarła się do drogi numer sześć.

Fizylierowi Frederickowi Beachamowi, przygwożdżonemu ogniem nieprzyjaciela w rowie melioracyjnym na lewo od Sant' Angelo, w dół rzeki od sektora 4. dywizji, noc 12 maja upływała bardzo wolno. O jedenastej kompania miała zaatakować znajdujący się na wprost niej wysoko położony teren, wspierając uderzenie batalionu Gurkhów z 8. dywizji indyjskiej na Sant' Angelo, które miało nastąpić w południe. „Około wpół do czwartej [rano] nieprzyjaciel zaczął ostrzeliwać nasze pozycje pociskami artyleryjskimi największego kalibru, jaki kiedykolwiek słyszałem z ich strony – mówi Beacham. – Ze strachu praktycznie wtopiłem się w ziemię. Jeden pocisk wybuchł nie dalej niż pięć jardów ode mnie, wprawiając w drżenie ziemię i wyrzucając na wszystkie strony grudy, które spadały na nas jak deszcz". Gdy zbliżał się czas ataku, próbował rozluźnić zesztywniałe mięśnie i przygotował swój lekki pistolet maszynowy. Potem zabrzmiały gwizdki, fizylierzy wstali i zaczęli biec naprzód. „Karabiny maszynowe natychmiast otworzyły ogień, od świstu kul, gdy czasami przelatywały mi koło ucha, można było ogłuchnąć. Nie miałem pojęcia, co się dzieje po obu moich stronach. Gdy pędziłem, wiedziałem, że Bill ciągle jest koło mnie, a patrząc przed siebie, widziałem, że teren jest płaski, z wyjątkiem rowów melioracyjnych, które biegły równolegle do rzeki na długości około czterystu jardów. Potem teren łagodnie się wznosił do miejsca, w którym okopał się nieprzyjaciel.

Nie sądzę, żebyśmy pokonali więcej niż ze sto jardów, gdy – bez żadnego rozkazu – ja i reszta kompanii padliśmy w następny z rowów melioracyjnych (dzięki Bogu, że tam były). Sapiąc i dysząc z wysiłku i strachu, próbowaliśmy złapać oddech. Nieprzyjaciel raził cały czas ciągłym ogniem z karabinów maszynowych, a my przylgnęliśmy do ziemi po stronie bliższej wroga. Byliśmy w dużo gorszej sytuacji niż wcześniej i zastanawialiśmy się, co z tym począć, gdy – po kilku chwilach – żołnierze przekazali szeptem jeden drugiemu rozkaz, że mamy wrócić, każdy na własną rękę, na naszą pozycję wyjściową". Gdy tylko Beacham i Bill odzyskali oddech, rzucili się szaleńczo w stronę swojej początkowej pozycji, spodziewając się w każdej chwili poczuć, jak kule „rozdzierają" im plecy. Beacham przewidywał błyskawiczne kontruderzenie niemieckie i myślał, że mieliby niewielkie szanse, nie mogąc nawet wystawić głów nad brzeg rowu melioracyjnego. Wtem usłyszał z przodu czołgi i pomyślał, że to koniec. Ale to były czołgi kanadyjskie, które zbliżały się z drugiej strony Sant' Angelo. Atak Gurkhów się powiódł, choć koszt był wysoki. Gdy Niemcy, którzy przygważdżali ogniem fizylierów, zobaczyli, że twierdza Sant' Angelo pada, poddali się lub wycofali, czołgając się okopami.

„Wstałem i rozejrzałem się wokół po raz pierwszy od rozpoczęcia bitwy – mówi Beacham. – Spojrzałem na prawo i tam, twarzą do ziemi, najwyraźniej martwy, leżał nasz dowódca kompanii. Ruszyłem naprzód i uszedłem zaledwie kilka jardów, gdy wzdrygnąłem się, niemal następując na ciała czterech fizylierów. Rów, w którym się skryli, był nieco szerszy od tego, w którym przypadłem ja, i leżeli raczej parami niż pojedynczo, jak my. Nie widziałem na ich ciałach żadnych obrażeń, ale było oczywiste, że duży pocisk artyleryjski, który walnął w ich rów w odległości około jarda od głów pierwszych dwóch, wyssał powietrze z ich płuc, powodując natychmiastową utratę przytomności i śmierć. (...) Dalej po mojej prawej stronie zobaczyłem jeszcze dwóch fizylierów, którzy leżeli na odsłoniętym terenie. Jeden był martwy, leżał twarzą do ziemi, ciągle ściskając w ręku karabin. Dostał serię z karabinu maszynowego w lewą stronę głowy i wskutek tego mózg wypłynął na trawę. Gdy podszedłem bliżej, uniósł się znad niego rój much".

Zdaniem Beachama ten atak był klapą. „Żądanie, żebyśmy atakowali niewidocznych strzelców karabinów maszynowych wystrzeliwujących 1500 pocisków na minutę, okopanych na podwyższonym terenie, na obszarze, którego wcześniej nie widzieliśmy, to było szaleństwo, czyste szaleństwo. Można było się trochę rozzłościć na to, jak nas potraktowano. (...) Odczuwam pewną pogardę dla oficerów. Straciłem tak wielu kolegów".

Ale gdy Sant' Angelo znalazło się w rękach aliantów, Niemcy, chociaż nadal kontratakowali, zaczęli się wycofywać. 13 maja w nocy pierwsze oddziały 78. dywizji weszły na linię w sektorze 4. dywizji, natomiast brygada rezerwowa 8. dywizji indyjskiej włączyła się do walk za Sant' Angelo. Była to teraz walka na wyniszczenie nieprzyjaciela, ponieważ Brytyjczycy wykorzystywali swoją przewagę liczebną – innymi słowy, możliwość ponoszenia większych strat i ciągłego wprowadzania świeżych oddziałów – żeby utorować sobie drogę w głąb doliny Liri. Niemcy walczyli znakomicie i pojawiła się nawet – co rzadko się zdarzało – Luftwaffe, atakując coraz większą liczbę mostów oraz bombardując z lotu nurkowego i ostrzeliwując żołnierzy brytyjskiej piechoty.

Z walk toczonych w tamtym tygodniu poszczególni żołnierze pamiętają zamęt, strach, skrajne warunki oraz fizyczne i psychiczne wyczerpanie. Porucznik z 1/6. Surreys, który przejął dowództwo batalionu, gdy wszyscy jego zwierzchnicy zostali zabici lub ranni, opisuje, jak „w ciągu siedmiu dni mojego dowodzenia posunęliśmy się w sumie o trzy czwarte mili do przepustu na drodze Cassino–Rzym. (...) Przez całe siedem dni nie można było prosto stanąć, żeby nie stracić życia. Czołgaliśmy się, przetaczaliśmy, pełzaliśmy i wlekliśmy na brzuchach, od czasu do czasu zażywając luksusu polegającego na tym, że mogliśmy usiąść wyprostowani w jakimś okopie, który został przed atakiem wykopany głębiej, niż mówiły przepisy".

„Atakowaliśmy, atakowaliśmy i atakowaliśmy od początku – napisał kapral Walter Robson do żony – i przez cały czas robiło się nas coraz mniej. (...) Siedzieliśmy w dołach i trzęśliśmy się. Hicky pękł przedwczoraj, teraz Gordon (...) najpierw uderzył się w głowę, krzycząc: «Nie wytrzymam tego, nie wytrzymam. Moja głowa, moja głowa». Potem mocno ścisnął ją rękami i rozpłakał się. Wytarłem mu czoło, szyję i uszy zmoczoną chustką do nosa i śpiewałem mu. (...) Kiedy, kiedy, kiedy to szaleństwo się skończy?"

Wczesnym rankiem 13 maja lekarz 88. dywizji amerykańskiej Klaus Heubner otrzymał rozkaz wyruszenia w górę drogi do Santa Maria Infante. Po trudnościach poprzedniego dnia Amerykanie musieli dołożyć wszelkich starań, żeby zdobyć wieś i oczyścić z nieprzyjaciela wysoko położony teren na północ od niej. W południe kolumna się zatrzymała i Heubner otworzył tymczasowy punkt opatrunkowy w jarze niedaleko drogi. Niejasne rozkazy mówiły, że ma czekać na przewodnika, który zaprowadzi go do wysuniętego punktu opatrunkowego. Około czwartej po południu żołnierze, którzy z nim byli, poszli dalej. „Słyszę gwałtowny ogień z broni strzeleckiej – pisze Heubner – i wiem, że musieli napotkać opór".

Pułkownik Champeny, dowódca 351. pułku, poszedł naprzód, żeby osobiście dowodzić 1. batalionem w czasie wznowionego ataku. „To było wspaniałe – czytamy w historii dywizji, napisanej nie przez kogo innego jak Jacka Delaneya, w czasie wojny szefa działu PR 88. dywizji. – Chcieliśmy tam zostać i leżeć, ale gdy Stary stał jak skała, ty nie mogłeś kucać. Coś w nim stawiało cię na nogi. Chłopaki też go widzieli. Wywnioskowali, że skoro Stary może to zrobić, to i oni mogą. A gdy nadszedł czas, wstali i znowu ruszyli na Santa Maria". Z pułkownikiem był operator radia Richard Barrows, którego relację cechuje dość odmienny ton: „Okopaliśmy się w dawnym niemieckim zbiorniku ściekowym, pełnym śmieci i odpadków. Łoskot był przerażający. Do dziś nie mogę uwierzyć, że nie umarłem ze strachu. Ogień niemieckich karabinów maszynowych docierał z kilku miejsc. Również ich ostrzał artyleryjski był silny. Dostawaliśmy niezłe baty. Stwierdzenie, że nie wiedzieliśmy, co się dzieje, byłoby poważnym niedomówieniem".

Później tego popołudnia pułkownik Champeny osobiście podszedł do ziemianki Barrowsa. „Sierżancie, zadzwońcie na tyły i niech tu przyślą bizony" – powiedział. „No i znowu te bizony" – Barrows pamięta, że tak sobie pomyślał. Zadzwonił na tyły, przekazał wiadomość, po czym poproszono go o identyfikację. „Oczywiście nie wiedziałem, co mam powiedzieć – wspomina. – Nie mieliśmy żadnych planów, żadnych kodów czy kryptonimów, nie mieliśmy niczego. Byłem kompletnie zdezorientowany". Potem wpadł na pewien pomysł, zadzwonił jeszcze raz i powiedział: „Potrzebujemy tu bizonów, a ja dzwonię z Corbin Screw Corporation". To była duża fabryka w rodzinnym mieście Barrowsa. „Kapitan na tyłach odparł: «Czekaj». Potem wrócił i powiedział: «Dobra, czołgi są w drodze». Musiałem powiedzieć komuś na tyłach, gdzie pracowałem, i domyślili się, że to ja dzwonię. Po paru minutach usłyszeliśmy zbliżające się czołgi, a ogień niemieckiej artylerii stał się bardzo silny. To było naprawdę przerażające. Mieliśmy wstać i ruszyć, ale coś nas powstrzymywało. (...) Usłyszeliśmy, że nadjeżdżają czołgi. Pierwszy wjechał na minę lądową i wybuchł. Potem drugi i trzeci. Załogi biegały w kółko jak szalone, bo żołnierze nie wiedzieli, gdzie są. Jeden z nich podbiegł prosto do nas i – jak idiota – krzyknąłem: *Halt*! Oczywiście gdyby był Niemcem, prawdopodobnie ciągle byłbym we Włoszech. Ale jak się okazało, był bardziej przerażony ode mnie. Odwrócił się i pobiegł w przeciwną stronę".

Niedaleko za linią frontu droga obok tymczasowego punktu opatrunkowego Klausa Heubnera była zapchana pojazdami. „Czołgi, dudniąc, przejeżdżały obok w dwudziestojardowych odstępach – pisze – a między nimi przemykały dżipy zaopatrzenia. Żołnierze piechoty nie mogli już korzystać z drogi, tak była zatłoczona pojazdami". O piątej po południu ruch został wstrzymany. „Niemcy musieli czekać na tę chwilę – pisze Heubner. – Niemiecka artyleria, która milczała przez cały dzień, teraz otworzyła ogień ze wszystkiego, co miała do dyspozycji. Jeden pocisk spada prosto w otwartą wieżyczkę czołgu i pojazd staje w płomieniach. Wszyscy, którzy byli w środku, giną. Czołgi są unieszkodliwiane jeden po drugim – jadą w zbyt ciasnej formacji, żeby unikać nadlatujących pocisków. Przejeżdżający dżip dostaje bezpośrednie trafienie i znika w chmurze dymu i pyłu. Jęczące szrapnele wylatują w powietrze, a kawałki gorącego metalu spadają w moim jarze. Jesteśmy zasypywani ofiarami, ludzie odnoszą rany bezpośrednio na wprost nas. Ranni wyskakują z płonących pojazdów i biegną do nas. Inni czołgają się drogą, żeby tu dotrzeć. (...) Jestem w naprawdę gorącym miejscu, a nie powinno mnie tu być. Gdzie jest, do diabła, mój przewodnik? (...) Nie wytrzymam już dłużej pod tym morderczym ogniem". W końcu przybył przewodnik. „Nie mam z niego wielkiego pożytku. Biedak jest w szoku powybuchowym, cały się trzęsie, łka i cierpi na ostre stany lękowe". Ale zdołał na tyle wziąć się w garść, że doprowadził Heubnera do wysuniętego punktu opatrunkowego. „O pierwszej w nocy okopałem się i praktycznie wpadłem do dołu z samego zmęczenia. Pierwszy dzień prawdziwej walki mam za sobą. Nigdy go nie zapomnę. (...) Jeszcze jedna taka sesja jak wczoraj, a wątpię, czy przetrwam".

Amerykański atak był słabo skoordynowany i cała kompania odcięta poprzedniego dnia była teraz zmuszona się poddać. Santa Maria Infante pozostała w rękach Niemców. Znowu brak doświadczenia żołnierzy i ich dowódców był przyczyną ciężkich strat. Wieczorem 13 maja żołnierze zaczynali być wyczerpani. Pułkownik Fry, dowódca 350. pułku, pisze, że jego sztab trzymał się na nogach dzięki temu, że brał benzedrynę. Fry nie spał od nocy 10 maja: „Musiałem wzywać lekarza, żeby robił mi zastrzyki podskórne, abym nie zasnął". Jego relacja bardzo się różni od bohaterskich opowieści Francuzów czy, w mniejszym stopniu, Polaków – Fry bardzo szczerze opowiada o swoich dwóch dowódcach kompanii, którzy „zawiedli". „Jedynym słowem, jakie znam, a którym można to opisać, jest tchórzostwo – pisze. – Zamiast zademonstrować przywództwo, do czego go szkolono, symulował nagłą chorobę, która zmartwiła cały sztab kompanii. W końcu udał się na tyły i zgłosił do punktu opatrunkowego z wymyślonymi obrażeniami. Razem z innymi zniknął w administracyjnym stanie zawieszenia na tyłach i nigdy już się nie odezwał. Nie znany mi w tamtym czasie dowódca kompanii w drugim batalionie również zawiódł przy pierwszym kontakcie z brutalnością walki".

Francuzi także przeżywali trudności w pierwszym dniu ofensywy i Juin zdecydowany był ponowić atak następnego dnia. Chodziło o to, żeby umocnić jedyny dotychczasowy sukces i przebić się z Monte Faito do Monte Maio, wzniesienia, które dawało panowanie nad południową częścią doliny Liri. Po gwałtownym ostrzale artyleryjskim Marokańczycy Juina ruszyli naprzód i – bunkier po bunkrze – wypierali Niemców. Gdy Francuzi zajmowali kolejne wzniesienia między Faito i Maio, ujawniła się kruchość niemieckich linii obronnych w tym sektorze. Tylko tutaj nie mieli obrony w głębi własnego terytorium, a liczba niemieckich żołnierzy była niewystarczająca do przeprowadzania tak charakterystycznych dla nich kontruderzeń. Ponieważ cała linia niemiecka zaczynała się cofać, szczyt Maio został zdobyty. Wkrótce znaleźli się tam obserwatorzy artyleryjscy, którzy kierowali ogień na wycofujących się Niemców. Na szczycie zatknięto też wielką, mierzącą dwanaście na dwadzieścia stóp francuską flagę, która była widoczna w promieniu dziesięciu mil.

W dolinie Garigliano Jean Murat otrzymał rozkaz, że bunkry, które powstrzymały go poprzedniego dnia, mają zostać oczyszczone z nieprzyjaciela za wszelką cenę. Dostarczono dodatkowe karabiny maszynowe i wyrzutnie rakiet. „Cała nasza broń otwiera jednocześnie ogień do otworów strzelniczych umocnień – pisze Murat. – Długie serie przerywają wybuchy rakiet trafiających w ściany bunkrów. Żołnierze korzystają z okazji i rzucają się naprzód. Nieprzyjaciel jest całkowicie zneutralizowany, ponieważ drużyna posuwa się do przodu bez jednego wystrzału. (...) Ogłuszony wróg nadal nie reaguje. Drużyna jest teraz na bunkrze. Akcja powinna być już skończona, ale otwory strzelnicze umocnienia są zbyt wąskie, żeby można było wrzucić granaty. Dowódca drużyny strzela w nie długimi seriami, po czym wraca ku nam, pokazując, że bunkier nie jest już obsadzony".

14 maja pogłoski z poprzedniego dnia o francuskich sukcesach w górach zostały potwierdzone. „Linia Gustawa została przełamana – pisze Murat. – Niemcy się wycofują. Castelforte padło. (...) Bunkry, które były przyczyną

tak wielkich strat kompanii, nie są już obsadzone. Kompania otrzymuje rozkaz powrotu do Castelforte, gdzie nasz batalion, najbardziej wyczerpany spośród trzech, otrzyma posiłki, zostanie przeorganizowany i będzie odpoczywał przez trzy dni. Do kompanii jeszcze nie dotarło zwycięstwo. Jest zajęta przekraczaniem strefy bunkrów, która jest usiana minami. Idziemy w szeregu po śladach mułów. Specjalista przystępuje do rozminowania za pomocą urządzenia podobnego do patelni, które piszczy bez przerwy, bo ziemia jest tak naszpikowana odłamkami pocisków. Mój kapitan podjął więc decyzję, żebyśmy obeszli się bez tego. Żołnierz na przedzie idzie bardzo wolno, a potem każdy stawia stopy w śladach tego, który idzie przed nim. Operacja ta odbywa się w śmiertelnej ciszy". Gdy wydawało się, że kompania pokonała już niebezpieczną strefę, tempo wróciło do normalnego. „Mamy mniejszą zadyszkę i możemy ze sobą rozmawiać – pisze dalej Murat. – Po drodze widzimy białą flagę powiewającą na szałasie. Pojawia się dwudziestu Niemców. Przepychamy się, żeby na nich popatrzeć. Zabieramy im broń strzelecką i karabiny maszynowe. Dzięki tej białej fladze, która powiewa przed nami, nagle uświadamiam sobie sukces naszych wojsk i nasz. Krew uderza mi do głowy. Coś ściska mnie w gardle, a do oczu napływają łzy. Ogarnia mnie silne wzruszenie. To mieszanka radości z tego, że żyję, dumy z tego, że zwyciężyliśmy i że jestem członkiem elitarnej armii, szczęścia, że po raz pierwszy widzę kapitulację niemieckiego żołnierza, dumy i zadowolenia, że podołaliśmy zadaniu".

Po upadku Maio Francuzi posunęli się naprzód na całym swoim froncie i – zamiast umacniać pozycje, jak to robili Brytyjczycy – nadal parli naprzód, nie dając Niemcom czasu na otrząśnięcie się. 14 maja Juin rzucił swoje wojska górskie, wśród których były marokańskie oddziały nieregularne. Poruszając się górskimi bezdrożami, posuwali się naprzód ze zdumiewającą szybkością i pozostawili całą prawą flankę wojsk niemieckich w chaosie. Znaleziony na polu walki list niemieckiego oficera do żony daje pewne wyobrażenie o tym, co przeżywały wycofujące się wojska, teraz na odkrytym terenie: „Nie możesz wyobrazić sobie okrucieństwa i potworności tego odwrotu – pisze. – Nie pozwalamy się zabić, ale żołnierze są zmęczeni, od trzech dni nie mieli nic w ustach. (...) Nasi przeciwnicy, Wolni Francuzi i Marokańczycy, są niewiarygodnie dobrzy. Serce mi krwawi, gdy widzę mój piękny batalion po pięciu dniach: 150 żołnierzy poległo, (...) zniszczenia są ogromne, trzy pojazdy rozpoznania rozwalone na kawałki, mój opancerzony samochód i cały sprzęt radiowy – wszystko zniszczone przez francuski wóz opancerzony. (...) Broń, żywność, papier, wszystko to zniknęło od 26 kwietnia, (...) *auf Wiedersehen*, mam nadzieję, w lepszych czasach".

14 maja rano Amerykanie odkryli, że Niemcy, znajdujący się naprzeciwko nich na wysoko położonym terenie wokół Santa Maria Infante, odeszli – wycofali się, aby pozostać w kontakcie ze swoją lewą flanką, która chwiała się pod francuskimi atakami. Potem Amerykanie szli naprzód przez góry, a do pokonania mieli jedynie tylne straże, miny przeciwpiechotne i miny pułapki. Na swojej prawej flance mieli Marokańczyków, więc kazano im umieścić z tyłu hełmów taśmę samoprzylepną, żeby nie wzięto ich za Niemców, gdy natkną się w nocy na żołnierzy z Afryki Północnej.

Amerykański strzelec karabinu maszynowego Len Dziabas, którego przydzielono do Marokańczyków, opowiada, że po dotarciu do Spigno „nagle usłyszeliśmy strzały i krzyki dochodzące ze wsi, ale nie mogliśmy się zorientować, co się dzieje. Ktoś powiedział: «Myślę, że oni gwałcą kobiety». Jeden z sierżantów zapytał, czy w związku z tym powinni coś zrobić. Porucznik odparł: «Jesteśmy pod ich dowództwem, musimy czekać na rozkazy od nich»". Francuska pielęgniarka Solange Cuvillier potwierdza tę opowieść, pisząc w pamiętniku: „Niestety, gwałty, których dopuszczali się niektórzy żołnierze z Afryki Północnej, rzuciły cień na nasze zwycięstwo. W Spigno (...) słyszeliśmy krzyki kobiet, pomimo odgłosów walki, co pogrążyło nas w rozpaczy. Francuskie dowództwo (wojskowe) nie wybaczało takich przestępstw i od razu przeprowadziło egzekucje pewnej liczby winnych. W tym sektorze musiałam ewakuować w kaftanie bezpieczeństwa kobietę około trzydziestki. Pielęgniarz czuwał nad nią, gdy wędrowaliśmy nocą w poszukiwaniu zakładu dla obłąkanych, który by ją przyjął. Zdarzenie to pozostaje jedyną wstydliwą chwilą w całym moim wojennym doświadczeniu".

W kategoriach wojskowych Francuzi mieli jednak wszelkie powody do dumy. Śmiały atak Juina przez góry rozbił południowo-zachodnią flankę linii Gustawa, a tempo ataków, które potem nastąpiły, uniemożliwiło Niemcom utrzymanie linii Hitlera w sektorze nadmorskim. Bardzo skomplikowało to też sytuację Niemców w dolinie Liri. Brytyjczycy zdawali sobie z tego sprawę i pod koniec dnia 16 maja dowódca 8. armii generał broni Leese wydał 78. dywizji rozkaz przecięcia drogi numer sześć za Cassino. W tym samym czasie Polacy, którzy dostali takie baty w pierwszym dniu ataku, mieli jeszcze raz szturmować budzący grozę klasztor.

ROZDZIAŁ 18

Klasztor

Od nieudanego natarcia 12 maja niemieckie pozycje w klasztorze i wokół niego były pod ciągłym ogniem artyleryjskim. Niemiecki obserwator artylerii Kurt Langelüddecke żywo pamięta „grzmiący ostrzał. (...) Siedzieliśmy tam przez pięć dni pod nieustanną kanonadą. Pocisk za pociskiem – bum, bum, bum, bum – wszędzie pełno pyłu. Nasz kontyngent ciągle się stawał coraz mniejszy". Gdy Brytyjczycy, wzmocnieni od 16 maja dwiema dywizjami kanadyjskimi, wolno, ale skutecznie posuwali się naprzód w leżącej niżej dolinie, coraz większą liczbę obrońców klasztoru przenoszono na dół w celu powstrzymania natarcia, tak że 17 maja w rejonie klasztoru zostało tylko około 200 spadochroniarzy. Ci nieliczni znaleźli się teraz w tragicznym położeniu. Wskutek gorąca odór rozkładających się trupów stał się nieznośny i ci, którzy jeszcze żyli, zaczęli nosić maski przeciwgazowe. Nieustannie wystrzeliwane na klasztor pociski dymne, mające uniemożliwić obserwację znajdujących się niżej wojsk, jeszcze bardziej utrudniały oddychanie. Niemiecki major w klasztorze zanotował w tym czasie: „Niemożliwe, żeby to się rozwiało, (...) okrywa nas zasłona dymna. Ogromna liczba poległych na zboczach – smród – brak wody – brak snu od trzech dni – amputacji dokonuje się na stanowisku dowodzenia".

Gdy dym rozwiał się na tyle, że można było zobaczyć leżącą w dole dolinę Liri, „to, co zobaczyli, wróżyło tylko nieszczęście – relacjonował oficer spadochroniarzy. – Nieprzerwany strumień alianckich czołgów i innych pojazdów sunął na zachód. Bateria za baterią w nie mającej końca kolumnie. Był to wspaniały pokaz potęgi materialnej i po raz pierwszy zwykli niemieccy żołnierze ujrzeli niezmierne bogactwo aliantów. Jak, zastanawiali się, ktokolwiek może oprzeć się takiej potędze? Bardzo szybko Brytyjczycy zamkną furtki na swoich tyłach, a tutaj na froncie Cassino dywizja Heidricha tkwi w pułapce".

Gdy natarcie w dolinie Liri było już w toku, opactwo można było ominąć lub powstrzymać. Jeśli nowy polski szturm był konieczny, to bardziej z psychologicznych lub politycznych niż czysto operacyjnych względów. Gdy Polacy zaatakowali wieczorem 16 maja, byli zaskoczeni, jak bardzo przerzedziły się szeregi obrońców. Do rana znaczną część Colle Sant' Angelo zajęła dywizja kresowa, a następnego dnia dywizja karpacka ruszyła ponownie na wzgórze 593 i wysoko położony teren za klasztorem, by odciąć ten umocniony punkt i spotkać się z żołnierzami brytyjskimi z 78. dywizji na drodze numer sześć. Ciężko obładowani dodatkową amunicją Polacy wspinali się mozolnie po zboczach wzgórza 593 i zaatakowali niemieckich obrońców granatami i ogniem broni strzeleckiej. Wkrótce żołnierze zostali rozdzieleni ze swoimi plutonami i walczyli dalej na własną rękę. Pozycja została zdobyta, a potem przeprowadzono na nią kontruderzenie, ale o 11.30 większa część wzgórza była w polskich rękach. Coraz mniejsza liczba spadochroniarzy ciągle jeszcze kontynuowała walkę, przeprowadzając kontrnatarcie na Sant' Angelo, gdzie wiele pozycji przechodziło kilka razy z rąk do rąk. W pewnym momencie przednie kompanie Polaków zauważyły, że są odcięte od zaopatrzenia i kończy im się amunicja. Niemiecka artyleria i moździerze, które umknęły uwagi alianckich samolotów myśliwsko-bombowych, dalej zalewały ogniem odsłoniętych żołnierzy na zboczu wzgórza i znowu wzrosła liczba ofiar. „Nie można było tego wytrzymać i żołnierzy zaczynała ogarniać masowa histeria – czytamy w relacji jednego z Polaków. – Któryś żołnierz wolno staje na nogi, a potem siada po turecku, jakby był w parku. Słychać strzał i pada martwy. Inni, kuląc się bezradnie, zaczynają rzucać w Niemców kamieniami. I nagle, nie do wiary, ktoś zaczyna śpiewać polski hymn narodowy: «Jeszcze Polska nie zginęła». Wszyscy żołnierze przyłączają się do chóru na szczycie Colle Sant' Angelo, góry śmierci".

Na tyłach polskich linii gorączkowo formowano nowe oddziały z kierowców, kucharzy i pozostałych żołnierzy nie biorących udziału w walce i posyłano ich do ataku. O zmierzchu ponownie nawiązano kontakt z wysuniętymi oddziałami i żołnierze znowu natarli i ogromnym nakładem sił odbili szczyt góry. Po ich lewej stronie żołnierze dywizji karpackiej robili, co mogli, żeby zdobyć wzgórze 593, ale pod koniec dnia Niemcy zablokowali ich natarcie zarówno w kierunku klasztoru, jak i doliny Liri. Jeden oddział z 6. batalionu przedzierał się ku wysoko położonemu terenowi po drugiej stronie jaru, ale został przygwożdżony „morderczym ogniem krzyżowym broni strzeleckiej i karabinów maszynowych. (...) Zostaliśmy tam, gdzie byliśmy, i szukaliśmy najlepszej osłony, jaką udało nam się znaleźć lub sklecić – relacjonuje podchorąży Pihut – trzymaliśmy się z determinacją. (...) [To] było jak coś nie z tego świata. Znajdowaliśmy się w ruchomej, nieprzeniknionej fali snującego się dymu, ciężkiego od nieznośnego odoru śmierci".

Obie strony były teraz skrajnie wyczerpane. Wieczorem 17 maja z jednej z niemieckich kompanii zostało tylko trzech ludzi zdolnych do walki – oficer, podoficer i szeregowiec. W tym samym czasie oddziały z 4. dywizji brytyjskiej w końcu przekroczyły drogę numer sześć niedaleko miasta i zbliżyły się do południowych zboczy Wzgórza Klasztornego, a 78. dywizja, odparłszy wiele kontruderzeń, przecięła tę drogę głębiej w dolinie Liri. Monte Cassino, choć nadal nie zdobyte, było teraz niemal okrążone. Na prawej flance niemieckiej górskie oddziały Juina wkraczały do doliny Liri od południowego zachodu, zagrażając odcięciem niemieckim wojskom ciągle zażarcie walczącym w dolinie z Brytyjczykami. Pod koniec tego dnia doszło do następującej rozmowy Kesselringa i von Vietinghoffa, dowódcy 10. armii:

> Kesselring: „(...) Uważam odwrót na pozycję Sengera za konieczny".
> Vietinghoff: „W takim razie odwrót trzeba będzie zacząć na północ od Liri. Czołgi się tutaj przedarły (...)".
> Kesselring: „To musimy oddać Cassino".
> Vietinghoff: „Tak".

Rozkaz przekazano dalej z instrukcją, że sygnałem do opuszczenia klasztoru i miasta będzie nalot bombowy na stację kolejową w Cassino. „1. dywizja spadochronowa nie marzyła o poddaniu «swojego» Monte Cassino – napisał Kesselring. – Aby utrzymać kontakt z 14. korpusem pancernym, musiałem osobiście rozkazać wycofanie się tym ostatnim, krnąbrnym oddziałom". W klasztorze Kurt Langelüddecke otrzymał radiogram potwierdzający rozkaz: „Opuścimy Cassino. Odwrót na Senger Riegel. Utrzymaliśmy Monte Cassino. Niech żyje Führer".

„Przechwyciliśmy meldunek po niemiecku – mówi pułkownik Zygmunt Łakiński, dowódca artylerii z Dywizji Strzelców Karpackich. – Wynikało z niego, że obrońcom rozkazano odwrót z opactwa. Zleciłem ciągły ostrzał wszystkich dróg wyjścia".

Niemcy mogli teraz uciec już tylko jednym otwartym wąskim korytarzem. Garstka spadochroniarzy otrzymała rozkaz trzymania się z tyłu jako straż, a około setki spadochroniarzy wyruszyło z klasztoru, na południe, najwyraźniej woląc poddać się Brytyjczykom niż Polakom. Kurt Langelüddecke jednak postanowił za wszelką cenę uniknąć wzięcia do niewoli: „Poszedłem do kapitana Beyera, jednego z naszych spadochroniarzy, który dopiero co został odznaczony Krzyżem Żelaznym". Beyer został ranny w nogi i schronił się w krypcie świętego Benedykta. „Miał tam alkohol i powiedział: «Och, dla nas to koniec. Możemy tu poczekać, dopóki nie wezmą nas do niewoli. I tak zostało nam niewielu ludzi. (...) Przywołałem ich wszystkich i powiedziałem im, żeby już nie strzelali. To nie ma sensu i tak zresztą nic nie widać. Jest środek nocy. Wie pan co, Herr Langelüddecke, będziemy grać w karty i czekać tutaj na Amerykanów». On był kapitanem i ja byłem kapitanem – mówi dalej Langelüddecke. – Znaliśmy się. «Herr Beyer – powiedziałem. – Nie ja. Niedawno się ożeniłem – w listopadzie. Nie zamierzam trafić do obozu jenieckiego»". Langelüddecke odwrócił się do znajdujących się wokół ludzi i powiedział: „Żołnierze, ja się przedzieram. Wracam do oddziału, do domu. Nie mogę tutaj zostać. Kto idzie ze mną?"

Dołączyło do niego dwudziestu ośmiu żołnierzy. „Po trzech czy czterech dniach byliśmy na górze, jakaż piękna jest Monte Cairo – mówi Langelüddecke. – W dole pod nami był ruch, Amerykanie. Jakoś udało nam się przedrzeć. Gdy wróciliśmy, było nas dwudziestu czterech. Czterech poległo, nikt nie został ranny. W końcu dotarliśmy do celu i powiesiliśmy hełmy na karabinach, żeby nasze oddziały wiedziały, że jesteśmy Niemcami. Potem rozmawiał ze mną generał, siedzieliśmy w słońcu na schodach we wsi. Podszedł do nas oficer z mojego oddziału – starszy człowiek. Przedstawił się generałowi, a potem mnie. «Oszalał pan? Przecież się znamy» – powiedziałem. – «Pan kapitan?» – zapytał. Nie poznał mnie. Tak bardzo się zmieniłem: blady, przemęczony, mundur w strzępach. Mógł mnie nie poznać".

Rozkaz wycofania się dostał też spadochroniarz Robert Frettlöhr, nadal znajdujący się na stanowisku karabinu maszynowego w pobliżu zamku. Po jego otrzymaniu skierował się w stronę klasztoru. Dotarł do groty w pobliżu jego podstawy, gdzie pozostali spadochroniarze czekali na chwilę przerwy w ostrzale, żeby przemknąć się za rogiem klasztoru. Gdy nadeszła jego kolej, wybiegł z jeszcze jednym żołnierzem i niemal natychmiast zobaczył „wielki błysk". Frettlöhr został trafiony i upadł. Przez kilka chwil był nieprzytomny, a gdy się ocknął, zobaczył, że jego noga jest „sina, pokryta płatami odpadającej skóry" i napuchnięta „jak wielki balon". Następnie przeczołgał się kilkaset metrów, żeby dotrzeć do zapewniającego osłonę klasztoru. W punkcie opatrunkowym w krypcie świętego Benedykta obandażowano mu nogę. Powiedziano mu: „To koniec, nie wracasz". Gdy wyruszali ostatni ze spadochroniarzy, Frettlöhr dał im do wysłania list do rodziców, w którym napisał, co się stało. Wiedział, że zostanie jeńcem wojennym.

Werner Eggert pierwszy tydzień maja spędził w Cassino w wielkiej jaskini, w której schronili się spadochroniarze podczas nalotu dywanowego w marcu. „Nasza siła bojowa stopniała" – mówi. Wcześnie 17 maja usłyszał dobiegający z megafonów głos, który oświadczał, że Brytyjczycy zajęli Cassino. „Spadochroniarze, wasza godzina wybiła – mówiono. – Opuśćcie miasto, powiewając białą flagą, w kierunku wschodnim!" „Każdy żołnierz musiał radzić sobie sam – mówi Eggert. – Każdy miał mapę i powinien zdecydować, jak się wydostać. Nagle wszyscy byliśmy rozbudzeni, całkiem rozbudzeni. Nasi chłopcy, przeważnie w wieku od osiemnastu do dwudziestu pięciu lat, pakowali najniezbędniejsze rzeczy, gdy nad całą górą rozbrzmiewał huk wybuchów. Od siódmej wieczorem zaczęli znikać jeden po drugim z naszej przytulnej jaskini. Otoczony pięćdziesięcioma, może więcej, świecami, siedziałem niczym kapelan w uroczyście udekorowanej kaplicy. Czekałem. Około dziesiątej wieczorem ktoś się wcisnął do środka i oświadczył, że jest ostatni. Wszystkie stanowiska zostały opuszczone. Wziął plecak i zaczął się czołgać z boku jaskini w kierunku drogi, (...) a ja zostałem sam".

Eggert pośpiesznie podłączył zapalnik z opóźnionym zapłonem, żeby wysadzić w powietrze znajdujący się w jaskini tajny skład broni i materiałów wybuchowych, a następnie przygotował się do ucieczki. „Gdy zrozumiałem, że od tej chwili jestem pozostawiony sam sobie, coś się we mnie obudziło. Najpierw była to przemożna chęć, żeby się teraz nie poddawać, jako jeden z tych, którzy przetrwali trzy miesiące na Cassino. Druga siła napędowa była banalna: niejaka ciekawość, czy mi się uda. Nie dla narodu i ojczyzny, nie, to było coś bardzo osobistego". Z grupą około dziesięciu ludzi Eggert wyszedł chwiejnym krokiem na drogę numer sześć. „Nagle z naprzeciwka trafił nas ogień karabinów maszynowych – mówi. – Rzuciliśmy się na prawo do rowu i przecisnęliśmy się przez resztki uschłego żywopłotu na pole. Gdy biegliśmy do podnóża góry, kule świstały nad nami i obok nas. A potem usłyszeliśmy głos alianckiego żołnierza, który nas ścigał: «Stać! Ani kroku dalej!» Był niedaleko za mną. Rzuciłem się na ziemię, wyciągnąłem dwa granaty do granatnika karabinowego i rzuciłem je na oślep za siebie. Trzasnęło dwa razy i nagle zapanowała cisza. Skoczyłem na nogi i dotarłem z pozostałymi do gruntowej drogi u podnóża góry".

Eggert i trzej inni żołnierze zaczęli się wspinać po stromych terasach w kierunku klasztoru. Ogień karabinów maszynowych omiatał całe zbocze. „Gdy tylko uderzenia w kamienne mury się przybliżyły, rzuciliśmy się na ziemię – mówi dalej Eggert. – Jeden facet z trudem oddychał i powiedział, że musi odpocząć. Pozostali dwaj nie byli ranni, ale kompletnie pozbawieni tchu. Słyszałem, że pogoń się zbliża, trzy uderzenia bezpośrednio nad nami, potem trzy obok, odłamki skał. Wspinaliśmy się dalej. Może robiłem to za szybko, bo kiedy się odwróciłem, byłem sam. Odpocząłem. Poniżej słyszałem ludzi idących po zboczu. Dotarłem do fragmentu starej drogi prowadzącej do klasztoru i poszedłem nią do następnego ostrego zakrętu. Nieco wyżej usłyszałem kilka głosów. Przede mną krótkie serie ognia z pistoletów maszynowych spadały w dół urwiska.

Na niebie nie było ani jednej chmurki. Z księżycem czy bez, widoczność sięgała kilkuset metrów. W górze po prawej jaśniał bladoszarą poświatą klasztor. Zegarek wskazywał dziesięć minut do północy. Dotarłem do siodła nad drugim urwiskiem. Klasztor zdawał się być na wyciągnięcie ręki". Gdy Eggert zatrzymał się, żeby zastanowić się nad najlepszą trasą, nad głową zaczęły mu przelatywać pociski artyleryjskie, zmierzające do doliny za opactwem. Wtem zaczęły spadać tuż przed nim. „Rzuciłem się na ziemię i zebrałem wszystkie kamienie w zasięgu ręki. Przy następnej serii [wybuchów] leżałem już w samym środku. Miałem wrażenie, że jakaś ręka uniosła mnie w powietrze i rzuciła o ziemię. Gorączkowo złapałem jeszcze kilka kamieni, żeby dołożyć je do mojego otwartego grobu. Po nie wiem ilu pociskach, nie mogłem już tego znieść. Skoczyłem na nogi i popędziłem w stronę klasztoru".

Gdy kanonada artyleryjska przycichła, Eggert znalazł ścieżkę, którą dostarczano do opactwa zaopatrzenie. Gdy starał się złapać oddech, „usłyszał brzęk metalu i kilka przytłumionych głosów; pięć niewyraźnych postaci schodziło stratowaną ścieżką. Mieli hełmy, ale nie potrafiłem rozpoznać, czy to byli nasi towarzysze, czy też należeli do drugiej strony. Poczekałem jakiś kwadrans i gdy nikt inny się nie pojawił, poszedłem za nimi. Nogi mi się trzęsły. Ścieżka była prawie niewidoczna. Od czasu do czasu dochodził z dołu jakiś odległy ogień karabinów maszynowych. Dotarłem do miejsca, w którym wcześniej rósł niewielki lasek. Czarne pnie wystawały nad szare opary unoszące się w dolinie. Pośrodku ścieżki, a także na prawo i lewo od niej, rozrzuconych było dwadzieścia czy trzydzieści ciał. Gdy przez nie przechodziłem, na próżno potrząsając niektórymi i wołając do nich, pomyślałem o ciężkich odłamkach, które chwilę wcześniej przeleciały nade mną i spadły w jar".

Pół godziny później Eggert dotarł do obozu medycznego i w końcu był bezpieczny. Należał do nielicznych spadochroniarzy, którym udało się uciec z miasta czy klasztoru. „Pozbyłem się karabinu i plecaka i skierowałem się w stronę Roccasecca z dwoma radiooperatorami z sąsiedniej kompanii – mówi. – Droga gruntowa biegła równolegle do Via Casilina. Zryta pociskami artyleryjskimi ziemia wkrótce ustąpiła soczystej zieleni. Wszędzie pełno kwiatów, maków, łagodny poranny wietrzyk i żadnego dźwięku poza odgłosem naszych zmęczonych kroków".

Wczesnym rankiem 18 maja na ruinach klasztoru Monte Cassino zatknięto poszarpaną białą flagę. Pułkownik Łakiński, polski oficer artylerii, dostrzegł ją ze stanowiska obserwacyjnego i skontaktował się z dowódcą brygady dywizji karpackiej, żeby przekazać mu tę wiadomość. „Początkowo nie chciał uwierzyć, że Niemcy się poddali – mówi Łakiński. – Gdy w końcu go przekonałem, poprosiłem, żeby wysłano do klasztoru patrol z naszą flagą narodową, ale powiedziano mi, że piechota jest zbyt wyczerpana. Więc skontaktowałem się z naszą brygadą kawalerii (...) i poprosiłem, żeby wysłali kogoś na Monte Cassino".

Około 8 rano dwudziestosześcioletni podporucznik Kazimierz Gurbiel z 1. szwadronu 12. Pułku Ułanów Podolskich dostał rozkaz poprowadzenia patrolu do ruin. Z dwunastką żołnierzy zbliżał się do klasztoru przez pola minowe. Nie było strzałów. U podnóża góry Gurbiel zostawił na straży sześciu żołnierzy z karabinem maszynowym, a resztę zabrał na stromą wspinaczkę do klasztoru. „Smród rozkładu unosił się nad wzgórzem, a przez lekki wietrzyk był jeszcze bardziej nieznośny" – powiedział Gurbiel. Gdy około 9.30 dotarli do zniszczonych potężnych murów, sierżant Wadas wspiął się na ramiona kolegi i wdrapał do opactwa, gdzie stanął przed pozbawionym głowy posągiem świętego Benedykta. U jego podstawy leżał na poły przysypany gruzem niemiecki żołnierz. Pozostali dostali znak, żeby wejść do opactwa, a Wadas podbiegł do uchylonych drzwi i krzyknął: *Hände hoch, oder ich schiesse*! Po chwili zaczęli się wyłaniać z uniesionymi rękami niemieccy spadochroniarze, w sumie około siedemnastu, „w bandażach i łachmanach, nie ogoleni, brudni – mówi Gurbiel. – Gdy zauważyli na mundurach polskie orzełki, pobledli ze strachu. Powiedziałem im przez Wadasa, żeby się nie bali. Wtedy jeden z moich ułanów powiedział: «Poruczniku, tu jest jakiś otwór»". Gurbiel zszedł kilka stopni w dół i znalazł się w krypcie świętego Benedykta. „Niemcy zorganizowali tutaj mały szpital polowy – mówi Gurbiel. – To, co ujrzałem – w świetle dwóch świec – to była makabra! W pobliżu ołtarza – między skrzyniami ze zwłokami, na złotych ornatach – leżało trzech ciężko rannych młodych spadochroniarzy. Prawie chłopcy. (...) Towarzysze zostawili im chleb, wodę i puszki z jedzeniem. Worki i plecaki wypełnione były zwłokami lub fragmentami zwłok niemieckich żołnierzy, których nie można było pogrzebać w czasie walk. Pomieszczenie wypełniał ciężki odór rozkładających się ciał. Ranni spadochroniarze patrzyli na Polaków ze strachem w oczach i niepewnością co do swego losu".

Jednym z tych trzech rannych żołnierzy był Robert Frettlöhr. „Była dziesiąta rano, gdy Polacy przyszli do klasztoru – mówi. – Nie wiem, czego się spodziewaliśmy – może wrzucenia granatu". Gurbiel szybko uspokoił tych trzech żołnierzy. „Powiedziałem przez mojego [mówiącego po niemiecku] Ślązaka: «Nie martwcie się, chłopcy, nic wam się nie stanie»". Gurbiel szybko opuścił kryptę, żeby zaczerpnąć świeżego powietrza, i posłał żołnierza po noszowych, aby zabrać tych trzech rannych.

Nikt nie mógł znaleźć polskiej flagi, ale o 9.50 Gurbiel wbił gałąź z proporcem 12. Pułku Ułanów Podolskich, pospiesznie zszytym z części flagi Czerwonego Krzyża i niebieskiej chustki do nosa. „Po tych wszystkich walkach przez wszystkie te miesiące – mówi – klasztor został zdobyty bez jednego wystrzału". Wkrótce potem dowódca drużyny Czech zagrał na trąbce hejnał mariacki, średniowieczny polski sygnał wojskowy. Dowódca drużyny Choma wspomina tę chwilę: „Coś ścisnęło mnie za gardło, gdy wśród pobrzmiewającego echem huku dział dobiegły z opactwa dźwięki hejnału. (...) Ci żołnierze, zahartowani w wielu bitwach, którzy aż za dobrze poznali wstrząsającą rozrzutność śmierci na zboczach Monte Cassino, płakali jak dzieci, gdy po latach tułaczki usłyszeli nie z radia, ale z dotąd niezwyciężonej niemieckiej twierdzy głos Polski, melodię hejnału".

Bitwa o Monte Cassino zakończyła się.

Tego ranka, gdy w wojskach alianckich przesyłano meldunki o zdobyciu klasztoru, podczas trwających nadal walk wypierano niemieckie tylne straże z ostatnich stanowisk na masywie Monte Cassino. Brick Lorimer, którego 19. pułk pancerny był jednym z nowozelandzkich oddziałów wciąż walczących w dolinie Liri, pamięta meldunek swojego dowódcy, wysłany do nowozelandzkiej kwatery głównej: „Cassino w naszych rękach. Polacy w klasztorze. Pułk w decydującym momencie". Polski podchorąży Pihut znajdował się na jednym ze zboczy grzbietu Widmo: „Trzymaliśmy się z determinacją, aż dotarła zachwycająca wiadomość, że klasztor jest w naszych rękach. Nigdy nie zapomnę radości w tamtej chwili. Trudno było nam uwierzyć, że wreszcie nasze zadanie zostało wykonane. Wszyscy byliśmy na skraju kompletnego załamania psychicznego i fizycznego". Dla pułkownika Łakińskiego, który pierwszy zobaczył białą flagę powiewającą nad klasztorem, „najbardziej wzruszającą chwilą w całej kampanii był moment, gdy ujrzałem proporzec ułanów łopocący na wietrze nad milczącymi ruinami".

Wkrótce w opactwie zaroiło się od wyższych oficerów i dziennikarzy. Robert Frettlöhr czekał na ewakuację, gdy podszedł do niego amerykański reporter, „który wiedział o nas więcej niż my sami. Znał wszystkich naszych oficerów. Braliśmy udział w tych walkach nieprzerwanie od miesięcy. Byliśmy brudni, mieliśmy pełno wszy. Byliśmy nie ogoleni. Musieliśmy potwornie wyglądać, a on tu wchodzi w amerykańskim białym trenczu, nieskazitelnie czystym, i zadaje nam te wszystkie pytania. No, mógłbym zabić tego faceta, bo sypał sól w rany. Co oni mają, a czego my nie mamy i takie tam, to i tamto". Po południu Frettlöhr został zniesiony z góry i zabrany przez sanitarkę. Zawieziono go z dwoma rannymi żołnierzami brytyjskimi do amerykańskiego szpitala polowego. Pamięta, że po drodze zdumiała go ogromna liczba pojazdów i ludzi oraz potężne stosy amunicji za liniami alianckimi.

W mieście, gdzie brytyjscy gwardziści utrzymywali pozycje w szalejącej wokół nich walce, ludzie mogli w końcu opuścić mroczne piwnice i, mrugając oczami, wyjść na cudowne słońce. Niewielkie grupy Niemców nadal schodziły ze wzgórza, żeby się poddać, a patrole z 4. dywizji brytyjskiej wkroczyły do miasta od południa. „O dwunastej – czytamy w historii pułku – stanowisko kompanii oblegli fotografowie prasowi, korespondenci wojenni i cały tłum rozentuzjazmowanych gapiów, spacerujących radośnie i – jak się wydawało – bez szacunku – po terenie, który ledwie kilka godzin wcześniej Niemcy mocno trzymali w swoich rękach. Gwardziści nie mogli pojąć, że tak wielu ludzi może interesować się tak nieprzyjemnym miejscem; liczba «spacerowiczów» gwałtownie się zmniejszyła, gdy dwóch dziennikarzy prasowych weszło na minę. Później tego samego dnia, gdy kompania S maszerowała z powrotem «szaloną milą», nietypowo, bo za dnia, śmierdzące ruiny Cassino opustoszały niemal całkowicie".

Następnego dnia polski dowódca Anders odwiedził pole walki ze swoimi wyższymi oficerami. Na jego rozkaz na szczycie muru klasztoru zatknięto flagi polską i brytyjską. „Jakżeż straszliwy widok przedstawiało pobojowisko – napisał. – Naprzód zwały niewystrzelonej amunicji wszelkiego kalibru i każdej broni. (...) Gdzieniegdzie stosy min. Trupy żołnierzy polskich i niemieckich, czasem splecione w ostatnim śmiertelnym zwarciu. Powietrze przesycone wyziewami rozkładających się zwłok. Dalej czołgi, niektóre wywrócone, z zerwanymi gąsienicami, inne tak jakby miały ruszyć dalej do natarcia, wszystkie zwrócone lufami ku klasztorowi. Zbocza wzgórz, zwłaszcza od strony mniejszego natężenia ognia, tonęły w powodzi czerwonych maków. (...) Na wzgórzach lej obok leja, krater obok krateru, po bombach i granatach. Wśród nich walające się strzępy mundurów, porozrzucane hełmy sojusznicze i niemieckie, karabiny ręczne i maszynowe, granaty ręczne, skrzynki amunicyjne. (...) A potem ruiny klasztoru. Z daleka rysuje się zachodnia ściana, jedyna ocalała, na której powiewają sztandary. (...) Z klasztoru pozostały ogromne stosy gruzu i zwalisk. Gdzieniegdzie sterczą porozbijane kolumny, w szczątkach leżą marmurowe posągi. Obok rozwalonego dzwonu niewybuchły pocisk największego kalibru. Przez rozwalone mury i sklepienia widać resztki malowideł, zniszczoną mozaikę i freski. (...) Bezcenne dzieła sztuki, rzeźby, obrazy i książki w pyle i opadłym tynku pomieszane ze sprzętem wojennym". Pułkownik Łakiński opisuje, jak artylerzyści odkryli skutki swojego ostrzału wewnątrz klasztoru pod postacią zmiażdżonych i okaleczonych zwłok Niemców, a w jednej części ruin „natknęli się na długi korytarz, w którym ustawione były w szereg skrzynie i wielkie szuflady, normalnie wykorzystywane do przechowywania szat liturgicznych. Gdy otworzyli szuflady, zobaczyli, że upchano w nich zwłoki".

Przez następne dwa tygodnie alianci parli naprzód na całej linii frontu, a tylne straże niemieckie starały się opóźniać natarcie, żeby móc zająć linię Hitlera. Na lewej flance Francuzi posuwali się naprzód tak szybko, że musieli czekać, aż dogoni ich 8. armia brytyjska, którą mieli z prawej, co bardzo denerwowało Juina. 23 maja, w tym samym czasie gdy wojska kanadyjskie, po zaciekłych walkach, przedarły się przez linię Hitlera między Aquino i Pontecorvo, rozpoczęto wyjście z okrążenia pod Anzio.

Ofensywa pod Anzio powiodła się, ale 25 maja generał Mark Clark wykonał kontrowersyjne posunięcie i zamiast skierować swoich ludzi do zamk-

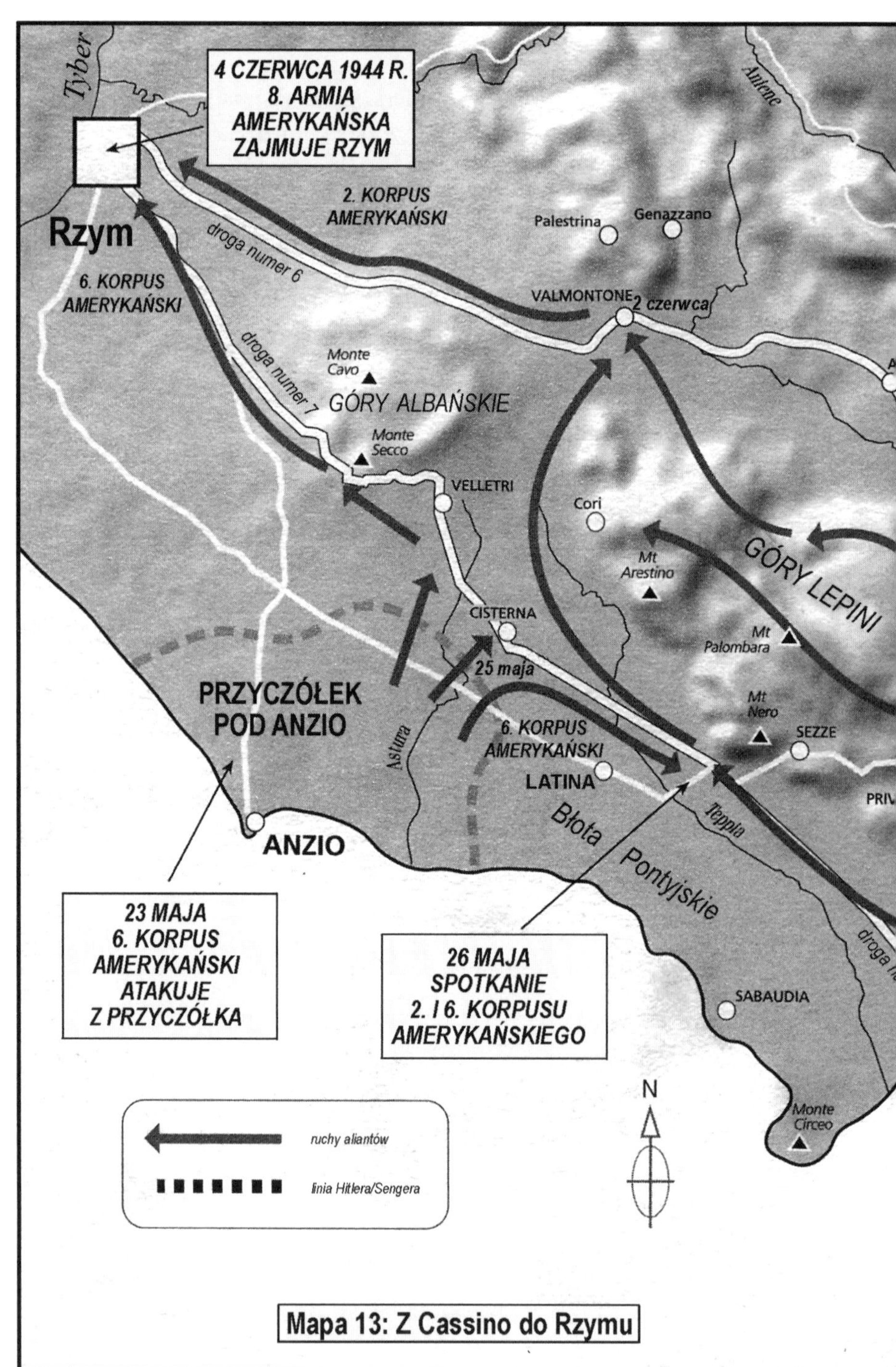

Mapa 13: Z Cassino do Rzymu

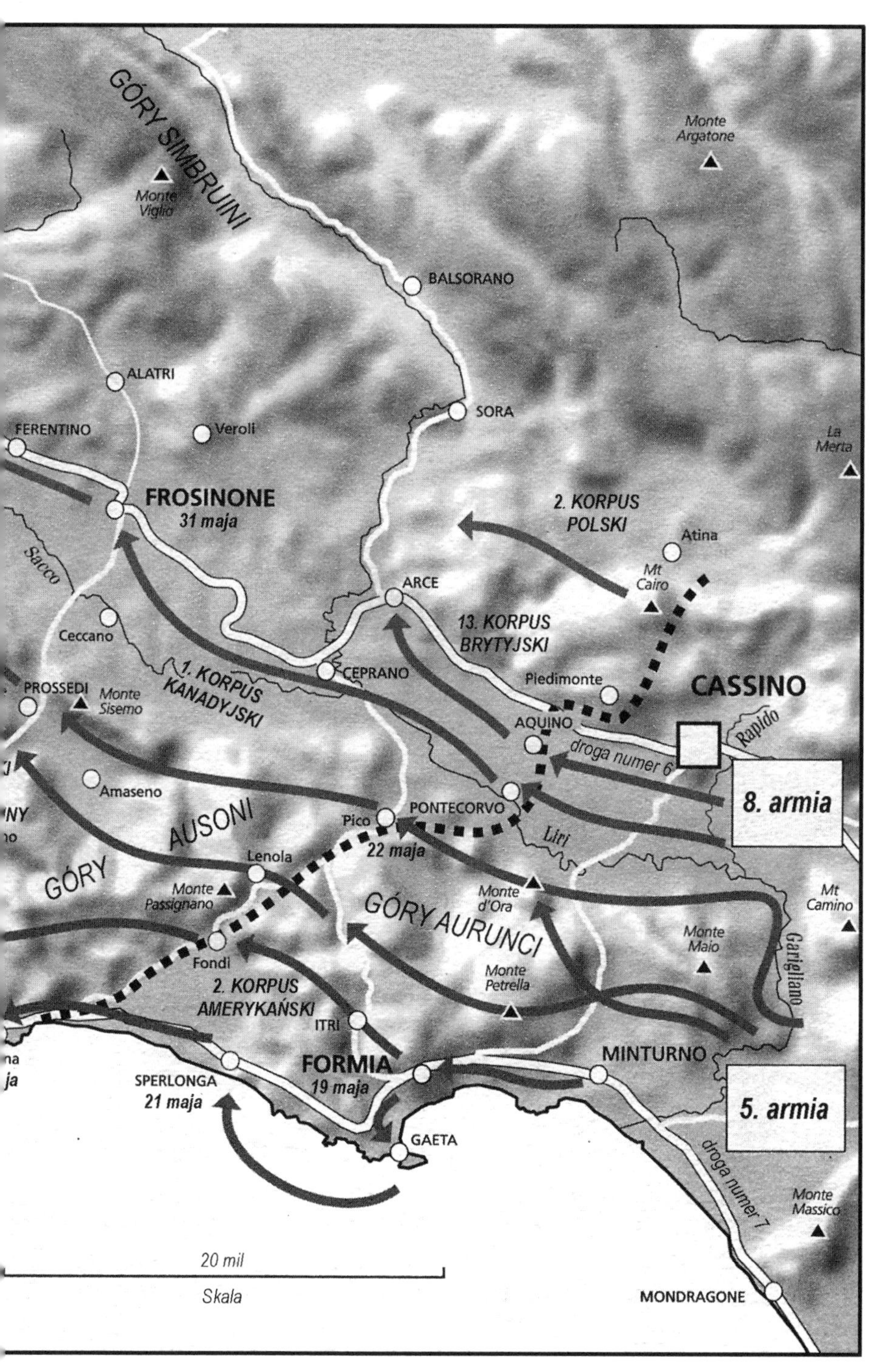

GÓRY SIMBRUINI
Monte Viglio
Monte Argatone
BALSORANO
ALATRI
SORA
FERENTINO
Veroli
La Merta
FROSINONE
31 maja
2. KORPUS POLSKI
Atina
Sacco
Mt Cairo
ARCE
Ceccano
13. KORPUS BRYTYJSKI
CEPRANO
Piedimonte
CASSINO
1. KORPUS KANADYJSKI
PROSSEDI
Monte Sisemo
AQUINO
Rapido
droga numer 6
Amaseno
PONTECORVO
8. armia
Pico
AUSONI
22 maja
Liri
Lenola
GÓRY
Monte Passignano
Monte d'Ora
Mt Camino
GÓRY AURUNCI
Monte Maio
Garigliano
Fondi
Monte Petrella
2. KORPUS AMERYKAŃSKI
ITRI
MINTURNO
FORMIA
19 maja
SPERLONGA
21 maja
5. armia
GAETA
droga numer 7
Monte Massico
20 mil
Skala
MONDRAGONE

nięcia pułapki, w którą wpadłaby wycofująca się 10. armia, wydał rozkaz marszu na Rzym, żeby jego wojska wkroczyły do tego miasta jako pierwsze. Na tym etapie jego anglofobia osiągnęła stadium neurotyczne i Clark był przekonany, że Anglicy podstępem pozbawią go zdobyczy wojennej, a także rozgłosu i „uznania" dla jego żołnierzy z 5. armii. Powiedział nawet, że kazałby swoim wojskom otworzyć ogień do 8. armii brytyjskiej, gdyby spróbowała dostać się do Rzymu przed nim. Ale pierwszą aliancką jednostką, która dotarła do tego miasta 4 czerwca, była amerykańska 88. dywizja „Blue Devil". Wskutek tego Clark mógł tam tryumfalnie wkroczyć 5 czerwca, a 10. armia wymknęła się z pułapki zastawionej przez Alexandra i wycofała się w sposób zorganizowany w górę Półwyspu Apenińskiego. Żołnierze alianccy ku swojemu obrzydzeniu dowiedzą się, że będą musieli walczyć z tymi samymi żołnierzami raz po raz, w miarę jak będą posuwać się na północ.

5 czerwca do Rzymu dotarł dziennikarz BBC Godfrey Talbot. „Wjechałem o świcie – napisał tego dnia w dzienniku. – Zdumiewające sceny – gdy wjeżdżaliśmy dżipem, ściskano nas, całowano i obsypywano kwiatami. Tysiące rzymian ubranych w odświętne stroje tłoczyło się na ulicach i placach i niemal uniemożliwiło nam jazdę. Raz miałem ich 12 na dżipie. Klaszczą, machają rękami, wiwatują, płaczą. (...) Urocze miasto – ulice, piękne budowle i drzewa skąpane w świetle księżyca. Ciepłe i piękne. Kontrast z bitwą niemal nieprzyzwoity. Niemiejemy i milkniemy na jego widok".

Była to chwila chwały dla Clarka, który kazał zabrać i wysłać do domu wielką tablicę z napisem „Roma" na pamiątkę swojego tryumfu. Wielu innym dużo trudniej było uwierzyć, że to zwycięstwo warte było swojej ceny. Fizylier Frederick Beacham odwiedził Rzym wkrótce po jego zdobyciu i w gruncie rzeczy się rozczarował: „Miasto nie wróciło wtedy jeszcze do normalnego handlu i poza nielicznymi restauracjami nie było tam za wiele rozrywek – mówi. – W południe poszliśmy grupą, ci, którzy przeżyli z kompanii B, na spacer wokół Koloseum, ale niewiele więcej pamiętam. Tak skończyła się nasza wycieczka do Rzymu, za którą zginęło tak wielu żołnierzy. Zanim wojna się skończy, jeszcze przez ponad rok miało się toczyć wiele walk ze świetnie się spisującym nieprzyjacielem, w których dane było zginąć bardzo wielu królewskim fizylierom. To dobrze, że nikt nie wiedział, na kogo padnie".

Walter Robson napisał do żony Margaret wkrótce po upadku klasztoru 18 maja: „Nie spodziewaj się ode mnie normalnych listów, ponieważ przez jakiś czas nie będę normalny. (...) Gazety bez wątpienia pieją z zachwytu nad nami i naszymi osiągnięciami, ale my nie. Jesteśmy rozgoryczeni, bo to był koszmarny okres. (...) Każdy jest na ostatnich nogach, każdy jest kłębkiem nerwów, (...) żaden z nas nie czuje jakiegokolwiek uniesienia".

Historycy nie oceniają przychylnie kampanii włoskiej w ogóle, a walk o Monte Cassino w szczególności. J. F. C. Fuller w swojej *Drugiej wojnie światowej* nazwał ją „kampanią, która ze względu na brak sensu strategicznego i wyobraźni taktycznej jest czymś wyjątkowym w historii wojskowości". Zdaniem Fullera winę za to w największym stopniu ponosił projektodawca ataku na tak zwane miękkie podbrzusze Europy – Winston Churchill. John Ellis w swoim niezwykle szczegółowym opisie walk o Monte Cassino (któremu wiele zawdzięczam) nazwał to „niewiele wartym zwycięstwem". Generał A. F. Harding, szef sztabu Alexandra, podczas wywiadu przeprowadzonego na potrzeby realizowanego po wojnie filmu o tych walkach, bronił swojego zwierzchnika, mówiąc: „Niektórzy uważali, że ta kampania w ogóle nie powinna była się rozpocząć. Inni uważali, że należało ją w pewnym momencie wstrzymać. Jeszcze innym zależało na przejęciu różnych zasobów, typu wojska, *matériel* i tak dalej. Prowadziło to czasami do niepewności i nieporozumień, do wycofania zasobów w krytycznych momentach. I niezdecydowania. To wszystko złożyło się na sytuację, która bardzo poważnie zwiększyła problemy i trudności, na jakie natykał się generał Alexander, prowadząc tę kampanię".

Ale z wyjątkiem udanego podstępu na początku czwartej bitwy i wspaniałych osiągnięć Francuskiego Korpusu Ekspedycyjnego niewiele pozytywnego można powiedzieć o prowadzeniu tej kampanii przez dowództwo alianckie. Pod Cassino alianci ostatecznie odnieśli zwycięstwo również dzięki zwykłej przewadze żołnierzy i zasobów. Do maja alianci mieli 2 tysiące czołgów w porównaniu z 450 czołgami Kesselringa. Młody amerykański strażnik zapytał pewnego niemieckiego jeńca wziętego do niewoli pod koniec tego miesiąca: „Jeśli jesteś taki twardy, to dlaczego ty jesteś w niewoli, a ja cię pilnuję?" Niemiec opowiedział, jak dowodził sześcioma osiemdziesięcioośmiomilimetrowymi działami, strzelającymi do nadciągających amerykańskich czołgów. Amerykanie ciągle wysyłali drogą kolejne czołgi, a Niemcy nadal je unieszkodliwiali. „W końcu – wyjaśnił Niemiec – zabrakło nam amunicji, a Amerykanom nie zabrakło czołgów".

Chociaż dowodzono, że walki we Włoszech odciągnęły elitarne niemieckie dywizje – i błyskotliwych niemieckich generałów – od desantu w Normandii, który przeprowadzono dzień po wkroczeniu Clarka do Rzymu, trudno jest pogodzić się z przerażającym kosztem tych „działań odwracających uwagę". Po upadku Rzymu kampania włoska toczyła się kulawo dalej, rzadko gościła na pierwszych stronach, ale zawsze była ciężka i krwawa. Operacja „Anvil", dość mało istotna inwazja na południową Francję w sierpniu 1944 roku, zabrała najlepsze dywizje z 5. armii i położyła kres nadziejom Churchilla i Alexandra na „zwrot w prawo" po osiągnięciu doliny Po i skierowanie się przez Lublanę do Wiednia, by zająć go przed Rosjanami. Zamiast tego armie alianckie zostaną powstrzymane na linii Gotów, kolejnym szeregu górskich twierdz na północ od Florencji, od sierpnia 1944 do kwietnia 1945 roku.

Po niechętnym wycofaniu się Niemców z klasztoru Monte Cassino zwycięzcy zajęli pole bitwy, które – po sześciu miesiącach walk – wyglądało jak piekło. Kryjący się w górskich jaskiniach Włosi dopiero po wielu miesiącach będą mogli wrócić do domów i odbudować Cassino, teraz okropny masowy grób, w którym szalały malaria i inne choroby i w którym pozostało pół miliona min. W dniach i tygodniach po ostatniej bitwie tysiące alianckich żołnierzy przeszło przez Cassino pospiesznie rozminowaną drogą numer sześć. Był wśród nich strzelec Alex Bowlby: „Późnym popołudniem minęliśmy rogatki Cassino. Czołgi i transportery stały dookoła jak spalone puszki na górach śmieci. Rząd czarnych krzyży, z nasadzonymi na nich czarnymi jak węgiel hełmami, wzbudził w nas współczucie. Zapach – kwaśno-słodki smród gnijącego ciała – przepędził je. Instynktownie uświadomiłem sobie, że wydzielam zapach własnego rodzaju, nie zwierzęcy. Zrozumiałem, co musieli czuć ludzie w rzeźni. Ci polegli leżeli pod gruzami. Gdybyśmy mogli zobaczyć ich ciała, to by pomogło. Niewidoczni, nie poświęceni zmarli mieli niezwykle przerażającą moc. Ich protesty wypełniły ciężarówkę. Unikaliśmy nawzajem swoich spojrzeń".

POSŁOWIE

Przetrwać pokój

Żołnierze wzruszyli ramionami: „C'est la guerre". To wszystko. Nasze zmysły i współczucie nie potrafią pojąć zbyt wiele. Zostały sparaliżowane dawno temu, jak sądzę. (...) Mamy do odbudowania o wiele więcej niż tylko domy i miasta.

Walter Robson, październik 1944 r.

Obrzydliwy smród tych ciał ciągle mnie prześladuje
I pamiętam rzeczy, o których najlepiej byłoby zapomnieć.

Siegfried Sassoon

Nowozelandzki artylerzysta John Blythe wracał pociągiem do swojego rodzinnego miasta Dunedin, gdy zatrzymał się na kilka chwil przy obozie wojskowym Burnham. Wyglądając przez okno, zobaczył „trzy małe postaci w mundurach polowych, (...) stojące na skraju odległych drzew". Nagle jedna z nich odłączyła się od pozostałych, a „jej długie włosy unosiły się w powietrzu, gdy biegła na spotkanie z jednym z naszych pasażerów, który pędził w jej kierunku. Spotkali się pośrodku drogi z taką siłą, że obydwoje aż zatoczyli się do tyłu, po czym objęli się, przytulili i w tym uścisku pozostali. Cały pociąg żołnierzy jak jeden mąż wiwatował i gwizdał". Później tej nocy pociąg w końcu zatrzymał się na znajomym peronie dworca kolejowego w Dunedin. Zauważywszy Johna Blythe'a, jego matka i siostry popędziły naprzód. Objęli się i wpadając na torbę Blythe'a, „wszyscy niemal przewrócili się na gromadkę ludzi na peronie. Ale kogo to obchodziło?" Podczas jazdy do domu taksówką tłum ludzi wiwatował na cześć powracającego bohatera. Gdy w końcu Blythe położył się do łóżka, stwierdził, że jest stanowczo zbyt wygodne, i swoją pierwszą noc w domu przespał na podłodze.

Pod koniec wojny z Niemcami saper Matthew Salmon odbył długą podróż pociągiem z północnych Włoch przez Szwajcarię i Francję na wybrzeże. Nie był w domu od trzech i pół roku. „Przybyliśmy do Folkestone – mówi – i zobaczyliśmy białe klify – to było jak sen. Bywały chwile, gdy myślałem, że nigdy nie wrócę do domu, teraz jednak czułem, że Bóg czuwał nade mną i miał mnie w swojej opiece".

Kolejna podróż pociągiem zawiodła go na dworzec Victoria w Londynie. Pamięta przyjemność, jaką odczuł, gdy usłyszał, że wszyscy mówią jego językiem. Z Victorii złapał autobus do Dalston Junction we wschodnim Londynie i kiedy czekał na następny autobus, który miał go dowieźć do domu, nadjechał autobus, który prowadził jego ojciec. „Krzyknąłem do niego, ale najwyraźniej mnie nie poznał – mówi Salmon. – Myślę, że bardzo się zmieniłem przez te lata, kiedy byłem poza domem. Nadal próbowałem zwrócić jego uwagę i nagle jego twarz się rozjaśniła. Wyskoczył z kabiny i obiegł autobus, żeby mnie chwycić w ramiona. Miał łzy w oczach i nie wiem, co myśleli sobie ludzie w autobusie, ale nic nas to nie obchodziło". Pożegnawszy ojca, Salmon udał się do domu rodziców. „Gdy zacząłem iść drogą, na której bawiłem się jako dziecko, wszystko wydawało mi się bardzo małe. We wspomnieniach było to dużo większe, a sama droga dużo dłuższa. Wszystkie domy zdawały się stać bardzo blisko siebie. (...) Zadzwoniłem do drzwi i czekałem, aż się otworzą. Nagle pojawiła się w nich moja matka. Powiedziałem: «Jest jakiś pokój dla żołnierza?» Myślałem, że zemdleje na miejscu".

Jednak niektórzy spośród tych, którzy przeżyli walki pod Cassino, nie mieli wrócić do domu. Po zajęciu klasztoru Monte Cassino do polskiej kwatery głównej napływał szeroki strumień gratulacji od Leese'a, Clarka, niedawno awansowanego marszałka Alexandra, polskiego rządu w Londynie, armii podziemnej w Polsce i włoskiej rodziny królewskiej. Na murach wielu miast w okupowanej Polsce zaczął się pojawiać napis „Monte Cassino". Anders został odznaczony przez Brytyjczyków i Amerykanów oraz objął dowodzenie na froncie adriatyckim, na którym dysponował kilkoma brytyjskimi brygadami. Potem była audiencja u papieża. Ale pozostała część jego opowieści z czasów wojny traktuje przede wszystkim o coraz mniejszym zainteresowaniu aliantów sprawą polską – już tytuły rozdziałów dają pewne o tym pojęcie: „Grzech Teheranu", „O Polsce rozstrzyga Rosja: bierność Wielkiej

Brytanii i Stanów Zjednoczonych", „Powstanie w Warszawie", „O pomoc dla powstania w Warszawie", „Do Londynu: ponury obraz sprawy polskiej", „Dzień zwycięstwa... ale nie dla wszystkich", „Słowa i rzeczywistość", „Idy marcowe 2. Korpusu". Anders podaje też liczbę żołnierzy korpusu, którzy ostatecznie zgodzili się na powrót po wojnie do Polski: 7 oficerów i 14200 szeregowych ze 112 tysięcy. Z nich 8700 dołączyło po zakończeniu wojny. Tylko 310 z tych, których Anders wyprowadził z Rosji, wróciło pod koniec wojny do Polski, która była teraz w pełni pod panowaniem radzieckim.

Tak więc armia złożona z ludzi, których przemocą zabrano z domów we wschodniej Polsce, pozostała na wygnaniu. Wielu wyemigrowało do Kanady, Australii czy Stanów Zjednoczonych, a jeszcze więcej osiedliło się w Wielkiej Brytanii. Józef Pankiewicz, który jako nastolatek przeżył kopalnie Uralu, zamieszkał w Colchester w Essex. „W 1946 roku przyjechałem do Anglii – mówi – gdzie zostałem i chociaż teraz odwiedzam Polskę dość często, za swój dom uważam Anglię. Międzynarodowy Czerwony Krzyż odnalazł po wojnie moją rodzinę. Przesiedlono ich do zachodniej Polski, która wcześniej była Niemcami. Moja matka zawsze chciała wrócić do Lwowa i nigdy nie pogodziła się z tym, że mieszka – jak mówiła – w Niemczech. Nigdy nie zapomniała głodu i zawsze suszyła każdy zbędny kawałek chleba, upierała się też, żeby zawsze mieć spakowane ciepłe rzeczy i jedzenie. Dożyła dziewięćdziesięciu jeden lat i do samego końca zawsze powtarzała, że jest gotowa, jeśli znowu przyjdą Rosjanie. Kto mógłby ją winić po tych wszystkich cierpieniach, przez które przeszliśmy w życiu? (...) Nigdy nie zapomnę niektórych okropności, które widziałem, i mam nadzieję, że moje dzieci i wnuki nigdy czegoś takiego nie przeżyją".

Nawet ci, których powitano jak bohaterów w Wielkiej Brytanii, Stanach Zjednoczonych, Kanadzie czy Nowej Zelandii, po początkowej euforii często mieli trudności z zaadaptowaniem się ponownie do cywilnego życia. Matthew Salmon przyznaje, że było mu ciężko i że zaczął dużo pić. „Mojej matce nie podobał się taki styl życia i gdy patrzę wstecz, wiem, że znajomość ze mną w tamtym okresie nie była niczym przyjemnym – mówi. – Wojna zmieniła mój światopogląd i chyba myślałem, że świat jest mi winien środki do życia". Salmon odmawiał uczestnictwa w spotkaniach kombatantów czy paradach w dzień pamięci, bo wolał nie dopuszczać do siebie wspomnień: „Gdy usłyszałem lub zobaczyłem w radiu czy telewizji program o zdarzeniach z drugiej wojny światowej, szedłem do szopy w ogrodzie i płakałem".

Autor dowcipów rysunkowych Bill Mauldin w tekście napisanym pod koniec wojny pragnął uspokoić domowników w Stanach Zjednoczonych, którzy martwili się, czy żołnierze nie okażą się po powrocie „problemami społecznymi": „To odczucie było w niektórych miejscach tak silne, że zmartwieni i łagodni obywatele spoglądali nieufnie na żołnierzy uczestniczących w walkach. To smutne dla faceta, którego wysłano na wojnę przy głośnych dźwiękach patriotycznej muzyki, i naprawdę niepotrzebne. Bez wątpienia będzie trochę problemów. (...) Ale przeważająca większość żołnierzy nie będzie stwarzać absolutnie żadnych kłopotów". Dalej apeluje o „szefów, którzy dadzą im trochę czasu na dostosowanie się, (...) przyjaciół i rodziny, które będą przy nich, dopóki nie staną się tymi samymi facetami, którzy wiele lat temu wyjechali, (...) bardzo ważne jest, żeby ci ludzie znali i rozumieli żołnierzy". Ale potem Mauldin sam sobie przeczy: „Być może on [żołnierz] znowu się zmieni, gdy wróci, ale nigdy nie całkowicie". Ponadto ludziom w kraju było równie trudno „rozumieć żołnierzy", jak powracającym żołnierzom opowiedzieć o swoich przeżyciach tym, którzy nie brali udziału w walce.

Nowozelandczyka Jacka Cockera koniec wojny zastał w Trieście. „Były to dla nas dziwne czasy. Gdy wojna się skończyła, nie bardzo wiedzieliśmy, co ze sobą począć i jak sobie z tym poradzić – mówi. – Popadłem w pewne tarapaty, ale na szczęście nasz dowódca kompanii był równym gościem i rozumiał to". W drodze do domu Cocker spotkał we Fremantle w Australii kobietę, którą poznał tuż przed wyjazdem. Pobrali się, ale już w domu trudno było Cockerowi „się ustabilizować": „Miałem tylko dwadzieścia jeden lat, ale od osiemnastego roku życia widziałem więcej, niż większość ludzi widzi przez całe życie, i wiele z tego, co widziałem, wcale nie było przyjemne. (...) Wychodziłem do miasta z grupką ludzi w moim wieku, ale dla mnie byli cholernie dziecinni. Nie mieli pojęcia, przez co przeszliśmy, a ty byłeś dla nich z zupełnie innego wymiaru. To, o czym zwykle rozmawiali, było tak błahe, że myślałeś: Och, nie ma sobie czym zawracać głowy.

Po kilku dość burzliwych latach rozstałem się z żoną i wróciłem do najlepszego miejsca, jakie przychodziło mi do głowy – do wojska. Zdumiewające, jak wielu było tam facetów po nieudanych małżeństwach. Myślę, że to był znak czasów: ciągle byliśmy bardzo młodzi, a to, przez co przeszliśmy, przeszkadzało nam dostosować się do życia w cywilu. A co dopiero do konieczności radzenia sobie z całym tym koszmarem życia małżeńskiego. Byliśmy trochę w gorącej wodzie kąpani i myślę, że brakowało nam męskiego towarzystwa. (...) Tak wielu z nas nie potrafiło się od tego tak naprawdę uwolnić, więc wróciliśmy do mamusi. Tak to chyba wyglądało".

Brick Lorimer, inny Nowozelandczyk, po powrocie do domu miał podobne doświadczenia: „Byliśmy zupełnie zagubieni – mówi. – Wypadliśmy z obiegu na tyle lat, że nie mieliśmy nic wspólnego z cywilami. W ogóle nie potrafiliśmy się porozumieć. Wszystko, co znaliśmy, to kilka lat na wojnie. Nie prowadziliśmy żadnych rozmów. To były trudne czasy, a rezultatem było wiele nieudanych małżeństw i rozbitych rodzin. My, żołnierze, mieliśmy skłonność do przestawania ze sobą. Spotykałem się z moimi kumplami i naturalnie spędzaliśmy sporo czasu w różnych barach. Długo to trwało, zanim się ustatkowałem. Nie potrafiłem ot tak wskoczyć znowu w cywilne życie. Myślę, że trwało to wiele lat. Wyszedłem oczywiście z tego – miałem dużo szczęścia. Ale niektórym facetom nigdy się nie udało. Nie potrafisz przekazać najbliższej i najdroższej osobie tego, co widziałeś i co przeżyłeś".

Nawet najbardziej wygadani z tych, którzy widzieli wojnę z bliska, często byli zmuszeni przyznać, że ostatecznie potworności tych nie da się przekazać. „Te artykuły w żadnym stopniu nie są adekwatnymi opisami niewyobrażalnych nieszczęść wojny – napisała znakomita amerykańska korespondentka wojenna Martha Gellhorn we wstępie do zbioru swoich tekstów. – Wojna zawsze była gorsza, niż potrafiłam to wyrazić – zawsze".

Były też inne powody, dla których o przeżyciach wojennych nie można było lub nie powinno się mówić ludziom w kraju. Ken Bond, żołnierz piechoty z pułku Essex, wrócił do Cassino krótko po zakończeniu tam walk, „żeby poszukać własnych ofiar. Nikt nie wiedział, kto zginął, kogo wzięto do niewoli. Nikt nie wiedział, co się stało z chłopakami, którzy zniknęli. Musieliśmy ciągnąć losy. Miałem szczęście, czy nieszczęście, jak wolisz, i znalazłem się w grupie z batalionu, która tam wróciła. Poszliśmy za zamek. Ja sam znalazłem dwóch naszych chłopaków. Leżeli tam przez te wszystkie miesiące po bitwie, między wieloma innymi, w tym oczywiście Niemcami. Wszędzie były druty. To była makabra – czerwie i muchy wchodzące i wychodzące z ciał. Zdjąłem tym dwóm identyfikatory i zabrałem je do kompanii. Jeden z nich był z Bristolu, drugi pochodził ze stron bardziej na północ, z Gloucestershire. Napisałem do ich matek i ani jedna, ani druga nie usłyszała słowa o tym, co się stało z ich synami, dopóki ja do nich nie napisałem. Były bardzo, bardzo wdzięczne". Gdy krótko po zakończeniu wojny w ogłoszeniu o zawarciu ślubu opublikowano adres Bonda, jedna z matek przyszła do niego, żeby opowiedział jej to, co wie o jej synu. Bond nie chciał i nie potrafił powiedzieć jej prawdy o tym, co zastał na zboczu wzgórza: „Urwało mu głowę. Nie powiedziałbyś tego, prawda?"

Lata spędzone w wojsku, szczególnie w przypadku tych, którzy walczyli w rzeziach Cassino, zmieniały ludzi w sposób, o którym nie potrafili – i nie chcieli – powiedzieć swoim rodzinom w kraju. Błaha sprawa: mężczyźni w wojsku używali języka, którego większość w domu by nie tolerowała. Poza tym zdarzało się pijaństwo, grabieże i korzystanie z usług prostytutek, co dla niektórych we Włoszech było codziennością. Wszystko to stanowiło element ogólnego osłabienia moralności i stłumienia wrażliwości. Richard Barrows, operator radia w dywizji „Blue Devil", w interesującym epilogu, który przysłał mi do swojej relacji z działań na Santa Maria Infante, stwierdził: „O jednej rzeczy nie wspomniałem i nawet teraz się waham, czy to zrobić, bo ukazuje to, jak bezduszni mogą się stać ludzie na wojnie. Między Minturno i Santa Maria Infante znajdował się mały mostek przerzucony przez strumyk. Od strony Minturno, tuż przy tym mostku, leżała część ciała Niemca, którego wiele razy przejechały samochody. Był to przerażający widok, ale – biorąc udział w walkach – woleliśmy żartować, niż okazać nasze prawdziwe uczucia, między innymi współczucie dla istot ludzkich. Ale taka jest sama natura walki".

Widzieliśmy, że – ku przerażeniu władz wojskowych – wielu żołnierzy niechętnie korzystało ze swojej broni i tylko nieliczni czuli „nienawiść" niezbędną do tego, żeby zabić kogoś, patrząc mu w twarz. Było to oczywiście największe moralne salto, którego wykonania wymagano od żołnierzy. W świecie cywilów, gdzie zabijanie znowu stało się morderstwem i grzechem śmiertelnym, żołnierze musieli poczuć zmieszanie, żal i odrazę do samych siebie. Fizylier Frederick Beacham zawsze będzie pamiętał koszmar, jakim było przygwożdżenie ogniem nieprzyjaciela przez dwa dni w płytkim rowie, a potem widok przyjaciół, leżących obok niego, ze śmiertelnymi ranami odniesionymi na polu walki. Jeszcze gorsze jednak było dla niego zdarzenie, do którego doszło dwa dni później, gdy – usłyszawszy, że w Anglii zginął przyjaciel – „władował cały magazynek w leżące na brzuchu ciało niemieckiego żołnierza", zanim powalił na ziemię trzech kolejnych, gdy biegli w bezpieczne miejsce. Wtedy tryumfował, robiąc nacięcia na kolbie pistoletu maszynowego, ale przez następne sześćdziesiąt lat zdarzenie to sprawiało mu nieopisany ból. Amerykanin Clare Cunningham mówi, że gdy się kogoś zabijało, nie odczuwało się żalu, ponieważ „jesteś jakby wściekły i stanowi to zemstę za to, że oni zabijali naszych chłopaków. Ale potem zaczyna to do ciebie docierać. Przez lata budziły mnie w nocy sny o tych sprawach". Nowozelandczyk Alf Voss, który został odznaczony pod Cassino i zrobił w wojsku wielką karierę, opowiedział historię o tym, jak odwiedził byłego towarzysza broni imieniem Bill, który we Włoszech uratował mu życie, zabijając bagnetem Niemca mającego strzelić do Vossa: „Dotarcie do Billa zajęło mi osiemnaście lat. Byłem zrozpaczony, gdy stwierdziłem, że nie przebolał jeszcze tego, że zabił kogoś z bliska, przebijając go bagnetem. Nie rozumiał, że ocalił mi życie, i miał też wrażenie, że coś zepsuł. (...) Jego żona powiedziała mi, że po rozmowie ze mną o tym zdarzeniu o wiele lepiej się czuje".

Nieliczni w kraju byli w stanie, czy też chcieli, zajmować się tą kwestią. Pewien wracający kanadyjski wojskowy, ranny trzy razy, wyruszył statkiem na wojnę, żeby znaleźć „miłe, uśmiechnięte dziewczyny z Czerwonego Krzyża. (...) Dali nam małą torbę, w której było kilka tabliczek czekolady i komiks. Wypływając, byliśmy niemal dziećmi, ale wracaliśmy – tak, spójrzmy prawdzie w oczy – jako mordercy. A oni nadal traktowali nas jak dzieci. Słodycze i komiksy".

W kwietniu 1945 roku amerykański oficer amunicyjny Tom Kindre znalazł się na statku razem z odsyłanymi do domu szeregowcami. W pamiętniku pisze: „Nie ma jakiejś szalonej żywiołowości, co jest dość zaskakujące, wśród tych oficerów i szeregowców w drodze do domu. W większości są cisi, zmęczeni, być może nieco onieśmieleni wspaniałą myślą, że wracają do domu. (...) Nie ma głośnych rozmów, żadnych przechwałek typu: «Gdy tylko dobiję do Nowego Jorku, to najpierw...» Mówią głównie o statku, o podróży i swoich przeżyciach wojennych, które wspominają z pewnym zdumieniem własnym szczęściem, że udało im się z tego wszystkiego wyjść bez szwanku, a przynajmniej bez poważniejszych obrażeń". Brytyjski powieściopisarz Evelyn Waugh wspominał o podobnych odczuciach, pisząc w pamiętniku 31 marca 1945 roku: „Wszyscy spodziewają się końca w ciągu kilku tygodni, ale bez uniesienia". Pięć dni później zanotował: „Nigdzie żadnej euforii z powodu zakończenia wojny".

Każdy były żołnierz ma własny stosunek do swoich przeżyć wojennych, zależny od ogromnej liczby czynników. Niemniej jednak uderzające jest to, że u większości uczestników kampanii włoskiej osobiste przerażenie tym, co przeżyli, tłumi wszelkie poczucie dumy z tego, co osiągnęli pod Cassino czy – faktycznie – na szerszym froncie. W niektórych przypadkach można mówić o dumie z własnego oddziału, ale już nie o poczuciu, że było się po właściwej stronie w „dobrej wojnie". Być może tak było przyjęte, może należy to przypisać wrodzonej skromności tego pokolenia. W przypadku Cassino musiało to mieć coś wspólnego z ogólnym odczuciem, że w tych krwawych i pyrrusowych bitwach nie było prawdziwych zwycięzców.

Z setek osób, które wniosły swój wkład w tę książkę, wszystkie, z wyjątkiem dwóch, uważały walki pod Cassino za najbardziej znaczące chwile wojny i – w istocie – ich życia. Nieliczni wspominają je z niemal czułą nostalgią. Są to raczej ochotnicy, oficerowie, ci, którzy po zakończeniu wojny zostali w wojsku. Większość wspomina Cassino z gniewem, obrzydzeniem i żalem. W znacznym stopniu wynika to ze współczucia dla wielu towarzyszy broni, którzy zginęli lub zostali okaleczeni, ale bez wątpienia także z litości dla siebie samych: ponieważ lata stracone w wojsku należało spędzić z żonami i małymi dziećmi; ponieważ nie powinno się od nikogo wymagać oglądania i robienia tego, co oni widzieli i robili.

Uderzające jest to, że niemal wszystkie osoby po osiemdziesiątce, z którymi rozmawiano, przygotowując tę książkę, były w którymś okresie służby ranne. Rzeczywiście, dla liniowego żołnierza piechoty jedyną drogą do domu były poważne obrażenia, załamanie nerwowe lub śmierć. Bill Hartung, który walczył podczas katastrofalnej przeprawy 36. dywizji amerykańskiej przez Rapido, mówi: „Udało mi się przeżyć też Anzio i Rzym, desant w południowej Francji i ofensywę w Ardenach, zatem wojna zmusiła mnie do największego wysiłku". Podczas ofensywy w Ardenach – mówi – „zwinąłem się w sobie. (...) Do dziś mam problemy i sto procent utraty zdrowia w związku ze służbą wojskową. Koszmary senne sprawiają, że odnosi się wrażenie, że to wszystko działo się wczoraj, a nie sześćdziesiąt lat temu". Fizyliera Fredericka Beachama przez sześćdziesiąt lat również dręczyły koszmary związane ze służbą wojskową w czasie wojny. „Miałem poważne urazy psychiczne, szczególnie z powodu strachu przed pociskami artyleryjskimi – mówi. – Nie powinno mnie tu być, nie wiem, czy naprawdę nadal jestem tutaj, czy to wszystko to zły sen".

Amerykański sanitariusz Robert Koloski został ranny pod Cassino, gdy trafił go odłamek pocisku moździerzowego. W młodości był praktykującym katolikiem, ale „po wojnie – mówi – uznałem, że chrześcijaństwo nie ma tu nic do rzeczy, jeśli o mnie chodzi. Spójrzmy prawdzie w oczy, na klamrach pasów Niemców był napis *Gott Mit Uns*, zatem jeśli On był z nimi, a także z nami, to co tu się, do diabła, dzieje? Nie powiem, że byłem niereligijny w jakimkolwiek znaczeniu tego słowa podczas wojny, ale po wojnie z pewnością tak. Chodzi mi o to, że to po prostu nie ma sensu".

W życiu wielu z nich zaszły prostsze, nieuniknione i nieodwracalne zmiany. Clare Cunningham, który stracił nogę na Monte Castellone, opowiada o krzyku i płaczu w czasie podróży do domu z innymi żołnierzami po amputacji: „Jeden z facetów na statku z Neapolu do Afryki powiedział: «Nie chcę taki wracać do domu. Zostawcie mnie tutaj». Powtarzał to w kółko. Wpływało to trochę przygnębiająco na całą resztę". Zarówno Cunningham, jak i Frank Sellwood, który stracił nogę podczas budowy mostu Amazon, walczyli ze swoim kalectwem z imponującym męstwem, założyli rodziny i mieli udane życie zawodowe. Innym, co zrozumiałe, wiodło się gorzej. „Niektórzy nigdy się z tym nie pogodzili – mówi Cunnigham. – Ciągle byli wściekli na armię lub Niemców. Zapijali się na śmierć, to było, wiesz, dość powszechne".

Po zakończeniu drugiej wojny światowej amerykańscy weterani wracali przynajmniej jako zwycięzcy i wkraczali do przeżywającej powojenny rozkwit gospodarki. W swoich listach do domu kanonier Ivar Awes często pisał o przyszłości i przewidywał, że będzie miał trudności z przyzwyczajeniem się do życia w cywilu. Ostatecznie dzięki ustawie o darmowej edukacji dla zdemobilizowanych żołnierzy, poszedł do college'u, a potem z sukcesem zajął się ubezpieczeniami. „Zaraz po powrocie, to śmieszne, ale nigdy o tym wiele nie myślałem – mówi. – Po prostu wymazałem to, odepchnąłem". Jednak przejeżdżając któregoś dnia obok cmentarza, niemal sześćdziesiąt lat po zakończeniu wojny, stwierdził, że pamięta Tony'ego Yablonskiego: „Był świeżo powołanym osiemnastolatkiem, zmarł, gdy zakładałem mu opaskę uciskową na ramieniu, które wisiało na strzępie tkanki. Nigdy nie zapomnę jego błagania, żebym go nie zostawił, zanim nie umrze. Zacząłem łkać, co naprawdę zaniepokoiło [moją żonę] Lois". Wkrótce potem stwierdzono, że cierpi na nerwicę pourazową. Broszura wydana przez US Veterans' Association wyjaśnia, dlaczego tak wielu ludzi, którym udało się pogrzebać wojenne urazy, później napotyka trudności: „Wielu [początkowo] miało niepokojące wspomnienia lub koszmary senne, trudności z presją w pracy oraz problemy z opanowaniem złości lub nerwowości, ale tylko nieliczni szukali pomocy lekarskiej czy rozmawiali o emocjonalnych skutkach przeżyć wojennych. (...) Gdy się starzeją i przechodzą zmiany życiowe – przejście na emeryturę, śmierć współmałżonka lub przyjaciół, pogarszający się stan zdrowia i coraz słabsza kondycja fizyczna – wielu ma większe problemy ze wspomnieniami wojennymi czy reakcjami na stres, a niektórzy mają na tyle poważne kłopoty, że można je uznać za «opóźnione wystąpienie» objawów nerwicy pourazowej, niekiedy pojawiające się łącznie z innymi zaburzeniami, takimi jak depresja i nadużywanie alkoholu".

„Latem 2002 roku – mówi Awes – dzieci powiedziały mi: «Tato, strasznie dużo pijesz». Sprawdzały butelki. Wydawało mi się, że dam sobie z tym radę, gdy stwierdziłem, że za dużo piję i robię się piekielnie wredny". Po rozmowie z psychiatrą, który zdiagnozował nerwicę pourazową, Awes przyjmował leki i rozpoczął terapię z grupą weteranów drugiej wojny światowej, w której większość stanowili piloci bombowców. „Pewnie będę na tych pigułkach szczęścia do końca życia – mówi Awes. – Relacje z wojny w Zatoce Perskiej były dla mnie ciężkim przeżyciem, podobnie jak dla pozostałych siedmiu osiemdziesięciolatków w mojej grupie terapeutycznej. Terapeuta powiedział nam, żebyśmy zamiast tego oglądali kanał Disneya".

Jean Murat pozostał w armii francuskiej, w końcu awansowano go do stopnia generała. Dziesięć miesięcy po Cassino z siedemnastu młodych oficerów, którzy razem z nim skończyli akademię wojskową i wstąpili do 4. tunezyjskiego pułku piechoty, pozostał tylko on. „Nadal odczuwam ogromną dumę z tego – mówi – że uczestniczyłem w tej kampanii, która być może z powodu braku strategicznych rezultatów pozostaje nieznana, ale która pozwoliła francuskiej armii odzyskać dawną reputację i umożliwiła Francji zajęcie znowu jej miejsca wśród aliantów". W samej Francji nieliczni tylko wiedzieli o wyczynach Francuskiego Korpusu Ekspedycyjnego. Niedawno wydana książka naukowa na ten temat ma podtytuł: *Les victoires oubliées de la France.*

Gurkhowie mieli do wyboru wstąpić do armii indyjskiej, pakistańskiej lub zostać z Brytyjczykami. Spośród tych, którzy zostali, wielu wysłano później na Malaje. Kharkabahadur Thapa z 1/2. Gurkha Rifles nie wracał do domu aż do 1956 roku. Z wdzięczności dla wojsk indyjskich, które tak zaciekle walczyły w basenie Morza Śródziemnego, istniał krótko specjalny program finansowania wyjazdów do Anglii. Przeprowadzono losowanie i nielicznych „szczęściarzy" zabierano na osobliwą wycieczkę, która zaczynała się od ogrodu zoologicznego Whipsnade i obejmowała Ford Motor Works, hokej na lodzie i piłkę nożną. Po konsultacjach indyjskim uczestnikom udało się przeforsować włączenie trzech dni w Szkocji. Ulubiony refren indyjskich żołnierzy, którzy uczestniczyli w bitwach o Monte Cassino, brzmiał:

Och, pogrzebcie mnie pod Cassino,
Wypełniłem mój obowiązek wobec Anglii.
A gdy wrócisz do kraju ojczystego
I będziesz pił whisky i rum,
Pamiętaj o tym starym indyjskim żołnierzu,
Kiedy wojna, w której walczył, zakończy się zwycięstwem!

Niemcy, z którymi przeprowadzono rozmowy w czasie przygotowywania tej książki, mają różne opinie na temat wojny. Werner Eggert, który w 1951 roku wyemigrował do Australii, jeden z e-maili kończy następująco: „Wojna: dzisiaj bardziej niż kiedykolwiek wcześniej – głupia, brudna, przerażająca". Bezpośrednio po wojnie, jak mówi, miał przez sześć miesięcy koszmary, ale potem z tego wyszedł: „Radziłem sobie z tym zdumiewająco dobrze. Jednak wiele lat później musiałem zadać sobie pytanie, po co były te wszystkie udręki i krwawe ofiary, wszystkie te zdarzenia nie do opisania, które ściągnęły na nasz kraj wieczny upadek. Póki żyję, muszę żyć ze świadomością, że razem z mnóstwem innych ludzi zostałem oszukany".

Pod koniec wojny Joseph Klein był – jak mówi – „w stanie kompletnego szoku. Ćwierć roku zabrało mi wyrwanie się z tego letargu. Świat się dla mnie zawalił. Potem, w Egipcie, towarzysze broni powoli wyciągnęli mnie z tego, znowu byłem taki jak dawniej. To nie z powodu narodowego socjalizmu roniłem łzy. (...) Brakowało mi *Volksbewusstsein* – tego, że jeden człowiek wspiera drugiego". Większość jego przyjaciół, twierdzi Klein, nie chce słyszeć o wojnie. Sam Klein kieruje teraz w Niemczech Stowarzyszeniem Weteranów Monte Cassino. „Chcę powiedzieć, że było to dość fortunne – upiera się. – Dzięki Hitlerowi Europa nie stała się komunistyczna".

Obserwator artyleryjski Kurt Langelüddecke został wzięty do niewoli przez Amerykanów trzy dni po zakończeniu wojny w Europie. „Amerykanie z pięćdziesięcioma czołgami okrążyli nas – mówi. – Otaczające nas czołgi i biała taśma wyznaczały teren naszego obozu. I przez trzy tygodnie nie dawali nam nic do jedzenia. Nie chcę przesadzać, ale było nas tam z pewnością z pięciuset oficerów. A co rośnie w maju? Trawa i takie tam. Więc to jedliśmy. Mieliśmy parę koni i ubiliśmy je – Amerykanie nie mieli nic przeciwko temu. Chcieli nas też chronić przed Czechami, ponieważ spodziewali się, że gdybyśmy uciekli, Czesi wyrżnęliby nas. Amerykanie o tym wiedzieli i pozwolili wszystkim oficerom zatrzymać pistolety. Było tam pięciuset jeńców z pistoletami. Nie zastrzeliliśmy żadnego Amerykanina i nie zastrzeliliśmy żadnego Czecha. Wody dostarczał strumyk i nabawiliśmy się od tego dyzenterii. Ale głodować można długo".

Po trzech tygodniach Amerykanie postawili parę namiotów i zaczęli sprawdzać niemieckich oficerów. „Sprawdzali nas, żeby mieć pewność, że nie jesteśmy z SS – mówi Langelüddecke. – Potem zrewidowali nasze rzeczy (każdy miał walizkę czy coś takiego). Większość mówiła po angielsku, ale byli też niemieccy Żydzi w mundurach – można to było poznać po ich niemczyźnie. Zadawali pytania, a lekarz badał nas i zdejmował nam odciski palców i z tym zaświadczeniem nas wypuszczano. W walizce miałem egzemplarz *Mein Kampf*, każdy taki dostawał w urzędzie stanu cywilnego, gdy się żenił. Jakiś przyjaźnie nastawiony Amerykanin kazał mi otworzyć walizkę, żeby mógł ją przeszukać, i gdy zobaczył tę książkę ze słynnym zdjęciem Adolfa na okładce, spojrzał na mnie dziwnie. No, to jestem załatwiony, pomyślałem, ale okazało się, że wszystko jest w porządku". Podobnie jak miliony Niemców, którzy mieszkali w Prusach Wschodnich, Langelüddecke i jego żona nie mieli już domu. Przeżyli, bo Langelüddecke potrafił rzeźbić w kamieniu, a na tę umiejętność było wielkie zapotrzebowanie u Rosjan, którzy wznosili szereg pomników Armii Czerwonej we wschodnich Niemczech.

Robert Frettlöhr również został wygnany ze swojego domu. Po tym, jak do niewoli wziął go Kazimierz Gurbiel, został opatrzony i przewieziony statkiem do Stanów Zjednoczonych, gdzie w czasie, gdy był jeńcem wojennym, pracował jako drwal. Pod koniec wojny odesłano go do Europy, mówiąc mu, że zostanie repatriowany. Ale pokusa wykorzystania taniej siły roboczej, jaką stanowili jeńcy, była zbyt wielka dla Brytyjczyków, którzy kazali mu pracować jako elektrykowi, ciągle jako jeńcowi wojennemu. Następnie odwiedził swój rodzinny Duisburg, wówczas „stos gruzów", ale wrócił do Anglii, ożenił się i osiedlił w North Yorkshire.

W marcu 1983 roku w programie telewizyjnym nadanym w Niemczech Zachodnich pojawił się zarzut, że polski patrol, który zdobył klasztor, zamordował trzech rannych niemieckich spadochroniarzy. Oskarżenie to wywołało międzynarodowy skandal. Dwa lata później Frettlöhr przypadkiem o tym usłyszał i skontaktował się ze stowarzyszeniem polskich weteranów w Huddersfield, niedaleko swojego miejsca zamieszkania, i pod przysięgą złożył oświadczenie przeczące zarzutom. Dzięki temu nawiązał kontakt z Gurbielem, który podczas walk na wybrzeżu adriatyckim, trzy miesiące po Cassino, stracił nogę, a po wojnie ożenił się i osiedlił w Glasgow, zanim w końcu wrócił do Polski. Tak zaczęła się korespondencja i przyjaźń. Frettlöhr pisał: „Mój drogi Kazimierzu, w bezsenne noce często wracam myślami na Monte Cassino, (...) braliśmy udział w największej bitwie ostatniej wojny, w której wielu młodych Niemców i Polaków straciło życie. A my ocaleliśmy. Po co była ta bezsensowna wojna? Serce mi pęka, gdy myślę o tych chłopcach, którzy tam, pod Monte Cassino, zginęli. W imię czego? Generałowie, daleko od pola bitwy, wydawali rozkazy, a my musieliśmy je wypełniać i ginąć, (...) oby nigdy już Niemcy i Polacy nie strzelali do siebie".

Gurbiel odpisał: „Drogi Robercie, dziękuję ci serdecznie za obronę honoru i godności żołnierzy z mojego patrolu, niesprawiedliwie oskarżonych o dokonanie wielokrotnego morderstwa. (...) Ja osobiście, chociaż wojna skończyła się dla mnie kalectwem, nie żywię nienawiści do Niemców. Uczucie to jest mi obce, ponieważ nie można budować przyszłości na nienawiści. Proponuję ci więc żołnierską przyjaźń, której fundamenty będą głębsze niż fundamenty klasztoru na Monte Cassino. Będą głębsze, ponieważ znajdują się w sercu człowieka".

18 maja 1989 roku, dokładnie czterdzieści pięć lat po pierwszym spotkaniu, ci dwaj mężczyźni zobaczyli się ponownie w Monte Cassino na uroczystych obchodach. Złożono wieńce na niemieckim i polskim cmentarzu, a Frettlöhr i Gurbiel obiecali sobie, że spotkają się ponownie za pięć lat. Tak się jednak nie stało, ponieważ Gurbiel zmarł w 1992 roku. Jego pogrzeb w Przemyślu był skromny: nie było orkiestry, salwy honorowej. Tak pożegnano oficera dowodzącego, którego żołnierze jako pierwsi alianci wkroczyli do klasztoru na Monte Cassino.

Opat Gregorio Diamare wrócił do Cassino w 1944 roku, ale w następnym roku zmarł na malarię, która nadal tam panowała. W latach powojennych odbudowano zarówno klasztor, jak i miasto. Obecnie nie ma w mieście ani jednego budynku, który powstałby przed bombardowaniem dywanowym z 15 marca 1944 roku. Tony Pittaccio, który bawił się na ulicach i w okolicy zamku, gdy był chłopcem, wrócił trzy lata po zakończeniu wojny i – mówi – „To nie było to ładne, miłe miasto, które kiedyś znaliśmy. Czułem się jak ktoś zupełnie obcy".

Odwiedzając Cassino dzisiaj, trudno jest porównywać jego tętniącą życiem nowoczesność z koszmarnymi wydarzeniami sprzed sześćdziesięciu lat. Samochody dymią spalinami, klaksony trąbią, a dobrze ubrani młodzi Włosi robią zakupy na głównych ulicach. Nad miastem góruje klasztor, sam jego widok i położenie wysoko nad doliną zadziwiają, bez względu na to, ile się widziało fotografii. Ciągle jest w nim jakaś groźba, o której mówiło tak wielu tych, którzy tam walczyli: swego rodzaju zło, złowieszcza obecność, wydaje się obserwować każdy twój ruch. Z pewnością czuli to wracający tu weterani. Cyril Harte, którego batalion grenadierów utrzymywał ruiny miasta w kwietniu 1944 roku, powrócił tu pięćdziesiąt lat później: „Oczywiście nie było to Cassino, które znałem i opuściłem w 1944 roku. W miejscu jednego wielkiego stosu gruzów zbudowano nowe miasto. Wtem w polu widzenia pojawiła się ta wywołująca bolesne wspomnienia góra, która kosztowała życie tak wielu żołnierzy piechoty wszystkich narodów. Na chwilę serce przestało mi bić. Ona się nie zmieniła. Nadal majaczy złowrogo i zadrżałem na myśl o nieprzyjacielu, który patrzył na nas z góry".

Weterani wraz z rodzinami poległych odbywają częste pielgrzymki do Cassino. Następna jest planowana na sześćdziesiątą rocznicę w maju 2004 roku. Coraz mniejsza liczba uczestników walk oczywiście nie ogląda współczesnego miasta. Przyjeżdżają raczej po to, by złożyć hołd na cmentarzach wojskowych, które są wypełnione po brzegi. W Cassino bowiem martwych jest o wiele więcej niż żywych.

Najbardziej widoczny jest cmentarz polski, położony na zboczu góry między wzgórzem 445 i klasztorem, gdzie żołnierze wielu narodowości oddali życie w natarciach na stanowiska niemal nie do zdobycia. Ze wszystkich cmentarzy ten jest najbardziej okazały, celowo symboliczny. Około 18 maja można się tam natknąć na pełne autokary odwiedzających, z których niemal wszyscy są o wiele za młodzi, żeby mogli być uczestnikami walk, tym zaś towarzyszą księża w szatach liturgicznych i ludzie z gitarami śpiewający polskie pieśni. Monte Cassino długo było ośrodkiem i symbolem polskich uczuć narodowych i dążenia do wyzwolenia od zewnętrznych ciemięzców, czy to nazistowskich, czy radzieckich. Ale ofiara złożona w imię tego była wielka: straty Polaków wyniosły prawie 4 tysiące ofiar, niemal 50 procent ich sił, w krwawych atakach, w opinii Johna Ellisa „pozbawionych jakiegokolwiek uzasadnienia strategicznego".

Za cmentarzem, na teraz gęsto zalesionym zboczu, znajduje się wzgórze 593, Kalwaria. Na jego szczycie, z którego roztacza się rozległy widok na dolinę Liri, postawiono kamienny pomnik zwieńczony krzyżem. Napisano na nim:

Za wolność waszą i naszą
My, żołnierze polscy
Bogu oddaliśmy ducha
Ziemi włoskiej ciała
A serca Polsce

Uosabia to smutek Cassino: żołnierze walczący o ojczyznę, która jest już dla nich stracona, w natarciach, do których rozkaz przede wszystkim w ogóle nie powinien paść, a które jednak przeprowadzono z zapałem zrodzonym z desperacji i nienawiści.

Cmentarz niemiecki, opasujący wzgórze nad wsią Caira, jest mniej okazały, ale dużo większy – znajduje się na nim ponad 20 tysięcy grobów. Małe, białe kamienne krzyże otaczają strome zbocze terasami. Poległych pochowano po trzech w jednym grobie. Jest tam wiele nagrobków z lakonicznym, powtórzonym trzykrotnie napisem: *Ein Deutscher Soldat*. Duża liczba nie zidentyfikowanych Niemców jest po części rezultatem zwyczaju zabierania na pamiątkę skórzanych identyfikatorów poległym niemieckim żołnierzom.

Tutaj nie można przywoływać uczuć narodowych, żeby usprawiedliwić czy uzasadnić rzeź, a Boga symbolizuje surowy, żelazny krzyż, po którego bokach rosną wysokie, ponure jodły. W holu wejściowym znajduje się metalowa rzeźba przedstawiająca dwie postaci, najwyraźniej rodziców. Ojciec stoi wyprostowany, wpatrując się w dal, z ręką na ramieniu matki, która siedzi, przygarbiona i przytłoczona smutkiem.

Najbliżej miasta znajduje się cmentarz Brytyjskiej Wspólnoty Narodów, prowadzi do niego wąska, zaniedbana droga, nad którą góruje klasztor. Widać tam tylko czysty, biały kamień i równe rzędy grobów: brytyjskich, nowozelandzkich i kanadyjskich z przodu, indyjskich i Gurkhów z tyłu. Jest nienagannie utrzymany, a na większości kamieni nagrobnych starannie wyrzeźbiono u szczytu odznaki pułkowe poległych żołnierzy. Na płytach wielu grobów – wyjątkowo w Cassino – znajdują się częściowo przesłonięte kwiatami w jaskrawych kolorach nazwiska tych, których zmarły pozostawił: „Kochany mężu i synu/ Swoje życie za ojczyznę/ Oddałeś szlachetnie – Żona Edith i syn Graham"; „Jego odwaga i oddanie/ Pozostaną na zawsze w czułej pamięci/ Suze i Roxie Anne"; „Ukochany mąż Ruth/Tata Heather".

Czytając te napisy, rozumie się, że starannie wyrzeźbione symbole pułku, wojna, szczytny cel tego wszystkiego, nie znaczyły nic w porównaniu do osobistej straty, jednostkowej katastrofy, które przedstawia każdy grób. W sierpniu 1944 roku Walter Robson otrzymał list od młodej żony przyjaciela z jego oddziału, który zginął. „Udaję dzielną – napisała. – Nikt nigdy wcześniej nie złamał serc z mniejszym zamieszaniem. Nie zgadłbyś, że mój świat legł w gruzach, gdy rozmawiam z ludźmi o dobrych wieściach z wojny. Nigdy byś nie pomyślał, że jeśli o mnie chodzi, może ona teraz trwać wiecznie".

20 lipca 1944 roku Barbara Schick, wówczas dziewięcioletnia dziewczynka, otrzymała list od kapelana służącego z jej ojcem, sierżantem Arthurem Schickiem z obsługi kantyny w 88. dywizji amerykańskiej, który poległ 12 maja:

> Droga Barbaro!
>
> Pragnę przyjechać do Nowego Jorku, żeby spotkać się z córką mojego bardzo dobrego przyjaciela, twojego taty. Wiele razy zaglądałem do kuchni, którą zarządzał, i wypijałem z nim kawę, jedliśmy pączki lub ciastka. (...) Brakuje mi tych odwiedzin, odkąd nie ma go z nami. Widzisz, niektórzy nie wrócą z tej wojny i twój tata jest jednym z nich. (...) Żołnierze i oficerowie bardzo za nim tęsknią.
>
> Chcemy, żebyś była teraz dzielną „małą dziewczynką", i wiemy, że twój tata w ogóle nie cierpiał i że chce, abyś żyła tak, jakby on był z tobą przez cały czas. (...) Bardzo dużo mi o tobie opowiadał i pokazywał mi twoje zdjęcia, więc czuję się tak, jakbym cię znał. Pamiętaj, że on chce, żebyś była dzielną dziewczynką.
>
> Przeczytaj psalm 23.
>
> Pozdrawiam,
> Day B. Werts
> Kapelan pułku

Być może jednak najwięcej współczucia powinniśmy okazać poległym ojcom, „biedaczyskom", którzy wydostali się „z tego na dobre", najbardziej lękającym się pozostawienia ukochanych, potrzebujących ich osób.

Przypisy

PRZEDMOWA

s. 11 Mówi się: „Generałowie..." Davie, Michael (red.), *The Diaries of Evelyn Waugh*, Weidenfeld & Nicolson 1976, ss. 448-449, cyt. w: Fussell, Paul, *Wartime*, OUP, New York 1989, wyd. w miękkiej oprawie 1990, s. 4. Przedrukowano za zgodą Weidenfeld & Nicolson i PFD w imieniu spadkobierców Laury Waugh.

s. 12 Pewien amerykański artylerzysta spod Cassino... Vojta, Francis, J. (151. batalion artylerii polowej, 34. dywizja amerykańska), *The Gopher Gunners: A History of Minnesota's 151st Field Artillery*, Burgess Publishing 1995, s. 216.

WPROWADZENIE: KLASZTOR I LINIA GUSTAWA

s. 22 „Góry nie do zdobycia..." archiwum D. H. Deane'a (2. Gwardia Szkocka, 201. brygada gwardii, 56. dywizja brytyjska), Imperial War Museum, Londyn (IWM).

CZĘŚĆ PIERWSZA: Z SYCYLII DO CASSINO

s. 25 David L. Thompson, *Battles and Leaders of the Civil War*, cyt. w: Copp, Terry i McAndrew, Bill, *Battle Exhaustion*, McGill-Queens University Press, Montreal 1990, s. 62.

ROZDZIAŁ 1: KONFERENCJA W CASABLANCE I INWAZJA NA SYCYLIĘ

s. 27 którego „wdzięczny, życzliwy uśmiech..." Churchill, W., *The Second World War*, Cassell 1964, tom VI, s. 606.

s. 27 „Nigdy nie widziałem go w lepszej formie..." cyt. w: Gilbert, Martin, *The Road to Victory*, Heinemann 1986, wyd. w miękkiej oprawie 1989, s. 306.

s. 28 „wyprowadzeni w pole..." wpis z dziennika Brooke'a z 18 maja 1943 roku; Alanbrooke, Field Marshal Lord, *War Diaries 1939–45*, Weidenfeld & Nicolson 2001, s. 405.

s. 30 „miękkimi, zielonymi i zupełnie niewyszkolonymi..." Alexander do Alanbrooke'a, 3 kwietnia 1943 roku, archiwum Alanbrooke'a, cyt. w: D'Este, Carlo, *Fatal Decision*, HarperCollins 1991, s. 16-17.

s. 31 „W Afryce – pisał – nauczyliśmy się..." Bradley, Omar, *A General's Life*, Simon & Schuster, New York 1983, s. 159; cyt. w: D'Este, *op. cit.*, s. 17.

s. 32 „Wystrzeliliśmy ostatni nabój..." cyt. w: Gilbert, *op. cit.*, s. 404.

s. 32 Z notatek alianckiego operatora filmowego... w archiwum filmowym IWM.

s. 32 „przytłaczające siły przeciwko nam..." cyt. w: Gilbert, *op. cit.*, s. 534.

s. 33 „naprawdę bardzo skromne..." Eisenhower do Marshalla, 9 lipca 1943 roku; cyt. w: Blumenson, M., *Salerno to Cassino*, US Government Printing Office 1969, s. 15.

s. 34 „Marshall zupełnie nie dostrzega..." Alanbrooke, *op. cit.* s. 433.

s. 35 „na samym brzegu..." cyt. w: D'Este, *op. cit.*, s. 22.

s. 35 „nadal siedział mocno w siodle..." Kesselring, Albert, *The Memoirs*, William Kimber 1953, s. 168.

s. 35 „nie wierzył w bezpośrednie zagrożenie dla reżimu..." *ibid.*, s. 168.

s. 35 ambasada niemiecka w Rzymie... Weinberg, Gerhard L., *A World at Arms*, Cambridge University Press 1994, s. 596, przyp.

s. 36 „Rozumiałem jego spontaniczną radość..." Kesselring, *op. cit.*, s. 168.

s. 36 „chłodnej, powściągliwej i nieszczerej rozmowy..." *ibid.*, s. 169.

s. 36 „Moja audiencja w pałacu..." *ibid.*, s. 170.

s. 36 „Mówią, że będą walczyć, ale to zdrada!" cyt. w: D'Este, *op. cit.*, s. 31.

s. 37 do niewoli wzięto ponad 100 tysięcy żołnierzy włoskich (prawie 35 tysięcy zdezerterowało w czasie kampanii)... Sullivan, Brian R., *The Italian Soldier in Combat, June 1940–September 1943: Myths, realities and explanations* w: Addison, Paul i Calder, Angus (red.), *Time to Kill: The Soldier's Experience of War in the West 1939–45*, Pimlico 1997, s. 203.

s. 37 i niemal 40 tysiącom żołnierzy niemieckich oraz ponad 10 tysiącom pojazdów udało się ewakuować... Graham, Dominick i Bidwell, Shelford, *Tug of War*, Hodder & Stoughton 1986, s. 21, przyp.

s. 38 „Co ci dolega, żołnierzu?" cyt. w: Shephard, Ben, *War of Nerves: Soldiers and Psychiatrists 1914–1994*, Jonathan Cape 2000, s. 219.

s. 39 „Nie spodziewam się, bym jeszcze kiedykolwiek miał być świadkiem takich scen prawdziwej radości..." major Warren A. Thrasher, cyt. w: Blumenson, *op. cit.*, s. 55.

ROZDZIAŁ 2: INWAZJA NA WŁOCHY

s. 40 Sama artyleria zużyła 400 ton amunicji... Bidwell, *op. cit.*, s. 15.

s. 40 „Była noc i niewiele widzieliśmy..." Moorehead, Alan, *Eclipse*, Hamish Hamilton 1945, s. 24.

s. 40 Na rufie było 10 tysięcy papierosów... *ibid.*, s. 27.

s. 41 W samym mieście wojska włoskie dorównywały liczebnością niemieckim... Sullivan, *op. cit.*, s. 204.

s. 41 „Nalot był pouczający..." Kesselring, *op. cit.*, s. 176.

s. 41 „Przeprowadzimy gdzieś desant..." wywiad z Jeffreyem Smithem (172. pułk artylerii polowej, 46. dywizja brytyjska) z 15 września 2002 roku.

s. 41 „Morze przypomina staw młyński..." cyt. w. Blumenson, *op. cit.*, s. 3.

s. 43 „Nie miałem pewności, czy Mark Clark to najlepszy kandydat..." cyt. w: Smith, Lee, *A River Swift and Deadly*, Eakin Press 1997, s. 104.

s. 43 „będzie to takie zwykłe wkroczenie..." wywiad z Clare'em Cunninghamem (1. batalion, 142. pułk, 26. dywizja amerykańska) z 24 lutego 2003 roku.

s. 44 którego podwładny opisał... von Senger und Etterlin, F., *Neither Fear Nor Hope*, Macdonald 1963, s. 181.

s. 45 mieszczącej się w wielkiej stodole... Moorehead, *op. cit.*, s. 36.

s. 45 generał dywizji Ernest Dawley, który wyróżnił się w czasie szkolenia... Blumenson, *op. cit.*, s. 350.

s. 45 „Zostaliśmy wyparci z Altavilli..." wywiad z Cunninghamem z 24 lutego 2003 roku.

s. 46 Jak donosił 15 września „The Times"... cyt. w: Piekałkiewicz, J., *Cassino: Anatomy of a Battle*, Orbis 1980, s. 28.

s. 46 W sumie Niemcy wzięli do niewoli... Pluviano, Marco i Guerrini, Irene, *The Italian Home Front: The Price Paid for an Illusion* w: „Everyone's War: The Journal of the Second World War Experience Centre, Leeds", nr 6, jesień–zima 2002, s. 40.

s. 46 „włoskich żołnierzy, którzy wyszli cało z wojny..." Lewis, Norman, *Naples '44*, Collins 1978, wyd. Eland Press 1983, s. 14.

s. 47 „Nigdy nie zrozumiem..." *ibid.*, s. 18.

s. 47 „Kilka z nich stało blisko ogromnych lejów..." *ibid.*, ss. 20-21.

s. 47 „Bardzo wątpię..." dziennik Walkera, 24 września 1943 roku, cyt. w: Blumenson, *op. cit.*, s 146.

s. 47 „bardzo przygnębiony z powodu całkowitego zniszczenia..." dziennik Walkera, 1 października 1943 roku, cyt. w: *ibid.*, s. 146.

s. 48 straty w ludziach wyniosły prawie 9 tysięcy żołnierzy... Bidwell, *op. cit.*, ss. 91-92.

s. 48 „Każdy znał kogoś, kto zginął..." wywiad z Cunninghamem z 24 lutego 2003 roku.

s. 48 „miotełką z piór..." Bidwell, *op. cit.*, s. 92.

s. 48 „nieborak..." D'Este, *op. cit.*, s. 62.

s. 48 Clark upierał się, żeby fotografować go tylko z lepszego profilu... *ibid.*, s. 58

s. 48 „według jego interpretacji sławnej tezy Clausewitza..." cyt. w: Fussell, *op. cit.*, s. 161.

s. 49 Zdarzenie to jednak... zob. David, Saul, *Mutiny at Salerno*, Brassey's 1995.

s. 49 „Miałem pełne zaufanie..." Kesselring, *op. cit.*, s. 187.

s. 50 „wszyscy odnosili się do nas życzliwie, wszystko to były tylko żarty..." wywiad z Tonym Pittacciem z 12 sierpnia 2002 roku.

s. 51 „większość ludzi nie była z tego powodu szczęśliwa..." wywiad z Gemmą Jaconelli (z domu Notarianni) z 15 września 2002 roku.

s. 52 „Nie śniło się nam..." e-mail od Tony'ego Pittaccia z 24 grudnia 2002 roku.

s. 54 Dwudziestopięcioletni Terence Milligan... (19. bateria, 56. ciężki pułk 7,2-calowych haubic, przydzielony do 10. korpusu brytyjskiego).

s. 54 „Piszę te słowa w dziurze w ziemi..." Milligan, Spike, *Mussolini: His Part in My Downfall*, Michael Joseph 1978, wyd. w miękkiej oprawie Penguin 1980, s. 7.

s. 54 45. dywizja amerykańska potrzebowała dwudziestu pięciu nowych mostów... Bidwell, *op. cit.*, s. 110.

s. 55 „Żadna broń nie była cenniejsza niż buldożer inżynierów..." Truscott, L. K., *Command Missions*, Dutton 1954, ss. 255-259.

s. 55 „były uzależnione od odwagi i umiejętności stosunkowo niewielu ludzi..." Bidwell, *op. cit.*, s. 111.

s. 55 Dwudziestotrzyletni Matthew Salmon... (220. polowa kompania saperów, 56. dywizja brytyjska) materiał z wywiadu z 22 października 2002 roku oraz jego książki *Oh to Be a Sapper!* wydanej nakładem autora w 1984 roku.

s. 57 Operacja ta kosztowała... Blumenson, *op. cit.*, s. 166.

s. 57 „Na rogatkach Neapolu..." Moorehead, *op. cit.*, s. 62.

s. 57 małego manata – trzymano na powitalny obiad dla Marka Clarka... Lewis, *op. cit.*, s. 61.

s. 57 „We wspaniałym stylu zwycięzców..." cyt. w: Blumenson, M., *Mark Clark*, Congdon & Weed, New York 1984, s. 146.

s. 57 „setki, może tysiące Włochów, przeważnie kobiet i dzieci..." Lewis, *op. cit.*, s. 30.

s. 58 „O kurczę, Neapol!..." Milligan, *op. cit.*, s. 27.

s. 58 „Doki były bardzo zniszczone..." Powell, J. M., nie opublikowany dziennik.

s. 58 „Mam nadzieję, (...) że do końca miesiąca lub coś koło tego..." osobisty telegram premiera T.1481, archiwum Churchilla 20/119, cyt. w: Gilbert, *op. cit.*, s. 520.

s. 59 „Drogi toną w tak głębokim błocie..." cyt. w: Blumenson, M., *Salerno to Cassino*, US Government Printing Office 1969, s. 194.

ROZDZIAŁ 3: LINIA GUSTAWA

s. 60 „ponieważ tam nie mają nic do stracenia..." Lewis, *op. cit.*, s. 116.

s. 60 „Wygłosił nam wykład..." wywiad z Bhaktabahadurem Limbu (2/7. Gurkha Rifles, 11. brygada, 4. dywizja indyjska), przeprowadzony przez Crossa, J. P. i Gurunga, Buddhimana, taśma 29. Rozmowy Crossa i Buddhimana z Gurkhami w Nepalu są dostępne w Gurkha Museum w Winchesterze. Tutaj wykorzystane za uprzejmą zgodą Johna Crossa.

s. 61 „naszych nowych przyjaciół..." wywiad z Pittacciem z 12 sierpnia 2002 roku.

s. 61 „gdy zobaczyliśmy samoloty..." z: „Images of War", nr 27, tom 3, Marshall Cavendish 1990, s. 748.

s. 62 W chacie Notariannich... wywiad z Jaconelli (z domu Notarianni) z 15 września 2002 roku.

s. 62 mogli jedynie zabrać go do niemieckiego szpitala polowego... e-mail Pittaccia z 24 grudnia 2002 roku.

s. 63 „Och, Monte Cassino nas obroni..." wywiad z Pittacciem z 12 sierpnia 2002 roku.

s. 63 W tym samym czasie wyjechała też większość z osiemdziesięciu zakonników... Colvin, David i Hodges, Richard, *Tempting Providence: The Bombing of Monte Cassino*, „History Today", tom 44, numer 2, luty 1994, s. 13.

s. 63 „To niezwykłe, co oni tam robią..." wywiad z Pittacciem z 12 sierpnia 2002 roku.

s. 64 W pobliżu ich chaty pasterskiej... wywiad z Gemmą Jaconelli (z domu Notarianni) z 15 września 2002 roku.

s. 64 „Nasze oddziały cierpiały niemal niewyobrażalną niedolę..." Pyle, Ernie, *Brave Men*, Henry Holt 1944, wyd. w miękkiej oprawie University of Nebraska 2001, s. 151. Pyle zginął od kuli snajpera 18 kwietnia 1945 roku na małej wyspie Ie Shima u wybrzeży Okinawy.

s. 65 „Żołnierze stawali się wyczerpani tak fizycznie, jak psychicznie i duchowo..." *ibid.*, s. 89.

s. 67 „Na pozór nieskończony szereg łańcuchów górskich..." Alexander of Tunis, *Alexander Memoirs 1940–45*, Cassell 1962, s. xiii.

s. 67 „pełnej błędów..." i „utrapień..." Mauldin, Bill, *Up Front*, Henry Holt 1945, wyd. University of Nebraska 2000, s. 5.

s. 67 „Nie wszyscy pułkownicy, generałowie i porucznicy są dobrzy..." *ibid.*, s. 16.

s. 68 „bardziej z samotności..." Lee Harvey, J. M., *D-Day Dodger*, Kimber 1979, ss. 13-18.

s. 69 „cynizm graniczący z mizantropią..." *ibid.*, s. 39.

s. 69 „Podejście tych facetów do życia było trochę odrażające..." wywiad z Thomasem A. Kindrem (34. dywizja, kompania uzbrojenia), przeprowadzony przez G. Kurta Piehlera 28 czerwca 1994 roku dla Rutgers Oral History Archives of World War II.

s. 70 „typowym podejściu brytyjskich dowódców..." Clark, M., *Calculated Risk*, Harrap 1951, s. 252.

s. 70 „substytutem hierarchii..." Wilson, Theodore A., *Who Fought and Why? The Assignment of American Soldiers to Combat* w: *Time to Kill*, *op. cit.*, s. 309.

s. 70 wystarczyło zaledwie osiemdziesiąt osiem dni walk... Balestri, Leo, *Combat Command: US Frontline Officers in Europe: 1942–45, History 411: War and Society*, Princeton maj 1992, cyt. w: *Time to Kill*, *op. cit.*, s. 310.

s. 71 „Typową skłonnością jest próba podkreślania swoich umiejętności w ataku..." *Lessons Learned in Combat 8 November 1942 to 1 September 1944*, archiwum Charlesa L. Bolte'a, pudło 6, US Army Military History Institute Library, Carlisle Barracks PA.

s. 71 „Jego kompania, złożona z zielonych, niedoświadczonych żołnierzy..." Smith, E. D., (2/7. Gurkha Rifles, 11. brygada, 4. dywizja indyjska), *Even the Brave Falter*, Robert Hale 1978, wyd. Allborough Press 1990, s. 6.

s. 71 „Słusznie czy niesłusznie, szedłem na przedzie, gdy tylko było to możliwe..." porucznik Russell Collins (16. batalion lekkiej piechoty Durham, 139. brygada, 46. dywizja brytyjska) cyt. w: Hart, Peter, *The Heat of Battle*, Leo Cooper 1999, s. 82.

s. 71 „Człowiek zapomina o tym, że się boi, gdy zdołasz go zmusić, by zaczął strzelać..." John V. Pendergast (135. pułk, 34. dywizja amerykańska), cyt. w: *Lessons Learned in Combat*, *op. cit.*

s. 71 „Niemcy wystrzelili dwa pociski..." Bowlby, Alex, *The Recollections of Rifleman Bowlby*, Leo Cooper 1969, s. 115.

s. 72 Bill Mauldin wyśmiewa je na rysunku ze stycznia 1944 roku... Mauldin, *op. cit.*, s. 225.

s. 72 „integralną część państwa i społeczeństwa Trzeciej Rzeszy..." Förster, Jürgen, *Motivation and Indoctrination in the Wehrmacht, 1933–45*, w: *Time to Kill*, *op. cit.*, s. 264.

s. 73 „Byłem w Hitlerjugend..." wywiad z Robertem Frettlöhrem (15. kompania, 4. pułk, 1. dywizja spadochronowa) z 15 września 2002 roku.

s. 73 „byliśmy przygotowywani do tego, żeby być żołnierzami..." wywiad telefoniczny z Robertem Frettlöhrem z 17 marca 2003 roku.

s. 73 „Widzieliśmy maszerujących mężczyzn..." „Everyone's War", nr 5, wiosna/lato 2002, s. 20.

s. 73 „Byłem wtedy prawdziwym nazistą..." wywiad z Josephem Kleinem (3. pułk, 1. dywizja spadochronowa) z 1 lutego 2003 roku.

s. 74 „O Europie nie mówiło się wiele..." wywiad z Robertem Koloskim (135. pułk, 34. dywizja amerykańska) z 25 lutego 2003 roku.

s. 75 „nikt [w Stanach Zjednoczonych] nigdy nie krzyczał ani nie śpiewał «Pamiętajcie o Polsce»..." Paul Fussell, *op. cit.*, s. 138.

s. 75 Dramatopisarz Arthur Miller... *ibid.*, s. 138.

s. 75 „Zanim dotarliśmy do Włoch..." wywiad z Koloskim z 25 lutego 2003 roku.

s. 75 „Niektórzy mówią, że na froncie morale jest niewiarygodnie wysokie..." Mauldin, *op. cit.*, s. 13.

s. 75 „Kto, do cholery, ginie jeszcze za króla i ojczyznę..." Broadfoot, Barry, *Six War Years*, Doubleday, Toronto 1974, s. 19, cyt. w: Fussell, *op. cit.*, s. 131.

s. 75 „Był tam po prostu dlatego, że tam był..." Framp, Charles (6. Black Watch, 12. brygada, 4. dywizja brytyjska), *The Littlest Victory*, wydane nakładem autora, brak r. wyd., s. 3.

s. 75 „Dla większości żołnierzy..." Fussell, *op. cit.*, s. 129.

s. 76 „Bez względu na to, jak zimno było w górach, jak mokry był śnieg..." Pyle, *op. cit.*, s. 152.

s. 76 niespełna dziesięć procent oznajmiło, że „naprawdę chciałoby" zabić niemieckiego żołnierza... Wilson, Theodore A., *Who Fought and Why? The Assignment of American Soldiers to Combat* w: *Time to Kill*, *op. cit.*, s. 313.

s. 76 „Mówiłem trochę po niemiecku, ale ich nie przesłuchałem..." wywiad z Kindrem z 28 czerwca 1994 roku.

s. 77 „Upodobania i zasady pojedynczych walczących żołnierzy..." archiwum J. B. Tomlinsona (214. kompania saperów, 78. dywizja brytyjska) w IWM.

s. 77 „Nie stajesz się zabójcą..." Mauldin, *op. cit.*, s. 14.

s. 77 „To było w pierwszym tygodniu..." Werner Eggert (2. batalion, 4. pułk, 1. dywizja spadochronowa), nie opublikowany dziennik i pisemne odpowiedzi na pytania z dnia 20 marca 2003 roku. Wszystkie przekłady z niemieckiego – Katja Elias.

s. 78 „Mieszkał w Coventry – mówi Beckett..." wywiad z Denisem Beckettem (kompania C, 1/4. Essex, 5. brygada, 4. dywizja indyjska) z 9 września 2002 roku.

s. 78 „Trochę szalony i odważny..." archiwum Richarda Eke'a (754. polowa kompania saperów), s. 83, IWM.

s. 78 „dostaliśmy pierwszą nauczkę..." *ibid.*, s. 44.

s. 79 „Major Smith, nasz oficer dowodzący..." wywiad z Matthew Salmonem z 22 października 2002 roku.

s. 79 „Nie wiem, co skłania niektórych ludzi..." Pyle, *op. cit.*, s. 75.

s. 79 „coraz mniejsza liczba starających się..." wykład Richarda Holmesa w Armouries Museum w Leeds z 12 listopada 2002 roku.

s. 80 „dowódcy i sztab byli zaniepokojeni..." cyt. w: Shephard, *op. cit.*, s. 240.

s. 80 raport dla ministerstwa wojny z końca 1944 roku... *ibid.*, s. 240.

s. 80 Oficjalny historyk 56. dywizji brytyjskiej... Williams, David, *The Black Cats at War*, IWM 1995.

s. 80 „Widziałem wielu żołnierzy sądzonych za niewłaściwe zachowanie..." e-mail od Toma Kindrego z 2 stycznia 2003 roku.

s. 80 „starały się rozróżniać..." Copp i McAndrew, *op. cit.*, s. 67.

s. 81 w niedawno wydanej dla amerykańskich weteranów ulotce informacyjnej... przez Veterans' Administration, dostępna w Internecie pod adresem: www.dartmouth.edu/dms/ptsd/FA_Older_Veterans.html, przeczytana 8 lutego 1999 roku.

s. 81 To, co tam zastali, wprawiło ich w zdumienie... Shephard, *op. cit.*, s. 221.

s. 81 nie istnieje coś takiego jak „przyzwyczajenie się do walki..." *ibid.*, s. 245.

s. 81 „postrzegali to jako zniewagę..." Copp i McAndrew, *op. cit.*, s. 68.

s. 81 „Osoby, które nie są narażone..." *ibid.*, s. 70.

s. 82 „Szliśmy na północ wzdłuż wysadzanej drzewami drogi..." Milligan, *op. cit.*, s. 66.

s. 82 jak skarżył się pewien oficjalny historyk amerykański... Blumenson, *op. cit.*, s. 175.

s. 82 na „ograniczenia umysłowe Marshalla..." Alanbrooke, *op. cit.*, s. 465.

s. 83 „Zdobycze nieprzyjaciela nie stanowiły wielkiego zagrożenia..." cyt. w: Blumenson, *op. cit.*, s. 232.

s. 84 „Nie ma wątpliwości, że Włosi płacą wysoką cenę..." Mauldin, *op. cit.*, s. 65.

s. 84 „Zwykle można stwierdzić..." *ibid.*, ss. 74-76.

s. 84 „Jestem bardzo zdenerwowany..." Milligan, *op. cit.*, s. 78.

s. 84 „ciężko ostrzelane z dział i zbombardowane..." *ibid.*, s. 80.

s. 84 „Zatrzymujemy się na noc we wsi..." archiwum S. C. Brooksa (6. Cheshires, przydzielony do 167. brygady, 56. dywizja brytyjska) w IWM, s. 61.

s. 85 „Ordynans wie, kto mu da następny posiłek..." Mauldin, *op. cit.*, ss. 67-68.

s. 85 „Była to bez wątpienia najnędzniejsza dzielnica zamieszkana przez rodzaj ludzki..." Lee Harvey, *op. cit.*, s. 74.

s. 85 „Ci z nas, którzy spędzili długi czas na Sycylii i we Włoszech..." Mauldin, *op. cit.*, s. 64.

s. 85 chłopów, „do których szybko nabraliśmy wielkiego szacunku..." Lee Harvey, *op. cit.*, s. 78.

s. 85 „Wszyscy są tutaj głodni..." Public Records Office (PRO) WO 204/985.

s. 86 „Rocznica zakończenia pierwszej wojny światowej. Ha, ha, ha..." Milligan, *op. cit.*, ss. 108-109.

s. 86 i jej zawartość „pływała pod połami namiotów..." *ibid.*, s. 117.

s. 86 „Amunicję składuje się przy działach..." *ibid.*, s. 168.

s. 87 „to było straszne..." młodszy kapral William Virr (16. batalion lekkiej piechoty Durham, 139. brygada, 46. dywizja brytyjska), cyt. w: Hart, *op. cit.*, ss. 78-79.

s. 87 „natężenie, jakiego nie widziałem..." von Senger, *op. cit.*, s. 186.

s. 88 „wziąć przydrożną kąpiel w puszce..." Milligan, *op. cit.*, ss. 177-178.

s. 89 Ponad 300 cywilów... Blumenson, *op. cit.*, s. 285, przyp.
s. 89 „Utrata tak wielu ludzi była przygnębiająca..." wywiad z Cunninghamem z 24 lutego 2003 roku.
s. 90 „Współczuję im trudów, które muszą dzisiaj w nocy znosić..." cyt. w: Blumenson, *op. cit.*, s. 286.
s. 90 „Powstrzymanie całej kampanii..." cyt. w: Gilbert, *op. cit.*, s. 611.
s. 90 „Po drodze do klasztoru..." von Senger, *op. cit.*, s. 188.

ROZDZIAŁ 4: NA LINII GUSTAWA

s. 91 „porywistym wietrze [i] przenikliwym zimnie..." nie publikowany dziennik Toma Kindrego, 29 grudnia 1943 roku, 31 grudnia 1943 roku, 9 stycznia 1944 roku.

s. 91 „jeden z początkowej grupy rocznych ochotników za 25 dolarów miesięcznie..." wywiad z Donaldem Hoaglandem (3. batalion, 135. pułk, 34. dywizja amerykańska) z 26 lutego 2003 roku.

s. 92 „Wmaszerowaliśmy, mieliśmy na głowach stare hełmy..." wywiad z Ivarem Awesem (151. artyleria polowa, 34. dywizja amerykańska) z 22 lutego 2003 roku.

s. 92 „odbywaliśmy ciężkie ćwiczenia fizyczne..." wywiad z Hoaglandem z 26 lutego 2003 roku.

s. 92 szybko przemianowany na „Akademię Ujeżdżania Belgravia"... Vojta, *op. cit.*, s. 141.

s. 92 „Mieliśmy bardzo zdolną kadrę brytyjskich oficerów artylerii..." wywiad z Awesem z 22 lutego 2003 roku.

s. 92 „Ojej, wybrali nas, jesteśmy elitą..." wywiad z Koloskim z 25 lutego 2003 roku.

s. 93 „Po tym, jak parę razy dostałeś baty..." wywiad z Hoaglandem z 26 lutego 2003 roku.

s. 93 dowódcy i sztab obserwujący to z drugiej strony rzeki... Blumenson, *op. cit.*, s. 222.

s. 93 pędzić przed sobą (...) stada owiec lub kóz... *ibid.*, s. 231.

s. 93 „Dowódca mojej kompanii miał brata, który był brygadzistą w warsztacie..." wywiad z Kindrem z 28 czerwca 1994 roku.

s. 94 „mądrą i podniszczoną, jak zaczytana książka..." Pyle, *op. cit.*, s. 193.

s. 94 „Weterani w oddziałach piechoty..." wywiad z Kindrem z 28 czerwca 1994 roku.

s. 94 „Pewnie, że wolałbym być w domu..." list Awesa do rodziców z 13 kwietnia 1944 roku.

s. 94 „Leje jak z cebra..." list Awesa z 8 listopada 1943 roku.

s. 94 „W wiadomościach radiowych..." list Awesa z 13 listopada 1943 roku.

s. 94 „Mam nadzieję, że załamią się psychicznie..." list Awesa z 11 listopada 1943 roku.

s. 95 „naprawdę cierpkie czerwone wino..." wywiad z Kenem Bartlettem (2. Hampshires, 128. brygada, 46. dywizja brytyjska) z 20 listopada 2002 roku.

s. 95 „W mgnieniu oka [Rusch] wytwarzał produkt..." Ankrum, Homer R. (133. pułk, 34. dywizja amerykańska), *Dog Faces who Smiled through Tears*, Graphic Publishing Company 1987, ss. 371-372.

s. 96 „Po przechwyceniu wzniesienia..." *ibid.*, s. 391.

s. 96 „Gdy ruszyliśmy w górę, prowadziłem swoją baterię..." wywiad z Awesem z 22 lutego 2003 roku.

s. 97 „Wydaje się wątpliwe, by nieprzyjaciel mógł utrzymać..." cyt. w: Smith, E. D., *The Battles for Cassino*, Ian Allan 1975, s. 41.

s. 98 zaledwie 20 procent armii Vichy... Ellis, John, *Cassino: The Hollow Victory*, André Deutsch 1984, s. 27.

s. 98 „Miałem rozkaz wziąć mój oddział..." wywiad z Vernem Onstadem (3. batalion, 135. pułk, 34. dywizja amerykańska) z 22 lutego 2003 roku.

s. 100 „Zapasy amunicji były niezwykłe..." wywiad z Jeanem Muratem (4. tunezyjski pułk piechoty, 3. dywizja algierska) z 12 lutego 2003 roku. Wszystkie przekłady z francuskiego – Jane Martens i Mark Jeanneteau.

s. 100 Typowy oddział Francuskiego Korpusu Ekspedycyjnego we Włoszech... Ellis, *op. cit.*, s. 43, przyp.

s. 100 żołnierze z Afryki Północnej walczyli „o szansę udowodnienia..." Holmes, Richard,*Five Armies in Italy* w: *Time to Kill*, *op. cit.*, s. 212.

s. 101 „wybuchnął na tę sugestię..." cyt. w: Blumenson, *op. cit.*, ss. 254-255.

s. 101 „Kolumna rozciąga się na wiele kilometrów..." Cuvillier, Solange, *Tribulations d'une Femme dans L'Armée Française*, Lettres du Monde 1991, s. 21.

s. 102 „To było ciężkie zadanie..." Juin, A.,*Mémoires Alger, Tunis, Rome*, Librairie Arthème Fayard 1959, s. 31.

s. 102 Ale jeszcze zanim ruszyli, zdarzyła się katastrofa... Heurgnon, Capitaine,*La Victoire sous la Signe des Trois Croissants*, Editions Pierre Voilon 1946, s. 32.

s. 102 „Drużyna podporucznika Vétillarda znajduje się na przedzie..." *ibid.*, ss. 56-57.

s. 104 „Młodzi oficerowie..." cyt. w: Ellis, *op. cit.*, s. 57.

s. 104 żołnierze „szli dalej w noc..." *ibid.*, s. 56.

s. 105 „Teraz, a także później..." von Senger, *op. cit.*, s. 189.

s. 105 „Miałem okazję iść naprzód..." cyt. w: Heurgnon, *op. cit.*, s. 38.

s. 105 „Ciągle w pogotowiu. Morale spada..." cyt. w: Ellis, *op. cit.*, s. 61.

s. 106 „Z dodatkową dywizją być może..." Juin, *op. cit.*, s. 55.

s. 106 „Rozpoznawaliśmy, czyje były pociski..." wywiad z Jaconelli (z domu Notarianni) z 15 września 2002 roku.

s. 107 „16 i ponownie 17 nasze patrole musiały przejść..." Heurgnon, *op. cit.*, ss. 58-61.

s. 107 „Myśleliśmy, że gdy już znajdziemy się za liniami aliantów..." wywiad z Jaconelli (z domu Notarianni) z 15 września 2002 roku.

s. 108 „Słyszeliśmy artylerię..." wywiad z Pittacciem z 12 sierpnia 2002 roku i e-mail z 3 lutego 2003 roku.

CZĘŚĆ DRUGA: PIERWSZA BITWA

s. 109 „Boję się..." z: Heller, Joseph, *Paragraf 22*, przeł. Lech Jęczmyk.

s. 109 „Ci, którzy zajmowali niżej położony teren, stali po kolana..." cyt. w: Williams, Tony,*Cassino – New Zealand Soldiers in the Battle for Italy*, Penguin 2002, s. 142.

ROZDZIAŁ 5: 10. KORPUS BRYTYJSKI NAD GARIGLIANO – LEWE SKRZYDŁO

s. 111 9. batalion fizylierów stracił... Linklater, E., *The Campaign in Italy*, HMSO 1951, s. 134.

s. 111 „trochę naiwny..." wywiad z Lenem Bradshawem (9. batalion fizylierów królewskich, 167. brygada, 56. dywizja brytyjska) z 11 października 2002 roku.

s. 111 „To było niezwykłe przeżycie..." cyt. w: Williams, D., *op. cit.*, s. 71.

s. 112 wiele z nich wykupili Amerykanie... *ibid.*, s. 75.

s. 112 „Mieliśmy ogień, a wieczorem porcję rumu..." wywiad z Bradshawem z 11 października 2002 roku.

s. 112 „żeby żołnierze mieli przynajmniej odznakę pułku..." cyt. w: Williams, D., *op. cit.*, s. 73.

s. 112 „przyjmowania ludzi z oddziałów dywizji..." *ibid.*, ss. 76-77.

s. 112 „Piszę tych kilka słów, żebyście wiedzieli, że wciąż żyję i mam się dobrze..." list Glyna Edwardsa (8. batalion fizylierów królewskich, 167. pułk, 56. dywizja brytyjska) do domu z 3 stycznia 1944 roku.

s. 113 „czarne jak smoła zimno i zawodzący wiatr..." Milligan, *op. cit.*, s. 248.

s. 114 „Smród w areszcie był okropny..." *ibid.*, s. 251.

s. 114 „To będzie coś wielkiego..." *ibid.*, s. 263.

s. 114 „Mam okropne przeczucie, że zginę..." *ibid.*, s. 264.

s. 114 miny, około 24 tysięcy... Blumenson, *op. cit.*, s. 316.

s. 116 „Nie wiedzieliśmy, co się dzieje..." wywiad z Bradshawem z 11 października 2002 roku.

s. 116 „Dobrze przed świtem znaleźliśmy się u stóp góry..." archiwum Gilberta Allnutta (8. batalion fizylierów królewskich, 167. pułk, 56. dywizja brytyjska), IWM.

s. 117 „Piszę tych kilka słów, żebyście wiedzieli, że wciąż żyję i mam się dobrze..." list Glyna Edwardsa do domu z 24 stycznia 1944 roku.

s. 117 „byliśmy nieźle przetrzebieni..." wywiad z Bradshawem z 11 października 2002 roku.

s. 118 „Było to trudne i nieprzyjemne, miny stanowiły bardzo realne niebezpieczeństwo..." PRO WO170/1411, cyt. w: Ellis, *op. cit.*, s. 75.

s. 118 „W końcu można było zobaczyć samą rzekę..." cyt. w: Stockman, Jim, *Seaforth Highlanders 1939–45*, Crecy Books 1987, s. 142.

s. 119 wykorzystania w ujściu rzeki amfibii desantowych do wysadzenia oddziałów... 2. batalionu królewskich fizylierów szkockich 17. brygady 5. dywizji.

s. 119 Łódź jednej z kompanii znalazła się tak daleko... Aris, George, *The Fifth British Division*, 5th Division Benevolent Fund 1959, s. 180.

s. 119 „W tamtym momencie nie było tak źle, bo szkopy nie zdawały sobie sprawy..." wywiad z Jackiem Williamsem (2. batalion Inniskilling Fusiliers, 13. brygada, 5. dywizja brytyjska) z 12 września 2002 roku.

s. 121 Saper Matthew Salmon... wywiad z Salmonem z 22 października 2002 roku.

s. 122 „Cały dzień ogień zaporowy..." PRO WO204/985. Ten nie znany z nazwiska niemiecki żołnierz zmarł wskutek odniesionych ran w kanadyjskim punkcie opatrunkowym tuż po swoich dziewiętnastych urodzinach.

s. 122 „Po drodze do kwatery głównej kompanii..." cyt. w: Ellis, *op. cit.*, s. 86.

s. 122 „Jestem wykończony. Ogień artyleryjski doprowadza mnie do szaleństwa..." PRO WO204/985.

s. 123 „wisi na włosku..." Kesselring, *op. cit.*, s. 192.

s. 123 „Nie ma jeszcze mostu przez rzekę..." archiwum Brooksa, IWM.

s. 124 „Ludzie coraz bardziej wściekali się na siebie nawzajem..." wywiad z Salmonem z 22 października 2002 roku.

s. 124 „wydawało się, że nie sprawiło im to żadnej różnicy..." Aris, *op. cit.*, s. 193.

s. 124 Kompania nacierała dwoma plutonami... z uzasadnienia nadania Krzyża Królowej Wiktorii w: Williams, D., *op. cit.*, ss. 80-81, i Laffin, John, *British VCs of the Second World War*, Sutton 1997, ss. 106-108.

s. 125 „Bóg stworzył ludzi słabych i ludzi silnych..." Milligan, *op. cit.*, s. 288.

s. 125 Następnego dnia jeden z wysuniętych obserwatorów wrócił do baterii we łzach... *ibid.*, ss. 274-285.

s. 127 „Przypuszczam, że w pierwszej wojnie światowej..." Podczas pierwszej wojny światowej Wielka Brytania rozstrzelała 346 żołnierzy za tchórzostwo lub dezercję.

s. 128 Do końca stycznia korpus miał ponad 4 tysiące ofiar... Clark, *op. cit.*, s. 256.

s. 128 „Służby transportowe dostarczały zaopatrzenie..." pisemna relacja George'a Pringle'a (175. pułk, 10. korpus) i wywiad telefoniczny z 11 listopada 2002 roku.

s. 128 David Cormack był początkowo w załodze czołgu... wywiad z Davidem Cormackiem z 18 września 2002 roku.

s. 129 „Dzień strawiłem na dwóch wyprawach na wzgórze..." wpis z dziennika Cormacka z 8 lutego 1944 roku.

s. 129 tylko jednej kompanii... 2. Hampshires 128. brygady.

s. 130 „racjonalne zastrzeżenia..." wpis w dzienniku Clarka z 19 stycznia, cyt. w: Blumenson, *op. cit.*, s. 320.

s. 130 „Jego niepowodzenie bardzo utrudnia zadanie moim ludziom..." wpis w dzienniku Clarka z 20 stycznia 1944 roku, cyt. w: Blumenson, *op. cit.*, s. 328.

s. 130 „małe szanse powodzenia..." wpis w dzienniku Clarka z 19 stycznia 1944 roku, cyt. w: Blumenson, *op. cit.*, ss. 320-321.

ROZDZIAŁ 6: KRWAWA RZEKA

s. 131 „doświadczeni w boju dowódcy plutonu..." „Yank", maj 1944.

s. 131 Należał do nich dwudziestotrzyletni Carl Strom... (1. batalion, 141. pułk, 36. dywizja amerykańska), wywiad z 24 lutego 2003 roku.

s. 134 Raport, jaki złożył Walkerowi... cyt. w: Smith, L., *op. cit.*, s. 17.

s. 135 „błotnistym wąskim gardłem..." *ibid.*, s. 18.

s. 135 jeszcze 18 stycznia powiedział Clarkowi... Blumenson, *op. cit.*, s. 327.

s. 135 „Może nam się udać, ale nie wiem jak..." *ibid.*, s. 332.

s. 136 „Wyciągnąłem mocną kartę, więc musiałem wziąć pluton czołowy..." wywiad ze Stromem z 24 lutego 2003 roku.

s. 137 „Nad rzeką zsunęli pierwszą łódź..." C. P. „Buddy" Autrey (1. batalion, 141. pułk, 36. dywizja amerykańska), cyt. w: Smith, L., *op. cit.*, s. 38.

s. 137 „Pamiętam, że rozmawiałem ze swoimi chłopakami..." wywiad z Billem Everettem (1. batalion, 141. pułk, 36. dywizja amerykańska) przeprowadzony 16 lutego 2000 roku przez Davida Gregory'ego dla Reichelt Program for Oral History, Florida State University; wywiad telefoniczny z 25 marca 2003 roku.

s. 139 „Silne pododdziały szturmowe nieprzyjaciela..." cyt. w: Blumenson, *op. cit.*, s. 339.

s. 139 „Wystawiłem raz głowę..." wywiad ze Stromem z 24 lutego 2003 roku.

s. 140 „którzy narzekają i próbują wrócić na tyły..." cyt. w: Blumenson, *op. cit.*, s. 340.

s. 140 „Spodziewam się, że ten szturm będzie niewypałem..." *ibid.*, s. 340.

s. 140 Bill Hartung, dwudziestojednoletni zwiadowca batalionu... wywiad telefoniczny z Billem Hartungiem (2. batalion, 143. pułk, 36. dywizja amerykańska) z 3 czerwca 2003 roku.

s. 140 „Schodziliśmy wiejską drogą..." relacja Hartunga z: „36th Division Historical Quarterly", Vol. XIII, nr 3, jesień 1993, ss. 40-42.

s. 141 „Oficerowie byli wyraźnie zdenerwowani..." relacja Roberta Spencera (2. batalion, 143. pułk, 36. dywizja amerykańska) z 36th Division Library, dostępna w Internecie pod adresem: www.kwanah.com/36Division, przeczytana 28 maja 2003 roku.

s. 144 „Ten Niemiec przyszedł na naszą stronę..." Zeb Sunday (1. batalion, 143. pułk, 36. dywizja amerykańska), cyt. w: Smith, L., *op. cit.*, s. 91.

s. 144 „Nad rzeką Niemcy i Amerykanie ciężko pracowali ramię w ramię..." Wagner, R. L., *The Texas Wagner*, Wagner 1972, ss. 122-123.

s. 145 „Zobaczyłem, że mój dowódca z pułku..." cyt. w: *ibid.*, s. 92.

s. 145 „Jedynie odwaga była właściwa..." Kippenberger, Howard, *Infantry Brigadier*, OUP 1949, s. 350.

s. 145 „okazali się nieodpowiedni..." Ellis, *op. cit.*, s. 102.

s. 146 „Chłopcy znikali..." wywiad z Everettem z 16 lutego 2000 roku.

ROZDZIAŁ 7: ANZIO I CASSINO

s. 147 odwołał rozkaz... Kesselring, *op. cit.*, s. 193.

s. 147 „Usilnie starano się zasięgnąć jego opinii..." cyt. w: Blumenson, *op. cit.*, s. 319.

s. 148 „Nie wychylaj się, Johnny..." cyt. w: D'Este, *op. cit.*, s. 119.

s. 148 „ciskamy na wybrzeże dzikiego kota..." cyt. w: Gilbert, *op. cit.*, s. 667.

s. 148 „Ilu naszych ludzi prowadzi..." cyt. w: Majdalany, Fred (2. batalion fizylierów Lancashire, 11. brygada, 78. dywizja brytyjska), *Cassino, Portrait of a Battle*, Longmans, Green & Co. 1957, wyd. w miękkiej oprawie Cassel Military 1999, s. 77.

s. 148 „Cała ta sprawa mocno mi śmierdzi Gallipoli..." wpis z dziennika Lucasa z 10 stycznia 1944 roku, cyt. w: D'Este, *op. cit.*, s. 107.

s. 148 wykraczają poza zakres tej książki... Historię Anzio dobrze przedstawili Blumenson, Trevelyan, D'Este i inni.

s. 150 „Moglibyśmy być w jedną noc w Rzymie..." archiwum Penneya, cyt. w: D'Este, *op. cit.*, s. 7.

s. 150 „Istnieje ogromna potrzeba ciągłego angażowania ich w walkę..." cyt. w: Gilbert,*op. cit.*, s. 670.

s. 151 „dość drutu kolczastego..." cyt. w: Ankrum, *op. cit.*, s. 389.

s. 151 „Pod Cassino kryło się za tym..." Molony, C. J. C., *The Mediterranean and the Middle East*, t. V, HMSO 1973, ss. 694-695.

s. 152 „Bardzo współczuliśmy piechocie..." wywiad z Awesem z 22 lutego 2003 roku.

s. 152 „W moim rozumieniu czołgi z 756. batalionu..." *Lessons Learned in Combat*, *op. cit.*

s. 153 „Gdy to robił – czytamy w oficjalnym raporcie..." Blumenson,*op. cit.*, s. 371.

s. 153 „Szturm na Belvedere?..." generał Monsabert, cyt. w: Ellis,*op. cit.*, s. 135.

s. 153 „Poproszono mnie o wykonanie zadania..." Juin,*op. cit.*, s. 269.

s. 154 „[Saperzy] zbudowali mały, prowizoryczny most, który został zniszczony przez niemiecki ogień..." wywiad z René Martinem (3. batalion, 4. tunezyjski pułk piechoty, 3. dywizja algierska) z 26 listopada 2002 roku.

s. 155 „Batalion jest fizycznie i psychicznie gotów..." cyt. w: Chambe, R., *Le Bataillon du Belvedere*, Flammarion Press 1953, s. 80.

s. 155 „Pocisk artyleryjski urwał mu przedramię..." Heurgnon, *op. cit.*, s. 83.

s. 156 „zbocze jaru było tak strome..." Chambe, *op. cit.*, s. 70.

s. 156 „Wspinaczka przerodziła się w koszmar..." *ibid.*, s. 91.

s. 158 „chorąży nagle krzyknął..." wywiad z Martinem z 26 listopada 2002 roku.

s. 159 „Nasze serca przepełniały..." Juin, *op. cit.*, s. 274.

s. 159 „3. dywizja algierska wykonała..." *ibid.*, ss. 273-274.

s. 160 Pewien amerykański oficer, który wracał ze szpitala... Ankrum,*op. cit.*, s. 399.

s. 160 „Co dzień donosi się o zajęciu Cassino..." wpis z dziennika Toma Kindrego z 30 stycznia 1944 roku.

s. 161 „Stanowiska dział były również zamaskowane..." *Lessons Learned in Combat*, *op. cit.*

ROZDZIAŁ 8: MASYW CASSINO

s. 162 „Początkowo byliśmy w rezerwie..." wywiad z Hoaglandem z 26 lutego 2003 roku.

s. 163 „obecna sytuacja wskazuje..." cyt. w: Blumenson, *op. cit.*, s. 377.

s. 163 „Nie było chwili, żebyśmy nie byli ostrzeliwani przerywanym lub silnym ogniem moździerzowym..." wywiad z Hoaglandem z 26 lutego 2003 roku.

s. 164 „W głębokich zaspach..." Gordon Gammack w: „Minneapolis Morning Tribune", 11 marca 1944 r.

s. 164 „budynku gospodarczym, pozbawionym części dachu..." wywiad z Koloskim z 25 lutego 2003 roku.

s. 165 „Moździerze są celniejsze..." Heubner, Klaus H. (3. batalion, 349. pułk, 88. dywizja amerykańska), *Long Walk through War*, Texas A&M University Press 1987, s. 49. Przedruk za zgodą Texas A&M University Press, © 1987 Klaus Heubner.

s. 165 „Czasami kula przechodzi przez człowieka na wylot..." Pyle, *op. cit.*, s. 58.

s. 166 „Jeśli z tętnicy biła krew..." wywiad z Koloskim z 25 lutego 2003 roku.

s. 167 „Odnosiło się wrażenie, że przez cały czas jesteśmy pod obserwacją..." wywiad z Cunninghamem z 24 lutego 2003 roku.

s. 167 „Przyszedł sierżant..." wywiad z Johnem Johnstone'em (1. batalion, 168. pułk, 34. dywizja amerykańska) z 22 listopada 2002 roku.

s. 169 „po jakimś tygodniu kilka razy zdarzyło się..." wywiad z Hoaglandem z 26 lutego 2003 roku.

s. 169 „piechota amerykańska jest wyczerpana..." Kippenberger, *op. cit.*, s. 351.

s. 169 „morale stale się obniża..." cyt. w: Ellis, *op. cit.*, ss. 130-131.

s. 169 „Od dwóch tygodni bierzemy udział w walkach..." PRO WO 204/985.

s. 170 „znajdującym się około tysiąca jardów od klasztoru Monte Cassino..." relacja C. N. „Reda" Morgana (3. batalion, 141. pułk, 36. dywizja amerykańska) z 36th Division Library, dostępna w Internecie pod adresem: www.kwanah.com/36Division, przeczytana 28 maja 2003 roku.

s. 170 „Ruszyliśmy w górę szlaku w rzęsistym deszczu..." wywiad z Everettem z 16 lutego 2000 roku.

s. 171 „nacierali kilka razy. Weszli na wzgórze..." wywiad ze Stromem z 24 lutego 2003 roku.

s. 171 „Tamtego dnia panował zamęt..." Morgan, *op. cit.*

s. 171 „Około siedemnastej 11 lutego..." *ibid.*

s. 172 „Ledwo wlokłem tyłek, jak wszyscy..." wywiad z Hoaglandem z 26 lutego 2003 roku.

s. 172 „Dało mi to sposobność przestudiowania twarzy..." Bourke-White, M., *Purple Heart Valley*, Simon & Schuster 1944, ss. 79-80.

s. 173 „Katula i ja zostaliśmy trafieni przed świtem..." wywiad z Cunninghamem z 24 lutego 2003 roku.

s. 173 „Nie pachniało to tak dobrze po paru godzinach strzelania..." sierżant Haliburton (142. pułk), cyt. w: „Yank", maj 1944 r.

s. 174 ze strony amerykańskiej nadzór nad tym sprawował podpułkownik Hal Reese... Reese wiosną 1944 roku spisał relację ze swojej roli podczas rozejmu, obecnie w: 36th Division Records w Texas State Archives. Zginął 1 czerwca 1944 roku w pobliżu Velletri. Opowieść ta została przytoczona w: Hapgood, David, i Richardson, David, *Monte Cassino*, Congdon & Weed 1984, wyd. Da Capo Press 2002, ss. 186 i n.

s. 174 „Przez połowę czasu padał śnieg..." wywiad ze Stromem z 24 lutego 2003 roku.

s. 174 „w naprawdę złej formie, gdy się wycofaliśmy..." wywiad z Everettem z 16 lutego 2000 roku.

CZĘŚĆ TRZECIA: DRUGA BITWA

s. 177 „Zimne są kamienie..." Patric Dickinson, *War* w: Skelton, Robin (red.), *Poetry of the Forties*, Penguin 1968, s. 123.

s. 177 „W tych starych, oklepanych melodiach..." Roy Fuller, *Virtue* w: *ibid.*, s. 223.

ROZDZIAŁ 9: ZNISZCZENIE KLASZTORU

s. 179 John Lardner nazwał to w „Newsweeku"... 28 lutego 1944 r., s. 27, cyt. w: Hapgood, *op. cit.*, s. 202.

s. 179 „najdoskonalszą bronią w całym arsenale Alexandra..." Böhmler, *op. cit.*, s. 155.

s. 180 Kontyngent indyjski... Douds, Gerard, *Matters of Honour* w: *Time to Kill*, *op. cit.*, ss. 115 i n.

s. 180 Nepal w tym czasie... Cross, J. P. i Gurung, Buddhiman (red.), *Gurkhas at War: The Gurkha Experience in Their Own Words, World War II to the Present*, Greenhill Press 2002, s. 25.

s. 180 „ubóstwo, niedostatek, znój i znużenie..." *ibid.*, s. 16.

s. 180 w niektórych przypadkach naczelnicy wsi... Tahalsing Rana (2/8. Gurkha Rifles): „Naczelnik wsi dostał z Kathmandu polecenie wysłania wszystkich mężczyzn w wieku od szesnastu do sześćdziesięciu lat do armii, więc poszedłem..." taśma Crossa nr 228.

s. 180 „Zgłosiłem się do wojska dla pieniędzy i zaszczytów..." wywiad z Pahalmanem Punem (2/4., Gurkha Rifles), taśma Crossa nr 116.

s. 181 „Pojechałem do Dehra Dun na dziesięciomiesięczne szkolenie rekrutów..." wywiad z Balbahadurem Katuwalem (1/9. Gurkha Rifles, 5. brygada, 2. dywizja indyjska), taśma Crossa nr 157.

s. 181 „Nasi podoficerowie karali za błędy..." wywiad z Jumparsadem Gurungiem (1/2. Gurkha Rifles, 7. brygada, 4. dywizja indyjska), taśma Crossa nr 202.

s. 181 „Trzeba było już ruszać za morze..." wywiad z Katuwalem.

s. 181 „Zaciągnąłem się 19 listopada 1940 roku...", wywiad z Kharkabahadurem Thapą (1/2. Gurkha Rifles, 7. brygada, 4. dywizja indyjska, taśmy Crossa nr 67 i 68.

s. 182. „Nie odzywaliśmy się do dziewcząt..." wywiad z Dibahadurem Raiem (2/7. Gurkha Rifles, 11. brygada, 4. dywizja indyjska), taśma Crossa nr 102.

s. 182 „Natknąłem się na paru Gurkhów..." nie publikowane wspomnienia majora E. G. Coksa (5. Buffs, 36. brygada, 78. dywizja brytyjska), s. 37.

s. 182 „W drodze różne bataliony i kompanie formowały dziwacznie wyglądający konwój..." relacja B. Smitha (sygnalista przydzielony do 4/16. batalionu pendżabskiego, 7. brygady, 4. dywizji indyjskiej), IWM.

s. 183 „Z wdzięczności za przeszłość..." cyt. w: Williams, T., *op. cit.*, ss. 24-25.

s. 183 również dla Nowej Zelandii będzie to wojna o przetrwanie... Jestem wdzięczny dr. Christopherowi Pugsleyowi z Królewskiej Akademii Wojskowej w Sandhurst za rady dotyczące materiałów związanych z Nową Zelandią.

s. 184 zjawiło się pięć tysięcy ochotników... Williams, T., *op. cit.*, s. 25.

s. 184 „Właśnie tuż po tym, jak skończyłem dwadzieścia jeden lat..." wywiad telefoniczny z Ianem McNeurem (23. batalion, 5. brygada, 2. dywizja nowozelandzka) z 11 grudnia 2002 roku.

s. 184 „Paru śmiałków czym prędzej się zaciągnęło..." archiwum Clema Holliesa (21. batalion, 5. brygada, 2. dywizja nowozelandzka), IWM.

s. 185 „zwraca uwagę na straty..." Alanbrooke, *op. cit.*, s. 536.

s. 186 „jak należy (...) kłuty i dźgany..." wywiad telefoniczny z Jackiem Cockerem (27. batalion karabinów maszynowych, 2. dywizja nowozelandzka) z 15 grudnia 2002 roku.

s. 186 „Chwilę to potrwało, zanim zaaklimatyzowaliśmy się..." wspomnienia Jacka Cockera, nagrane w grudniu 1998 roku.

s. 186 4600 pojazdów... Williams, T., *op. cit.*, s. 61.

s. 186 „cała ta «tajemnica» była śmieszna..." archiwum Holliesa, IWM.

s. 186 „W czasie podróży za dnia..." McKinney, J. B., *Medical Units of 2 NZEF in Middle East and Italy*, Department of Internal Affairs, Wellington 1952, s. 336.

s. 187 „To są wojska dominium..." wpis z dziennika Clarka z 4 lutego 1944 roku, cyt. w: Blumenson, *op. cit.*, s. 402.

s. 187 „I tak bliski byłem zgody na wniosek Napoleona..." cyt. w: Smith, *Cassino*, s. 67.

s. 187 „Pod koniec kampanii nad Sangro..." cyt. w: Watt, Lawrence, *Mates and Mayhem*, HarperCollins, New Zealand 1996, s. 122.

s. 188 „Przybyliśmy do dowództwa plutonu..." wywiad z Cockerem z 15 grudnia 2002 roku i nagrane wspomnienia.

s. 188 „Chociaż nadal była zima, po śniegach Ortony..." Blythe, John, *Soldiering on*, Sphere 1968, s. 30.

s. 188 „Propaganda przedstawiała nas jako dzikusów..." wywiad telefoniczny z Brickiem Lorimerem (19. batalion, 4. brygada pancerna, 2. dywizja nowozelandzka) z 17 grudnia 2002 roku.

s. 188 „Widziałem, jak z każdym dniem z ich twarzy znikają oznaki przemęczenia..." Kippenberger, *op. cit.*, s. 349.

s. 188 „kupę śmiechu..." wywiad z Cockerem z 15 grudnia 2002 roku.

s. 189 „Powiedzieli nam wszystko o ukształtowaniu tego terenu..." *ibid.*

s. 189 „nie znanych zielonych kurtkach polowych..." Blythe, *op. cit.*, ss. 130-131.

s. 189 „Nowozelandczycy sami ustalają sobie prawo..." wywiad z Hugh MacKenziem (25. batalion, 6. brygada, 2. dywizja nowozelandzka) z 16 grudnia 2002 roku.

s. 189 „Chłopaki, wy nie salutujecie, prawda?..." cyt. w: Hapgood, *op. cit.*, s. 149, i u innych autorów.

s. 189 „Nowa Zelandia jest taka mała..." wywiad z MacKenziem z 16 grudnia 2002 roku.

s. 190 „Na całym obszarze wokół Cassino wyczuwało się coś złowieszczego..." archiwum Holliesa, IWM.

s. 190 „Pułk zaczął ruszać na front..." Blythe, *op. cit.*, s. 131.

s. 190 „Stoimy niewątpliwie przed jedną z najtrudniejszych operacji..." cyt. w: Smith, E. D., *Cassino*, s. 66.

s. 191 „Generał Tuker najwyraźniej ma nawrót zapalenia zatok..." list Johna Davida z 6 lutego 1944 roku.

s. 192 Pewien Włoch z Cassino określił to... telewizyjny film dokumentalny Granady, reżyseria Ken Grieve, produkcja Nick Skidman, emisja w 1985 roku.

s. 192 kwatera główna Clarka podkreślała potrzebę uchronienia budowli... Blumenson, *op. cit.*, s. 397.

s. 192 „Walczymy dzisiaj w kraju..." 29 grudnia 1943 roku, cyt. w: Hapgood, *op. cit.*, s. 158, i u innych autorów.

s. 192 „Względy bezpieczeństwa takich miejsc..." 9 stycznia 1944 roku, cyt. w: Blumenson, *op. cit.*, s. 399.

s. 192 Na początku lutego podczas debaty w Izbie Lordów... cyt. w: Trevelyan, R., *Rome '44*, Secker & Warburg 1981, s. 128.

s. 193 Dziennik prowadzony przez sekretarza opata, don Martina Matronolę... Colvin i Hodges, *op. cit.*, ss. 13 i n.

s. 193 „złowieszczą zmianą..." wpis z dziennika Davida z 6 lutego 1944 roku, IWM.

s. 194 „Główna brama ma masywne drewniane belki..." cyt. w: Majdalany, *op. cit.*, ss. 114-115.

s. 194 być może klasztor trzeba będzie „zburzyć"... Blumenson, *op. cit.*, s. 402.

s. 194 „Chcę, żeby go zbombardowano..." *ibid.*, s. 404.

s. 194 „prawdopodobnie zwiększy wartość klasztoru jako przeszkody militarnej..." *ibid.*, s. 405.

s. 194 „ze względu na pozycję generała Freyburga..." *ibid.*, s. 405.

s. 194 „Gdy żołnierze walczą o słuszną sprawę..." Alexander, *op. cit.*, s. 121.

s. 195 „niepodważalne dowody..." Blumenson, *op. cit.*, s. 408.

s. 195 „Bez względu na to, czy klasztor jest obecnie zajęty..." cyt. w: Majdalany, *op. cit.*, s. 115.

s. 195 „W Korpusie Nowozelandzkim opinie..." cyt. w: *ibid.*, s. 121.

s. 196 „konieczne bardziej ze względu na morale..." Alexander, *op. cit.*, s. 121.

s. 196 „wszechwidzącego oka..." archiwum J. B. Tomlinsona, s. 114, IWM.

s. 196 „Gdy droga stała się mniej zatłoczona..." Majdalany, Fred, *The Monastery*, Bodley Head 1945, s. 17, © Fred Majdalany.

s. 196 „gapiący się na nas przeklęty klasztor..." wywiad z Cormackiem z 19 września 2002 roku.

s. 196 „Jeśli pozwoli mi pan użyć wszystkich naszych bombowców..." cyt. w: Smith, E. D., *Cassino*, s. 68.

s. 196 „Włoscy przyjaciele..." cyt. w: Blumenson, *op. cit.*, s. 409, i u innych autorów.

s. 197 „dla zastraszenia i w celach propagandowych..." Colvin i Hodges, *op. cit.*

s. 198 „były najbardziej ponurym okresem..." nie publikowane wspomnienia Douglasa Hawtina (Królewski Korpus Łączności, przydzielony do 1. batalionu Royal Sussex, 7. brygada, 4. dywizja indyjska) i wywiad z nim z 19 września 2002 roku.

s. 199 „Nie mieliśmy zapasowych racji..." cyt. w: Smith, E. D., *Cassino*, s. 77.

s. 199 „seria flar zalała całą dolinę..." archiwum B. Smitha, IWM.

s. 200 „Niech chłopcy spróbują jeszcze raz..." wpis z dziennika Davida z 14 lutego 1944 roku, IWM.

s. 201 Żywi, czy ledwo żywi, jankescy żołnierze odchodzili..." nie publikowane wspomnienia Hawtina.

s. 201 „Trzeba było budować sangary..." relacja Johna Buckeridge'a (1. batalion Royal Sussex, 7. brygada, 4. dywizja indyjska) z nagrania wideo z okazji trzechsetlecia Royal Sussex, 2001. Royal Sussex Regiment Museum/South East Film & Video Archive. Wykorzystano za zgodą.

s. 202 „Przypominało to cmentarz..." film Granady, *op. cit.*

s. 202 „Wokół leżało wielu martwych szeregowców..." archiwum B. Smitha, IWM.

s. 202 „leciały w doskonałym szyku..." cyt. w: Colvin i Hodges, *op. cit.*, i u innych autorów.

s. 203 „Gdy nadlatywała fala za falą..." Blythe, *op. cit.*, s. 143.

s. 203 „Usłyszeliśmy nadlatujące samoloty, a potem potężne wybuchy..." film Granady, *op. cit.*

s. 203 „Cała góra stała w płomieniach..." *ibid.*

s. 203 „Cel zdjęty naprawdę dobrze..." cyt. w: Hapgood, *op. cit.*, s. 208.

s. 203 „jakby góra się rozkruszyła..." cyt. w: Ellis, *op. cit.*, s. 183.

s. 204 „Tego widoku nikt ze świadków..." dokumenty prywatne, Wales.

s. 204 „Widok wszystkich nadlatujących..." cyt. w: Blumenson, *op. cit.*, s. 411.

s. 204 „Pamiętam bombardowanie Monte Cassino..." Gellhorn, cyt. w: Hapgood, *op. cit.*, s. 212.

s. 204 „przyglądanie się temu niszczyło duszę..." wywiad z Lorimerem z 17 grudnia 2002 roku.

s. 204 „Alianckie lotnictwo zbombardowało klasztor..." „Daily Mail", 21 maja 1994 r.

s. 204 „Jeśli chodzi o Monte Cassino, to choć wojskowi mogli czuć..." wywiad z Pittacciem z 12 sierpnia 2002 roku.

s. 205 Wpis do dziennika kończy się refleksją... Colvin i Hodges, *op. cit.*

s. 205 „Znużonego starca zaciągnięto..." von Senger, *op. cit.*, s. 203.

s. 205 „Bez jednego przymiotnika..." Origo, Iris, *The War in the Val D'Orcia*, London 1947, cyt. w: Colvin i Hodges, *op. cit.*

s. 205 „W bezsensownej żądzy zniszczenia..." cyt. w: Colvin i Hodges, *op. cit.*, Trevelyan, *op. cit.*, s. 138, i u innych autorów.

s. 206 Wojsko niemieckie zamieniło go w twierdzę..." NMV 769-1, archiwum filmowe IWM.

s. 206 „pozbawionym podstaw wymysłem..." cyt. w: Ellis, *op. cit.*, s. 171.

ROZDZIAŁ 10: GRZBIET GŁOWA WĘŻA

s. 207 „Wydaje się, że wszyscy oprócz nas, nawet mnisi i nieprzyjaciel..." cyt. w: Majdalany, *Cassino*, s. 142.

s. 207 „Podeszliśmy do drzwi punktu dowodzenia..." cyt. w: Smith, E. D., *Cassino*, s. 79.

s. 208 „Widziałem mrowie latających fortec..." nagranie wideo z okazji trzechsetlecia batalionu Royal Sussex, *op. cit.*

s. 208 „Mieliśmy zaatakować i zająć punkt 593..." *ibid.*

s. 210 „Była to zażarta walka wręcz..." wywiad z Hawtinem z 19 września 2002 roku.

s. 210 „Nagle usłyszeliśmy świst..." wywiad z Wernerem Eggertem z 20 marca 2003 roku, jego nie publikowane wspomnienia i pisemne odpowiedzi na pytania.

s. 211 „Radziliśmy sobie z tym, co mieliśmy..." cyt. w: Smith, E. D., *Cassino*, s. 83.

s. 212 „straty wśród walczących żołnierzy z batalionu Sussex wyniosły ponad 50 procent... Ellis, *op. cit.*, s. 188.

s. 213 „miała niewiele wspólnego z patriotycznym obowiązkiem..." Gardiner, Wira, *The Story of the Maori Battalion*, Reed 1992, s. 29.

s. 213 „Gdy znasz ludzi od dawna..." wywiad telefoniczny z George'em Pomaną (28. batalion, 5. brygada, 2. dywizja nowozelandzka) z 16 stycznia 2003 roku.

s. 213 „wiecznych kawalarzy. Niezrównanych żartownisiów..." wywiad z Lorimerem z 17 grudnia 2002 roku.

s. 213 „Mój 12. pluton z prawej..." cyt. w: Cody, J. F., *28 (Maori) Battalion*, Department of Internal Affairs 1958, s. 359.

s. 214 „Niemcy wystrzelili flary, wyjątkowo krótko świecące..." Cochrane, Peter (2. batalion Cameron Higlanders, 11. brygada, 4. dywizja indyjska), *Charlie Company*, Chatto & Windus 1977, s. 133.

s. 215 „My również od czasu do czasu otwieraliśmy ogień..." wywiad z Thapą, taśmy Crossa nr 67 i 68.

s. 215 „Powiedział, że ponieśliśmy duże straty..." John ffrench, nie publikowana relacja.

s. 216 „Batalion, w którym służyło wielu weteranów..." cyt. w: Smith, E. D., *Cassino*, s. 90.

s. 216 „Ta beznadziejnie chaotyczna bitwa charakteryzowała się tym..." Cochrane, *op. cit.*, s. 114.

s. 216 „Dzisiejszy dzień obfitował w wydarzenia..." wpis z dziennika Davida z 19 lutego 1944 roku, IWM.

s. 217 „prawdopodobnie nieprzyjaciel..." Kippenberger, *op. cit.*, s. 357.

s. 217 „chodzenie po linie na strzelnicy..." cyt. w: Philips, N. C., *The Sangro to Cassino*, Department of Internal Affairs 1957, s. 240.

s. 218 „Tego popołudnia nieprzyjaciel zaatakował nas..." film Granady, *op. cit.*

s. 218 Sześć tygodni później wrócił tam po poległych... Gardiner, *op. cit.*, s. 154.

s. 219 „rozkwasili Nowozelandczykom nosy..." cyt. w: Ellis, *op. cit.*, s. 191.

ROZDZIAŁ 11: PRZEJŚCIOWY SPOKÓJ W CASSINO, KONTRNATARCIE POD ANZIO

s. 221 „Nie mogłem tego zrozumieć..." wywiad z Salmonem z 22 października 2002 roku i jego książka, *op. cit.*

s. 223 „surowy mężczyzna ze złamanym nosem..." Milligan, *op. cit.*, s. 286.

s. 223 sposób, w jaki wypowiadał się o „tchórzostwie"... Shephard, *op. cit.*, ss. 217-218.

s. 223 „około dwóch trzecich ludzi było na lekach..." Milligan, *op. cit.*, s. 286.

s. 223 „przepytując mnie bez końca..." wywiad z Salmonem z 22 października 2002 roku.

s. 224 „Żołnierze z Essex mają dość..." wpis z dziennika Davida z 18 lutego 1944 roku, IWM.

s. 224 Jednym ze zmienników był Ken Bond... wywiad z Kenem Bondem (1/4. batalion Essex, 5. brygada, 4. dywizja indyjska) z 10 sierpnia 2002 roku.

s. 226 „Padało tak, jak może padać tylko w południowych Włoszech..." cyt. w: Martin, T. A., *The Essex Regiment 1929–50*, wyd. nakładem autora 1952, s. 307.

s. 226 „Rozłożyliśmy się w suchym rowie..." wywiad z Tedem Hazle'em (1/4. Essex, 5. brygada, 4. dywizja indyjska) z 15 lipca 2002 roku.

s. 226 „dziwnie nierealna sytuacja..." wywiad z Beckettem z 9 września 2002 roku.

s. 226 „Znowu padało prawie cały dzień..." wpis z 27 lutego 1944 roku z nie publikowanego dziennika Charliego Frasera (sygnalisty przydzielonego do 5. brygady, 4. dywizja indyjska).

s. 226 „Przemokłem do suchej nitki..." wywiad z Bondem z 10 sierpnia 2002 roku.

s. 226 „Nigdy nie narysowałem «śmiejącego się Jasia»... Mauldin, *op. cit.*, s. 98.

s. 227 „Działo nie strzelało z rykiem..." Pyle, *op. cit.*, s. 205.

s. 227 „Jakby ktoś gwałtownie naciskał..." Majdalany, *Monastery*, s. 161.

s. 227 ale 3 marca na kolejnej naradzie... Martin, *op. cit.*, s. 307.

s. 227 „Essex ma podobno przypaść zaszczyt..." wpis z dziennika Davida z 13 lutego 1944 roku, IWM.

s. 227 „Właśnie gdy nasze morale bardzo potrzebuje jakiegoś bodźca..." cyt. w: Martin,*op. cit.*, s. 307.

s. 227 „Doniesienie równie błędne jak nieprawdziwe!" archiwum Tomlinsona, IWM.

s. 227 „Podczas wielu nocy słyszeliśmy dziwny trzask..." archiwum B. Smitha, IWM.

s. 228 W sumie 7. brygada traciła sześćdziesięciu żołnierzy dziennie..." Ellis,*op. cit.*, s. 214.

s. 228 „Nie rozbierałem się przez dwa miesiące..." wywiad z Hawtinem z 19 września 2002 roku.

s. 228 „Nasze kłopoty rozpoczęły się na dobre..." wpisy z dziennika Davida z 25-27 lutego 1944 roku, IWM.

s. 229 „Wyruszyliśmy z pięćdziesięcioma mułami..." wpis z dziennika Cormacka z 28 lutego 1944 roku.

s. 229 „Musiałem opisywać to, co widziałem..." wywiad z Kurtem Langelüddeckiem (602. bateria ciężkiej artylerii, przydzielona do 3. batalionu, 1. dywizja spadochronowa) z 7 marca 2003 roku.

s. 230 „Dzień się wlókł. Kilka dziwnych zajęć..." „Daily Mail", 21 maja 1944 roku.

s. 230 „zmęczonych, niechlujnych, wielu z nich rannych..." Smith, *Even the Brave*, *op. cit.*, s. 7.

s. 230 „Był innym człowiekiem..." *ibid.*, s. 8.

s. 230 „Czy zostaliśmy skazani na wieczne życie..." „Daily Mail", 21 maja 1944 roku.

s. 230 „Opuściłem wiejski dom, w którym byłem w ostatnim liście..." list Davida z 10 marca 1944 roku, IWM.

s. 231 „Deszcz leje od kilku godzin..." nie publikowany dziennik Jeana Murata zatytułowany*Campagne d'Italie 1st Compagnie du 4éme Regiment de Tirailleurs Tunisiens – 1944* oraz wywiad z 12 lutego 2002 roku.

s. 232 „Od kilku dni jestem na linii..." AFHQ G-2 Intelligence Notes No. 57, 2 maja 1944 r., s. C7; PRO WO204/986.

s. 232 „Pogoda nie poprawiła się..." archiwum F. G. Suttona (2. batalion Beds and Herts, 10. brygada, 4. dywizja brytyjska), IWM.

s. 232 „Jedynymi szlakami były ścieżki kozic..." Framp, *op. cit.*, s. 71.

s. 232 „dziwnie potajemne życie..." Fergusson, Bernard, *The Black Watch and the King's Enemies*, Collins 1950, s. 202.

s. 233 „było przejmująco zimno, często szalały zadymki..." Framp,*op. cit.*, s. 72.

s. 233 niemieccy snajperzy zawsze celowali... list do syna od R. J. Bubba (2. Coldstream Guards, 1. brygada gwardii, 6. brytyjska dywizja pancerna).

s. 233 „Wypatrzyli nas..." starszy sierżant sztabowy Les Thornton (16. batalion lekkiej piechoty Durham, 139. brygada, 46. dywizja brytyjska) cyt. w: Hart,*op. cit.*, ss. 98-99.

s. 234 „Niemal całe nasze małżeństwo..." Robson, Walter (1. Royal West Kents, 12. brygada, 4. dywizja brytyjska), *Letters from a Soldier*, Faber & Faber 1960, s. 12.

s. 234 „W Kairze obejrzałem kronikę filmową, w której pokazano naszych chłopaków we Włoszech..." *ibid.*, s. 73.

s. 234 „chłopaka, hełm, szynel, skórzaną kamizelkę, kamizelkę..." *ibid.*, s. 77.

s. 234 „Myślę, że trudno byłoby mi żyć..." *ibid.*, s. 87.

s. 234 „Szkopy nie zaczęły swojego nocnego ataku artyleryjskiego..." *ibid.*, s. 81.

s. 235 „Wielu ludzi chorowało..." wywiad z Lorimerem z 17 grudnia 2002 roku.

s. 235 „stali w kolejce po żarcie..." wywiad z Cockerem z 15 grudnia 2002 roku.

s. 235 „Żołnierze wydawali się przybici..." Blythe, *op. cit.*, s. 144.

s. 235 „Było tam mnóstwo alkoholu..." wywiad z Vojtą z 25 lutego 2003 roku.

s. 235 Komik Tommy Trinder... archiwum Allnutta, s. 52, IWM.

s. 236 „pladze przecinania drutów telefonicznych..." Lewis, *op. cit.*, s. 72.

s. 236 „pierwsze wielkie miasto niemieckiej Europy..." Moorehead, *op. cit.*, ss. 62-64.

s. 236 „gniazdo rozpusty..." wywiad z Muratem z 12 lutego 2003 roku.

s. 236 „Nic nie jest na tyle duże czy małe..." Lewis, *op. cit.*, s. 86.

s. 237 65 procent dochodu neapolitańczyków na głowę... *ibid.*, s. 119.

s. 237 „ofiarami, które wpadają..." *ibid.*, s. 99.

s. 237 „Ilekroć szło się na przepustkę, zwłaszcza do takich miejsc jak Neapol..." wywiad z Cockerem z 15 grudnia 2002 roku.

s. 238 „Zuchwalstwo czarnego rynku..." Lewis, *op. cit.*, ss. 134-135.

s. 238 gdzie „temu samemu międzynarodowemu towarzystwu, w nieco skromniejszym gronie..." Moorehead, *op. cit.*, s. 65.

s. 238 „raczej niewłaściwy sposób..." Buckley, Christopher, *The Road to Rome*, Hodder & Stoughton 1945, ss. 251, 253.

s. 238 chcieli kupować jedzenie i ubrania... Moorehead, *op. cit.*, s. 63.

s. 239 „sześcioletnich chłopcach..." *ibid.*, s. 63.

s. 239 „dziewięć na dziesięć dziewcząt straciło swoich mężczyzn..." Lewis, *op. cit.*, s. 115.

s. 239 który „po prostu nie mógł wytrzymać bez prostytutek..." wywiad z Kindrem z 28 czerwca 1994 roku.

s. 239 „Nie wszyscy żołnierze z tego korzystali..." wywiad z Vojtą z 25 lutego 2003 roku.

s. 239 „To dawało całkowite poczucie swobody..." wywiad z Kindrem z 28 czerwca 1994 roku.

s. 239 „Wszyscy odnoszą wrażenie, że po części..." Mauldin, *op. cit.*, s. 73.

s. 240 „chcieli wziąć wszystko, na czym mogli położyć łapę..." Lewis, *op. cit.*, ss. 25-26.

s. 240 „mogłeś robić, co chciałeś..." wywiad z Kindrem z 28 czerwca 1994 roku.

s. 240 kilkaset przypadków tygodniowo... Moorehead, *op. cit.*, s. 66.

s. 241 „na dobrą sprawę pojawiły się..." Lewis, *op. cit.*, s. 95.

s. 241 „Zaczyna się następująco (...) «Nie jestem zainteresowany twoją syfilityczną siostrą»..." *ibid.*, s. 101.

s. 241 „pokusa jest ogromna..." *ibid.*, ss. 192-3.

s. 241 „Wyjechałem razem z innymi w dość wesołym nastroju..." Blythe, *op. cit.*, ss. 145-148.

CZĘŚĆ CZWARTA: TRZECIA BITWA

s. 243 „Wiem tylko to, co widzę..." artykuł cyt. w: Hollies, *op. cit.*

s. 243 „To, co zobaczyłem, sprawiło..." von Senger, *op. cit.*, s. 215.

ROZDZIAŁ 12: BITWA O MIASTO CASSINO

s. 245 „po tym, jak spadły pierwsze bomby, upłynęło kilka sekund..." wywiad z MacKenziem z 16 grudnia 2002 roku.

s. 245 „Ten imponujący spektakl..." Puttick, E., *25 Battalion*, Department of Internal Affairs 1958, s. 392.

s. 245 „Nikt, kto to widział, nie zapomni..." cyt. w: Phillips, *op. cit.*, ss. 267-268.

s. 245 „mitchelle w długim rzędzie..." Kay, Robin, *27 Machine-Gun Battalion*, Department of Internal Affairs 1958, s. 394.

s. 246 27. batalion Jacka Cockera... nagrane wspomnienia Cockera oraz Kay, *op. cit.*, s. 395.

s. 246 „Właśnie wróciłem do obozu, gdy Amerykanie..." wpis z dziennika Cormacka z 16 marca 1944 roku.

s. 246 Jedna bomba zabiła dwadzieścioro dwoje ich przyjaciół... wywiad z Jaconelli (z domu Notarianni) z 15 września 2002 roku.

s. 246 „Gdy cztery czy pięć bomb spadło..." Smith, *Even the Brave*, s. 12.

s. 247 „Z napięciem czekaliśmy w naszych okopach..." cyt. w: Böhmler, *op. cit.*, ss. 210-211.

s. 247 „Pierwsza fala zrzuciła większość ładunku..." cyt. w: Trevelyan, *op. cit.*, s. 199.

s. 247 „Spadały kolejne serie bomb..." cyt. w: Piekałkiewicz, J., *Cassino: Anatomy of a Battle*, Orbis 1980, s. 130.

s. 247 „łoskot wybuchających bomb..." cyt. w: Böhmler, *op. cit.*, s. 211.

s. 248 tysiąc ton pocisków, czyli 275 pełnych ciężarówek... Piekałkiewicz, *op. cit.*, s. 133.

s. 248 „Odkadziliśmy Cassino..." generał broni Ira C. Eaker, dowódca Śródziemnomorskich Sił Powietrznych aliantów, cyt. w: Ellis, *op. cit.*, s. 222.

s. 248 „Dzisiaj w Cassino rozpętało się piekło..." PRO WO 204/986.

s. 248 „Wkraczając do Cassino, widzieliśmy..." cyt. w: Trevelyan, *op. cit.*, s. 201.

s. 250 „Nie było żadnej drogi..." wywiad z Lorimerem z 17 grudnia 2002 roku.

s. 251 „rad, że w końcu ruszyliśmy do boju..." Smith, Roger, *Up the Blue*, Ngaio Press 2000, s. 193.

s. 252 „konsystencji ciasta..." raport nowozelandzki, cyt. w: Ellis, *op. cit.*, s. 234; PRO WO204/8287.

s. 252 „grubą warstwą szarej mazi..." Smith, R., *op. cit.*, s. 195.

s. 252 „Gdy podeszliśmy z Billem na skraj skały..." cyt. w: Puttick, *op. cit.*, s. 401.

s. 253 „Z nastaniem ciemności zaczął padać deszcz..." nie publikowany pamiętnik Billa Humble'a (sygnalista przydzielony do 4. dywizji indyjskiej).

s. 253 „Padał deszcz i zaczęliśmy się wspinać..." wywiad z Billem Hawkinsem (1/4. Essex, 5. brygada, 4. dywizja indyjska) z 15 sierpnia 2002 roku.

s. 254 „Zniszczenia spowodowane bombardowaniem..." Beckett cyt. w: Smith, *Cassino*, s. 109, oraz wywiad z 9 września 2002 roku.

s. 254 „Wydawało się, że to się nigdy nie skończy..." wywiad z Hawkinsem z 15 sierpnia 2002 roku.

s. 254 „Ustalony plan..." wywiad z Hawkinsem z 15 sierpnia 2002 roku.

s. 256 „nie był to już (...) skuteczny batalion..." wpis z dziennika Charliego Frasera z 17 marca 1944 roku.

s. 256 „W porze obiadowej zaczęli nadchodzić oficerowie Rajputana Rifles..." wpis z dziennika Davida z 17 marca 1944 roku.

s. 256 „Właśnie gdy przygotowywaliśmy się do wyruszenia w drogę..." osobista relacja Toma Simpsona (4/6. Rajputana Rifles, 11. brygada, 4. dywizja indyjska).

s. 257 „Zostałem bez jedzenia, bez niczego..." wywiad z Hazle'em z 15 lipca 2002 roku.

s. 257 „w dół zbocza. Nigdy więcej już ich nie widziano..." wywiad z Bondem z 10 sierpnia 2002 roku.

s. 257 „Przedzieranie się było trudne..." wywiad z Lorimerem z 17 grudnia 2002 roku.

s. 258 „grzęzawisko płynnego błota..." Puttick, *op. cit.*, s. 409.

s. 258 „przebywał w tym samym domu z nieprzyjacielem..." *ibid.*, s. 405.

s. 258 „Miasto dosłownie pełne jest snajperów nieprzyjaciela..." cyt. w: Crawford, John, *North from Taranto: New Zealand and the Liberation of Italy 1943–45*, New Zealand Defence Force 1994, s. 39.

s. 259 „konsternację, z jaką przywitano słonie Hannibala..." Majdalany, *Cassino*, s. 187.

ROZDZIAŁ 13: WZGÓRZE ZAMKOWE

s. 260 „Panował u nas niezły bałagan..." wywiad z Beckettem z 9 września 2002 roku.

s. 261 „po prostu ostatnią fazą średniowiecznego oblężenia..." Ellis, *op. cit.*, s. 250.

s. 261 „Nie mogliśmy użyć artyleryjskiego ognia obronnego..." wywiad z Beckettem z 9 września 2002 roku i jego pisemna relacja.

s. 262 „Czasami toczyliśmy walkę w bardzo małej odległości..." wywiad z Hawkinsem z 15 sierpnia 2002 roku.

s. 262 „Nigdy nie zawierałem rozejmu..." wywiad z Beckettem z 9 września 2002 roku.

s. 263 „Rozbiliśmy bank..." „Daily Mail", 21 maja 1994 r., i Smith, *Even the Brave*, s. 13.

s. 263 „wkroczyliśmy do miasta..." Smith, *Even the Brave*, s. 14.

s. 263 „W zamku..." *ibid.*, ss. 16-17.

s. 263 „Byłem przekonany..." wywiad z Beckettem z 9 września 2002 roku.

s. 263 „Na pierwszym szlaku zostanie sahib zastrzelony..." Smith, *Even the Brave*, ss. 18-19.

s. 265 „[Niemcy] ubliżali mu..." wywiad z Pomaną z 16 stycznia 2003 roku.

s. 266 „gdy drzwi wypadły z hukiem..." Smith, R., *op. cit.*, s. 205.

s. 266 „Nagle usłyszeliśmy łoskot czołgów..." nie publikowane wspomnienia Eggerta.

s. 267 „jeszcze raz zadano cios jedną pięścią..." Stevens, G. R., *Fourth Indian Division*, McClaren and Sons 1949, s. 306.

s. 267 „połamanymi drzewami, wszystkimi w drzazgach..." wywiad z Bondem z 10 sierpnia 2002 roku.

s. 268 „Szkopy strzelały do nas..." wywiad z Hazle'em z 15 lipca 2002 roku.

s. 268 „równie trudna jak droga w górę..." wywiad z Hawkinsem z 15 sierpnia 2002 roku.

s. 269 „Pojechaliśmy drogą numer sześć..." archiwum Holliesa, IWM.

s. 269 „niesamowitym miejscem..." cyt. w: Watt, *op. cit.*, ss. 127-129.

s. 270 „nie widzieli karabinu czy jakiegokolwiek błysku..." Ross, A., *23 Battalion*, Department of Internal Affairs 1957, s. 329.

s. 270 „w naszej miejscowej wojnie skończyło się na sytuacji patowej..." archiwum Holliesa, IWM.

s. 270 „Powietrze w mieście [było] ciężkie od dymu..." cyt. w: Williams, T., *op. cit.*, s. 178.

s. 270 „Leżysz w okopie gniazdowym..." wywiad z Cockerem z 15 grudnia 2002 roku.

s. 271 „Te cztery dni i noce..." archiwum Holliesa, IWM.

s. 271 „Nie ulega wątpliwości, że warunki..." Crawford, *op. cit.*, s. 41.

s. 271 „doszła do kresu wytrzymałości..." cyt. w: Phillips, *op. cit.*, s. 328.

s. 271 „ostateczną kwintesencją wojny..." cyt. w: Trevelyan, *op. cit.*, s. 205.

s. 272 „piechota z Cassino wykazywała oznaki przedłużonego napięcia nerwowego..." McKinney, *op. cit.*, ss. 351-352.

s. 272 „Chociaż w sumie nie byliśmy zadowoleni..." cyt. w: Stevens, *op. cit.*, s. 307.

s. 272 „Nie było nikogo, kto by wydał nam polecenie..." wywiad z Bondem z 10 sierpnia 2002 roku.

s. 272 „Ćapati na spadochronie..." wiadomości Pathé, INR 62, archiwum filmowe IWM.

s. 272 „trzeba było się po paczki przedzierać..." wywiad z Bondem z 10 sierpnia 2002 roku.

s. 273 Historyk batalionu Essex przytacza opowieść... Martin, *op. cit.*, s. 317.

s. 273 „nasz własny dym..." wywiad z Hazle'em z 15 lipca 2002 roku.

s. 273 „Pojemniki, obudowy pocisków i pokrywki..." podpułkownik G. S. Nangle (1/9. Gurkha Rifles, 5. brygada, 4. dywizja indyjska) cyt. w: Stevens, *op. cit.*, s. 307.

s. 273 „Najgorsze było zmęczenie..." wywiad z Hazle'em z 15 lipca 2002 roku.

s. 273 „Z roślinności pozostały..." film Granady, *op. cit.*, i inne źródła.

s. 274 „Ostrzał był tak silny..." wywiad z Balbahadurem Khanką (1/9. Gurkha Rifles, 5. brygada, 4. dywizja indyjska), taśma Crossa nr 116.

s. 274 „Przez tydzień nie byliśmy zaopatrywani..." wywiad z Katuwalem, taśma Crossa nr 157.

s. 274 „Praktycznie w ogóle nie mieliśmy nic do jedzenia czy picia..." wywiad z Gumansingiem Chhetrim (1/9. Gurkha Rifles, 5. brygada, 4. dywizja indyjska), taśma Crossa nr 234.

s. 274 „Mój batalion to jeden dziewięć GR..." Dalbahadur Chhetri (1/9. Gurkha Rifles, 5. brygada, 4. dywizja indyjska), taśma Crossa nr 167.

s. 274 „Jakiś młody oficer zbliżył się..." wywiad z Hazle'em z 15 lipca 2002 roku.

s. 274 Później Niemcy naliczyli 165 poległych Gurkhów... Böhmler, *op. cit.*, s. 217.

s. 275 „czternaście różnych dziur w ciele..." cyt. w: Martin, *op. cit.*, s. 318.

s. 275 „Gdy do nich dotarliśmy..." McKinney, *op. cit.*, ss. 352-353.
s. 276 „Byłem tak uszczęśliwiony..." cyt. w: Martin, *op. cit.*, s. 320.
s. 276 liczba przyjęć Nowozelandczyków... McKinney, *op. cit.*, s. 354.
s. 276 „Zauważyłem, że w batalionie pojawiło się inne podejście do walki..." archiwum Holliesa, IWM.
s. 276 „wspaniałych facetów, życzliwych..." wywiad z Pittacciem z 12 sierpnia 2002 roku.
s. 277 „Żołnierze na linii frontu..." Smith, *Even the Brave*, s. 26.
s. 277 „Czwarta dywizja przegrała coś więcej niż tylko bitwę..." cyt. w: Smith, *Cassino*, s. 140.
s. 277 „stek, frytki i pomidory..." wywiad z Hazle'em z 15 lipca 2002 roku.
s. 277 „1/4. Essex bez specjalnego żalu..." *ibid.*, s. 320.
s. 277 dwukrotnie większe straty... *ibid.*, s. 340.
s. 277 „Po Cassino w dużej mierze straciliśmy ducha bojowego..." wywiad z Beckettem z 9 września 2002 roku.
s. 277 „Przed Cassino mieliśmy ludzi..." wywiad z Hawkinsem z 15 sierpnia 2002 roku.
s. 277 „Przez tych pięć dni..." film Granady, *op. cit.*

ROZDZIAŁ 14: ZIELONE DIABŁY CASSINO

s. 278 „Musiałem pojechać do Brukseli na spotkanie z głównym psychiatrą..." wywiad z Kleinem z 1 lutego 2003 roku.
s. 279 „Zaczynasz o szóstej rano..." cyt. w: „Images of War", *op. cit.*, s. 751.
s. 279 „Niektórych tak to wycieńczyło..." wywiad z Kleinem z 1 lutego 2003 roku.
s. 280 „Niestety, walczymy z najlepszymi żołnierzami..." cyt. w: Ellis, *op. cit.*, s. 263.
s. 280 „Nawet po takich stratach ciągle zaciekle walczyli..." cyt. w: Watt, *op. cit.*, s. 128.
s. 280 „śmiałymi i zdeterminowanymi..." „The Times", 23 marca 1944 r.
s. 280 21 marca radio w Neapolu informowało... cyt. w: Böhmler, *op. cit.*, s. 242.
s. 280 „Trzymaliśmy ze sobą..." wywiad z Kleinem z 1 lutego 2003 roku.
s. 280 „tak zwanych bohaterskich czynów..." wywiad z Eggertem z 20 marca 2003 roku.
s. 281 „solidnej chłoście..." wywiad z Kleinem z 1 lutego 2003 roku.
s. 281 „Przebieg walk we Włoszech..." cyt. w: Piekałkiewicz, *op. cit.*, s. 145.
s. 281 „zniszczenia wszelkiego oporu nieprzyjaciela..." marszałek sił powietrznych sir John Slessor, cyt. w: Ellis, *op. cit.*, s. 234.
s. 282 „jedną z wywołujących największe zakłopotanie operacji tej wojny..." cyt. w: Smith, *Cassino*, s. 100.
s. 282 „Ci Włosi to zabawni ludzie..." list Awesa z 24 marca 1944 roku.
s. 283 „Zobaczyłem, jak na mule jedzie kobieta z małą dziewczynką..." wywiad z Awesem z 22 lutego 2003 roku.
s. 283 „Niemcy zalali..." wywiad z Pittacciem z 12 sierpnia 2002 roku.
s. 283 „Nie dawali nam jedzenia..." wywiad z Jaconelli (z domu Notarianni) z 15 września 2002 roku.
s. 283 „Tymi, bez których można by się obyć..." e-mail od Pittaccia z 21 listopada 2002 roku.
s. 284 „Francuskie wojska kolonialne znowu pustoszą wszystko..." Lewis, *op. cit.*, ss. 143-144.
s. 284 zakazując „kolorowym" wojskom alianckim... Chadwick, Owen, *Britain and Vatican during the Second World War*, Cambridge University Press 1987, s. 290.
s. 284 „tubylczy żołnierze z Afryki Północnej stali się legendą..." Marsland Gander, cyt. w: Notin, Jean-Christophe, *La Campagne d'Italie*, Librarie Académique Perrin 2002, s. 500.
s. 284 „Osobiście byłem świadkiem pewnego niezwykle groźnego zdarzenia..." e-mail od Pittaccia z 21 listopada 2002 roku.

s. 285 „straciliśmy paru facetów szukających łupów..." wywiad z Cockerem z 15 grudnia 2002 roku.

s. 285 „Krzyknęliśmy, żeby wyszli..." porucznik Russell Collins, cyt. w: Hart, *op. cit.*, ss. 82-83.

s. 285 *We souvenired his plane's compass...* Alf Voss (21. batalion, 5. brygada, 2. dywizja nowozelandzka), cyt. w: Watt, *op. cit.*, s. 115.

s. 285 w niektórych przypadkach odcinając palec... wywiad z Josephem Menditto (2. batalion, 351. pułk, 88. dywizja amerykańska) z 22 lutego 2003 roku.

s. 286 „Znowu jesteśmy na wzgórzach za Cassino..." cyt. w: AFHQ Intelligence Notes, No. 57; PRO WO204/986.

s. 286 „liną asekuracyjną zdrowia psychicznego..." Palmer, Bennett J. (1. batalion, 143. pułk, 36. dywizja amerykańska), *The Hunter and the Hunted*, wyd. nakładem autora 1992, s. 55.

s. 286 „Nie dostałem żadnego listu..." Robson, *op. cit.*, s. 92.

s. 286 Pewien amerykański weteran napisał ponad pięćset... mowa tu o Josephie Menditto.

s. 287 „Kilka czasopism i książek..." Ronald Blythe, cyt. w: Fussell, *op. cit.*, s. 212.

s. 287 „Żołnierze na froncie czytają etykiety na racjach żywnościowych..." Mauldin, *op. cit.*, s. 25.

s. 287 Dziewiętnastoletni Colin O'Shaughnessy, szeregowiec... w 5. batalionie Northants, 11. brygada, 78. dywizja brytyjska.

s. 287 „Nie chcę pisać..." Robson, *op. cit.*, ss. 31-33.

s. 287 „Trudno jest napisać list..." Mauldin, *op. cit.*, s. 24.

s. 287 „Ogromna szkoda..." list O'Shaughnessy'ego bez daty.

s. 288 „Powinienem pisać o wesołych *triviata*, ale nie potrafię..."... Robson, *op. cit.*, s. 87.

s. 288 „Pewnego dnia wyślę ci list wypełniony..." *ibid.*, s. 17.

s. 288 „Uczucie, że nie dasz rady dłużej wchodzić na te góry..." *ibid.*, s. 85.

s. 288 „Biedaczysko, wydostał się z tego na dobre..." *ibid.*, s. 83.

s. 288 „Zawsze miało się to uczucie jak tuż przed wyścigiem..." Majdalany, *Monastery*, ss. 13-14.

s. 289 „zardzewiałe i złowieszcze..." *ibid.*, s. 17.

s. 289 „Myślałeś o czystym szpitalnym łóżku..." *ibid.*, s. 19.

s. 289 „W końcu dotarliśmy do kwatery głównej Gurkhów..." MacKenzie, J. (2. batalion fizylierów Lancashire, 11. brygada, 78. dywizja brytyjska), wspomnienia wyd. nakładem autora 1997, s. 33.

s. 289 „Gdy zbliżaliśmy się do Głowy Węża..." Majdalany, *Monastery*, s. 24.

s. 289 „Ustawienie wysuniętej linii obronnej..." MacKenzie, *op. cit.*, s. 37.

s. 290 „widać było małe grupki nagich tyłków..." Majdalany, *Monastery*, s. 24.

s. 290 „Brud wżerał się w linie papilarne..." wywiad z Ivorem Cutlerem (5. batalion Northants, 11. brygada, 78. dywizja brytyjska) z 11 września 2002 roku.

s. 290 „w zaawansowanym stadium rozkładu..." Majdalany, *Monastery*, s. 25.

s. 290 „Nastąpił stan bezczasowości..." *ibid.*, s. 77.

s. 290 „Nasze dostawy wody pitnej były skromne..." nie publikowane wspomnienia Eggerta.

s. 291 „Ostrzeliwali nas przez cały czas..." Robert Frettlöhr, cyt. w: „Images of War", *op. cit.*, s. 751.

s. 291 „Tam, na górze, nie było przyjemnie..." Robert Frettlöhr, cyt. w: „Everyone's War", nr 6, *op. cit.*, s. 22.

s. 292 „Było oczywiste, że Francuzi są bardzo dobrymi żołnierzami..." archiwum Suttona, IWM.

s. 292 „Czy wiedzieliście, że wojska brytyjskie..." Service Historique de l'Armée de Terre (SHAT) 10P39, cyt. w: Notin, *op. cit.*, s. 344.

s. 292 „chłopakom z Nowozelandzkich Sił Ekspedycyjnych..." cyt. w: Williams, T., *op. cit.*, s. 41.

s. 292 „DO ŻOŁNIERZY INDYJSKICH..." PRO WO 204/986.

s. 293 „Gdy was nie ma..." ulotka propagandowa pokazana autorowi przez pana R. Hornsby'ego ze Służby Zaopatrzenia i Transportu Królewskich Wojsk Lądowych.

s. 293 „żaden amerykański chłopiec nie zostanie poświęcony..." *ibid.*

s. 293 „Mimo wszystko Winston darzy swego wielkiego brata..." ulotka propagandowa pokazana autorowi przez pana G. E. Stevensa (2. batalion fizylierów Lancashire, 11. brygada, 78. dywizja brytyjska).

s. 294 Ta przewoźna maszyna drukarska mogła wypuścić 8 tysięcy sztuk... Hapgood, *op. cit.*, s. 190.

s. 294 „Ci z was, którzy będą mieli dość szczęścia..." PRO WO 204/986.

s. 294 „Weź środek przeczyszczający..." ulotka pokazana autorowi przez pana L. Bradshawa.

s. 295 „jakby było to stale ukazujące się pismo..." *Experiences of an interrogator 46th Division*; PRO WO 204/985.

s. 295 Niemcy uruchomili w pobliżu Cassino... PRO WO 204/986.

s. 295 „Zawsze słuchaliśmy niemieckiej propagandy..." Henry McRae (21. batalion, 5. brygada, 2. dywizja nowozelandzka), cyt. w: Williams, T., *op. cit.*, s. 38.

s. 295 „Gdy zjawisz się teraz w domu..." przekład ulotki informacyjnej wydanej żołnierzowi 134. pułku grenadierów pancernych przed jego wyjazdem do Niemiec na przepustkę; PRO WO 204/985.

s. 296 „Mniej więcej dwie trzecie mówiło..." *Impressions of an Escapee from a Camp for Allied PWs in Italy*; PRO WO 204/985.

s. 296 „pomimo ogromnych strat..." raport wywiadu z 21 października 1943 roku, wywiad 15. Grupy Armii; PRO WO 106/3918.

s. 296 „bardzo niebezpiecznym miejscem..." nagrane wspomnienia Cockera.

s. 297 „To, co zobaczyłem, napełniło mnie przerażeniem..." Cyril Harte (3. batalion grenadierów, 1. brygada gwardii, brytyjska 6. dywizja pancerna), artykuł w „Northampton Chronicle and Echo", 9 maja 1994 r., i wywiad z 19 września 2002 roku.

s. 298 „Nie mogę się umyć, woda jest racjonowana..." Robson, *op. cit.*, ss. 101-102.

s. 298 „Na zewnątrz leżał wielki Niemiec..." wywiad z George'em Holme'em (przydzielonym do 2. batalionu Coldstream Guards, 1. brygada gwardii, brytyjska 6. dywizja pancerna) z 13 września 2002 roku.

s. 298 „w ciągu dnia patrzyliśmy..." Framp, *op. cit.*, s. 84.

s. 298 „Nasz wartownik, w ciemnościach wnętrza..." Robson, *op. cit.*, s. 93.

s. 298 „A nad wejściem do naszej..." Framp, *op. cit.*, s. 83.

s. 299 „Pamiętam, że wysłano mnie po ciała żołnierzy..." cyt. w: Trevelyan, *op. cit.*, s. 209.

s. 299 „nadzwyczajną obsesję..." cyt. w: Smith, *Cassino*, s. 144.

s. 299 „Usiedliśmy pod drzewami oliwnymi..." wywiad z Kleinem z 1 lutego 2003 roku.

CZĘŚĆ PIĄTA: CZWARTA BITWA

s. 301 „Wiedział, że istotą wojny..." Macaulay, *Essay on Lord Nugent's Memorials of Hampden*, 1831.

s. 301 „Byłem pod Stalingradem..." cyt. w: Ellis, *op. cit.*, s. 356.

ROZDZIAŁ 15: PODSTĘP

s. 304 „Nic szczególnego się nie dzieje..." cyt. w: Ellis, *op. cit.*, s. 277.

s. 304 „cztery nieznane czynniki..." Kesselring, *op. cit.*, s. 200.

s. 306 57 batalionów przeciwko 108 batalionom aliantów... Ellis, *op. cit.*, ss. 267 i n.

s. 306 „samą liczbą można unicestwić..." cyt. w: Majdalany, *Cassino*, s. 221.

s. 307 „Bardzo współczułem szeregowcom..." Heubner, Klaus H., *Long Walk through War*, Texas A&M University Press 1987, s. 11.

s. 307 „Nie całkiem dokładnie rozumiem..." *ibid.*, s. 18.

s. 307 „Gdy zaczęliśmy brać udział w walce..." osobista relacja Lena Dziabasa (2. batalion, 351. pułk, 88. dywizja amerykańska).

s. 307 „Odgłosy wojny ciągle są czymś nowym..." Heubner, *op. cit.*, s. 42.

s. 307 „pies na rozgłos..." wywiad telefoniczny z Miltonem Dolingerem z 3 kwietnia 2003 roku.

s. 308 „Pewnego dnia, gdy pomagałem kopać rów latryny..." Dolinger, Milton, *The 88th Infantry Division's Public Relations Section*, biuletyn „The Blue Devil" 2001.

s. 308 „uznaniem..." Fussell, *op. cit.*, s. 153.

s. 309 „Jack [Delaney] wpadł na pomysł..." Dolinger, *op. cit.*

s. 309 „ponura grupa poległych, w sangarze..." Delaney, John, *The Blue Devils in Italy*, Infantry Journal Press 1947, s. 45.

s. 309 99 poległych, 252 rannych... *ibid.*, s. 47.

s. 309 „Opuszczony budynek niedaleko punktu dowodzenia batalionu..." Heubner, *op. cit.*, s. 49.

s. 309 „Całą noc strzela nasza ciężka artyleria..." *ibid.*, s. 53.

s. 310 „wędrował po wąskich ścieżkach..." *ibid.*, s. 61.

s. 310 „Kucharze są roztrzęsieni..." list Arthura Schicka (3. batalion, 351. pułk, 88. dywizja amerykańska) z 26 kwietnia 1944 r.

s. 310 „Od kilku już tygodni nie dostałem od ciebie listu..." list Schicka z 28 kwietnia 1944 r.

s. 310 „Obiecuję wam, że to już niedługo..." Delaney, *op. cit.*, s. 58.

s. 310 „Znowu zawracali nam głowę generałowie..." list Schicka z 4 maja 1944 r.

s. 311 „Skutki tego trudnego okresu oczekiwania..." Fry, James C. (350. pułk, 88. dywizja amerykańska), *Combat Soldier*, National Press Inc. 1968, s. 11.

s. 311 „Czekanie było udręką..." nie publikowany dziennik Murata.

s. 312 „tysiące min..." wywiad z Frankiem Sellwoodem (225. polowa kompania saperów, 4. dywizja brytyjska) z 12 sierpnia 2002 roku.

s. 313 „Umówiliśmy się na spotkanie..." Daniell, A. P. de T. (59. polowa kompania saperów, 4. dywizja brytyjska), *The Battle for Cassino May 1944* w: „Royal Engineer Journal" 1951, s. 297.

s. 314 „najszybciej w całym życiu..." *ibid.*, s. 293.

s. 314 „Morale było bardzo, bardzo wysokie..." film wideo Royal Engineers*Amazon (Crossing the Rapido)*, RSME G309 1988, © Royal Engineers Library, Chatham. Wykorzystano za zgodą.

s. 314 „Mieliśmy czas, żeby napisać listy do domu..." Riordan, Thomas M. J. (7. polowa kompania saperów, 4. dywizja brytyjska), *A History of 7th Field Company RE*, wyd. nakładem autora 1984, s. 139.

s. 314 „chmary robaczków świętojańskich pokrywały..." *ibid.*, s. 140.

s. 315 „Mój ojciec został zaatakowany gazem..." wywiad z Frederickiem Beachamem (1. batalion fizylierów królewskich, 17. brygada, 8. dywizja indyjska) z 5 sierpnia 2002 roku.

s. 315 „Była długa, męcząca i czasami bardzo przerażająca..." pisemna relacja Beachama, IWM 67/384/1.

s. 316 „Przedstawiali żałosny widok..." wywiad z Józefem Pankiewiczem (2. brygada, 3. Dywizja Strzelców Karpackich) z 7 sierpnia 2003 roku i jego pisemna relacja.

s. 318 „Nie wierzyłem w to, myślałem, że umarłem..." wywiad z Piotrem Sułkiem (7. pułk artylerii konnej, korpus polski) z 16 września 2002 roku.

s. 319 „Jasne było dla mnie..." Anders, Władysław, *Bez ostatniego rozdziału*, Gryf Publishers Ltd. 1949, cyt. za: Wydawnictwo „Test" 1992, s. 224.

s. 319 „Pierwszy raz spotkaliśmy się z żołnierzami polskiej dywizji..." Eke, *op. cit.*, s. 94.

s. 320 „wywołało przygnębienie wśród żołnierzy..." Anders, *op. cit.*, s. 233.

s. 320 „Będziemy się bili nieustępliwie z Niemcami..." *ibid.*, s. 234.

s. 320 „Dla 2. Korpusu Polskiego przewidziano..." *ibid.*, s. 240.

s. 321 „czasami ich powaga..." Majdalany, *Cassino*, s. 234.

s. 321 „uważali, że zbyt mało się wszystkim przejmujemy..." Majdalany, *Monastery*, s. 105.

s. 321 „czy żarliwość Polaków..." Majdalany, *Cassino*, s. 234.

s. 321 „Ich motywy były równie oczywiste..." Horsfall, John, *Fling our Banner to the Wind*, Kineton 1978, s. 33.

s. 321 „Mówiono w nich: «Dajcie spokój, Polacy, Rosjanie nadchodzą» ... Zbigniew Budzyński (5. Kresowa Dywizja Piechoty), cyt. w: Henderson, Diana M. (red.), *The Lion and the Eagle*, Cualann Press 2001, ss. 34-35.

s. 321 „Nadeszła chwila bitwy..." Anders, *op. cit.*, s. 251.

s. 322 „Przez całą minioną zimę..." cyt. w: Connell, *Monte Cassino*, Elek 1963, s. 124.

s. 322 „gdy odczytywano rozkaz..." Majdalany, *Monastery*, s. 125.

s. 322 „To był wspaniały rozkaz..." archiwum Suttona, IWM.

s. 323 „Strach przed atakiem jest czymś powszechnym..." cyt. w: Copp i McAndrew, *op. cit.*, s. 75.

s. 323 „kłębkiem nerwów..." wywiad z Jackiem Meekiem (17/21. Lancers, brytyjska 6. dywizja pancerna) z 11 września 2002 roku.

s. 323 „Jak zwykle przed każdą walką..." relacja Jacka Meeka, spisana w 1946 roku.

s. 324 „To miała być moja pierwsza akcja..." archiwum H. Buckle'a (17/21. Lancers, brytyjska 6. dywizja pancerna), s. 85, IWM.

s. 324 „najdłuższą w życiu..." Lee Harvey, *op. cit.*, s. 112.

ROZDZIAŁ 16: PRZEŁAMANIE OBRONY

s. 325 „Wszelki ruch był ściśle zabroniony..." relacja Beachama, *op. cit.*

s. 326 „najbardziej ekscytującym i porywającym doznaniem w życiu..." list Johna Williamsa (328. bateria, 99. Light AA, Royal Artillery, przydzielony do 13. korpusu brytyjskiego) z 15 grudnia 2002 roku.

s. 326 „Ryk dział jest tak ogłuszający..." Heubner, *op. cit.*, s. 62.

s. 326 „wyglądało to tak, jakby ktoś włączył światła..." wywiad z Frettlöhrem z 15 września 2002 roku.

s. 326 „budził podziw..." relacja Beachama, *op. cit.*

s. 326 „Artylerzyści pracowali jak maszyny..." Dolinger, Milton, *With 88th Division Artillery, Rome,* napisane w czerwcu 1944 r., „The Blue Devil", 1991.

s. 327 „Kule zaczęły świstać..." cyt. w: „Images of War", *op. cit.*, s. 745.

s. 328 „Liczba wystrzeliwanych pocisków..." relacja Beachama, *op. cit.*

s. 329 „Gdy kompanii udało się przedostać na drugą stronę..." osobista relacja Davida Wilsona (1/12. Frontier Force Regiment, 17. brygada, 8. dywizja indyjska).

s. 329 „Białe taśmy orientacyjne zniknęły..." osobista relacja A. F. Chowna (1/12. Frontier Force Regiment, 17. brygada, 8. dywizja indyjska).

s. 329 „jednym szeregiem w stronę Niemców, opierając się na wskazaniach kompasu..." relacja Wilsona.

s. 329 „Trwała noc pełna zamętu..." relacja Chowna.

s. 330 „Wstało słońce w całej swojej wspaniałości..." relacja Beachama, *op. cit.*

s. 331 „Około ósmej rano mgła podniosła się..." relacja Wilsona.

s. 332 „dzień, którego nigdy nie zapomnę..." wywiad z Menditto z 22 lutego 2003 roku.

s. 332 „Szybko, może z dwadzieścia minut..." relacja Richarda Barrowsa (sztab kompanii, 351. pułk, 88. dywizja amerykańska) i jego pisemne odpowiedzi na pytania.

s. 333 „krzyczał i wydzierał się na nich..." wywiad z Menditto z 22 lutego 2003 roku.

s. 334 „Pięć... cztery..." Cuvillier, *op. cit.*, s. 33.

s. 335 „Wysunięte punkty chirurgiczne..." *ibid.*, s. 34.

s. 335 „Od pierwszej w nocy 12 maja batalion..." nie publikowany dziennik Murata.

s. 335 „nie było już czasu, żeby się bać..." wywiad z Muratem z 12 lutego 2003 roku.

s. 335 „Teraz kompania formuje szyk bojowy..." nie publikowany dziennik Murata.

s. 337 „Noc przechodzi w dzień..." Cuvillier, *op. cit.*, s. 34.

s. 337 „Pocisk, świszcząc, przeleciał nisko nad moją głową..." Zbigniew Fleszar (1. batalion, 1. brygada, 3. Dywizja Strzelców Karpackich), cyt. w: „Images of War", *op. cit.*, s. 749.

s. 338 „Pociski naszej artylerii..." Edward Rynkiewicz (2. batalion, 1. brygada, 3. Dywizja Strzelców Karpackich), cyt. w: Connell, *op. cit.*, s. 180.

s. 338 „pot zalewał oczy..." cyt. w: „Images of War", *op. cit.*, s. 749.

s. 338 „Runęliśmy naprzód..." Connell, *op. cit.*, ss. 179 i n.

s. 340 Osiemnastu z dwudziestu saperów... Piekałkiewicz, *op. cit.*, s. 170.

s. 341 „Gdy zapadły ciemności, Niemcy..." Connell, *op. cit.*, s. 189.

s. 341 „Gdy zobaczyliśmy, że rannych Niemców..." *ibid.*, s. 191.

s. 341 „Wychodzi szereg ostrych przeciwuderzeń..." Anders, *op. cit.*, s. 253.

s. 342 Niektórzy żołnierze przeprawili się z powrotem przez rzekę na „domniemany rozkaz"... Ellis, *op. cit.*, s. 300.

s. 343 „Dym gęstniał..." Riordan, *op. cit.*, s. 142.

s. 343 „Gdy dotarliśmy na miejsce przeprawy..." film wideo Royal Engineers, *op. cit.*

s. 343 „Było oczywiste, że dopóki piechota nie oczyści..." Riordan, *op. cit.*, s. 143.

s. 343 „Nikt nic nie mówił..." wywiad z Robertem Listerem (7. polowa kompania saperów, 4. dywizja brytyjska) z 24 października 2002 roku.

s. 344 „przybite grupki piechoty..." Daniell, *op. cit.*, s. 294.

s. 344 „Natykałeś się na ludzi..." wywiad z Sellwoodem z 12 sierpnia 2002 roku.

s. 344 „Szkopy musiały wyczuć..." Daniell, *op. cit.*, s. 294.

ROZDZIAŁ 17: MOST AMAZON

s. 345 „Wyglądało to tak, jakby cała ta wielka góra..." archiwum Suttona, IWM.

s. 345 „Jak sam widziałem rankiem 12 maja..." Kesselring, *op. cit.*, s. 200.

s. 346 „w którym podano szczegóły przegrupowania w nocy..." Kronika wojenna 4. dywizji, 20.00, 12 maja 1944 r., cyt. w: Ellis, *op. cit.*, s. 302.

s. 346 „Jak sądzicie, to dobry plan?..." cyt. w: Riordan, *op. cit.*, s. 145.

s. 346 „Wydawało się, że saper..." archiwum Suttona, IWM.

s. 347 „Był jasny, bezchmurny wieczór..." Riordan, *op. cit.*, s. 147.

s. 347 „Cholera jasna! Wchodzimy następni!..." wywiad z Bertem Hobsonem (7. polowa kompania saperów, 4. dywizja brytyjska) z 12 września 2002 roku.

s. 347 „że nie będą potrzebni..." wywiad z Sellwoodem z 12 sierpnia 2002 roku.

s. 347 „Po mojej prawej stronie, całkiem blisko..." film wideo Royal Engineers, *op. cit.*

s. 348 „Problem polegał na tym, że do każdego rannego..." wywiad z Hobsonem z 12 września 2002 roku.

s. 348 „zwiększając pożogę..." Daniell, *op. cit.*, s. 298.

s. 348 „Przypominało to piekło Dantego..." wywiad telefoniczny ze Stanem Gooldem (18. polowa kompania parków materiałowych, 4. dywizja brytyjska) z 6 grudnia 2002 roku.

s. 349 „Wszyscy rzucili narzędzia..." wywiad telefoniczny z Jo Gileardem (7. polowa kompania saperów, 4. dywizja brytyjska) z 5 listopada 2002 roku.

s. 349 „Było to bardzo denerwujące..." wywiad z Hobsonem z 12 września 2002 roku.

s. 349 „a później, już w czystej desperacji..." Daniell, *op. cit.*, s. 299.

s. 349 „Nieśliśmy złożoną brezentową łódź..." wywiad z Sellwoodem z 12 sierpnia 2002 roku.

s. 349 „To była prawdziwa katastrofa..." Daniell, *op. cit.*, s. 300.

s. 350 „Mogę tylko dojść do wniosku, że zdarzenie..." cyt. w: Riordan, *op. cit.*, s. 165.

s. 350 Za piętnaście piąta Wayne... ffrench Blake, R. L. V., *History of the 17/21 Lancers 1922–59*, Macmillan 1962, ss. 160-161.

s. 350 „Ktoś podał mi kubek herbaty..." cyt. w: Riordan, *op. cit.*, ss. 165-166.

s. 350 „Usłyszałem czołgi..." archiwum Suttona, IWM.

s. 351 „Pędem minęliśmy transporter..." Framp, *op. cit.*, ss. 103-104.

s. 351 „Zobaczyłem jasny błysk polerowanej stali..." *ibid.*, ss. 105-106.

s. 351 „Było więcej jeńców..." archiwum Suttona, IWM.

s. 352 „Wszędzie było pełno ciał..." wywiad z Meekiem z 11 września 2002 roku.

s. 352 „Około wpół do czwartej..." relacja Beachama, *op. cit.*

s. 353 „Żądanie, żebyśmy atakowali..." wywiad z Beachamem z 2 sierpnia 2002 roku.

s. 354 „w ciągu siedmiu dni mojego dowodzenia..." archiwum H. G. Harrisa (1/6. Surreys, 10. brygada, 4. dywizja brytyjska), IWM.

s. 354 „Atakowaliśmy, atakowaliśmy i atakowaliśmy..." Robson, *op. cit.*, s. 97.

s. 355 „Słyszę gwałtowny ogień z broni strzeleckiej..." Heubner, *op. cit.*, s. 65.

s. 355 „To było wspaniałe..." Delaney, *op. cit.*, s. 70.

s. 355 „Okopaliśmy się w dawnym niemieckim zbiorniku ściekowym..." osobista relacja Barrowsa.

s. 356 „Czołgi, dudniąc, przejeżdżały obok..." Heubner, *op. cit.*, s. 68.

s. 356 „Musiałem wzywać lekarza..." Fry, *op. cit.*, s. 35.

s. 356 „Jedynym słowem, jakie znam, a którym można to opisać, jest tchórzostwo..." *ibid.*, s. 29.

s. 357 „Cała nasza broń otwiera jednocześnie ogień..." nie publikowany pamiętnik Murata.

s. 358 „Nie możesz wyobrazić sobie okrucieństwa i potworności tego odwrotu..." SHAT 1K475 18 maja 1944 r., cyt. w: Notin, *op. cit.*, s. 382.

s. 359 żeby nie wzięto ich za Niemców... Heubner, *op. cit.*, s. 76.

s. 359 „Nagle usłyszeliśmy strzały i krzyki..." wywiad telefoniczny z Lenem Dziabasem z 2 kwietnia 2003 roku.

s. 359 „Niestety, gwałty, których dopuszczali się..." Cuvillier, *op. cit.*, ss. 45-46.

ROZDZIAŁ 18: KLASZTOR

s. 360 „grzmiący ostrzał. (...) Siedzieliśmy tam przez pięć dni..." wywiad z Langelüddeckiem z 7 marca 2003 roku.

s. 360 „Niemożliwe, żeby to się rozwiało..." major Veth, cyt. w: Böhmler, *op. cit.*, s. 266.

s. 360 „to, co zobaczyli, wróżyło tylko nieszczęście..." *ibid.*, s. 266.

s. 361 „Nie można było tego wytrzymać..." cyt. w: Ellis, *op. cit.*, s. 334.

s. 361 „morderczym ogniem krzyżowym broni strzeleckiej..." podchorąży Pihut (6. batalion, 2. brygada, 3. Dywizja Strzelców Karpackich), cyt. w: Connell, *op. cit.*, s. 162.

s. 362 z jednej z niemieckich kompanii zostało tylko trzech ludzi... Böhmler, *op. cit.*, s. 268.

s. 362 „Uważam odwrót na pozycję Sengera za konieczny..." cyt. w: Ellis, *op. cit.*, s. 311.

s. 362 „Opuścimy Cassino..." wywiad z Langelüddeckiem z 7 marca 2003 roku.

s. 362 „Przechwyciliśmy meldunek po niemiecku..." pułkownik Łakiński (3. Dywizja Strzelców Karpackich), cyt. w: Connell, *op. cit.*, s. 172.

s. 363 „Poszedłem do kapitana Beyera..." wywiad z Langelüddeckiem z 7 marca 2003 roku.

s. 363 „wielki błysk..." wywiad z Frettlöhrem z 15 września 2002 roku.

s. 364 „Nasza siła bojowa stopniała..." relacja Eggerta i wywiad z 20 marca 2003 roku.

s. 366 „Początkowo nie chciał uwierzyć..." Connell, *op. cit.*, s. 172.

s. 366 „Smród rozkładu unosił się nad wzgórzem..." cyt. w: Piekałkiewicz, *op. cit.*, s. 181.

s. 366 „w bandażach i łachmanach, nie ogoleni, brudni..." Kazimierz Gurbiel (1. szwadron, 12. Pułk Ułanów Podolskich, 3. Dywizja Strzelców Karpackich) cyt. w: Andrzejewski, Zenon, nie publikowana rozmowa z Gurbielem.

s. 367 „Była dziesiąta rano, gdy Polacy przyszli..." cyt. w: „Images of War", *op. cit.*, s. 751.

s. 367 „Powiedziałem przez mojego [mówiącego po niemiecku] Ślązaka..." cyt. w: Andrzejewski, *op. cit.*

s. 367 „Po tych wszystkich walkach..." „Images of War", *op. cit.*, s. 749.

s. 367 „Coś ścisnęło mnie za gardło..." cyt. w: Piekałkiewicz, *op. cit.*, s. 181.

s. 368 „Cassino w naszych rękach..." wywiad z Lorimerem z 17 grudnia 2002 roku.

s. 368 „Trzymaliśmy się z determinacją..." cyt. w: Connell, *op. cit.*, s. 162.

s. 368 „najbardziej wzruszającą chwilą..." cyt. w: *ibid.*, s. 172.

s. 368 „który wiedział o nas więcej..." „Everyone's War" nr 6, *op. cit.*, s. 23.

s. 368 zdumiała go... wywiad z Frettlöhrem z 15 września 2002 roku.

s. 368 „O dwunastej..." Erskine, D., *The Scots Guards*, 1919–55, Clowes 1956, s. 234.

s. 369 „Jakżeż straszliwy widok przedstawiało pobojowisko..." Anders, *op. cit.*, ss. 256-257.

s. 369 „natknęli się na długi korytarz..." Connell, *op. cit.*, s. 151.

s. 372 „Wjechałem o świcie..." cyt. w: „Everyone's War" nr 5, *op. cit.*, s. 40.

s. 372 „Miasto nie wróciło wtedy jeszcze do normalnego handlu..." relacja Beachama, *op. cit.*

s. 372 „Nie spodziewaj się ode mnie normalnych listów..." Robson, *op. cit.*, s. 96.

s. 373 „kampanią, która ze względu na brak sensu strategicznego..." Fuller, J. F. C., *The Second World War*, Eyre & Spottiswoode 1948, s. 261.

s. 373 „Niektórzy uważali, że ta kampania..." film *Battle for Cassino*, Big Little Picture Company, BLP110, 1996.

s. 373 „Jeśli jesteś taki twardy, to dlaczego ty jesteś w niewoli..." cyt. w: Ellis, *op. cit.*, s. 464.

s. 374 „Późnym popołudniem..." Bowlby, *op. cit.*, s. 20.

POSŁOWIE: PRZETRWAĆ POKÓJ

s. 375 „Żołnierze wzruszyli ramionami..." Robson, *op. cit.*, ss. 139-40.

s. 375 „Obrzydliwy smród tych ciał..." copyright Siegfried Sassoon, dzięki uprzejmej zgodzie George'a Sassoona.

s. 375 „trzy małe postaci w mundurach polowych..." Blythe, *op. cit.*, s. 184.

s. 376 „Przybyliśmy do Folkestone..." Salmon, *op. cit.*, s. 84.

s. 377 7 oficerów i 14200 szeregowych... Anders, *op. cit.*, s. 419.

s. 377 „W 1946 roku przyjechałem do Anglii..." osobista relacja Pankiewicza.

s. 377 „Mojej matce nie podobał się taki styl życia..." Salmon, *op. cit.*, s. 95.

s. 378 „To odczucie było w niektórych miejscach tak silne..." Mauldin, *op. cit.*, s. 19.

s. 378 „Być może on [żołnierz] znowu się zmieni..." *ibid.*, s. 34.

s. 378 „Były to dla nas dziwne czasy..." wywiad z Cockerem z 15 grudnia 2002 roku.

s. 379 „Byliśmy zupełnie zagubieni..." wywiad z Lorimerem z 17 grudnia 2002 roku.

s. 379 „Te artykuły w żadnym stopniu nie są adekwatnymi..." Gellhorn, Martha, *The Face of War*, Hart Davies 1959, wyd. Granta 1998, s. 96.

s. 379 „żeby poszukać własnych ofiar..." wywiad z Bondem z 10 sierpnia 2002 roku.
s. 380 „O jednej rzeczy nie wspomniałem..." e-mail od Barrowsa z 12 grudnia 2002 roku.
s. 380 „władował cały magazynek..." wywiad z Beachamem z 5 sierpnia 2002 roku.
s. 380 „jesteś jakby wściekły..." wywiad z Cunninghamem z 24 lutego 2003 roku.
s. 381 „Dotarcie do Billa zajęło mi osiemnaście lat..." cyt. w: Watt, *op. cit.*, s. 141.
s. 381 „miłe, uśmiechnięte dziewczyny z Czerwonego Krzyża..." cyt. w: Fussell, *op. cit.*, s. 288.
s. 381 „Nie ma jakiejś szalonej żywiołowości..." wpis z dziennika Kindrego z 11 kwietnia 1944 roku.
s. 381 „Wszyscy spodziewają się końca..." Davie, *op. cit.*, ss. 623-624, cyt. w: Fussell, *op. cit.*, s. 137.
s. 382 „Udało mi się przeżyć też Anzio i Rzym..." Hartung, *op. cit.*, s. 42.
s. 382 „zwinąłem się w sobie..." wywiad z Hartungiem z 3 czerwca 2003 roku.
s. 382 „Miałem poważne urazy psychiczne..." wywiad z Beachamem z 5 sierpnia 2002 roku.
s. 382 „po wojnie..." wywiad z Koloskim z 25 lutego 2003 roku.
s. 383 „Jeden z facetów na statku z Neapolu do Afryki..." wywiad z Cunninghamem z 24 lutego 2003 roku.
s. 383 „Zaraz po powrocie..." wywiad z Awesem z 22 lutego 2003 roku.
s. 383 „Wielu [początkowo] miało niepokojące wspomnienia..." ulotka US Veterans' Association, www.dartmouth.edu/dms/ptsk/FS_Older_Veterans.html, przeczytana 2 sierpnia 1999 roku.
s. 384 „Latem 2002 roku..." wywiad z Awesem z 22 lutego 2003 roku.
s. 384 „Nadal odczuwam ogromną dumę..." wywiad z Muratem z 12 lutego 2003 roku.
s. 384 *Les victoires oubliées de la France...* Notin, *op. cit.*
s. 384 Przeprowadzono losowanie... Douds, *op. cit.*, s. 128.
s. 385 „Och, pogrzebcie mnie pod Cassino"... Alibhai, Y., *Lest we forget*, po raz pierwszy zamieszczony w: „New Statesman" 21 czerwca 1991 r., s. 16, cyt. w: Douds, *op. cit.*, s. 128.
s. 385 „Wojna: dzisiaj bardziej niż kiedykolwiek wcześniej..." e-mail Eggerta z 12 marca 2003 roku.
s. 385 „Radziłem sobie z tym zdumiewająco dobrze..." wywiad z Eggertem z 20 marca 2003 roku.
s. 385 „w stanie kompletnego szoku..." wywiad z Kleinem z 1 lutego 2003 roku.
s. 385 „Amerykanie z pięćdziesięcioma czołgami..." wywiad z Langelüdeckiem z 7 marca 2003 roku.
s. 387 „Mój drogi Kazimierzu..." listy dostarczone przez Frettlöhra.
s. 387 „To nie było to ładne, miłe miasto..." wywiad telefoniczny z Pittacciem z 8 kwietnia 2003 roku.
s. 388 „Oczywiście nie było to Cassino..." artykuł Cyrila Harte'a w „Northampton Chronicle and Echo" 30 maja 1994 r.
s. 388 „pozbawionych jakiegokolwiek uzasadnienia strategicznego..." Ellis, *op. cit.*, s. xv.
s. 389 zabierania na pamiątkę skórzanych identyfikatorów... wywiad z Awesem z 22 lutego 2003 roku.
s. 390 „Udaję dzielną..." Robson, *op. cit.*, s. 130.
s. 390 „Droga Barbaro..." list do Barbary Schick z 20 lipca 1944 roku.
s. 390 „z tego na dobre..." Robson, *op. cit.*, s. 83.

Wybrana bibliografia źródeł opublikowanych

Addison, Paul i Calder, Angus (red.), *Time to Kill: The Soldier's Experience of War in the West 1939-45*, Pimlico 1997.

Alanbrooke, lord, *War Diaries 1939–45*, Weidenfeld & Nicolson 2001.

Alexander of Tunis, *Alexander Memoirs 1940–5*, Cassell 1962.

Anders, Władysław, *Bez ostatniego rozdziału*, Gryf Publishers Ltd., Londyn 1949.

Ankrum, Homer R., *Dog Faces who Smiled through Tears*, Graphic Publishing Company 1987.

Anonim, *The Tiger Triumphs*, HMSO 1946.

Aris, George, *The Fifth British Division*, 5th Division Benevolent Fund 1959.

Barclay, C. N., *The History of the Sherwood Foresters*, Clowes 1952.

– *The London Scottish in the Second World War*, Clowers 1952.

Blumenson, M., *Bloody River*, Allen & Unwin 1970.

– *Salerno to Cassino*, Government Printing Office 1969.

– *Mark Clark*, Congdon & Weed, New York 1984.

Blythe, John, *Soldiering on*, Sphere 1968.

Blythe, Ronald, *Private Words, Letters and Diaries from the Second World War*, Viking 1991.

Böhmler, Rudolf, *Monte Cassino*, Cassell 1964.

Bond, H. L., *Return to Cassino*, Doubleday 1964.

Bourke-White, M., *Purple Heart Valley*, Simon & Schuster 1944.

Bowlby, Alex, *The Recollections of Rifleman Bowlby*, Leo Cooper 1969.

Broadfoot, Barry, *Six War Years*, Doubleday, Toronto 1974.

Brutton, Philip, *Ensign in Italy*, Leo Cooper 1992.

Bryan, sir Paul, *Wool, War and Westminster*, Tom Donovan 1993.

Buckley, Christopher, *The Road to Rome*, Hodder & Stoughton 1945.

Carver, lord, *The Imperial War Museum Book of the War In Italy*, Sidgwick & Jackson 2001.

Chadwick, Owen, *Britain and the Vatican During the Second World War*, Cambridge University Press 1987.

Chambe, R., *Le Bataillon du Belvedere*, Flammarion Press 1953.

Chaplin, H. D., *The Queen's Own Regiment 1920–50*, Michael Joseph 1954.

Churchill, W., *The Second World War*, Cassell 1964 [wyd. pol.: *Druga wojna światowa*, przeł. Elżbieta Katkowska, Phantom Press International/Refren, Gdańsk 1996].
Clark, M., *Calculated Risk*, Harrap 1951.
Cochrane, Peter, *Charlie Company*, Chatto & Windus 1977.
Cody, J. F., *21 Battalion*, Department of Internal Affairs, Wellington 1953.
– *28 (Maori) Battallion*, Department of Internal Affairs, Wellington 1958.
Connell, C., *Monte Cassino*, Elek 1963.
Copp, Terry i McAndrew, Bill, *Battle Exhaustion*, McGill-Queens University Press, Montreal 1990.
Crawford, John, *North from Taranto: New Zealand and the Liberation of Italy 1943–45*, New Zealand Defence Force 1994.
Cross, J. P., i Gurung, Buddhiman (red.), *Gurkhas at War: The Gurkha Experience in Their Own Words, World War II to the Present*, Greenhill Press 2002.
Cuvillier, Solange, *Tribulations d'une Femme dans l'Armée Française*, Lettres du Monde 1991.
Daniell, A. P. de T., *The Battle for Cassino May 1944*, „Royal Engineers Journal" 1951.
– *Mediterranean Safari*, Orphans Press 1990.
David, Saul, *Mutiny at Salerno*, Brassey's 1995.
Delaney, John, *The Blue Devils in Italy*, Infantry Journal Press, Washington 1947.
D'Este, Carlo, *Fatal Decision*, HarperCollins 1991.
Doherty, Richard, *Clear the Way! A History of the Irish Brigade, 1941–1947*, Irish Academic Press 1993.
Ellis, John, *Cassino: The Hollow Victory*, André Deutsch 1984.
Erskine, D., *The Scots Guards, 1919–55*, Clowes 1956.
Fergusson, Bernard, *The Black Watch and the King's Enemies*, Collins 1950.
Fisher, E. J., *Cassino to the Alps*, Government Printing Office, Washington 1977.
Ford, Ken, *BattleAxe Division*, Sutton 1999.
Fox, F., *The Royal Inniskilling Fusiliers in the Second World War*, Gale and Polden 1951.
Framp, Charles, *The Littlest Victory*, wyd. nakładem autora, b.d. (w IWM).
ffrench Blake, R. L. V., *History of the 17/21 Lancers 1922–59*, Macmillan 1962.
Fry, James C., *Combat Soldier*, National Press Inc., Washington 1968.
Fuller, J. F. C., *The Second World War*, Eyre & Spottiswoode 1948 [wyd. pol.: *Druga wojna światowa*, Wyd. MON, Warszawa 1958].
Fussell, Paul, *Wartime*, Oxford University Press 1989.
Gardiner, Wira, *The Story of the Maori Battalion*, Reed 1992.
Gellhorn, Martha, *The Face of War*, Hart Davies 1959 (cytaty za wyd. Granta 1998).
Gilbert, Martin, *The Road to Victory*, Heinemann 1986 (cytaty za wyd. w miękkiej oprawie 1989).
Godfrey, E. G., *The History of Duke of Cornwall's Light Infantry*, Images Publishing 1994.
Gooch, John (red.), *Decisive Campaigns of World War Two*, Frank Cass 1990.
Graham, Dominick, *Cassino*, Ballantine Books 1971.
Graham, Dominick i Bidwell, Shelford, *Tug of War*, Hodder & Stoughton 1986.

Hapgood, David i Richardson, David, *Monte Cassino*, Congdon & Weeed 1984 (cytaty za wyd. Da Capo Press 2002).
Hart, Peter, *The Heat of Battle*, Leo Cooper 1999.
Heller, Joseph, *Catch-22*, Jonathan Cape 1962 [wyd. pol.: *Paragraf 22*, przeł. Lech Jęczmyk, Warszawa 1975].
Henderson, Diana (red.), *The Lion and the Eagle*, Cualann Press 2001.
Heubner, Klaus H., *Long Walk through War*, Texas A&M University Press 1987.
Heurgnon, Capitaine, *La Victoire sous la Signe des Trois Croissants*, Editions Pierre Voilon 1946.
Hinsley, F. H., *British Intelligence*, Vol. 3 HMSO 1984.
Horsfall, John, *Fling our Banner to the Wind*, Kineton 1978.
Jackson, W. G. F., *The Battle for Rome*, Batsford 1969.
Juin, A., *Mémoires Alger, Tunis, Rome*, Librairie Arthème Fayard 1959.
Kay, Robin, *27 Machine-Gun Battalion*, Department of Internal Affairs, Wellington 1958.
Keegan, John, *The Second World War*, Century Hutchinson 1989.
Kesselring, Albert, *The Memoirs*, William Kimber 1953 [wyd. pol.: *Żołnierz do końca*, Bellona, Warszawa 1996].
Kippenberger, Howard, *Infantry Brigadier*, OUP 1949.
Laffin, John, *British VCs of the Second World War*, Sutton 1997.
Lee Harvey, J. M., *D-Day Dodger*, Kimber 1979.
Lewis, N., *Naples '44*, Collins 1978 (cytaty za wyd. Eland Press 1983).
Linklater, E., *The Campaign in Italy*, HMSO 1951.
Lutter, Horst, *Das War Monte Cassino*, Wilhelm Heyne Verlag 1960.
Madden, B. J. G., *The History of the 6th Battalion the Black Watch 1939–45*, Leslie 1948.
Majdalany, Fred, *The Monastery*, Bodley Head 1945.
– *Cassino, Portrait of a Battle*, Longmans, Green & Co 1957 (cytaty za wyd. w miękkiej oprawie Cassell Military 1999).
Martin, T. A., *The Essex Regiment 1929–50*, wyd. nakładem autora 1952.
Mauldin, Bill, *Up Front*, Henry Holt 1945 (cytaty za wyd. University of Nebraska 2000).
McKinney, J. B., *Medical Units of 2 NZEF in Middle East and Italy*, Department of Internal Affairs, Wellington 1952.
Milligan, Spike, *Mussolini: His Part in My Downfall*, Michael Joseph 1978 (cytaty za wyd. w miękkiej oprawie Penguin 1980).
Molony, C. J. C., *The Mediterranean and the Middle East*, Vol. 5 HMSO 1973.
Moorehead, Alan, *Eclipse*, Hamish Hamilton 1945.
Morris, Eric, *Circles of Hell*, Hutchinson 1993.
Nicolson, N. *Alex*, Weidenfeld & Nicolson 1973.
Norton, F. D., *26 Battalion*, Department of Internal Affairs, Wellington 1952.
Notin, Jean-Christophe, *La Campagne d'Italie*, Librarie Académique Perrin 2002.
Origo, Iris, *The War in the Val D'Orcia*, David R. Godine 1947.
Overy, Richard, *Why the Allies Won*, Jonathan Cape 1995.
Palmer, Bennett J., *The Hunter and the Hunted*, wyd. nakładem autora 1992.
Parkinson, C. N., *Always a Fusilier*, Sampson Low 1949.

Philips, N. C., *The Sangro to Cassino*, Department of Internal Affairs, Wellington 1957 (ponowne wyd. Battery Press Inc.).
Piekałkiewicz, Janusz, *Cassino: Anatomy of a Battle*, Orbis 1980.
Puttick, E., *25 Battalion*, Department of Internal Affairs, Wellington 1958.
Pyle, Ernie, *Brave Men*, Henry Holt 1944 (cytaty za wyd. w miękkiej oprawie University of Nebraska 2001).
Ray, C., *Algiers to Austria: The History of 78th Division in World War II*, Eyre & Spottiswoode 1952.
Riordan, Thomas M. J., *A History of the 7th Field Company RE*, wyd. nakładem autora 1984.
Robson, Walter, *Letters from a Soldier*, Faber & Faber 1960.
Rock, George, *The History of the American Field Service, 1920–1955*, The American Field Service 1956.
Ross, A., *23 Battalion*, Department of Internal Affairs, Wellington 1957.
Senger und Etterlin, F. von, *Neither Fear Nor Hope*, Macdonald 1963.
Shephard, Ben, *War of Nerves: Soldiers and Psychiatrists 1914–1994*, Jonathan Cape 2000.
Sinclair, D. W., *19 Battalion and Armoured Regiment*, Department of Internal Affairs, Wellington 1954.
Smith, E. D., *Even the Brave Falter*, Robert Hale 1978 (cytaty za wyd. Allborough Press 1990).
– *The Battles for Cassino*, Ian Allan 1975.
Smith, Lee, *A River Swift and Deadly*, Eakin Press 1997.
Smith, Roger, *Up the Blue*, Ngaio Press 2000.
Stevens, G. R., *Fourth Indian Division*, McClaren and Sons 1949.
Stockman, Jim, *Seaforth Highlanders 1939–45*, Crecy Books 1987.
Sym, J., *Seaforth Highlanders*, Gale & Polden 1962.
Trevelyan, R., *Rome '44*, Secker & Warburg 1981.
Truscott, L. K., *Command Missions*, Dutton 1954.
Vojta, Francis J., *The Gopher Gunners: A History of Minnesota's 151st Field Artillery*, Burgess Publishing 1995.
Wagner, R. L., *The Texas Army*, Wagner 1972.
Walker, Fred L., *From Texas to Rome: A General's Journal*, Taylor Publishing Company 1969.
Watt, Lawrence, *Mates and Mayhem*, HarperCollins 1996.
Weinberg, Gerhard L., *A World at Arms*, Cambridge University Press 1994.
Westphal, S., *The German Army in the West*, Cassel 1951.
Williams, David, *The Black Cats at War*, IWM 1995.
Williams, Tony, *Cassino – New Zealand Soldiers in the Battle for Italy*, Penguin 2002.
Wright, Robert, *'Strewth so Help me God*, wyd. nakładem autora 1994.

DODATEK 1

Typowy brytyjski batalion piechoty 1943–1944

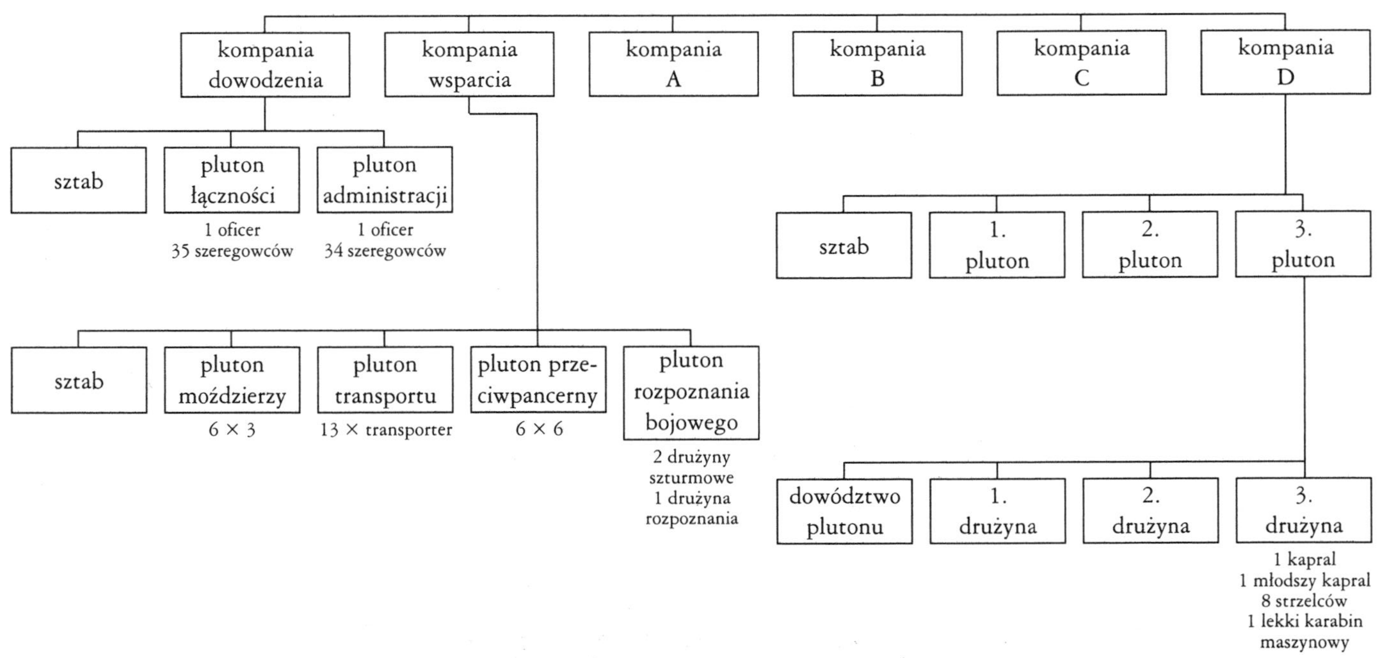

DODATEK 2

Ugrupowania bojowe

Jest to z konieczności wersja uproszczona, szczególnie jeśli chodzi o formacje niemieckie, które zmieniały się w czasie walk. Nie włączyłem też pułków artylerii, oddziałów przeciwlotniczych, kompanii saperów i materiałowych ani dodatkowych oddziałów rozpoznania, kawalerii i karabinów maszynowych.

PIERWSZA BITWA

10. korpus brytyjski (5. armia amerykańska)

5. dywizja

13. brygada

2. Cameron Highlanders
2. Inniskilling Fusiliers
2. Wiltshires

15. brygada

1. Green Howards
1. King's Own Yorkshire Light Infantry
1. York and Lancs

17. brygada

2. Royal Scots Fusiliers [królewscy fizylierzy szkoccy]

2. Northants
6. Seaforth Highlanders

46. dywizja

128. brygada

2. Hampshires
1/4. Hampshires
5. Hampshires

138. brygada

6. Lincolns
2/4. King's Own Yorkshire Light Infantry
6. Yorks and Lancs

139. brygada

2/5. Leicesters
5. Sherwood Foresters
16. Durham Light Infantry [lekka piechota Durham]

56. dywizja

167. brygada

8. Royal Fusiliers [fizylierzy królewscy]
9. Royal Fusiliers
7. Oxford and Buckinghamshire Light Infantry

168. brygada

1. London Scottish
1. London Irish
10. Royal Berkshires

169. brygada

2/5. Queen's

2/6. Queen's
2/7. Queen's

201. brygada Guards

6. Grenadier
3. Coldstream
2. Scots

2. korpus amerykański (5. armia amerykańska)

34. dywizja

133. pułk
135. pułk
168. pułk

36. dywizja

141. pułk
142. pułk
143. pułk

1. dywizja pancerna

Francuski Korpus Ekspedycyjny (5. armia amerykańska)

2. marokańska dywizja piechoty

4 RTM [Régiment de Tirailleurs marocains]
5 RTM
8 RTM

3. algierska dywizja piechoty

3 RTA [Régiment de Tirailleurs algériens]
4 RTT [Régiment de Tirailleurs tunisiens]
7 RTA

10. armia niemiecka

14. korpus pancerny

44. dywizja piechoty
3. dywizja grenadierów pancernych
71. dywizja piechoty
15. dywizja grenadierów pancernych
94. dywizja piechoty
29. dywizja grenadierów pancernych
5. dywizja górska
90. dywizja grenadierów pancernych

DRUGA I TRZECIA BITWA

Korpus Nowozelandzki (luty–marzec 1944)
(5. armia amerykańska)

2. dywizja nowozelandzka

5. brygada

21. batalion (Auckland)
23. batalion (Wyspa Południowa)
28. batalion (maoryski)

6. brygada

24. batalion (Auckland)
25. batalion (Wellington)
26. batalion (Wyspa Południowa)

4. brygada pancerna

18. pułk pancerny (Auckland)
19. pułk pancerny (Wellington)
20. pułk pancerny (Wyspa Południowa)
22. batalion zmotoryzowany

4. dywizja indyjska

5. brygada

1/4. Essex
1/6. Rajputana Rifles
1/9. Gurkha Rifles

7. brygada

1. Royal Sussex
4/16. pendżabski
1/2. Gurkha Rifles

11. brygada

2. Cameron Highlanders
4/6. Rajputana Rifles
2/7. Gurkha Rifles

78. dywizja (od 17 lutego)

11. brygada

2. Lancashire Fusiliers [fizylierzy Lancashire]
1. Surrey
5. Northants

36. brygada

6. Royal West Kents
5. Buffs
8. Argyll and Sutherland Highlanders

38. brygada

2. London Irish
1. Royal Irish Fusiliers
6. Inniskilling Fusiliers

CZWARTA BITWA

13. korpus brytyjski (8. armia brytyjska)

4. dywizja

10. brygada

2. Bedford and Herts
2. Duke of Cornwall's Light Infantry
1/6. Surreys

12. brygada

2. Royal Fusiliers
6. Black Watch
1. Royal West Kents

28. brygada

2. Somerset Light Infantry
2. King's
2/4. Hampshires

6. dywizja pancerna

1. brygada Guards

3. Grenadiers
2. Coldstream
3. walijski

26. brygada pancerna

16/5. Lancers
17/21. Lancers
2. Lothian and Border Horse

8. dywizja indyjska

17. brygada

1. Royal Fusiliers
1/12. Frontier Force
1/5. Gurkha Rifles

19. brygada

1/5. Essex
3/8. pendżabski
6/13. Frontier Force Rifles

21. brygada

5. Royal West Kents
1/5. Mahratta Light Infantry
3/15. pendżabski

1. korpus kanadyjski (8. armia brytyjska)

1. kanadyjska dywizja piechoty

1. brygada
2. brygada
3. brygada

5. kanadyjska dywizja pancerna

11. brygada
5. brygada zmotoryzowana

2. Korpus Polski (8. armia brytyjska)

3. Dywizja Strzelców Karpackich

1. brygada
2. brygada

5. Kresowa Dywizja Piechoty

5. brygada Wileńska
6. brygada Lwowska

2. polska brygada pancerna

1. pułk Ułanów Krechowieckich
4. pułk pancerny
6. pułk pancerny „Dzieci Lwowskich"

6. południowoafrykańska dywizja pancerna (w rezerwie)

2. korpus amerykański (5. armia amerykańska)

85. dywizja

337. pułk
338. pułk
339. pułk

88. dywizja

349. pułk
350. pułk
351. pułk

Francuski Korpus Ekspedycyjny (5. armia amerykańska)

2. marokańska dywizja piechoty – jw.

3. algierska dywizja piechoty – jw.

1. dywizja de Marche (wcześniej 1. dywizja Français Libre, później 1.dywizja d'Infantrie Motorisée)

1. brygada

2. brygada
4. brygada

4. marokańska dywizja górska

1. pułk
2. pułk
6. pułk

Goumiers

1. grupa Tabor
3. grupa Tabor
4. grupa Tabor

10. armia niemiecka (maj 1944)

14. korpus pancerny

71. dywizja piechoty
94. dywizja piechoty
29. dywizja grenadierów pancernych (od 21 maja)
90. dywizja grenadierów pancernych (od 14 maja)
305. dywizja piechoty (od 21 maja)
334. dywizja piechoty (od 26 maja)
26. dywizja grenadierów pancernych (od 18 maja)

51. korpus górski

44. dywizja piechoty
15. dywizja grenadierów pancernych
5. dywizja górska
1. dywizja spadochronowa
114. dywizja Jäger

Indeks